L'Éducation
sentimentale

FLAUBERT

—

L'Éducation
sentimentale

●

PRÉSENTATION
NOTES
DOSSIER
CHRONOLOGIE
BIBLIOGRAPHIE MISE À JOUR EN 2013
par Stéphanie Dord-Crouslé

GF Flammarion

Troisième édition corrigée, 2013
© Flammarion, Paris, 2001, pour la présente édition
ISBN : 978-2-0813-0942-5

Présentation

« Le grand succès m'a quitté depuis *Salammbô*. Ce qui
me reste sur le cœur, c'est l'échec de *L'Éducation sentimentale*. Qu'on n'ait pas compris ce livre-là, voilà ce qui
m'étonne. » Dans cette lettre adressée à son ami Tourgue-
niev le 2 juillet 1874[1], la déception de Flaubert n'est pas
seulement d'ordre littéraire. Si la critique – dans sa grande
majorité – a éreinté le roman, cela ne fait que renforcer le
préjugé défavorable que l'écrivain nourrit depuis toujours à
son endroit. Mais le roman n'avait pas seulement une portée
esthétique ; son contenu était, selon l'auteur, de nature à
éviter le désastre de Sedan, les débordements de la Commune et les désordres divers qui s'ensuivirent. Dans ses *Souvenirs littéraires*, Maxime Du Camp raconte une anecdote
révélatrice :

> [...] au mois de juin 1871, comme nous étions ensemble sur la
> terrasse du bord de l'eau, que nous regardions la carcasse noircie
> des Tuileries, de la Cour des comptes, du Palais de la Légion
> d'honneur et que je m'exclamais, il me dit : « Si l'on avait com-
> pris *L'Éducation sentimentale*, rien de tout cela ne serait
> arrivé[2]. »

Même s'il faut toujours rester prudent avec les dires de
l'ami Maxime, on est loin ici des conceptions de l'œuvre
d'art détachée de son temps, du « livre sur rien » et des affa-
dissements que cette expression et celles qui lui sont liées

---

1. Sauf indication contraire, les lettres mentionnées dans la présentation
proviennent de l'édition de Jean Bruneau et Yvan Leclerc, Gallimard,
« Bibliothèque de la Pléiade », t. I (1830-1851), 1973, t. II (1851-1858), 1980,
t. III (1859-1868), 1991, t. IV (1869-1875), 1998, et t. V (1876-1880), 2007.
2. Du Camp, *Souvenirs littéraires*, éd. Daniel Oster, Aubier, 1994, p. 583.

(impersonnalité, impassibilité, art pour l'art, etc.), mal comprises, ont entraînés.

Certes, *L'Éducation sentimentale* n'est pas un livre de combat ou un pamphlet. Ce n'est pas non plus le grand éclat de rire grinçant et vengeur que lancera Flaubert quelques années plus tard dans *Bouvard et Pécuchet*. Mais c'est un roman qui, au-delà ou en deçà de sa perfection formelle, renferme une réflexion profonde sur la nature humaine, le gouvernement des individus et la conduite des affaires publiques. La dédicace que rédigea Flaubert sur l'exemplaire envoyé au critique Meilhac indiquait que le véritable titre du roman aurait dû être *Les Fruits secs* ; et c'est bien à propos du roman de 1869, et non de celui qui hâtera sa fin, que Flaubert écrivit à George Sand : « Quelle forme faut-il prendre pour exprimer parfois son opinion sur les choses de ce monde, sans risquer de passer, plus tard, pour un imbécile ? Cela est un rude problème. Il me semble que le mieux est de les peindre, tout bonnement, ces choses qui vous exaspèrent. – Disséquer est une vengeance » (lettre du 18 décembre 1867).

LA LENTE GENÈSE DU ROMAN (1862-1869)

À peine *Salammbô* est-il terminé (avril 1862) et bien avant que le roman carthaginois ne soit livré aux imprimeurs (à l'automne), Flaubert se lance dans une nouvelle entreprise, la rédaction d'une féerie, ou plutôt d'« une pièce passionnée où le fantastique soit au bout » (lettre du 15 juin). *Le Château des cœurs*, écrit en collaboration avec ses amis Bouilhet et d'Osmoy, et dont Flaubert reconnaît lui-même la médiocrité, ne sera jamais représenté. Mais l'écrivain n'accorde guère d'importance à cet échec théâtral. Toute son énergie est déjà mise au service de la recherche du thème de son prochain roman. Après une période où il laisse libre cours à son imagination (« Je rêvasse et je patauge au milieu d'un tas de plans et d'idées », lettre du 14 juillet), il fixe son choix sur deux sujets entre lesquels il va longuement hésiter : l'un est *L'Éducation sentimentale*, l'autre est désigné par le titre

Les Deux Cloportes ; c'est le futur *Bouvard et Pécuchet*. Pour chacun, Flaubert confectionne alors un plan général qui est conservé dans un carnet de travail. On trouvera dans le dossier la transcription d'une partie des feuillets qui concernent *L'Éducation sentimentale*.

Dès ce moment, le projet est ambitieux car l'écrivain veut lier ensemble une histoire d'amour et l'évolution politique de la France dans les trente dernières années. Après une rencontre avec leur confrère et ami, les frères Goncourt écrivent dans leur *Journal* : « Causerie sur son roman moderne, où il veut faire tout entrer, et le mouvement de 1830 – à propos des amours d'une Parisienne – et la physionomie de 1840, et 1848, et l'Empire : "Je veux faire tenir l'Océan dans une carafe" [1]. » Pourtant, le sujet ne suscite pas l'enthousiasme de Flaubert. Il dit, un peu plus tard, que c'est « une série d'analyses et de potins médiocres sans grandeur ni beauté » (lettre du 6 mai 1863), qui ne l'inspirent manifestement pas : « Les *faits* me manquent. Je n'y vois point de scènes principales. – Ça ne fait pas la pyramide. Bref, ça me dégoûte » (lettre du 15 avril de la même année).

Pourtant, dans les premiers mois de 1864, Flaubert se résout finalement à écrire ce roman. Mais le choix ne fait que déplacer les difficultés ; il lui faut dorénavant mettre au point le scénario d'ensemble de l'œuvre. Cette phase de conception l'épuise :

> [...] je travaille beaucoup. – Au plan de mon grand roman parisien. Je commence à le comprendre, mais jamais je n'ai autant tiré sur ma pauvre cervelle (lettre du 18 avril 1864).

Cette période est aussi celle d'une vaste campagne de documentation générale, requise pour l'élaboration fine du scénario, l'invention et l'information des épisodes de la fiction. Flaubert passe de longues heures à la Bibliothèque impériale pour lire des collections entières de journaux ; il dépouille des ouvrages de penseurs socialistes, lit Lacordaire et Lamennais ; il procède aussi à des repérages sur les lieux où vont évoluer ses personnages : il se rend à Sens, Melun,

---

1. Cité dans le t. III de la *Correspondance*, *op. cit.*, appendice II, p. 882.

Montereau et Nogent-sur-Seine. Ces diverses activités l'occupent jusqu'à la fin de l'été.

Le 1er septembre 1864 (date inscrite sur la première page du manuscrit du roman), il passe enfin à la phase de rédaction. Celle de la première partie, à elle seule, lui demande presque dix-huit mois d'efforts, car les difficultés sont légion, d'abord en raison de l'ampleur du projet :

> Me voilà maintenant attelé depuis un mois à un roman de mœurs modernes qui se passera à Paris. Je veux faire l'histoire morale des hommes de ma génération ; « sentimentale » serait plus vrai. C'est un livre d'amour, de passion ; mais de passion telle qu'elle peut exister maintenant, c'est-à-dire inactive. Le sujet, tel que je l'ai conçu, est, je crois, profondément vrai, mais, à cause de cela même, peu amusant probablement. Les faits, le drame manquent un peu ; et puis l'action est étendue dans un laps de temps trop considérable. Enfin j'ai beaucoup de mal et je suis plein d'inquiétudes (lettre du 6 octobre 1864).

En outre, la rédaction s'accompagne de fréquentes recherches documentaires ponctuelles qui obligent Flaubert à quitter parfois sa demeure normande de Croisset pour se rendre à Paris. Ainsi, le 22 février 1865, il écrit de la capitale à sa nièce Caroline :

> Le commerce des arts m'occupe exclusivement. Je suis perdu au milieu des vieux journaux et des marchands de tableaux. [...] J'étudie en même temps l'histoire de la gravure. La copie est interrompue par ces occupations.

La rédaction de la deuxième partie du roman oblige Flaubert à fournir presque deux ans de travail (du mois de février 1866 au mois de janvier 1868). Pendant l'été 1866, en dépit des cent cinquante pages alors déjà rédigées, l'écrivain est toujours dans l'incertitude quant à la valeur du roman :

> Je crois [...] que ce sera une œuvre médiocre, parce que la conception en est vicieuse ? Je veux représenter un état psychologique – vrai selon moi – et non encore décrit. Mais le milieu où mes personnages s'agitent est tellement copieux et grouillant qu'ils manquent, à chaque ligne, d'y disparaître. Je suis donc obligé de reculer à un plan secondaire les choses qui sont précisément les plus intéressantes. J'effleure beaucoup de sujets dont

on aimerait à voir le fond. Mon but est complexe – mauvaise méthode esthétique, bref, je crois n'avoir jamais rien entrepris de plus difficile (lettre du 20 août).

Aux problèmes relatifs à la conception formelle de l'œuvre s'ajoutent les difficultés dues à la complexité des événements à représenter. L'écrivain ne cesse de se renseigner auprès des personnes les plus à même de lui faire connaître les éléments qui lui manquent. Auprès de Sainte-Beuve, il s'informe du « mouvement néo-catholique vers 1840 » (lettre du 12 mars 1866) ; à George Sand, il demande en novembre 1866 de « recueillir un peu [ses] souvenirs personnels » de 1848 ; et, par son intermédiaire, il entre même l'année suivante en contact avec le révolutionnaire Armand Barbès, qui lui fournit différents détails sur les rudes conditions de sa détention dans les geôles du Mont-Saint-Michel. Le roman se nourrit aussi des nombreuses lectures de Flaubert : traités sur les faïences, journaux de l'année 1847, livres sur le turf et les courses de chevaux, etc.

Comme à son habitude, l'écrivain rencontre très souvent d'importantes difficultés rédactionnelles :

> J'ai aujourd'hui travaillé sans discontinuer depuis 4 heures de l'après-midi (il en est près de trois du matin) et cela pour *deux* lignes qui ne sont pas faites. C'est à en devenir fou, par moments ! (lettre du 26 novembre 1866).

Aux mois d'avril et de mai 1867, préparant son troisième chapitre, Flaubert fait différents voyages de repérages à Sèvres, Creil et Montataire, où il retourne trois fois. Il déploie le même luxe de précautions pour la préparation de l'épisode des courses au Champ-de-Mars (début du quatrième chapitre) : il se rend au Jockey Club ; et dans ses dossiers on trouve des notes prises sur un journal d'époque, qui contiennent tous les détails relatifs aux courses du 2 mai 1847, comme le nom des chevaux au départ et celui des vainqueurs. Pour le souper qui réunit ensuite Frédéric, Rosanette, Cisy et Hussonnet, l'écrivain a demandé au chef du café Anglais de lui indiquer un menu servi en 1847.

À la fin du mois de janvier 1868, Flaubert termine le sixième et dernier chapitre de sa deuxième partie. Avant d'aborder les pages cruciales qui concernent la, ou plutôt les révolutions de 1848, et qui ouvrent la troisième partie de son roman, il met au point son plan, relit les notes documentaires déjà prises et effectue de nouvelles recherches. Ces diverses activités l'occupent jusqu'au mois de mars, date à laquelle il reprend la rédaction, non sans inquiétude devant la complexité de son entreprise :

> [...] j'ai bien du mal à emboîter mes personnages dans les événements politiques de 48 ! J'ai peur que les fonds ne dévorent les premiers plans. C'est là le défaut du genre historique. Les personnages de l'histoire sont plus intéressants que ceux de la fiction, surtout quand ceux-là ont des passions modérées. On s'intéressera moins à Frédéric qu'à Lamartine ? – Et puis, quoi choisir parmi les Faits réels ? Je suis perplexe (lettre du 14 mars 1868).

Néanmoins, et quelles que soient les difficultés rencontrées, il est bien trop avancé dans son travail pour accéder à une demande subite de son cousin Louis Bonenfant : changer le nom du héros de son roman en raison de personnes habitant Nogent qui portent ce patronyme. Flaubert s'y refuse :

> Un nom propre est une chose extrêmement importante dans un roman, une chose *capitale*. On ne peut pas plus changer un personnage de nom que de peau. [...] Tant pis pour les Moreau qui existent à Nogent ! (lettre du 13 août 1868).

Au mois de juillet 1868, il se rend à Fontainebleau (au château et dans la forêt), et, dans un de ses carnets, prend plusieurs pages de notes sur les sites que visitent Frédéric et Rosanette durant leur retraite idyllique entre le 22 et le 25 juin 1848. Nombre de ces notations prises sur le vif passent directement dans le texte du roman.

Parallèlement à l'avancement irrégulier de la rédaction, l'écrivain continue à recueillir différents renseignements. Pour évoquer l'enfance de Rosanette, il demande à son ami Jules Duplan de lui « trace[r], en quelques lignes, l'intérieur d'un ménage d'ouvriers lyonnais » (lettre du 27 août 1868), puis, pour la maison où accouche la lorette, de lui décrire « l'aspect de la chambre, mobilier, ustensiles, garde, etc. » (lettre du 14 janvier 1869). En vue des séances de peinture auxquelles se livre Pellerin, il s'adresse aux frères Goncourt pour savoir s'il existe « quelque part une théorie quelconque pour les *portraits d'enfants*. [...] Ma situation est celle-ci : un esthétiqueur qui fait le portrait d'un *enfant mort*, et se livre, devant la mère, à un débagoulage artistique indélicat, le tout pour briller » (lettre du 13 mars 1869). Maxime Du Camp, qui faisait partie de la garde nationale en juin 1848, est lui aussi sollicité. Il livre à Flaubert ses souvenirs sur ces journées, ou plutôt sur ces nuits :

> Insiste sur ce double effet d'un silence anormal troublé de temps en temps par un bruit absolument particulier qui n'avait rien de commun avec les bruits ordinaires de Paris : c'était là le caractère spécial du Paris nocturne et qui, en dehors des événements, causait une sorte de stupeur à tout le monde. Le changement brusque et radical des apparences du milieu suffisait à épouvanter les Bourgeois – Donc obscurité des façades de maison ; silence profond, *noir* ; tout à coup des cris se répétant : Sentinelles, prenez garde à vous ! Silence ; bruissement de 150 hommes marchant en cadence ; – silence ; fracas de la générale ! – silence, roulement des canons très sourd et très puissant ; toute poitrine était oppressée. Cette *oppression*, cet étouffement est resté très net dans mon souvenir [1].

Ce sont exactement les impressions que ressent Frédéric lorsqu'il traverse Paris dans la nuit du 25 au 26 juin, à la fin du premier chapitre de la troisième partie (p. 443).

En dépit de certaines mauvaises surprises qui le retardent (comme l'erreur commise sur l'existence d'une ligne de chemin de fer entre Paris et Fontainebleau en juin 1848), le dimanche 16 mai à « 5 heures moins 4 minutes », Flaubert peut enfin écrire à Jules Duplan : « FINI ! mon vieux ! Oui, mon bouquin est fini ! » Mais c'est compter sans les multiples corrections et relectures qui vont occuper l'écrivain encore plusieurs mois, alors qu'il a déjà repris ses vieilles notes et « médite un *Saint Antoine* nouveau ». Il communique le manuscrit à Maxime Du Camp qui rédige à son sujet douze pages contenant 251 remarques de fond et de forme ; et il prévoit de réviser le texte « phrase par phrase »

---

1. Lettre du 22 septembre 1868 ; Gustave Flaubert – Alfred Le Poittevin, Gustave Flaubert – Maxime Du Camp, *Correspondances*, éd. Yvan Leclerc, Flammarion, 2000, p. 371.

avec Louis Bouilhet. Mais l'achèvement du roman ouvre une nouvelle période de deuil. Bouilhet s'éteint prématurément durant l'été, sans avoir pu relire le roman (« C'est une perte pour moi, irréparable. – J'ai enterré avant-hier ma conscience littéraire, mon jugement, ma boussole, – sans compter le reste ! », lettre du 22 juillet) ; et Sainte-Beuve meurt au début de l'automne, alors que Flaubert « avai[t] fait *L'Éducation sentimentale*, en partie pour [lui] » (lettre du 14 octobre).

LE RÉSEAU DES TEXTES À L'ŒUVRE

Toute une tradition critique ancienne s'est ingéniée à prouver l'identité de Mme Arnoux et d'Élisa Foucault, une belle personne que Flaubert rencontre sur la plage de Trouville durant l'été 1836. Cette femme de dix ans son aînée est mère d'une petite fille et compagne de l'éditeur de musique Maurice Schlesinger. Le jeune Gustave conçoit pour elle une passion dévorante, et se lie avec le ménage qu'il fréquente régulièrement pendant ses études de droit à Paris. Les relations deviendront ensuite plus épisodiques, et il ne semble pas que Mme Schlesinger soit jamais devenue sa maîtresse. Raison de plus pour en faire le modèle de Mme Arnoux ? La publication des *Souvenirs littéraires* de Maxime Du Camp en 1882-1883 a clairement poussé dans ce sens. L'ami académicien y affirme en effet qu'il a connu tous les personnages de *L'Éducation sentimentale*, qu'il peut les nommer, « depuis Frédéric, qui n'est autre que Gustave Flaubert, jusqu'à Mme Arnoux qui est l'inconnue de Trouville, transportée dans un autre milieu [1] ». La liste des équivalences entre la fiction et la réalité peut d'ailleurs être poursuivie : Maurice Schlesinger a sûrement prêté de nombreux traits à Jacques Arnoux ; Valentine Delessert, maîtresse de Mérimée puis de Du Camp, entretient bien des rapports avec le personnage de Mme Dambreuse ; Pellerin termine photographe comme Nadar… Mais ce séduisant système d'identification

---

1. Du Camp, *Souvenirs littéraires*, éd. citée, p. 581.

se complique vite en raison de la porosité des personnages. Si la personnalité de Flaubert alimente le caractère de Frédéric Moreau, on retrouve aussi chez lui des aspects de celle de Du Camp, lequel n'est pas étranger à la conception du personnage de Deslauriers, à l'instar de Bouilhet, d'ailleurs.

Comme tout romancier, Flaubert écrit à partir de ce qu'il connaît, et donc des éléments que l'on retrouve dans sa biographie. Dès 1846, à propos d'un texte autobiographique rédigé en 1842, *Novembre*, il déclarait à sa maîtresse Louise Colet :

> Je me suis toujours défendu de rien mettre de moi dans mes œuvres, et pourtant j'y ai mis beaucoup. J'ai toujours tâché de ne pas rapetisser l'Art à la satisfaction d'une personnalité isolée. J'ai écrit des pages fort tendres sans amour, et des pages bouillantes, sans aucun feu dans le sang. – J'ai imaginé, je me suis ressouvenu et j'ai combiné. Ce que tu as lu n'est le souvenir de rien du tout (lettre du 14 août).

Pour lui, une œuvre littéraire ne doit et ne peut jamais être la transcription exacte, complète et fidèle d'éléments biographiques. Elle est le résultat de leur recomposition. Il n'est donc pas étonnant de trouver dans un roman des échos de la vie de son auteur. Mais il ne faut pas procéder à l'envers et chercher à écrire sa biographie à partir des aventures de son personnage principal.

De plus, il est souvent moins intéressant de savoir ce qui, dans *L'Éducation sentimentale*, est le souvenir de tel épisode réellement vécu ou de telle personne véritablement côtoyée par Flaubert, que d'analyser la manière dont ces données biographiques sont insérées dans l'œuvre, ou plutôt dans *les* œuvres. En effet, ces éléments sont souvent réutilisés dans différents textes de l'écrivain et forment une véritable trame aboutissant à *L'Éducation sentimentale* de 1869, voire se poursuivant au-delà pour certains. Ainsi, dans les *Mémoires d'un fou* (vraisemblablement rédigés en 1838) comme dans *L'Éducation sentimentale*, il y a concomitance entre la première apparition de la femme aimée et le sauvetage de son vêtement par le héros : « un long châle à bandes violettes » (p. 48), qui manque de tomber du bateau, vient seulement remplacer une « charmante pelisse rouge avec des raies noires [1] » menacée par la marée montante sur une plage. Et dans l'écrit de jeunesse, le mari est dépeint comme « tena[nt] le milieu entre l'artiste et le commis voyageur [2] », ce qui n'est pas sans rapport avec la figure de Jacques Arnoux.

Mais c'est bien sûr avec le roman de 1845 – non publié du vivant de Flaubert et qu'on a coutume de désigner sous le titre de « première » *Éducation sentimentale* – que le processus de comparaison est le plus tentant. Pourtant, en dépit de l'identité de leurs titres et de la communauté de certains éléments (deux jeunes gens au premier plan, dont l'un aime une femme mariée plus âgée ; un rendez-vous manqué ; etc.), les deux romans sont fort différents, tant dans le déroulement de l'intrigue que dans le traitement des personnages ou la conduite de la narration. Flaubert n'a pas « repris » vingt ans plus tard son œuvre de jeunesse. C'est donc abusivement ou par pure commodité de langage que l'on parle de « première » *Éducation sentimentale*, ou de « première version » de *L'Éducation sentimentale*. De plus, en 1869, l'écrivain a acquis une maturité et une conscience esthétique qu'il n'avait pas en 1845. Ses principes se sont vite affirmés ; et dès 1852, il jugeait sévèrement sa première œuvre d'ampleur :

> En résumé, il faudrait pour *L'Éducation* récrire ou du moins recaler l'ensemble, refaire deux ou trois chapitres et, ce qui me paraît le plus difficile de tout, écrire un chapitre qui manque, où l'on montrerait comment fatalement le même tronc a dû se bifurquer, c'est-à-dire pourquoi telle action a amené ce résultat dans ce personnage plutôt que telle autre. Les causes sont montrées, les résultats aussi ; mais l'enchaînement de la cause à l'effet ne l'est point. Voilà le vice du livre, et comment il ment à son titre (lettre du 16 janvier).

Flaubert n'a jamais entrepris ce travail de « récriture », et le roman de 1869 est porteur d'une tout autre ambition. Pourtant, les échos entre les deux œuvres, en rapport ou non avec un épisode biographique identifié, sont nombreux et présentent un cas d'« autotextualité » : entre les deux

1. Flaubert, *Mémoires d'un fou. Novembre et autres textes de jeunesse*, éd. Yvan Leclerc, GF-Flammarion, 1991, p. 288.
2. *Ibid.*, p. 293.

romans, des éléments similaires (trait psychologique, image, détail physique, etc.) circulent, qui s'adaptent à leur nouveau contexte tout en restant identifiables à la lecture. Un seul exemple suffira à illustrer le phénomène. Alors que Mme Renaud vient de lui déclarer son amour, Henry est tout à la joie de son bonheur nouveau : « Son image par hasard s'offrit à lui dans la glace, et il se trouva beau, plus beau qu'un homme [1]. » Rentrant de son premier dîner chez Mme Arnoux, Frédéric passe lui aussi devant un miroir : « Son visage s'offrait à lui dans la glace. Il se trouva beau ; – et resta une minute à se regarder » (p. 104).

Cette circulation d'éléments consonants au sein des romans de Flaubert se double d'un autre type de circulation textuelle, celle qui est le fait d'échos littéraires. Cette intertextualité inscrit *L'Éducation sentimentale* dans un réseau de textes qui circulent et se répondent les uns les autres, conception qui paraît plus pertinente que celle de « sources ». Ainsi, par différentes lettres écrites de Vichy où il a accompagné sa mère en cure, on sait que Flaubert a lu, pendant l'été 1862, des *Contes drolatiques* et « quelques romans de Balzac ». Peut-être s'agit-il du *Père Goriot* (1835), des *Illusions perdues* (1839) ou encore du *Lys dans la vallée* (1836), mentionné explicitement (dans un feuillet du carnet 19) comme « repoussoir » pour le roman à écrire ? Plusieurs études critiques font en tout cas une liste édifiante des réminiscences balzaciennes qui se trouvent dans le « roman parisien » de Flaubert (dans la version définitive et plus encore dans l'avant-texte, scénarios et brouillons).

Par exemple, dans *L'Éducation sentimentale* comme dans *Le Lys dans la vallée*, les héros sont le jouet d'une semblable tentation momentanée de suicide, contrariée par le même obstacle matériel. Félix de Vandenesse, devant l'insensibilité dont sa mère fait preuve, court « sur le pont pour [se] jeter dans la Loire. [Son] suicide [est] empêché par la hauteur du parapet [2] ». Cet épisode se retrouve, décalé, chez Flaubert, où le personnage désespéré contemple la Seine :

---

1. Flaubert, *L'Éducation sentimentale*, « première version », GF-Flammarion, 1980, p. 100.
2. Balzac, *Le Lys dans la vallée*, éd. Pierre-Georges Castex, « Bibliothèque de la Pléiade », t. IX, 1978, p. 981.

Le poids de son front l'entraînait, il voyait son cadavre flottant sur l'eau ; Frédéric se pencha. Le parapet était un peu large, et ce fut par lassitude qu'il n'essaya pas de le franchir (p. 136).

D'autres éléments textuels permettent de relier L'Éducation sentimentale à la fois au Lys dans la vallée et à Volupté (1834) de Sainte-Beuve. En effet, dans les trois romans, le héros est partagé entre plusieurs femmes : deux pour Félix (Henriette de Mortsauf et Lady Arabelle) sans compter Natalie de Manerville pour laquelle il compose le récit de ses amours passées ; trois pour Amaury (Mlle de Liniers, Mme de Couaën et Mme R.) ; quatre pour Frédéric (Mme Arnoux, Louise Roque, Rosanette et Mme Dambreuse). Dans chaque roman, on trouve aussi un épisode morbide qui concerne le fils de la femme la plus aimée et empêche le héros de succomber à la passion. L'enfant de Mme de Couaën est « pris d'un étouffement violent et de toux », qui sont les symptômes mêmes du croup que redoute explicitement Henriette pour son petit Jacques, et dont est implicitement atteint le petit Eugène Arnoux.

De nombreuses autres correspondances pourraient être avancées qui font entrer L'Éducation sentimentale dans un vaste réseau intertextuel dont le roman s'enrichit et procède pour une part. De plus, on peut ajouter qu'il s'inscrit, d'après Flaubert lui-même, dans un mouvement plus large qui, au moment de sa rédaction, amène les jeunes gens des années 1840, parvenus à l'âge de la maturité, à raconter leur jeunesse :

Avez-vous remarqué comme il y a dans l'air, quelquefois, des courants d'idée communs ? Ainsi je viens de lire, de mon ami Du Camp, son nouveau roman : Les Forces perdues. Cela ressemble, par bien des côtés, à celui que je fais ? C'est un livre (le sien) très naïf et qui donne une idée juste des hommes de notre génération, devenus de vrais fossiles pour les jeunes gens d'aujourd'hui. – La réaction de 48 a creusé un abîme entre les deux France (lettre du 15 décembre 1866).

Cependant, en évoquant les amours successives d'Horace Darglail, le roman de Du Camp ne développe que l'aspect sentimental qui fait de cette génération une « génération perdue ». Flaubert a quant à lui pour ambition de

« montrer que le sentimentalisme (son développement depuis 1830) suit la politique et en reproduit les phases » (note du carnet 19). Le projet est plus vaste et plus complet.

La dernière dimension intertextuelle de *L'Éducation sentimentale* se trouve dans la documentation que l'écrivain a réunie pour son roman. Sans atteindre les dimensions insensées que prendront les recherches documentaires de *Bouvard et Pécuchet*, celles effectuées pour *L'Éducation sentimentale* sont néanmoins considérables (et seront d'ailleurs, pour une part, réutilisées dans le roman encyclopédique). En retraçant la genèse du roman, on a vu que cette documentation était polymorphe : lecture d'ouvrages du temps et sur l'époque, enquêtes auprès de personnes compétentes dans différents domaines, déplacements sur le terrain. L'écrivain passe des heures à lire des ouvrages, chez lui et dans les bibliothèques. Le 1er avril 1867, il écrit à Louis Bouilhet :

> Je bûche la révolution de 48 avec fureur. Sais-tu combien j'ai lu et annoté de volumes depuis six semaines ? Vingt-sept, mon bon. Ce qui ne m'a pas empêché d'écrire dix pages.

L'un des plus importants dossiers réunis par Flaubert concerne les penseurs socialistes de la première moitié du siècle : Saint-Simon, Proudhon, Leroux, Blanc, etc. Or, plus ses recherches avancent, plus l'écrivain est frappé par l'importance de l'élément religieux dans les doctrines de ces différents théoriciens. Dans une lettre du 5 juillet 1868, il s'en ouvre à George Sand :

> [...] Tout ce que je trouve de christianisme dans les révolutionnaires m'épouvante ! Ainsi voilà deux petites notes qui sont là sur ma table :
> « Ce système (le sien) n'est pas un système de désordre. Car il a sa source dans l'Évangile, et de cette source DIVINE *ne peuvent découler* la haine, les guerres, le froissement de tous les intérêts, car la doctrine formulée de l'Évangile est une doctrine de paix, d'union et d'amour » (L. Blanc).
> « J'oserai même avancer qu'avec le respect du dimanche s'est éteinte dans l'âme de nos rimeurs la dernière étincelle du feu poétique. On l'a dit : sans religion, pas de poésie ! » (Proudhon).

Cet extrait de la correspondance donne une idée de la manière dont Flaubert travaillait. Pendant la phase de lecture, il prenait des notes sur les ouvrages consultés. Ces notes étaient ensuite « coordonnées », c'est-à-dire regroupées selon différents thèmes. Enfin, elles servaient à inventer ou nourrir un épisode de la fiction. Ici, les deux extraits cités par Flaubert ont sûrement été utilisés pour la rédaction de la séance du club révolutionnaire nommé, par une grinçante antiphrase, le Club de l'Intelligence (dans le premier chapitre de la troisième partie). L'écrivain y brosse le portrait sans complaisance d'un ouvrier socialiste vantant les mérites d'un christianisme revu et corrigé à la lumière des théories défendues, entre autres, par Louis Blanc et Joseph Proudhon :

> Puis un patriote en blouse gravit la tribune. Celui-là était un plébéien, large d'épaules, une grosse figure très douce et de longs cheveux noirs. Il parcourut l'assemblée d'un regard presque voluptueux, se renversa la tête, et enfin, écartant les bras :
> – « Vous avez repoussé Ducretot, ô mes frères ! et vous avez bien fait, mais ce n'est pas par irréligion, car nous sommes tous religieux. »
> Plusieurs écoutaient la bouche ouverte, avec des airs de catéchumènes, des poses extatiques.
> – « Ce n'est pas, non plus, parce qu'il est prêtre, car, nous aussi, nous sommes prêtres ! L'ouvrier est prêtre, comme l'était le fondateur du socialisme, notre Maître à tous, Jésus-Christ ! »
> Le moment était venu d'inaugurer le règne de Dieu ! L'Évangile conduisait tout droit à 89 ! Après l'abolition de l'esclavage, l'abolition du prolétariat. On avait eu l'âge de haine, allait commencer l'âge d'amour.
> – « Le christianisme est la clef de voûte et le fondement de l'édifice nouveau... » (p. 408-409).

Chaque fait, chaque idée, chaque événement évoqué dans le roman repose ainsi sur des recherches documentaires exigeantes qui lui donnent son « épaisseur ». Rien n'est avancé qui ne repose sur des « preuves ». Lorsqu'il s'agit de textes (ouvrages de théoriciens socialistes, journaux du temps ou arides traités sur la fabrication des faïences), ils contribuent eux aussi à alimenter, au sein de *L'Éducation sentimentale*, un large courant de circulation des textes, et à faire de ce roman le lieu où bruissent une multitude de voix.

APPRENDRE À « RANGER » SES ILLUSIONS :
LE TRAVAIL DE MISE EN MÉMOIRE

Chez Flaubert, l'illusion est une notion clé de la création aussi bien qu'une constante thématique de tous les romans. C'est ce qui explique la polyvalence et la grande complexité d'un terme utilisé concurremment pour qualifier différentes relations aux connotations divergentes. Pour l'écrivain, d'abord, l'illusion est le mécanisme nécessaire dont toute production littéraire dépend : « Il faut bien ruminer son objectif avant de songer à la forme, car elle n'arrive bonne, que si l'illusion du sujet nous obsède » (lettre du 29 novembre 1853). Elle est aussi le résultat à atteindre par l'œuvre, l'impression à produire dans l'esprit du lecteur : « La première qualité de l'Art et son but est l'*illusion* » (lettre du 16 septembre de la même année).

En revanche, dans la fiction, elle apparaît comme la marque explicite de l'erreur des personnages. Quand Arnoux vient interrompre le duel qui oppose Cisy à Frédéric dans une clairière du bois de Boulogne, le narrateur précise :

[...] dans un élan de cœur, il était accouru pour l'empêcher, croyant, du reste, en être la cause. Il pria Frédéric de lui fournir là-dessus quelques détails. Frédéric, ému par les preuves de sa tendresse, se fit scrupule d'augmenter son illusion (p. 319).

En effet, ce n'est pas pour prendre la défense du marchand de tableaux que le jeune homme a lancé une assiette au visage de Cisy, mais en raison des paroles calomnieuses que le vicomte proférait à l'endroit de Mme Arnoux, et plus certainement encore parce que le jeune noble lui a « soufflé » Rosanette le soir où il l'a menée aux courses du Champ-de-Mars. Arnoux est donc dans l'erreur et Frédéric ne le détrompe pas. Les êtres fictionnels n'ont d'ailleurs aucun pouvoir sur l'illusion dont ils sont les jouets, et ils se trouvent alors comme pris en tenaille : ils sont au centre du combat que se livrent la réalité et le monde de l'imaginaire dans leur esprit. Or, selon les romans de Flaubert, cette lutte connaît une issue différente. Elle peut être résolue par l'exclusion d'une des parties en conflit, ou par la découverte

d'un *modus vivendi*. En effet, soit les personnages flauber-
tiens subissent les conséquences de la complète disjonction
entre la réalité et l'imaginaire, soit ils parviennent *in fine*
à un équilibre associatif. Dans *L'Éducation sentimentale*, la
mémoire va jouer le rôle de « modérateur » et permettre
l'installation de cet équilibre.

Pendant tout le temps que dure son apprentissage
(c'est-à-dire jusqu'au début du sixième chapitre de la troisième partie), Frédéric est la proie constante des assauts
contradictoires du réel et de ses représentations. Beaucoup
plus lucide que son illustre devancière, il n'est pas « bova-
ryste » à proprement parler. Néanmoins, il est déchiré par
des aspirations, toutes aussi fortes les unes que les autres,
mais incompatibles entre elles. Dans le quatrième chapitre
de la première partie, lorsqu'il préfère aller dîner chez les
Arnoux plutôt que d'honorer l'invitation des Dambreuse,
ses préoccupations sentimentales viennent contrecarrer son
ambition d'élévation sociale. Et, neuf ans plus tard, lorsqu'il
pense enfin pouvoir concilier les deux en épousant la riche
veuve, il se rend compte qu'il ne peut supporter son absence
de sentiments. Loin des héros balzaciens qui mettent toute
leur énergie au service d'une cause unique, il se trouve donc
pris au piège. Une lutte perpétuelle rythme et informe les
différentes étapes de sa vie au gré des options successivement retenues : privilégier le réel ou la représentation.

Le plus souvent, Frédéric est le jouet d'une illusion qui
lui fait prendre une image du monde pour le véritable
monde : il voit la vie à travers un filtre dont il n'a pas
conscience. Le monde qui l'entoure est ainsi d'abord recom-
posé à partir de souvenirs de lectures. Frédéric opine vivement à la tirade de Deslauriers qui affirme que la société
contemporaine fonctionne comme dans les romans de
Balzac : « Rappelle-toi Rastignac dans *La Comédie humaine* !
Tu réussiras, j'en suis sûr ! » (p. 62). Mme Arnoux, quant à
elle, est reconnue et identifiée dès son apparition comme un
idéal féminin littéraire : « Elle ressemblait aux femmes des
livres romantiques » (p. 52). De la même manière, c'est tout
l'environnement immédiat du personnage qui est contaminé
par la représentation et ses erreurs. Le châle qu'utilise
Mme Arnoux sur la *Ville de Montereau* est le support d'une

rêverie exotique motivée par l'illusion romantique à travers laquelle Frédéric perçoit la jeune femme : « Elle avait dû, bien des fois, au milieu de la mer, durant les soirs humides, en envelopper sa taille, s'en couvrir les pieds, dormir dedans ! » (p. 48). Or Mme Arnoux, originaire de Chartres, n'a guère eu l'occasion de courir les océans...

Frédéric est souvent investi d'une capacité imaginative qui lui permet, en un certain sens, de devenir lui-même « créateur », puisqu'il réinterprète les signes du réel selon son propre état d'esprit. L'illusion du personnage de fiction se rapproche alors de celle que vise à créer l'écrivain dans l'esprit de son lecteur. Ainsi, lorsqu'il accompagne Mme Arnoux pour faire une course, « un lourd brouillard [...] puait dans l'air. Frédéric le humait avec délices » (p. 124). Cette aptitude l'autorise même à transformer le monde dans lequel il se meut, en y incluant la figure de l'être aimé. Le personnage insère ainsi l'image de Mme Arnoux dans ce qui l'entoure :

> Quelquefois, il s'arrêtait au Louvre devant de vieux tableaux ; et son amour l'embrassant jusque dans les siècles disparus, il la substituait aux personnages des peintures (p. 126).

Chaque élément de la réalité n'est qu'un prétexte supplémentaire pour évoquer l'image de la femme aimée, au Louvre, au Jardin des Plantes ou devant n'importe quel paysage.

Le monde se mue en un écrin de représentations, et en vient même à disparaître. Ainsi, au début de la deuxième partie, alors qu'il revient riche héritier à Paris, Frédéric rêve son existence future et lui confère une consistance, une matérialité telles qu'il en arrive à gommer tout le reste :

> Comme un architecte qui fait le plan d'un palais, il arrangea, d'avance, sa vie. Il l'emplit de délicatesses et de splendeurs ; elle montait jusqu'au ciel ; une prodigalité de choses y apparaissait ; et cette contemplation était si profonde, que les objets extérieurs avaient disparu (p. 165).

Chaque détail peut être l'objet d'une nouvelle illusion dans laquelle Frédéric se complaît. En mars 1848, lorsqu'il monte la garde avec Arnoux, Frédéric a l'occasion unique de réaliser son rêve en aidant un peu le destin. Le négociant, en dépit du règlement, a gardé son fusil pour dormir et le coup pourrait facilement partir :

> [...] des tableaux à n'en plus finir se déroulèrent. Il s'aperçut avec Elle, la nuit, dans une chaise de poste ; puis au bord d'un fleuve par un soir d'été, et sous le reflet d'une lampe, chez eux, dans leur maison. Il s'arrêtait même à des calculs de ménage, des dispositions domestiques, contemplant, palpant déjà son bonheur ; – et, pour le réaliser, il aurait fallu seulement que le chien du fusil se levât ! [...] Frédéric s'étendit sur cette idée, comme un dramaturge qui compose (p. 422).

Non seulement le monde fournit incessamment au personnage des occasions de rêves, mais celui-ci préfère demeurer dans l'imaginaire et l'infinie plasticité des représentations plutôt que de risquer la confrontation directe de ses aspirations avec leur réalisation aléatoire.

Cependant, tout aussi rapidement qu'il devient un réceptacle accueillant pour toutes les représentations, le réel peut s'en affranchir. Et quand les rêves s'effondrent, ils ne laissent derrière eux que la trace de leur existence fugace, l'inconsolable regret qui fait suite à leur disparition :

> Frédéric se meublait un palais à la moresque, pour vivre couché sur des divans de cachemire, au murmure d'un jet d'eau, servi par des pages nègres ; – et ces choses rêvées devenaient à la fin tellement précises, qu'elles le désolaient comme s'il les avait perdues (p. 108).

Il arrive aussi que l'illusion attachée à des objets ou à des lieux en raison du personnage qui les possède ou les habite se révèle faillir à cette association. Le processus est alors inverse, mais la conséquence identique. Lorsque Frédéric découvre que Mme Arnoux n'habite pas au-dessus de la boutique de L'Art industriel, comme il le croyait depuis son arrivée à Paris,

> le charme des choses ambiantes se retira tout à coup. Ce qu'il y sentait confusément épandu venait de s'évanouir, ou plutôt n'y avait jamais été. Il éprouvait une surprise infinie et comme la douleur d'une trahison (p. 93).

Frédéric connaît donc, comme Emma Bovary, des alternatives d'envol et de chute selon que sa lecture présente du monde correspond ou non aux rêves qu'il a formés à son sujet.

Il en va ainsi jusqu'à la mort de Dussardier sur les marches du glacier Tortoni, à la fin du cinquième chapitre de la troisième partie, ou, plus exactement, jusqu'à la réapparition de Mme Arnoux, un soir de la fin mars 1867, au début du sixième chapitre. À partir de ce moment, après le « grand blanc » qu'admirait tant Proust, la manière dont le personnage gère les rapports du réel et de la représentation change considérablement. La période agonistique de formation se termine ; les conditions de la résolution irénique du conflit vont être dévoilées. *L'Éducation sentimentale* comporte en effet deux épilogues au terme desquels la vie de Frédéric trouve un complet apaisement.

Le sixième chapitre est le premier des deux épilogues. Mme Arnoux vient y faire ses adieux à Frédéric. Pour mieux saisir la spécificité de cette scène, on peut la comparer avec celle du huitième chapitre de la troisième partie de *Madame Bovary*[1]. Dans les deux cas, une femme se rend chez un homme qu'elle a aimé ; un problème d'argent se trouve mêlé aux souvenirs de l'amour passé ; les deux hommes sont d'abord heureux de cette réapparition, mais laissent finalement repartir les deux femmes comme elles sont venues. Les différences entre les scènes, tout aussi nombreuses, sont encore plus révélatrices par le jeu qu'elles introduisent entre les clôtures des deux romans. D'abord, Emma vient demander un prêt à Rodolphe, tandis que Marie se rend chez Frédéric pour rembourser une vieille dette. Ensuite, Emma rappelle l'amour passé et propose de le reconstruire afin que Rodolphe lui accorde ce prêt, alors que Marie a peut-être seulement pris le prétexte de l'argent qu'elle apporte, pour venir s'offrir. Enfin, alors qu'il allait se laisser aller à un revif de passion, Rodolphe renvoie Emma lorsqu'il comprend le motif fondamentalement pécuniaire de sa visite ; Frédéric s'éloigne spatialement de Mme Arnoux quand il se rend compte qu'elle n'est pas seulement venue s'acquitter de

1. Flaubert, *Madame Bovary*, éd. Jacques Neefs, Le Livre de poche classique, 1999, p. 451-456.

sa dette, et qu'il pourrait être amené à modifier les données de leur relation platonique. Contrairement à Emma qui continue à être le jouet d'illusions et de désillusions successives jusque sur son lit de mort (on se rappelle la scène de l'extrême-onction et « le plus grand baiser d'amour qu'elle eût jamais donné [1] »), Frédéric a choisi d'immobiliser sa vie et l'ordonne en fonction de sa mémoire.

En effet, au tout début du chapitre, la mémoire est encore le lieu efficace (et source de perpétuelles déceptions) d'une confrontation entre le réel et la représentation : « il eut d'autres amours encore. Mais le souvenir continuel du premier les lui rendait insipides » (p. 541). L'amour rêvé interdit l'adéquation complète du personnage avec ce qui l'entoure. La mémoire joue le rôle d'un outil de comparaison qui désenchante la réalité et empêche le personnage d'y prendre pied. Mais une évolution se fait jour alors, qui va rapidement (en raison de l'extrême vitesse de la narration à ce moment-là : « Des années passèrent ; et il supportait le désœuvrement de son intelligence et l'inertie de son cœur ») transformer les données du problème. Lorsque Mme Arnoux surgit dans le cabinet de Frédéric, ce qu'elle représente pour lui est immobilisé dans un cadre. Ce « tableau » est conservé dans la mémoire de Frédéric où il peut être contemplé à volonté, et sans empiéter sur le réel.

D'ailleurs, dès le début du roman, Mme Arnoux s'était présentée à Frédéric sous la forme d'une image fixe (« ce fut comme une apparition », p. 47), par l'intermédiaire d'une description qui comporte des connotations picturales évidentes. Cette dimension d'image arrêtée a aussi été préparée par plusieurs moments où, pour être mieux immobilisée, Mme Arnoux s'est trouvée textuellement « enterrée » par Frédéric. À la fin de la première partie du roman, alors qu'il pense devoir rester définitivement à Nogent, faute d'argent, « Mme Arnoux était pour lui comme une morte dont il s'étonnait de ne pas connaître le tombeau, tant cette affection était devenue tranquille et résignée » (p. 159). Et lors de la vente du 1er décembre 1851, lorsque Mme Dambreuse veut acquérir le petit coffret d'argent qui a voyagé entre les

---

1. Flaubert, *Madame Bovary*, éd. citée, p. 470.

domiciles de Mme Arnoux et de Rosanette, Frédéric
l'accuse de vouloir « dépouiller les morts de leurs secrets » ;
ce à quoi la riche veuve rétorque fort justement : « Je ne la
croyais pas si morte » (p. 536).

Or, dans le premier épilogue, bien qu'il soit heureux de
revoir Mme Arnoux, Frédéric commence par la « blâm[er] »
de s'être dérangée », expression qui semble devoir être prise
au pied de la lettre, en rendant au préfixe « dé- » sa valeur
privative (elle était rangée, elle ne l'est plus). Puis, dans ses
protestations d'amour, il s'écrie : « C'était Mme Arnoux
telle que vous étiez, avec ses deux enfants, tendre, sérieuse,
belle à éblouir, et si bonne ! Cette image-là effaçait toutes
les autres » (p. 544). Par son irruption intempestive, Marie
vient bouleverser l'ordonnancement actuel de la vie de Frédéric. Toutes les évocations de leurs sentiments sont faites
au passé, comme si l'amour que porte Frédéric à
Mme Arnoux n'avait plus aucune répercussion dans le présent. En revanche, ses cheveux blancs, signe du passage du
temps et de l'appartenance de Marie à la réalité, sont
presque insupportables pour Frédéric qui en reçoit « comme
un heurt en pleine poitrine » (p. 544). L'image, elle, n'avait
pas vieilli. Lorsqu'il comprend ensuite qu'elle n'exclurait
peut-être pas, aujourd'hui, un complet adultère, il refuse de
sacrifier ce sur quoi il a construit son repos, une vie de petit
rentier, illuminée, lorsque c'est nécessaire, par le souvenir
d'un amour romanesque : « – et tout à la fois par prudence
et pour ne pas dégrader son idéal, il tourna sur ses talons
et se mit à faire une cigarette ». L'équilibre est à ce prix.

Lorsque Mme Arnoux s'en va – enfin ! –, Frédéric assiste
tranquillement à son départ :

> Quand elle fut sortie, Frédéric ouvrit sa fenêtre, Mme Arnoux,
> sur le trottoir, fit signe d'avancer à un fiacre qui passait. Elle
> monta dedans. La voiture disparut.
> Et ce fut tout (p. 546).

Ce qui avait été momentanément dérangé est de nouveau
et à jamais en ordre. L'illusion constante qui animait et per-
turbait autrefois l'existence matérielle de Frédéric se trouve
dorénavant strictement subordonnée aux exigences de cette
dernière. Elle n'est pas abolie ou abandonnée pour autant ;

elle est seulement séparée du réel, rangée en bonne et fixe place dans la mémoire : elle fait pendant harmonieux à la réalité, mais elle en est hermétiquement isolée.

Mme Arnoux, quant à elle, semble avoir suivi une évolution inverse. Auparavant, elle était peu sensible aux charmes de l'illusion littéraire (« Elle ne s'exaltait point pour la littérature », p. 218), et a longtemps refusé de s'avouer son amour. Maintenant, elle est une lectrice assidue et se sert de la littérature pour évoquer l'image de Frédéric : « et il me semble que vous êtes là, quand je lis des passages d'amour dans les livres » (p. 543), lui avoue-t-elle. Elle semble même, à la fin, se comporter comme Frédéric au début : « Puis elle se mit à regarder les meubles, les bibelots, les cadres, avidement, pour les emporter dans sa mémoire » (p. 542). Elle paraît ainsi s'abîmer dans l'illusion, au point de se rapprocher étonnamment de la Félicité d'*Un cœur simple*. Comme la vieille servante, elle est dégradée physiquement et est comparée à une « somnambule [1] » (p. 544).

À l'opposé, comme le montre la conversation de Frédéric et Deslauriers au coin du feu (second épilogue), le réel est l'élément dans lequel se meuvent les deux hommes au terme de leur apprentissage. Plus d'aspirations ou de rêves à réaliser qui ambitionneraient de transformer le monde à leur mesure ! Cependant, la représentation fonctionne toujours, quoique sur un mode différent : la projection illusoire dans le futur est maintenant remplacée par un recueillement rétrospectif dans la mémoire. Elle est d'abord utilisée par le narrateur comme un moyen habile de tirer le bilan de deux vies et d'un roman. Il fait le point sur la destinée de tous les personnages (les deux amis, bien sûr, mais aussi Martinon, Hussonnet, Cisy, Pellerin et les autres), et apporte enfin au lecteur – et à Frédéric – des éclaircissements qu'il attendait depuis longtemps (sur le « mystère de la tête de veau », par exemple). Mais cet usage purement factuel et informatif de la mémoire laisse bientôt la place à un ressassement ininterrompu de souvenirs qui n'ont aucun caractère de nouveauté pour l'un ou l'autre des protagonistes, mais dont le récit

---

1. Flaubert, *Trois Contes*, éd. Pierre-Marc de Biasi, GF-Flammarion, 1986, rééd. 2009, p. 73.

à deux voix les délecte. Car ces images du passé, dûment recomposées, reçoivent maintenant une place similaire à celle qu'occupaient, dans leur jeunesse, les représentations précédemment analysées :

> – « [...] Te rappelles-tu ? »
> Et, exhumant leur jeunesse, à chaque phrase, ils se disaient :
> – « Te rappelles-tu ? »
> Ils revoyaient la cour du collège, la chapelle, le parloir [...] (p. 549).

L'acmé de ce processus est atteinte avec l'épisode de la Turque qu'ils « se [...] contèrent prolixement, chacun complétant les souvenirs de l'autre » (p. 551). Retour dans le passé, mais dans un passé pacifié, revisité, réorganisé par le travail de la mémoire et dans lequel l'aventure d'adolescence supplante définitivement, parce qu'elle l'explique et qu'elle l'annonce, l'amour impossible pour Mme Arnoux.

Le souvenir, morceau de passé intériorisé, possède en lui-même la texture du bonheur. D'ailleurs, c'est presque toujours en relation étroite avec la mémoire que se sont déroulés les rares moments idylliques du roman. Lors des visites de Frédéric à Mme Arnoux dans la petite maison d'Auteuil (au sixième chapitre de la deuxième partie), l'essentiel de la conversation consiste en cette communion de la mémoire, en cet heureux partage présent de souvenirs qui remplacent presque avantageusement le bonheur non connu dans le passé : « Il lui rappelait d'insignifiants détails, la couleur de sa robe à telle époque, quelle personne un jour était survenue, ce qu'elle avait dit une autre fois » (p. 367). Et Mme Arnoux de répondre à l'unisson : « Oui, je me rappelle ! » De même, dans la dernière entrevue, l'évocation des souvenirs communs est essentielle :

> Ils se racontèrent leurs anciens jours, les dîners du temps de *L'Art industriel*, les manies d'Arnoux, sa façon de tirer les pointes de son faux-col, d'écraser du cosmétique sur ses moustaches, d'autres choses plus intimes et plus profondes. Quel ravissement il avait eu la première fois, en l'entendant chanter ! Comme elle était belle, le jour de sa fête, à Saint-Cloud ! Il lui rappela le petit jardin d'Auteuil, des soirs au théâtre, une rencontre sur le boulevard, d'anciens domestiques, sa négresse.
> Elle s'étonnait de sa mémoire (p. 543).

Ce n'est donc pas la nature de l'épisode qui fait la valeur intrinsèque de la réminiscence, mais son caractère de remémoration et d'association. Chez Stendhal, « toute chose imaginée est une chose existante pour l'effet sur le bonheur [1] ». Dans *L'Éducation sentimentale*, tout souvenir commun partagé confère à son objet, quel qu'il soit, la qualité d'un bonheur effectif.

Avec Deslauriers, l'activité de mémoire prend toute sa vigueur. Les deux hommes vivent maintenant confortablement installés dans le réel. Ils n'ont pas pour autant renoncé à toute représentation. Mais celle-ci ne s'impose plus à eux, ils la réactivent selon les nécessités du temps. Ils l'« exhum[ent] », dit le texte. Au contraire, à la fin d'*Un cœur simple*, le monde imaginaire prend progressivement la place du monde réel. Images inventées et souvenirs s'unissent pour annuler l'environnement en désagrégation de la vieille servante. Dans la vision qui accompagne la mort de Félicité, la représentation s'étend à tout ce que peut encore embrasser l'esprit de la servante et lui cache définitivement le réel : « et, quand elle exhala son dernier souffle, elle crut voir, dans les cieux entrouverts, un perroquet gigantesque, planant au-dessus de sa tête [2] ». L'illusion n'est donc jamais plus forte qu'au terme de l'existence de Félicité, lorsque ce qui lui reste de vie se résume à cet instantané de mémoire affective qui, dans l'irruption brusque de ses éléments, mêle le Saint-Esprit, Loulou, Victor et tous ceux à qui elle s'est un jour attachée (comme Flaubert le confiait à Taine dans une lettre du 1er décembre 1866, l'hallucination est une « maladie *de la mémoire*, un relâchement de ce qu'elle recèle »).

Dans *L'Éducation sentimentale*, le pouvoir destructeur de l'illusion a été jugulé par le travail de la mise en mémoire. Frédéric et Deslauriers se sont défaits de tout ce qui pouvait porter atteinte à l'ordonnancement de leurs vies, mais se réservent la possibilité – par la mémoire (comparable en cela à un véritable appareil de projection, au sens cinématographique du terme) – de revisiter tranquillement leurs illusions

---

1. Stendhal, *De l'amour*, GF-Flammarion, 1965, p. 55.
2. Flaubert, *Trois Contes*, éd. citée, p. 78.

passées. La Turque est leur perroquet à eux, un perroquet que l'on contemple de loin et qui ne risque pas d'obstruer le reste de leur champ de vision.

Stéphanie DORD-CROUSLÉ.

NOTE SUR LA PRÉSENTE ÉDITION

MANUSCRITS

Contrairement à ce qu'il en est pour d'autres romans de Flaubert, l'imposant dossier génétique de *L'Éducation sentimentale* est dispersé entre plusieurs lieux de conservation. À la bibliothèque historique de la Ville de Paris se trouvent :

– le carnet de travail n° 19, un grand carnet de projets qui contient le premier plan du roman (voir le point 4 du dossier de la présente édition, p. 586-601) ;

– les carnets de travail n°s 8, 12, 13 et 14, des calepins d'enquête qui renferment de nombreuses notes documentaires ;

– le manuscrit final autographe (Ms Rés 98 ; 478 folios) dont la première page porte les dates de la période de rédaction : « 1er septembre 1864-16 mai 1869 ». Sont reliées à la suite les douze pages de « corrections » que Du Camp a proposées après lecture du manuscrit (folios 486 à 497), et que Flaubert a annotées. Ces pages sont elles-mêmes précédées de fiches que l'écrivain a rédigées sur les points sensibles relevés par son ami (folios 479 à 485) ;

– le manuscrit du copiste (Ms Rés 99 ; 664 folios) destiné à l'imprimeur, avec des corrections autographes de l'auteur.

Au département des Manuscrits de la Bibliothèque nationale de France sont conservés les scénarios (Nouvelles acquisitions françaises, volume 17611 ; 188 folios) et les brouillons (volumes 17599 à 17610 ; 2504 folios) du roman. À la bibliothèque municipale de Rouen, les dossiers de *Bouvard et Pécuchet* contiennent nombre de notes documentaires (en particulier sur des journaux et des ouvrages historiques, politiques et religieux) qui avaient été collectées pour *L'Éducation sentimentale* et dont Flaubert s'est ensuite servi pour son roman encyclopédique (Ms g 226, volumes 1 à 8, en particulier les volumes 1, 2, 4 et 7). On trouve aussi dans ces dossiers rouennais quelques brouillons du roman parisien. Enfin, de nombreuses pages de notes documentaires sont conservées dans divers fonds publics ou privés, en France ou à l'étranger, tandis que d'autres continuent à passer régulièrement dans les salles de vente.

ÉDITIONS ORIGINALES

L'édition originale de *L'Éducation sentimentale* est postdatée. Publié chez Michel Lévy en deux volumes, le roman est annoncé dans la *Bibliographie de la France* le 27 novembre 1869 et a en réalité été mis en vente dès le 18 ; mais la couverture de l'ouvrage porte la date de 1870. Il en va de même pour la seconde édition originale, datée de 1880, mais qui a paru chez Georges Charpentier en novembre 1879.

La comparaison des deux éditions originales met au jour près de cinq cents « variantes » qui, selon les principes d'une textologie orthodoxe, doivent être tenues pour des corrections d'auteur et entérinées, puisque l'édition de 1879 est la dernière parue du vivant de Flaubert (les deux exemplaires corrigés de la main de l'écrivain, l'un de l'édition de 1869, l'autre de celle de 1879, n'ont pas à être pris en compte). Or, Flaubert a bien relu son texte puisque, le 22 juillet 1879, il a envoyé à Georges Charpentier « les deux volumes de *L'Éducation sentimentale* [édition de 1869], soigneusement "revus et corrigés" », afin qu'ils servent à la composition de la nouvelle édition. Et, entre la fin du mois d'août et la mi-octobre de cette même année, il semble avoir corrigé avec conscience les épreuves envoyées par l'imprimeur, même si ces corrections le « tannent », avoue-t-il à plusieurs reprises. Cependant, certaines transformations, voire certaines disparitions (à l'exception de la suppression – concertée – de nombreux mots de liaison), étonnent le lecteur qui, en l'absence de l'exemplaire et des épreuves corrigés, n'est pas forcé d'admettre que toutes ces variations éditoriales sont le résultat d'un acte volontaire de la part de l'auteur. On ne peut pas tout expliquer par le désir de concision.

Il suffit de constater l'abondance des coquilles typographiques qui subsistent dans l'édition de 1879 pour se persuader que si Flaubert a certainement relu et corrigé ses épreuves, en tout cas il n'a pas ôté toutes les erreurs que les compositeurs avaient introduites. De plus, l'écrivain ne manquait jamais une occasion de clamer son intime répugnance pour la chose imprimée : « Ma haine pour la typographie est telle que je n'aime pas à entrer dans une imprimerie et que j'ignore la manière de corriger les épreuves », écrivait-il à Eugène Crépet en mars 1867. Car, pour lui, l'œuvre est essentiellement manuscrite ; le passage au stade de l'impression, ou déjà de la copie par un copiste professionnel en vue de l'impression, lui fait définitivement quitter son temps de gestation et en « dépossède » son auteur (« Quant à mon roman, *L'Éducation sentimentale*, je n'y pense plus, Dieu merci ! Il est recopié. D'autres mains y ont passé. Donc, la chose n'est plus mienne. Elle n'existe plus, bonsoir », lettre à George Sand du 24 juin 1869). On peut donc se poser la question de la « légitimité » des corrections apportées dix ans après la fin de la rédaction, ou, du moins, de certaines d'entre elles. Ces différents faits militent tous en faveur d'une révision en profondeur de la leçon du texte de 1879. Néanmoins, on n'a pu agir en fonction de cette intime conviction ; car ce parti pris critique, périlleux bien que pertinent, pose de tels problèmes méthodologiques, si l'on veut le fonder sur des principes rigoureux, qu'ils n'ont pu trouver de solution satisfaisante dans le cadre de cette collection.

PRINCIPES D'ÉDITION

On propose donc le texte de l'édition Charpentier de 1879. L'orthographe, cependant, en a été modernisée (par exemple, « grand-chose » remplace « grand'chose »). Elle a aussi été rectifiée et harmonisée, en particulier pour les noms propres : le nom exact des personnages et des lieux réels a été restauré (ainsi, pour la ville de Mormant et la rue de Rumford, les juristes Zachariæ et Rudorff, ou le portrait de Lady Gower) ; les noms des personnages fictifs ont été uniformisés : les leçons « Burrieu », « Lefaucheur » et « Chambrion » ont été généralisées au détriment de leurs variantes « Burieu », « Lefaucheux » et « Chambion » ; et Mlle Arnoux est appelée Marthe partout, même là où Flaubert avait laissé subsister le prénom Berthe, écrit par inadvertance. La disposition en paragraphes a été respectée, comme la ponctuation, sauf lorsqu'elles étaient évidemment aberrantes (virgule en fin de phrase, guillemet ouvrant ou fermant manquant...), autant de coquilles qui ne sont pas le signe d'une relecture toujours très soignée des épreuves...

L'usage des capitales – très fréquent et souvent surprenant chez Flaubert – a été normalisé selon les principes établis par le *Lexique des règles typographiques en usage à l'Imprimerie nationale* (Imprimerie nationale, 1990). On n'a dérogé à ces règles, en conservant les capitales, que lorsqu'une intention de l'auteur pouvait être clairement établie : Pellerin parlant de « l'Art », Mme Arnoux désignée par « Elle » dans les pensées de Frédéric... De même, seuls Rosanette (« la Maréchale ») et Régimbart (« le Citoyen ») se voient attribuer des qualificatifs récurrents qui ne sont pas relatifs à leur profession. Ce sont donc de véritables surnoms qui, comme tels, prennent une majuscule, contrairement aux formules utilisées, par exemple, pour désigner Deslauriers (« le clerc », puis « l'avocat »).

Outre les transformations relevant des principes exposés ci-dessus, on a introduit quelques modifications dans le texte, quand la leçon de l'édition de 1879 apparaissait clairement fautive par rapport à celle de 1869, ou même par rapport à celle du manuscrit définitif. On s'en est strictement tenu aux cas les moins sujets à polémique, dont voici la liste exhaustive :

– p. 77, « Frédéric sentit quelqu'un lui toucher l'épaule », et non « lui toucher à l'épaule » ;

– p. 84, « un canapé [...] occupait au fond l'intérieur d'une alcôve », et non « occupant » ;

– p. 145, « les chèvrefeuilles et les seringas débordant les clôtures des jardins, envoyaient [...] des bouffées d'odeurs amollissantes », et non « débordaient » ;

– p. 146, « Arnoux [...] remontait lestement vers les boulevards », et non « lentement » ;

– p. 154, « Il rêvait à toutes les paroles qu'elle lui avait dites », et non « qu'on lui avait dites » ;

– p. 161, « il se rongea jusqu'au surlendemain », et non « jusqu'au lendemain » ;

– p. 194, « les armures dispensaient d'être brave », et non « des armures » ;

– p. 218, « ses petites mains semblaient faites [...] pour essuyer des pleurs », et non « ses pleurs » ;

– p. 225, « On apercevrait [...] des massifs d'orangers », et non « apercevait » ;

– p. 245, « comme on fait à une personne malade », et non « comme on fait une » ;

– p. 251, « Il était sobre néanmoins », et non « sombre » ;

– p. 252, « Frédéric [...] se précipita vers la rue Paradis », et non « la rue de Paradis » ;

– p. 273, « les maisonnettes [...] glissaient comme des décors », et non « les décors » ;

– p. 273, « La concierge le rappela », et non « Le concierge » ;

– p. 277, « le rouge de cuivre des Chinois », et non « des cuivres » ;

– p. 279, « les engobes, les lustres et les métaux », et non « englobes » ;

– p. 293, « un stepper magnifique passait », et non « un stopper » ;

– p. 304, « Sénécal tendit sa main, gravement », et non « bravement » ;

– p. 342, « un plant d'asperges », et non « un plan » ;

– p. 345, « Elle éclata en sanglots, et s'enfonçant la tête dans sa poitrine », et non « sa tête » ;

– p. 368, « elle porta une robe de chambre [...], vêtement large convenant à la mollesse de ses attitudes et à sa physionomie sérieuse », et non « et de sa physionomie sérieuse » ;

– p. 385, « Il descendait vers les Champs-Élysées », et non « Il descendait les Champs-Élysées » ;

– p. 391, « le délire redoublait au tintamarre continu des porcelaines brisées », et non « redoublait son tintamarre » ;

– p. 434, « il [...] observait presque du même coup d'œil », et non « il [...] observait même du même coup d'œil » ;

– p. 437, « Rosanette voyait leur chambre, avec [...] la pot-bouille sur le poêle », et non « le pot-bouille » ;

– p. 468, « Marthe se rangeait toujours du côté de son père », et non « Berthe » ;

– p. 482, « il l'entraîna vers sa maison », et non « il l'entraîna dans sa maison » ;

– p. 488, « comme Deslauriers s'aboucherait avec M. Roque », et non « s'abouchait » ;

– p. 491, « il tirait tout à coup une aspiration énorme », et non « une respiration » ;

– p. 499, « de la poussière couvrait les bouquets à rubans de satin », et non « les bouquets de rubans » ;

– p. 513, « il avait toujours eu un fond de religion », et non « un fonds ».

En revanche, on conserve la leçon « [Frédéric] eut mal à contenir son enthousiasme » (p. 100), contrairement à la plupart des éditions précédentes qui corrigent en « eut du mal ». En effet, c'est bien cette expression ramassée qui apparaît sous la plume de Flaubert, tant dans le manuscrit définitif que dans les brouillons du passage (phénomène à rapprocher de l'expression « faire bien » que l'on trouve dans le cinquième chapitre de *Bouvard et Pécuchet* : « – "Ah ! cela fait bien !" dit Bouvard, en humant l'air à pleins poumons »).

PRINCIPES D'ANNOTATION

Deux types de notes coexistent. On trouve d'abord des notes de langue qui lèvent les difficultés lexicales et grammaticales. On a ensuite des notes d'éclaircissement contextuel, réduites à la compréhension des allusions historiques ou littéraires en situation. Car, sans viser à l'exhaustivité, il a semblé indispensable de rendre aussi intelligible que possible un univers souvent opaque pour le lecteur d'aujourd'hui, même si l'on peut douter que le lecteur de 1869 ait toujours été en mesure de déchiffrer toutes les allusions, et que Flaubert les ait toujours faites dans ce but. L'important est d'être bien conscient de cette difficulté lorsqu'on évalue, au sein du roman, la portée et le fonctionnement textuels ou fictionnels d'une référence annotée.

En revanche, aucune note d'établissement de texte n'a été donnée puisque tous les points problématiques sont indiqués ci-dessus. De même, on n'a fait aucun renvoi à l'imposante documentation rassemblée par Flaubert, pas plus qu'aux scénarios et brouillons du roman, à la biographie de l'auteur ou à l'abondante correspondance que l'écrivain échange avec ses amis pendant qu'il écrit son roman, et qui forme une sorte de « journal de la rédaction ». Il ne nous a pas paru souhaitable de rechercher ici une telle exhaustivité.

L'Éducation sentimentale

– *Histoire d'un jeune homme* –

Première partie

I

Le 15 septembre 1840, vers six heures du matin, la *Ville-de-Montereau*, près de partir, fumait à gros tourbillons devant le quai Saint-Bernard[1].

Des gens arrivaient hors d'haleine ; des barriques, des câbles, des corbeilles de linge gênaient la circulation ; les matelots ne répondaient à personne ; on se heurtait ; les colis montaient entre les deux tambours[2], et le tapage s'absorbait dans le bruissement de la vapeur, qui, s'échappant par des plaques de tôle, enveloppait tout d'une nuée blanchâtre, tandis que la cloche, à l'avant, tintait sans discontinuer.

Enfin le navire partit ; et les deux berges, peuplées de magasins, de chantiers et d'usines, filèrent comme deux larges rubans que l'on déroule.

Un jeune homme de dix-huit ans, à longs cheveux et qui tenait un album sous son bras, restait auprès du gouvernail, immobile. À travers le brouillard, il contemplait des clochers, des édifices dont il ne savait pas les noms ; puis il embrassa, dans un dernier coup d'œil, l'île Saint-Louis, la Cité, Notre-Dame ; et bientôt, Paris disparaissant, il poussa un grand soupir.

M. Frédéric Moreau, nouvellement reçu bachelier, s'en retournait à Nogent-sur-Seine[3], où il devait languir pendant deux mois, avant d'aller *faire son droit*. Sa mère, avec la somme indispensable, l'avait envoyé au Havre voir un oncle,

---

1. Le quai Saint-Bernard se trouve sur la rive gauche de la Seine, en amont de l'île Saint-Louis, à proximité du Jardin des Plantes (actuel Ve arrondissement de Paris ; voir le dossier, p. 583).

2. Les tambours contiennent les roues à aubes qui permettent au bateau à vapeur d'avancer.

3. Voir le dossier, p. 585.

dont elle espérait, pour lui, l'héritage ; il en était revenu la veille seulement ; et il se dédommageait de ne pouvoir séjourner dans la capitale, en regagnant sa province par la route la plus longue.

Le tumulte s'apaisait ; tous avaient pris leur place ; quelques-uns, debout, se chauffaient autour de la machine, et la cheminée crachait avec un râle lent et rythmique son panache de fumée noire ; des gouttelettes de rosée coulaient sur les cuivres ; le pont tremblait sous une petite vibration intérieure, et les deux roues, tournant rapidement, battaient l'eau.

La rivière était bordée par des grèves de sable. On rencontrait des trains de bois [1] qui se mettaient à onduler sous le remous des vagues, ou bien, dans un bateau sans voiles, un homme assis pêchait ; puis les brumes errantes se fondirent, le soleil parut, la colline qui suivait à droite le cours de la Seine peu à peu s'abaissa, et il en surgit une autre, plus proche, sur la rive opposée.

Des arbres la couronnaient parmi des maisons basses couvertes de toits à l'italienne [2]. Elles avaient des jardins en pente que divisaient des murs neufs, des grilles de fer, des gazons, des serres chaudes, et des vases de géraniums, espacés régulièrement sur des terrasses où l'on pouvait s'accouder. Plus d'un, en apercevant ces coquettes résidences, si tranquilles, enviait d'en être le propriétaire, pour vivre là jusqu'à la fin de ses jours, avec un bon billard, une chaloupe, une femme ou quelque autre rêve. Le plaisir tout nouveau d'une excursion maritime facilitait les épanchements. Déjà les farceurs commençaient leurs plaisanteries. Beaucoup chantaient. On était gai. Il se versait des petits verres.

Frédéric pensait à la chambre qu'il occuperait là-bas, au plan d'un drame, à des sujets de tableaux, à des passions futures. Il trouvait que le bonheur mérité par l'excellence de son âme tardait à venir. Il se déclama des vers mélancoliques ; il marchait sur le pont à pas rapides ; il s'avança jusqu'au bout, du côté de la cloche ; – et, dans un cercle de

---

1. Un train de bois est composé de troncs d'arbres reliés les uns aux autres et transportés ainsi par voie d'eau.
2. Un toit à l'italienne est un toit à pente douce, faiblement inclinée.

passagers et de matelots, il vit un monsieur qui contait des galanteries à une paysanne, tout en lui maniant la croix d'or qu'elle portait sur la poitrine. C'était un gaillard d'une quarantaine d'années, à cheveux crépus. Sa taille robuste emplissait une jaquette de velours noir, deux émeraudes brillaient à sa chemise de batiste [1], et son large pantalon blanc tombait sur d'étranges bottes rouges, en cuir de Russie, rehaussées de dessins bleus.

La présence de Frédéric ne le dérangea pas. Il se tourna vers lui plusieurs fois, en l'interpellant par des clins d'œil ; ensuite il offrit des cigares à tous ceux qui l'entouraient. Mais, ennuyé de cette compagnie, sans doute, il alla se mettre plus loin. Frédéric le suivit.

La conversation roula d'abord sur les différentes espèces de tabacs, puis, tout naturellement, sur les femmes. Le monsieur en bottes rouges donna des conseils au jeune homme ; il exposait des théories, narrait des anecdotes, se citait lui-même en exemple, débitant tout cela d'un ton paterne [2], avec une ingénuité de corruption divertissante.

Il était républicain ; il avait voyagé, il connaissait l'intérieur des théâtres, des restaurants, des journaux, et tous les artistes célèbres, qu'il appelait familièrement par leurs prénoms ; Frédéric lui confia bientôt ses projets ; il les encouragea.

Mais il s'interrompit pour observer le tuyau de la cheminée, puis il marmotta vite un long calcul, afin de savoir « combien chaque coup de piston, à tant de fois par minute, devait, etc. » – Et, la somme trouvée, il admira beaucoup le paysage. Il se disait heureux d'être échappé aux affaires.

Frédéric éprouvait un certain respect pour lui, et ne résista pas à l'envie de savoir son nom. L'inconnu répondit tout d'une haleine :

– « Jacques Arnoux propriétaire de *L'Art industriel*, boulevard Montmartre [3]. »

---

1. La batiste est une toile de lin très fine.
2. Est paterne le ton qui montre ou affecte une bonhomie doucereuse.
3. Le boulevard Montmartre se situe sur la rive droite de la Seine, entre les actuels IIe et IXe arrondissements (voir le dossier, p. 584).

Un domestique ayant un galon d'or à la casquette vint lui dire :

– « Si Monsieur voulait descendre ? Mademoiselle pleure. »

Il disparut.

L'Art industriel était un établissement hybride [1], comprenant un journal de peinture et un magasin de tableaux. Frédéric avait vu ce titre-là, plusieurs fois, à l'étalage du libraire de son pays natal, sur d'immenses prospectus, où le nom de Jacques Arnoux se développait magistralement.

Le soleil dardait d'aplomb, en faisant reluire les gabillots [2] de fer autour des mâts, les plaques du bastingage et la surface de l'eau ; elle se coupait à la proue en deux sillons, qui se déroulaient jusqu'au bord des prairies. À chaque détour de la rivière, on retrouvait le même rideau de peupliers pâles. La campagne était toute vide. Il y avait dans le ciel de petits nuages blancs arrêtés, – et l'ennui, vaguement répandu, semblait alanguir la marche du bateau et rendre l'aspect des voyageurs plus insignifiant encore.

À part quelques bourgeois, aux Premières [3], c'étaient des ouvriers, des gens de boutique avec leurs femmes et leurs enfants. Comme on avait coutume alors de se vêtir sordidement en voyage, presque tous portaient de vieilles calottes grecques ou des chapeaux déteints, de maigres habits noirs, râpés par le frottement du bureau, ou des redingotes ouvrant la capsule de leurs boutons pour avoir trop servi au magasin ; çà et là, quelque gilet à châle laissait voir une chemise de calicot [4], maculée de café ; des épingles de chrysocale [5] piquaient des cravates en lambeaux ; des sous-pieds cousus retenaient des chaussons de lisière [6] ; deux ou trois

---

1. Est hybride ce qui est composé de deux éléments de nature différente anormalement réunis.
2. Les gabillots (ou, plus communément, cabillots) sont des chevilles en bois ou en métal qui sont disposées sur des râteliers au pied des mâts, et auxquelles on attache les cordages de manœuvre.
3. Les Premières sont une abréviation usuelle mise pour « places de première classe » ou « de première catégorie ».
4. Le calicot est une toile de coton assez grossière.
5. Le chrysocale est un alliage de cuivre, d'étain et de zinc, qui imite l'or.
6. La lisière est la bordure de certaines pièces de drap, employée ensuite pour tresser des chaussons.

gredins qui tenaient des bambous à ganse de cuir lançaient des regards obliques, et des pères de famille ouvraient de gros yeux, en faisant des questions. Ils causaient debout, ou bien accroupis sur leurs bagages ; d'autres dormaient dans des coins ; plusieurs mangeaient. Le pont était sali par des écales de noix, des bouts de cigares, des pelures de poires, des détritus de charcuterie apportée dans du papier ; trois ébénistes, en blouse, stationnaient devant la cantine ; un joueur de harpe en haillons se reposait, accoudé sur son instrument ; on entendait par intervalles le bruit du charbon de terre dans le fourneau, un éclat de voix, un rire ; – et le capitaine, sur la passerelle, marchait d'un tambour[1] à l'autre, sans s'arrêter. Frédéric, pour rejoindre sa place, poussa la grille des Premières[2], dérangea deux chasseurs avec leurs chiens.

Ce fut comme une apparition :

Elle était assise, au milieu du banc, toute seule ; ou du moins il ne distingua personne, dans l'éblouissement que lui envoyèrent ses yeux. En même temps qu'il passait, elle leva la tête ; il fléchit involontairement les épaules ; et, quand il se fut mis plus loin, du même côté, il la regarda.

Elle avait un large chapeau de paille, avec des rubans roses qui palpitaient au vent, derrière elle. Ses bandeaux[3] noirs, contournant la pointe de ses grands sourcils, descendaient très bas et semblaient presser amoureusement l'ovale de sa figure. Sa robe de mousseline claire, tachetée de petits pois, se répandait à plis nombreux. Elle était en train de broder quelque chose ; et son nez droit, son menton, toute sa personne se découpait sur le fond de l'air bleu.

Comme elle gardait la même attitude, il fit plusieurs tours de droite et de gauche pour dissimuler sa manœuvre ; puis il se planta tout près de son ombrelle, posée contre le banc, et il affectait d'observer une chaloupe sur la rivière.

Jamais il n'avait vu cette splendeur de sa peau brune, la séduction de sa taille, ni cette finesse des doigts que la

---

1. Voir la note 2, p. 43.
2. Voir la note 3, p. 46.
3. Les bandeaux sont les deux épaisses mèches de cheveux qui serrent le front et les tempes dans une coiffure féminine.

lumière traversait. Il considérait son panier à ouvrage avec ébahissement, comme une chose extraordinaire. Quels étaient son nom, sa demeure, sa vie, son passé ? Il souhaitait connaître les meubles de sa chambre, toutes les robes qu'elle avait portées, les gens qu'elle fréquentait ; et le désir de la possession physique même disparaissait sous une envie plus profonde, dans une curiosité douloureuse qui n'avait pas de limites.

Une négresse, coiffée d'un foulard, se présenta, en tenant par la main une petite fille, déjà grande. L'enfant, dont les yeux roulaient des larmes, venait de s'éveiller. Elle la prit sur ses genoux. « Mademoiselle n'était pas sage, quoiqu'elle eût sept ans bientôt ; sa mère ne l'aimerait plus ; on lui pardonnait trop ses caprices. » Et Frédéric se réjouissait d'entendre ces choses, comme s'il eût fait une découverte, une acquisition.

Il la supposait d'origine andalouse, créole peut-être ; elle avait ramené des îles cette négresse avec elle ?

Cependant, un long châle à bandes violettes était placé derrière son dos, sur le bordage de cuivre. Elle avait dû, bien des fois, au milieu de la mer, durant les soirs humides, en envelopper sa taille, s'en couvrir les pieds, dormir dedans ! Mais, entraîné par les franges, il glissait peu à peu, il allait tomber dans l'eau, Frédéric fit un bond et le rattrapa. Elle lui dit :

– « Je vous remercie, monsieur. »

Leurs yeux se rencontrèrent.

– « Ma femme, es-tu prête ? » cria le sieur Arnoux, apparaissant dans le capot [1] de l'escalier.

Mlle Marthe courut vers lui, et, cramponnée à son cou, elle tirait ses moustaches. Les sons d'une harpe retentirent, elle voulut voir la musique ; et bientôt le joueur d'instrument, amené par la négresse, entra dans les Premières. Arnoux le reconnut pour un ancien modèle [2] ; il le tutoya, ce qui surprit les assistants. Enfin le harpiste rejeta ses longs

---

1. Le capot est ici une construction légère ou une bâche garantissant de la pluie l'ouverture de l'escalier.
2. Un modèle est une personne dont le métier consiste à poser pour des artistes (peintres ou sculpteurs).

cheveux derrière ses épaules, étendit les bras et se mit à jouer.

C'était une romance orientale, où il était question de poignards, de fleurs et d'étoiles. L'homme en haillons chantait cela d'une voix mordante ; les battements de la machine coupaient la mélodie à fausse mesure ; il pinçait plus fort : les cordes vibraient, et leurs sons métalliques semblaient exhaler des sanglots, et comme la plainte d'un amour orgueilleux et vaincu. Des deux côtés de la rivière, des bois s'inclinaient jusqu'au bord de l'eau ; un courant d'air frais passait ; Mme Arnoux regardait au loin d'une manière vague. Quand la musique s'arrêta, elle remua les paupières plusieurs fois, comme si elle sortait d'un songe.

Le harpiste s'approcha d'eux, humblement. Pendant qu'Arnoux cherchait de la monnaie, Frédéric allongea vers la casquette sa main fermée, et, l'ouvrant avec pudeur, il y déposa un louis d'or. Ce n'était pas la vanité qui le poussait à faire cette aumône devant elle, mais une pensée de bénédiction où il l'associait, un mouvement de cœur presque religieux.

Arnoux, en lui montrant le chemin, l'engagea cordialement à descendre. Frédéric affirma qu'il venait de déjeuner ; il se mourait de faim, au contraire ; et il ne possédait plus un centime au fond de sa bourse.

Ensuite il songea qu'il avait bien le droit, comme un autre, de se tenir dans la chambre[1].

Autour des tables rondes, des bourgeois mangeaient, un garçon de café circulait ; M. et Mme Arnoux étaient dans le fond, à droite ; il s'assit sur la longue banquette de velours, ayant ramassé un journal qui se trouvait là.

Ils devaient, à Montereau[2], prendre la diligence de Châlons. Leur voyage en Suisse durerait un mois. Mme Arnoux blâma son mari de sa faiblesse pour son enfant. Il chuchota dans son oreille, une gracieuseté, sans doute, car elle sourit. Puis il se dérangea pour fermer derrière son cou le rideau de la fenêtre.

---

1. Dans un navire, la chambre est le logement des officiers. Ici, le terme désigne la salle à manger des Premières.
2. Voir le dossier, p. 585.

Le plafond, bas et tout blanc, rabattait une lumière crue. Frédéric, en face, distinguait l'ombre de ses cils. Elle trempait ses lèvres dans son verre, cassait un peu de croûte entre ses doigts ; le médaillon de lapis-lazuli [1], attaché par une chaînette d'or à son poignet, de temps à autre sonnait contre son assiette. Ceux qui étaient là, pourtant, n'avaient pas l'air de la remarquer.

Quelquefois, par les hublots, on voyait glisser le flanc d'une barque qui accostait le navire pour prendre ou déposer des voyageurs. Les gens attablés se penchaient aux ouvertures et nommaient les pays riverains.

Arnoux se plaignait de la cuisine : il se récria considérablement devant l'addition, et il la fit réduire. Puis il emmena le jeune homme à l'avant du bateau pour boire des grogs [2]. Mais Frédéric s'en retourna bientôt sous la tente, où Mme Arnoux était revenue. Elle lisait un mince volume à couverture grise. Les deux coins de sa bouche se relevaient par moments, et un éclair de plaisir illuminait son front. Il jalousa celui qui avait inventé ces choses dont elle paraissait occupée. Plus il la contemplait, plus il sentait entre elle et lui se creuser des abîmes. Il songeait qu'il faudrait la quitter tout à l'heure, irrévocablement, sans en avoir arraché une parole, sans lui laisser même un souvenir !

Une plaine s'étendait à droite ; à gauche un herbage allait doucement rejoindre une colline, où l'on apercevait des vignobles, des noyers, un moulin dans la verdure, et des petits chemins au-delà, formant des zigzags sur la roche blanche qui touchait au bord du ciel. Quel bonheur de monter côte à côte, le bras autour de sa taille, pendant que sa robe balayerait les feuilles jaunies, en écoutant sa voix, sous le rayonnement de ses yeux ! Le bateau pouvait s'arrêter, ils n'avaient qu'à descendre ; et cette chose bien simple n'était pas plus facile, cependant, que de remuer le soleil !

Un peu plus loin, on découvrit un château, à toit pointu, avec des tourelles carrées. Un parterre de fleurs s'étalait devant sa façade ; et des avenues s'enfonçaient, comme des

---

1. Le lapis-lazuli est une pierre fine d'un bleu d'azur ou d'outremer.
2. Un grog est une boisson faite d'eau chaude sucrée et d'eau-de-vie ou de rhum.

voûtes noires, sous les hauts tilleuls. Il se la figura passant
au bord des charmilles [1]. À ce moment, une jeune dame et
un jeune homme se montrèrent sur le perron, entre les
caisses d'orangers. Puis tout disparut.

La petite fille jouait autour de lui. Frédéric voulut la
baiser. Elle se cacha derrière sa bonne ; sa mère la gronda
de n'être pas aimable pour le monsieur qui avait sauvé son
châle. Était-ce une ouverture indirecte ?

– « Va-t-elle enfin me parler ? » se demandait-il.

Le temps pressait. Comment obtenir une invitation chez
Arnoux ? Et il n'imagina rien de mieux que de lui faire
remarquer la couleur de l'automne, en ajoutant :

– « Voilà bientôt l'hiver, la saison des bals et des
dîners ! »

Mais Arnoux était tout occupé de ses bagages. La côte
de Surville apparut, les deux ponts se rapprochaient, on
longea une corderie, ensuite une rangée de maisons basses ;
il y avait, en dessous, des marmites de goudron, des éclats
de bois ; et des gamins couraient sur le sable, en faisant la
roue. Frédéric reconnut un homme avec un gilet à manches,
il lui cria :

– « Dépêche-toi. »

On arrivait. Il chercha péniblement Arnoux dans la foule
des passagers, et l'autre répondit en lui serrant la main :

– « Au plaisir, cher monsieur ! »

Quand il fut sur le quai, Frédéric se retourna. Elle était
près du gouvernail, debout. Il lui envoya un regard où il
avait tâché de mettre toute son âme ; comme s'il n'eût rien
fait, elle demeura immobile. Puis, sans égard aux salutations
de son domestique :

– « Pourquoi n'as-tu pas amené la voiture jusqu'ici ? »

Le bonhomme s'excusait.

– « Quel maladroit ! Donne-moi de l'argent ! »

Et il alla manger dans une auberge.

Un quart d'heure après, il eut envie d'entrer comme par
hasard dans la cour des diligences. Il la verrait encore,
peut-être ?

---

1. Une charmille est à l'origine une allée plantée de charmes et, par extension, un berceau de verdure.

— « À quoi bon ? » se dit-il.

Et l'américaine [1] l'emporta. Les deux chevaux n'appartenaient pas à sa mère. Elle avait emprunté celui de M. Chambrion, le receveur, pour l'atteler auprès du sien. Isidore, parti la veille, s'était reposé à Bray jusqu'au soir et avait couché à Montereau, si bien que les bêtes rafraîchies trottaient lestement.

Des champs moissonnés se prolongeaient à n'en plus finir. Deux lignes d'arbres bordaient la route, les tas de cailloux [2] se succédaient ; et peu à peu, Villeneuve-Saint-Georges, Ablon, Châtillon, Corbeil [3] et les autres pays, tout son voyage lui revint à la mémoire, d'une façon si nette qu'il distinguait maintenant des détails nouveaux, des particularités plus intimes ; sous le dernier volant de sa robe, son pied passait dans une mince bottine en soie, de couleur marron ; la tente de coutil [4] formait un large dais [5] sur sa tête, et les petits glands rouges de la bordure tremblaient à la brise, perpétuellement.

Elle ressemblait aux femmes des livres romantiques. Il n'aurait voulu rien ajouter, rien retrancher à sa personne. L'univers venait tout à coup de s'élargir. Elle était le point lumineux où l'ensemble des choses convergeait ; — et, bercé par le mouvement de la voiture, les paupières à demi closes, le regard dans les nuages, il s'abandonnait à une joie rêveuse et infinie.

À Bray, il n'attendit pas qu'on eût donné l'avoine, il alla devant, sur la route, tout seul. Arnoux l'avait appelée « Marie ». Il cria très haut « Marie ! » Sa voix se perdit dans l'air.

---

1. Une américaine était une voiture découverte, très légère, à quatre roues et ordinairement attelée à deux chevaux.

2. Le long des routes empierrées se trouvaient alors des tas de cailloux destinés à l'entretien et disposés par les fournisseurs à intervalles réguliers. Chaque tas devait avoir un volume d'un mètre cube afin de faciliter les contrôles de l'administration.

3. Voir le dossier, p. 585.

4. Le coutil est une toile croisée et serrée, en fil ou en coton, très résistante.

5. Un dais est un ouvrage fixé de manière à former un plafond au-dessus d'un autel ou de la place où s'assoit un personnage éminent.

Une large couleur de pourpre enflammait le ciel à l'occident. De grosses meules de blé, qui se levaient au milieu des chaumes, projetaient des ombres géantes. Un chien se mit à aboyer dans une ferme, au loin. Il frissonna, pris d'une inquiétude sans cause.

Quand Isidore l'eut rejoint, il se plaça sur le siège pour conduire. Sa défaillance était passée. Il était bien résolu à s'introduire, n'importe comment, chez les Arnoux, et à se lier avec eux. Leur maison devait être amusante, Arnoux lui plaisait d'ailleurs ; puis, qui sait ? Alors, un flot de sang lui monta au visage : ses tempes bourdonnaient, il fit claquer son fouet, secoua les rênes, et il menait les chevaux d'un tel train, que le vieux cocher répétait :

– « Doucement ! mais doucement ! vous les rendrez poussifs. »

Peu à peu Frédéric se calma, et il écouta parler son domestique.

On attendait Monsieur avec grande impatience. Mlle Louise avait pleuré pour partir dans la voiture.

– « Qu'est-ce donc, Mlle Louise ? »

– « La petite à M. Roque, vous savez ? »

– « Ah ! j'oubliais ! » répliqua Frédéric, négligemment.

Cependant, les deux chevaux n'en pouvaient plus. Ils boitaient l'un et l'autre ; et neuf heures sonnaient à Saint-Laurent lorsqu'il arriva sur la place d'Armes, devant la maison de sa mère. Cette maison, spacieuse, avec un jardin donnant sur la campagne, ajoutait à la considération de Mme Moreau, qui était la personne du pays la plus respectée.

Elle sortait d'une vieille famille de gentilshommes, éteinte maintenant. Son mari, un plébéien [1] que ses parents lui avaient fait épouser, était mort d'un coup d'épée, pendant sa grossesse, en lui laissant une fortune compromise. Elle recevait trois fois la semaine et donnait de temps à autre un beau dîner. Mais le nombre des bougies était calculé d'avance, et elle attendait impatiemment ses fermages [2].

---

1. Un plébéien est un homme du peuple, par opposition à l'aristocrate, au patricien ou au gentilhomme.
2. Le fermage est la somme d'argent ou la redevance en nature que verse un fermier à son propriétaire pour la location de terres agricoles.

Cette gêne, dissimulée comme un vice, la rendait sérieuse. Cependant, sa vertu s'exerçait sans étalage de pruderie, sans aigreur. Ses moindres charités semblaient de grandes aumônes. On la consultait sur le choix des domestiques, l'éducation des jeunes filles, l'art des confitures, et Monseigneur descendait chez elle dans ses tournées épiscopales [1].

Mme Moreau nourrissait une haute ambition pour son fils. Elle n'aimait pas à entendre blâmer le Gouvernement, par une sorte de prudence anticipée. Il aurait besoin de protections d'abord ; puis, grâce à ses moyens, il deviendrait conseiller d'État, ambassadeur, ministre. Ses triomphes au collège de Sens [2] légitimaient cet orgueil ; il avait remporté le prix d'honneur.

Quand il entra dans le salon, tous se levèrent à grand bruit, on l'embrassa ; et avec les fauteuils et les chaises on fit un large demi-cercle autour de la cheminée. M. Gamblin lui demanda immédiatement son opinion sur Mme Lafarge [3]. Ce procès, la fureur de l'époque, ne manqua pas d'amener une discussion violente ; Mme Moreau l'arrêta, au regret toutefois de M. Gamblin ; il la jugeait utile pour le jeune homme, en sa qualité de futur jurisconsulte [4], et il sortit du salon, piqué.

Rien ne devait surprendre dans un ami du père Roque ! À propos du père Roque, on parla de M. Dambreuse, qui venait d'acquérir le domaine de la Fortelle. Mais le percepteur avait entraîné Frédéric à l'écart, pour savoir ce qu'il pensait du dernier ouvrage de M. Guizot [5]. Tous désiraient

----

1. Est épiscopal ce qui appartient ou est relatif à un évêque (dont le titre honorifique est « monseigneur »).

2. Voir le dossier, p. 585.

3. Mme Lafarge, accusée d'avoir empoisonné son mari avec de l'arsenic, venait d'être condamnée, le 2 septembre 1840, aux travaux forcés à perpétuité par la cour d'assises de la Corrèze, au terme d'un procès qui avait fait grand bruit et divisé l'opinion publique, l'épouse n'ayant cessé de clamer son innocence.

4. Un jurisconsulte fait profession de donner des avis sur des questions juridiques.

5. Historien et homme d'État conservateur, François Guizot (1787-1874) fut le chef du parti de la Résistance. Plusieurs fois ministre sous la monarchie de Juillet, il fut à l'origine d'une loi importante sur la liberté et l'organisation de l'enseignement primaire (dite loi Guizot, du 28 juin 1833). À partir de 1840, il fut le véritable chef du gouvernement, bien qu'il n'ait porté le titre de président du Conseil qu'en 1847 et 1848. En 1840, il publia une *Vie, correspondance et écrits de Washington*.

connaître ses affaires ; et Mme Benoît s'y prit adroitement en s'informant de son oncle. Comment allait ce bon parent ? Il ne donnait plus de ses nouvelles. N'avait-il pas un arrière-cousin en Amérique ?

La cuisinière annonça que le potage de Monsieur était servi. On se retira, par discrétion. Puis, dès qu'ils furent seuls, dans la salle, sa mère lui dit, à voix basse :

– « Eh bien ? »

Le vieillard l'avait reçu très cordialement, mais sans montrer ses intentions.

Mme Moreau soupira.

– « Où est-elle, à présent ? » songeait-il.

La diligence roulait, et, enveloppée dans le châle sans doute, elle appuyait contre le drap du coupé [1] sa belle tête endormie.

Ils montaient dans leurs chambres quand un garçon du *Cygne de la Croix* [2] apporta un billet.

– « Qu'est-ce donc ? »

– « C'est Deslauriers qui a besoin de moi », dit-il.

– « Ah ! ton camarade ! » fit Mme Moreau avec un ricanement de mépris. « L'heure est bien choisie, vraiment ! »

Frédéric hésitait. Mais l'amitié fut plus forte. Il prit son chapeau.

– « Au moins, ne sois pas longtemps ! » lui dit sa mère.

---

1. Le coupé est ici le compartiment antérieur d'une diligence, où il n'y a qu'une seule banquette.
2. *Le Cygne de la Croix* était le nom d'un hôtel de Nogent.

II

Le père de Charles Deslauriers, ancien capitaine de ligne, démissionnaire en 1818[1], était revenu se marier à Nogent, et, avec l'argent de la dot, avait acheté une charge d'huissier[2], suffisant à peine pour le faire vivre. Aigri par de longues injustices, souffrant de ses vieilles blessures, et toujours regrettant l'Empereur, il dégorgeait sur son entourage les colères qui l'étouffaient. Peu d'enfants furent plus battus que son fils. Le gamin ne cédait pas, malgré les coups. Sa mère, quand elle tâchait de s'interposer, était rudoyée comme lui. Enfin le capitaine le plaça dans son étude, et tout le long du jour, il le tenait courbé sur son pupitre à copier des actes, ce qui lui rendit l'épaule droite visiblement plus forte que l'autre.

En 1833, d'après l'invitation de M. le président, le capitaine vendit son étude. Sa femme mourut d'un cancer. Il alla vivre à Dijon ; ensuite il s'établit marchand d'hommes[3] à Troyes ; et, ayant obtenu pour Charles une demi-bourse, le mit au collège de Sens, où Frédéric le reconnut. Mais l'un avait douze ans, l'autre quinze ; d'ailleurs, mille différences de caractère et d'origine les séparaient.

Frédéric possédait dans sa commode toutes sortes de provisions, des choses recherchées, un nécessaire de toilette, par

---

1. Le 10 mars 1818 fut promulguée la loi Gouvion-Saint-Cyr. Elle posait en principe que l'enrôlement volontaire serait à l'avenir le mode principal du recrutement militaire, et la conscription son mode accessoire. Elle instituait aussi de nouvelles modalités de promotion.

2. Un huissier est un officier ministériel chargé de signifier les actes de procédure et de mettre à exécution les décisions de justice.

3. D'après la loi de recrutement du 21 mars 1832, tout Français parvenu à l'âge de vingt ans devait le service militaire pendant sept ans si le tirage au sort le désignait. Celui qui tirait un mauvais numéro pouvait acheter un remplaçant. Les marchands d'hommes servaient d'intermédiaires dans ces transactions.

exemple. Il aimait à dormir tard le matin, à regarder les hirondelles, à lire des pièces de théâtre, et, regrettant les douceurs de la maison, il trouvait rude la vie de collège.

Elle semblait bonne au fils de l'huissier. Il travaillait si bien, qu'au bout de la seconde année, il passa dans la classe de troisième. Cependant, à cause de sa pauvreté, ou de son humeur querelleuse, une sourde malveillance l'entourait. Mais un domestique, une fois, l'ayant appelé enfant de gueux, en pleine cour des Moyens, il lui sauta à la gorge et l'aurait tué, sans trois maîtres d'études qui intervinrent. Frédéric, emporté d'admiration, le serra dans ses bras. À partir de ce jour, l'intimité fut complète. L'affection d'un *grand*, sans doute, flatta la vanité du petit, et l'autre accepta comme un bonheur ce dévouement qui s'offrait.

Son père, pendant les vacances, le laissait au collège. Une traduction de Platon ouverte par hasard l'enthousiasma. Alors il s'éprit d'études métaphysiques ; et ses progrès furent rapides, car il les abordait avec des forces jeunes et dans l'orgueil d'une intelligence qui s'affranchit ; Jouffroy, Cousin, Laromiguière, Malebranche, les Écossais[1], tout ce que la bibliothèque contenait y passa. Il avait eu besoin d'en voler la clef, pour se procurer des livres.

Les distractions de Frédéric étaient moins sérieuses. Il dessina dans la rue des Trois-Rois la généalogie du Christ, sculptée sur un poteau, puis le portail de la cathédrale. Après les drames moyen âge, il entama les mémoires : Froissart, Comines, Pierre de l'Estoile, Brantôme[2].

---

1. Ces philosophes se rattachent directement ou indirectement au courant éclectique ou spiritualiste. Théodore Jouffroy (1796-1842) en est un représentant. Il fit connaître en France la philosophie écossaise par ses traductions de Reid et Dugald-Stewart. Il est le disciple de Victor Cousin (1792-1867) qui fonda l'éclectisme. Pierre Laromiguière (1756-1837) est un précurseur de l'école éclectique et un continuateur du sensualisme de Condillac. Nicolas Malebranche (1638-1715) est un héritier du cartésianisme qu'il a cherché à concilier avec la théologie catholique.

2. Ces auteurs ont tous écrit des chroniques historiques : Froissart (v. 1337-v. 1400), sur les événements de 1323 à 1400 ; Comines (v. 1447-1511), sur les règnes de Louis XI et de Charles VIII ; et de l'Estoile (v. 1545-1611), sur les règnes d'Henri III et d'Henri IV. Brantôme (v. 1538-1614), quant à lui, a laissé des recueils d'anecdotes sur la vie de personnages célèbres.

Les images que ces lectures amenaient à son esprit l'obsédaient si fort, qu'il éprouvait le besoin de les reproduire. Il ambitionnait d'être un jour le Walter Scott [1] de la France. Deslauriers méditait un vaste système de philosophie, qui aurait les applications les plus lointaines.

Ils causaient de tout cela, pendant les récréations, dans la cour, en face de l'inscription morale peinte sous l'horloge ; ils en chuchotaient dans la chapelle, à la barbe de saint Louis ; ils en rêvaient dans le dortoir, d'où l'on domine un cimetière. Les jours de promenade, ils se rangeaient derrière les autres, et ils parlaient interminablement.

Ils parlaient de ce qu'ils feraient plus tard, quand ils seraient sortis du collège. D'abord, ils entreprendraient un grand voyage avec l'argent que Frédéric prélèverait sur sa fortune, à sa majorité. Puis ils reviendraient à Paris, ils travailleraient ensemble, ne se quitteraient pas ; – et, comme délassement à leurs travaux, ils auraient des amours de princesses dans des boudoirs de satin, ou de fulgurantes orgies avec des courtisanes illustres. Des doutes succédaient à leurs emportements d'espoir. Après des crises de gaieté verbeuse, ils tombaient dans des silences profonds.

Les soirs d'été, quand ils avaient marché longtemps par les chemins pierreux au bord des vignes, ou sur la grande route en pleine campagne, et que les blés ondulaient au soleil, tandis que des senteurs d'angélique [2] passaient dans l'air, une sorte d'étouffement les prenait, et ils s'étendaient sur le dos, étourdis, enivrés. Les autres, en manches de chemise, jouaient aux barres [3] ou faisaient partir des cerfs-volants. Le pion les appelait. On s'en revenait, en suivant les jardins que traversaient de petits ruisseaux, puis les boulevards ombragés par les vieux murs ; les rues désertes sonnaient sous leurs pas ; la grille s'ouvrait, on remontait l'escalier ; et ils étaient tristes comme après de grandes débauches.

---

1. Prolifique romancier écossais, Walter Scott (1771-1832) est l'initiateur de la vogue extraordinaire dont a joui le roman historique en France pendant toute la période romantique.
2. L'angélique est une plante aromatique utilisée en confiserie.
3. Les barres étaient un jeu de course en plein air qui opposait deux équipes occupant des camps séparés par une barre tracée au sol.

M. le censeur [1] prétendait qu'ils s'exaltaient mutuellement. Cependant, si Frédéric travailla dans les hautes classes, ce fut par les exhortations de son ami ; et, aux vacances de 1837, il l'emmena chez sa mère.

Le jeune homme déplut à Mme Moreau. Il mangea extraordinairement, il refusa d'assister le dimanche aux offices, il tenait des discours républicains ; enfin, elle crut savoir qu'il avait conduit son fils dans des lieux déshonnêtes. On surveilla leurs relations. Ils ne s'en aimèrent que davantage ; et les adieux furent pénibles, quand Deslauriers, l'année suivante, partit du collège, pour étudier le droit à Paris.

Frédéric comptait bien l'y rejoindre. Ils ne s'étaient pas vus depuis deux ans ; et, leurs embrassades étant finies, ils allèrent sur les ponts afin de causer plus à l'aise.

Le capitaine, qui tenait maintenant un billard à Villenauxe [2], s'était fâché rouge lorsque son fils avait réclamé ses comptes de tutelle [3], et même lui avait coupé les vivres, tout net. Mais comme il voulait concourir plus tard pour une chaire de professeur à l'École [4] et qu'il n'avait pas d'argent, Deslauriers acceptait à Troyes une place de maître clerc chez un avoué. À force de privations, il économiserait quatre mille francs ; et, s'il ne devait rien toucher de la succession maternelle, il aurait toujours de quoi travailler librement, pendant trois années, en attendant une position. Il fallait donc abandonner leur vieux projet de vivre ensemble dans la capitale, pour le présent du moins.

Frédéric baissa la tête. C'était le premier de ses rêves qui s'écroulait.

– « Console-toi », dit le fils du capitaine, « la vie est longue ; nous sommes jeunes. Je te rejoindrai ! N'y pense plus ! »

---

1. Dans un lycée, le censeur était la personne chargée de la discipline et de la surveillance des études.

2. Voir le dossier, p. 585.

3. Son épouse étant décédée alors que leur fils était mineur, le capitaine doit rendre des comptes à ce dernier lorsqu'il atteint sa majorité : il doit justifier la manière dont il a administré les biens qui viennent de la défunte et remettre au jeune homme son héritage.

4. Cette expression désigne un poste de professeur à la faculté de droit de Paris.

Il le secouait par les mains, et, pour le distraire, lui fit des questions sur son voyage.

Frédéric n'eut pas grand-chose à narrer. Mais, au souvenir de Mme Arnoux, son chagrin s'évanouit. Il ne parla pas d'elle, retenu par une pudeur. Il s'étendit en revanche sur Arnoux, rapportant ses discours, ses manières, ses relations ; et Deslauriers l'engagea fortement à cultiver cette connaissance.

Frédéric, dans ces derniers temps, n'avait rien écrit ; ses opinions littéraires étaient changées : il estimait par-dessus tout la passion ; Werther, René, Frank, Lara, Lélia[1] et d'autres plus médiocres l'enthousiasmaient presque également. Quelquefois la musique lui semblait seule capable d'exprimer ses troubles intérieurs ; alors, il rêvait des symphonies ; ou bien la surface des choses l'appréhendait, et il voulait peindre. Il avait composé des vers, pourtant ; Deslauriers les trouva fort beaux, mais sans demander une autre pièce.

Quant à lui, il ne donnait plus dans la métaphysique. L'économie sociale et la Révolution française le préoccupaient. C'était, à présent, un grand diable de vingt-deux ans, maigre, avec une large bouche, l'air résolu. Il portait, ce soir-là, un mauvais paletot de lasting[2] ; et ses souliers étaient blancs de poussière, car il avait fait la route de Villenauxe à pied, exprès pour voir Frédéric.

Isidore les aborda. Madame priait Monsieur de revenir, et, craignant qu'il n'eût froid, elle lui envoyait son manteau.

– « Reste donc ! » dit Deslauriers.

Et ils continuèrent à se promener d'un bout à l'autre des deux ponts qui s'appuient sur l'île étroite, formée par le canal et la rivière.

Quand ils allaient du côté de Nogent, ils avaient, en face, un pâté de maisons s'inclinant quelque peu ; à droite, l'église apparaissait derrière les moulins de bois dont les vannes

---

1. Ces personnages sont les héros d'œuvres romantiques célèbres : *Les Souffrances du jeune Werther* (roman de Goethe, 1774), *René* (roman de Chateaubriand, 1802), *Lara* (nouvelle en vers de Byron, 1813), *Lélia* (roman de George Sand, 1833, remanié en 1839). Frank est le héros d'une pièce de Musset, *La Coupe et les lèvres* (1832).

2. Le lasting est une étoffe de laine rase et brillante.

étaient fermées ; et, à gauche, les haies d'arbustes, le long
de la rive, terminaient des jardins, que l'on distinguait à
peine. Mais, du côté de Paris, la grande route descendait en
ligne droite, et des prairies se perdaient au loin, dans les
vapeurs de la nuit. Elle était silencieuse et d'une clarté blanchâtre. Des odeurs de feuillage humide montaient jusqu'à
eux ; la chute de la prise d'eau, cent pas plus loin, murmurait, avec ce gros bruit doux que font les ondes dans les
ténèbres.

Deslauriers s'arrêta, et il dit :

– « Ces bonnes gens qui dorment tranquilles, c'est drôle !
Patience ! un nouveau 89 se prépare ! On est las de constitu-
tions, de chartes [1], de subtilités, de mensonges ! Ah ! si
j'avais un journal ou une tribune, comme je vous secouerais
tout cela ! Mais, pour entreprendre n'importe quoi, il faut
de l'argent ! Quelle malédiction que d'être le fils d'un caba-
retier et de perdre sa jeunesse à la quête de son pain ! »

Il baissa la tête, se mordit les lèvres, et il grelottait sous
son vêtement mince.

Frédéric lui jeta la moitié de son manteau sur les épaules.
Ils s'en enveloppèrent tous deux ; et, se tenant par la taille,
ils marchaient dessous, côte à côte.

– « Comment veux-tu que je vive là-bas, sans toi ? »
disait Frédéric. L'amertume de son ami avait ramené sa tristesse. « J'aurais fait quelque chose avec une femme qui
m'eût aimé... Pourquoi ris-tu ? L'amour est la pâture et
comme l'atmosphère du génie. Les émotions extraordinaires
produisent les œuvres sublimes. Quant à chercher celle qu'il
me faudrait, j'y renonce ! D'ailleurs, si jamais je la trouve,
elle me repoussera. Je suis de la race des déshérités, et je
m'éteindrai avec un trésor qui était de strass ou de diamant,
je n'en sais rien. »

L'ombre de quelqu'un s'allongea sur les pavés, en même
temps qu'ils entendirent ces mots :

– « Serviteur, messieurs ! »

Celui qui les prononçait était un petit homme, habillé
d'une ample redingote brune, et coiffé d'une casquette laissant paraître sous la visière un nez pointu.

---

1. Une charte est ici l'ensemble des lois constitutionnelles établies par
un souverain.

– « M. Roque ? » dit Frédéric.

– « Lui-même ! » reprit la voix.

Le Nogentais justifia sa présence en contant qu'il revenait d'inspecter ses pièges à loup, dans son jardin, au bord de l'eau.

– « Et vous voilà de retour dans nos pays ? Très bien ! j'ai appris cela par ma fillette. La santé est toujours bonne, j'espère ? Vous ne partez pas encore ? »

Et il s'en alla, rebuté, sans doute, par l'accueil de Frédéric.

Mme Moreau, en effet, ne le fréquentait pas ; le père Roque vivait en concubinage avec sa bonne, et on le considérait fort peu, bien qu'il fût le croupier d'élections[1], le régisseur de M. Dambreuse.

– « Le banquier qui demeure rue d'Anjou[2] ? » reprit Deslauriers. « Sais-tu ce que tu devrais faire, mon brave ? »

Isidore les interrompit encore une fois. Il avait ordre de ramener Frédéric, définitivement. Madame s'inquiétait de son absence.

– « Bien, bien ! on y va », dit Deslauriers ; « il ne découchera pas. »

Et, le domestique étant parti :

– « Tu devrais prier ce vieux de t'introduire chez les Dambreuse ; rien n'est utile comme de fréquenter une maison riche ! Puisque tu as un habit noir et des gants blancs, profites-en ! Il faut que tu ailles dans ce monde-là ! Tu m'y mèneras plus tard. Un homme à millions, pense donc ! Arrange-toi pour lui plaire, et à sa femme aussi. Deviens son amant ! »

Frédéric se récriait.

– « Mais je te dis là des choses classiques, il me semble ? Rappelle-toi Rastignac[3] dans *La Comédie humaine* ! Tu réussiras, j'en suis sûr ! »

---

1. Cette expression laisse entendre que, lors des élections, le choix des votants n'était pas seulement fondé sur des raisons avouables (au sens propre, un croupier est un employé qui ramasse l'argent pour le compte d'une maison de jeu).

2. La rue d'Anjou se trouve rive droite, non loin de la rue de la Chaussée-d'Antin (actuel VIIIe arrondissement ; voir le dossier, p. 583).

3. Personnage récurrent des romans parisiens de Balzac, Rastignac est l'un des héros du *Père Goriot* (1834). Il est le type du jeune homme idéaliste

Frédéric avait tant de confiance en Deslauriers, qu'il se sentit ébranlé, et oubliant Mme Arnoux, ou la comprenant dans la prédiction faite sur l'autre, il ne put s'empêcher de sourire.

Le clerc ajouta :

– « Dernier conseil : passe tes examens ! Un titre est toujours bon ; et lâche-moi franchement tes poètes catholiques et sataniques, aussi avancés en philosophie qu'on l'était au XIIe siècle. Ton désespoir est bête. De très grands particuliers ont eu des commencements plus difficiles, à commencer par Mirabeau [1]. D'ailleurs, notre séparation ne sera pas si longue. Je ferai rendre gorge à mon filou de père. Il est temps que je m'en retourne, adieu ! As-tu cent sous pour que je paye mon dîner ? »

Frédéric lui donna dix francs, le reste de la somme prise le matin à Isidore.

Cependant à vingt toises des ponts, sur la rive gauche, une lumière brillait dans la lucarne d'une maison basse.

Deslauriers l'aperçut. Alors, il dit emphatiquement, tout en retirant son chapeau :

– « Vénus, reine des cieux, serviteur ! Mais la Pénurie est la mère de la Sagesse. Nous a-t-on assez calomniés pour ça, miséricorde ! »

Cette allusion à une aventure commune [2] les mit en joie. Ils riaient très haut, dans les rues.

Puis, ayant soldé sa dépense à l'auberge, Deslauriers reconduisit Frédéric jusqu'au carrefour de l'Hôtel-Dieu ; – et, après une longue étreinte, les deux amis se séparèrent.

---

qui, au terme de son apprentissage, comprend les rouages de la société et se transforme en arriviste.

1. Orateur et homme politique, le comte de Mirabeau (1749-1791) eut une jeunesse orageuse. Il fut plusieurs fois emprisonné par lettres de cachet à l'instigation de son propre père.

2. L'allusion est élucidée au dernier chapitre de la troisième partie (p. 548).

III

Deux mois plus tard, Frédéric, débarqué un matin rue Coq-Héron[1], songea immédiatement à faire sa grande visite.

Le hasard l'avait servi. Le père Roque était venu lui apporter un rouleau de papiers, en le priant de les remettre lui-même chez M. Dambreuse ; et il accompagnait l'envoi d'un billet décacheté, où il présentait son jeune compatriote.

Mme Moreau parut surprise de cette démarche. Frédéric dissimula le plaisir qu'elle lui causait.

M. Dambreuse s'appelait de son vrai nom le comte d'Ambreuse ; mais, dès 1825, abandonnant peu à peu sa noblesse et son parti, il s'était tourné vers l'industrie ; et, l'oreille dans tous les bureaux, la main dans toutes les entreprises, à l'affût des bonnes occasions, subtil comme un Grec et laborieux comme un Auvergnat, il avait amassé une fortune que l'on disait considérable ; de plus, il était officier de la Légion d'honneur, membre du conseil général de l'Aube, député, pair de France un de ces jours ; complaisant du reste, il fatiguait le ministre par ses demandes continuelles de secours, de croix, de bureaux de tabac[2] ; et, dans ses bouderies contre le pouvoir, il inclinait au centre gauche[3]. Sa femme, la jolie Mme Dambreuse, que citaient les journaux de mode, présidait les assemblées de charité. En cajolant les duchesses, elle apaisait les rancunes du noble

---

1. La rue Coq-Héron est située dans le quartier des Halles (rive droite), où se trouvait le bureau des diligences (voir le dossier, p. 583).
2. Les bureaux de tabac étaient sous contrôle gouvernemental. S'en faire accorder un était pour les députés un moyen usuel d'assurer des revenus à leurs électeurs les plus dévoués.
3. Le gouvernement était alors de centre droit (sous l'autorité de Guizot, voir la note 5, p. 54). Thiers était le chef du centre gauche.

faubourg[1] et laissait croire que M. Dambreuse pouvait encore se repentir et rendre des services.

Le jeune homme était troublé en allant chez eux.

– « J'aurais mieux fait de prendre mon habit. On m'invitera sans doute au bal pour la semaine prochaine ? Que va-t-on me dire ? »

L'aplomb lui revint en songeant que M. Dambreuse n'était qu'un bourgeois, et il sauta gaillardement de son cabriolet[2] sur le trottoir de la rue d'Anjou[3].

Quand il eut poussé une des deux portes cochères, il traversa la cour, gravit le perron et entra dans un vestibule pavé en marbre de couleur.

Un double escalier droit, avec un tapis rouge à baguettes de cuivre, s'appuyait contre les hautes murailles en stuc[4] luisant. Il y avait, au bas des marches, un bananier dont les feuilles larges retombaient sur le velours de la rampe. Deux candélabres de bronze tenaient des globes de porcelaine suspendus à des chaînettes ; les soupiraux des calorifères[5] béants exhalaient un air lourd ; et l'on n'entendait que le tic-tac d'une grande horloge, dressée à l'autre bout du vestibule, sous une panoplie[6].

Un timbre sonna ; un valet parut, et introduisit Frédéric dans une petite pièce, où l'on distinguait deux coffres-forts, avec des casiers remplis de cartons. M. Dambreuse écrivait au milieu, sur un bureau à cylindre.

Il parcourut la lettre du père Roque, ouvrit avec son canif la toile qui enfermait les papiers, et les examina.

De loin, à cause de sa taille mince, il pouvait sembler jeune encore. Mais ses rares cheveux blancs, ses membres

---

1. Il s'agit du faubourg Saint-Germain, où résidait la noblesse (voir le dossier, p. 583).

2. Un cabriolet est une voiture légère à deux roues, avec une capote mobile, et attelée à un seul cheval.

3. Voir la note 2, p. 62.

4. Le stuc est une composition de plâtre (ou de poussière de marbre) gâché avec une solution de colle forte, formant un enduit qui, une fois poli, imite le marbre.

5. Un calorifère est un appareil de chauffage.

6. Une panoplie est un ensemble d'armes présenté sur un panneau et servant d'ornement.

débiles [1] et surtout la pâleur extraordinaire de son visage accusaient un tempérament délabré. Une énergie impitoyable reposait dans ses yeux glauques [2], plus froids que des yeux de verre. Il avait les pommettes saillantes, et des mains à articulations noueuses.

Enfin, s'étant levé, il adressa au jeune homme quelques questions sur des personnes de leur connaissance, sur Nogent, sur ses études ; puis il le congédia en s'inclinant. Frédéric sortit par un autre corridor, et se trouva dans le bas de la cour, auprès des remises.

Un coupé [3] bleu, attelé d'un cheval noir, stationnait devant le perron. La portière s'ouvrit, une dame y monta, et la voiture, avec un bruit sourd, se mit à rouler sur le sable.

Frédéric, en même temps qu'elle, arriva de l'autre côté, sous la porte cochère. L'espace n'étant pas assez large, il fut contraint d'attendre. La jeune femme, penchée en dehors du vasistas, parlait tout bas au concierge. Il n'apercevait que son dos, couvert d'une mante [4] violette. Cependant, il plongeait dans l'intérieur de la voiture, tendue de reps [5] bleu, avec des passementeries et des effilés de soie. Les vêtements de la dame l'emplissaient ; il s'échappait de cette petite boîte capitonnée un parfum d'iris, et comme une vague senteur d'élégances féminines. Le cocher lâcha les rênes, le cheval frôla la borne brusquement, et tout disparut.

Frédéric s'en revint à pied, en suivant les boulevards.

Il regrettait de n'avoir pu distinguer Mme Dambreuse.

Un peu plus haut que la rue Montmartre, un embarras de voitures lui fit tourner la tête ; et, de l'autre côté, en face, il lut sur une plaque de marbre :

JACQUES ARNOUX.

---

1. Est débile ce qui manque constitutivement de force physique, ce qui est faible ou fragile.

2. Au sens propre, des yeux glauques sont d'une couleur verte qui rappelle l'eau de mer.

3. Un coupé est une voiture fermée, à quatre roues, et généralement à deux places.

4. Une mante est un manteau de femme, de coupe simple, ample et sans manches.

5. Le reps est un tissu d'ameublement en soie et laine, laine et coton ou tout coton.

Comment n'avait-il pas songé à elle, plus tôt ? La faute venait de Deslauriers, et il s'avança vers la boutique, il n'entra pas, cependant ; il attendit qu'Elle parût.

Les hautes glaces transparentes offraient aux regards, dans une disposition habile, des statuettes, des dessins, des gravures, des catalogues, des numéros de *L'Art industriel* ; et les prix de l'abonnement étaient répétés sur la porte, que décoraient à son milieu, les initiales de l'éditeur. On apercevait, contre les murs, de grands tableaux dont le vernis brillait, puis, dans le fond, deux bahuts, chargés de porcelaines, de bronzes, de curiosités alléchantes ; un petit escalier les séparait, fermé dans le haut par une portière de moquette[1] ; et un lustre en vieux saxe[2], un tapis vert sur le plancher, avec une table en marqueterie, donnaient à cet intérieur plutôt l'apparence d'un salon que d'une boutique.

Frédéric faisait semblant d'examiner les dessins. Après des hésitations infinies, il entra.

Un employé souleva la portière, et répondit que Monsieur ne serait pas « au magasin » avant cinq heures. Mais si la commission pouvait se transmettre...

– « Non ! je reviendrai », répliqua doucement Frédéric.

Les jours suivants furent employés à se chercher un logement ; et il se décida pour une chambre au second étage, dans un hôtel garni, rue Saint-Hyacinthe[3].

En portant sous son bras un buvard[4] tout neuf, il se rendit à l'ouverture des cours. Trois cents jeunes gens, nu-tête, emplissaient un amphithéâtre où un vieillard en robe rouge dissertait d'une voix monotone ; des plumes grinçaient sur le papier. Il retrouvait dans cette salle l'odeur poussiéreuse des classes, une chaire de forme pareille, le même ennui ! Pendant quinze jours, il y retourna. Mais on

---

1. Avant de se spécialiser dans son sens moderne de revêtement de sol, la moquette était plus largement une étoffe veloutée en laine.
2. Un saxe est un objet fait en porcelaine de Saxe (région d'Allemagne).
3. La rue Saint-Hyacinthe (aujourd'hui rue Paillet) se trouvait dans le Quartier latin (rive gauche), à proximité de l'École de droit (voir le dossier, p. 583).
4. Un buvard est un cahier relié, composé de feuilles de papier buvard entre lesquelles on place les feuilles fraîchement écrites lorsqu'on veut en sécher l'écriture.

n'était pas encore à l'article 3, qu'il avait lâché le Code civil, et il abandonna les *Institutes*[1] à la *Summa divisio personarum*.

Les joies qu'il s'était promises n'arrivaient pas ; et, quand il eut épuisé un cabinet de lecture, parcouru les collections du Louvre, et plusieurs fois de suite été au spectacle, il tomba dans un désœuvrement sans fond.

Mille choses nouvelles ajoutaient à sa tristesse. Il lui fallait compter son linge et subir le concierge, rustre à tournure d'infirmier, qui venait le matin retaper son lit, en sentant l'alcool et en grommelant. Son appartement, orné d'une pendule d'albâtre, lui déplaisait. Les cloisons étaient minces ; il entendait les étudiants faire du punch, rire, chanter.

Las de cette solitude, il rechercha un de ses anciens camarades nommé Baptiste Martinon ; et il le découvrit dans une pension bourgeoise de la rue Saint-Jacques[2], bûchant sa procédure[3], devant un feu de charbon de terre.

En face de lui, une femme en robe d'indienne[4] reprisait des chaussettes.

Martinon était ce qu'on appelle un fort bel homme : grand, joufflu, la physionomie régulière et des yeux bleuâtres à fleur de tête ; son père, un gros cultivateur, le destinait à la magistrature, – et, voulant déjà paraître sérieux, il portait sa barbe taillée en collier.

Comme les ennuis de Frédéric n'avaient point de cause raisonnable et qu'il ne pouvait arguer d'aucun malheur, Martinon ne comprit rien à ses lamentations sur l'existence.

1. Les *Institutes* de Justinien (VIe siècle) sont un manuel d'enseignement destiné aux étudiants en droit, et rédigé par des jurisconsultes romains. Il comporte quatre livres. Le premier traite des personnes : après quelques notions générales sur la justice et le droit, il aborde les questions relatives aux hommes libres et aux esclaves ; il traite aussi de la puissance paternelle, de l'adoption et de la tutelle.

2. La rue Saint-Jacques se trouve dans le Quartier latin (rive gauche), à proximité de l'École de droit (voir le dossier, p. 583).

3. La procédure est la branche du droit qui détermine les règles d'organisation judiciaire, de compétence, d'instruction des procès, et d'exécution des décisions de justice.

4. L'indienne est une étoffe de coton peinte ou imprimée qui fut d'abord fabriquée aux Indes.

Lui, il allait tous les matins à l'École, se promenait ensuite dans le Luxembourg[1], prenait le soir sa demi-tasse au café, et, avec quinze cents francs par an et l'amour de cette ouvrière, il se trouvait parfaitement heureux.

– « Quel bonheur ! » exclama intérieurement Frédéric.

Il avait fait à l'École une autre connaissance, celle de M. de Cisy, enfant de grande famille et qui semblait une demoiselle, à la gentillesse de ses manières.

M. de Cisy s'occupait de dessin, aimait le gothique. Plusieurs fois ils allèrent ensemble admirer la Sainte-Chapelle et Notre-Dame. Mais la distinction du jeune patricien[2] recouvrait une intelligence des plus pauvres. Tout le surprenait ; il riait beaucoup à la moindre plaisanterie, et montrait une ingénuité si complète, que Frédéric le prit d'abord pour un farceur, et finalement le considéra comme un nigaud.

Les épanchements n'étaient donc possibles avec personne ; et il attendait toujours l'invitation des Dambreuse.

Au jour de l'an, il leur envoya des cartes de visite, mais il n'en reçut aucune.

Il était retourné à *L'Art industriel*.

Il y retourna une troisième fois, et il vit enfin Arnoux qui se disputait au milieu de cinq à six personnes et répondit à peine à son salut ; Frédéric en fut blessé. Il n'en chercha pas moins comment parvenir jusqu'à Elle.

Il eut d'abord l'idée de se présenter souvent, pour marchander des tableaux. Puis il songea à glisser dans la boîte du journal quelques articles « très forts », ce qui amènerait des relations. Peut-être valait-il mieux courir droit au but, déclarer son amour ? Alors, il composa une lettre de douze pages, pleine de mouvements lyriques et d'apostrophes ; mais il la déchira, et ne fit rien, ne tenta rien, – immobilisé par la peur de l'insuccès.

Au-dessus de la boutique d'Arnoux, il y avait au premier étage trois fenêtres, éclairées chaque soir. Des ombres circulaient par-derrière, une surtout ; c'était la sienne ; – et il se

---

1. Le palais du Luxembourg est entouré d'un vaste jardin (voir le dossier, p. 583).
2. Voir la note 1, p. 53.

dérangeait de très loin pour regarder ces fenêtres et contempler cette ombre.

Une négresse, qu'il croisa un jour dans les Tuileries tenant une petite fille par la main, lui rappela la négresse de Mme Arnoux. Elle devait y venir comme les autres ; toutes les fois qu'il traversait les Tuileries, son cœur battait, espérant la rencontrer. Les jours de soleil, il continuait sa promenade jusqu'au bout des Champs-Élysées.

Des femmes, nonchalamment assises dans des calèches [1], et dont les voiles flottaient au vent, défilaient près de lui, au pas ferme de leurs chevaux, avec un balancement insensible qui faisait craquer les cuirs vernis. Les voitures devenaient plus nombreuses, et, se ralentissant à partir du Rond-Point, elles occupaient toute la voie. Les crinières étaient près des crinières, les lanternes près des lanternes ; les étriers d'acier, les gourmettes [2] d'argent, les boucles de cuivre, jetaient çà et là des points lumineux entre les culottes courtes, les gants blancs, et les fourrures qui retombaient sur le blason [3] des portières. Il se sentait comme perdu dans un monde lointain. Ses yeux erraient sur les têtes féminines ; et de vagues ressemblances amenaient à sa mémoire Mme Arnoux. Il se la figurait, au milieu des autres, dans un de ces petits coupés [4], pareils au coupé de Mme Dambreuse. – Mais le soleil se couchait, et le vent froid soulevait des tourbillons de poussière. Les cochers baissaient le menton dans leurs cravates, les roues se mettaient à tourner plus vite, le macadam grinçait ; et tous les équipages descendaient au grand trot la longue avenue, en se frôlant, se dépassant, s'écartant les uns des autres, puis, sur la place de la Concorde, se dispersaient. Derrière les Tuileries, le ciel prenait la teinte des ardoises. Les arbres du jardin formaient deux masses énormes, violacées par le sommet. Les becs de gaz s'allumaient ; et la Seine,

---

1. Une calèche est une voiture à cheval, découverte, à quatre roues, munie d'une capote mobile à soufflet à l'arrière, et d'un siège surélevé à l'avant.
2. La gourmette est la chaînette à mailles serrées qui fixe le mors dans la bouche du cheval.
3. Le blason est l'emblème d'une famille noble. Il est peint ou sculpté sur les voitures qui lui appartiennent.
4. Voir la note 3, p. 66.

verdâtre dans toute son étendue, se déchirait en moires[1] d'argent contre les piles des ponts.

Il allait dîner, moyennant quarante-trois sols le cachet[2], dans un restaurant, rue de la Harpe[3].

Il regardait avec dédain le vieux comptoir d'acajou, les serviettes tachées, l'argenterie crasseuse et les chapeaux suspendus contre la muraille. Ceux qui l'entouraient étaient des étudiants comme lui. Ils causaient de leurs professeurs, de leurs maîtresses. Il s'inquiétait bien des professeurs ! Est-ce qu'il avait une maîtresse ! Pour éviter leurs joies, il arrivait le plus tard possible. Des restes de nourriture couvraient toutes les tables. Les deux garçons fatigués dormaient dans des coins, et une odeur de cuisine, de quinquet[4] et de tabac emplissait la salle déserte.

Puis il remontait lentement les rues. Les réverbères se balançaient, en faisant trembler sur la boue de longs reflets jaunâtres. Des ombres glissaient au bord des trottoirs, avec des parapluies. Le pavé était gras, la brume tombait, et il lui semblait que les ténèbres humides, l'enveloppant, descendaient indéfiniment dans son cœur.

Un remords le prit. Il retourna aux cours. Mais comme il ne connaissait rien aux matières élucidées, des choses très simples l'embarrassèrent.

Il se mit à écrire un roman intitulé : *Sylvio, le fils du pêcheur*. La chose se passait à Venise. Le héros, c'était lui-même ; l'héroïne, Mme Arnoux. Elle s'appelait Antonia ; – et, pour l'avoir, il assassinait plusieurs gentilshommes, brûlait une partie de la ville et chantait sous son balcon, où palpitaient à la brise les rideaux en damas[5] rouge du boulevard

---

1. La moire est un tissu qui présente des parties mates et des parties brillantes, ce qui donne à sa surface un aspect changeant, chatoyant.

2. De nombreux établissements (de restauration, de bains...) délivraient alors des cartes d'abonnement que l'on marquait d'un coup de tampon, ou cachet, chaque fois qu'on les utilisait.

3. La rue de la Harpe se trouve dans le Quartier latin (voir le dossier, p. 583).

4. Un quinquet est une lampe à huile dont le réservoir se situe à un niveau supérieur à celui de la mèche.

5. Le damas est une étoffe tissée dont le dessin apparaît à l'endroit brillant sur fond mat, et se retrouve à l'envers mat sur fond brillant.

Montmartre[1]. Les réminiscences trop nombreuses dont il
s'aperçut le découragèrent ; il n'alla pas plus loin, et son
désœuvrement redoubla.

Alors, il supplia Deslauriers de venir partager sa chambre.
Ils s'arrangeraient pour vivre avec ses deux mille francs de
pension ; tout valait mieux que cette existence intolérable.
Deslauriers ne pouvait encore quitter Troyes. Il l'engageait
à se distraire, et à fréquenter Sénécal.

Sénécal était un répétiteur[2] de mathématiques, homme de
forte tête et de convictions républicaines, un futur Saint-
Just[3], disait le clerc. Frédéric avait monté trois fois ses cinq
étages, sans en recevoir aucune visite. Il n'y retourna plus.

Il voulut s'amuser. Il se rendit aux bals de l'Opéra. Ces
gaietés tumultueuses le glaçaient dès la porte. D'ailleurs, il
était retenu par la crainte d'un affront pécuniaire[4], s'imaginant qu'un souper avec un domino[5] entraînait à des frais
considérables, était une grosse aventure.

Il lui semblait, cependant, qu'on devait l'aimer ! Quelquefois, il se réveillait le cœur plein d'espérance, s'habillait soigneusement comme pour un rendez-vous, et il faisait dans
Paris des courses interminables. À chaque femme qui marchait devant lui, ou qui s'avançait à sa rencontre, il se disait :
« La voilà ! » C'était, chaque fois, une déception nouvelle.
L'idée de Mme Arnoux fortifiait ces convoitises. Il la trouverait peut-être sur son chemin ; et il imaginait, pour l'aborder, des complications du hasard, des périls extraordinaires
dont il la sauverait.

Ainsi les jours s'écoulaient, dans la répétition des mêmes
ennuis et des habitudes contractées. Il feuilletait des brochures sous les arcades de l'Odéon, allait lire *La Revue des*

---

1. Voir la note 3, p. 45.
2. Un répétiteur est une personne qui fait travailler les élèves en plus des
cours, reprend les leçons, etc.
3. Théoricien de la Révolution française et grand orateur, Saint-Just
(1767-1794) se fit remarquer par ses positions violentes et tranchées : il
réclama la mort immédiate du roi et contribua au renforcement du pouvoir
révolutionnaire dictatorial.
4. Est pécuniaire ce qui a un rapport avec l'argent.
5. Un domino est un costume de bal masqué, consistant en une robe
flottante à capuchon.

Deux Mondes[1] au café, entrait dans une salle du Collège de France, écoutait pendant une heure une leçon de chinois ou d'économie politique. Toutes les semaines, il écrivait longuement à Deslauriers, dînait de temps en temps avec Martinon, voyait quelquefois M. de Cisy.

Il loua un piano, et composa des valses allemandes.

Un soir, au théâtre du Palais-Royal, il aperçut, dans une loge d'avant-scène, Arnoux près d'une femme. Était-ce elle ? L'écran de taffetas vert, tiré au bord de la loge, masquait son visage. Enfin la toile se leva ; l'écran s'abattit. C'était une longue personne, de trente ans environ, fanée, et dont les grosses lèvres découvraient, en riant, des dents splendides. Elle causait familièrement avec Arnoux et lui donnait des coups d'éventail sur les doigts. Puis une jeune fille blonde, les paupières un peu rouges comme si elle venait de pleurer, s'assit entre eux. Arnoux resta dès lors à demi penché sur son épaule, en lui tenant des discours qu'elle écoutait sans répondre. Frédéric s'ingéniait à découvrir la condition de ces femmes, modestement habillées de robes sombres, à cols plats rabattus.

À la fin du spectacle, il se précipita dans les couloirs. La foule les remplissait. Arnoux, devant lui, descendait l'escalier, marche à marche, donnant le bras aux deux femmes.

Tout à coup, un bec de gaz l'éclaira. Il avait un crêpe à son chapeau. Elle était morte, peut-être ? Cette idée tourmenta Frédéric si fortement, qu'il courut le lendemain à *L'Art industriel*, et, payant vite une des gravures étalées devant la montre[2], il demanda au garçon de boutique comment se portait M. Arnoux.

Le garçon répondit :
– « Mais très bien ! »
Frédéric ajouta en pâlissant :
– « Et madame ? »
– « Madame, aussi ! »
Frédéric oublia d'emporter sa gravure.

---

1. *La Revue des Deux Mondes*, fondée en 1829, avait été reprise par Buloz en 1831. C'est l'un des périodiques les plus importants de l'époque. Recueil purement littéraire à l'origine, il s'ouvrit rapidement aux travaux de philosophie et de science et, en 1833, admit l'histoire politique.
2. La montre est le terme ancien pour désigner une vitrine, un éventaire.

L'hiver se termina. Il fut moins triste au printemps, se mit à préparer son examen, et, l'ayant subi d'une façon médiocre, partit ensuite pour Nogent.

Il n'alla point à Troyes voir son ami, afin d'éviter les observations de sa mère. Puis, à la rentrée, il abandonna son logement et prit, sur le quai Napoléon [1], deux pièces, qu'il meubla. L'espoir d'une invitation chez les Dambreuse l'avait quitté ; sa grande passion pour Mme Arnoux commençait à s'éteindre.

---

1. Actuel quai aux Fleurs, le quai Napoléon occupait la partie nord-est de l'île de la Cité (voir le dossier, p. 583).

IV

Un matin du mois de décembre, en se rendant au cours de procédure[1], il crut remarquer dans la rue Saint-Jacques[2] plus d'animation qu'à l'ordinaire. Les étudiants sortaient précipitamment des cafés, ou, par les fenêtres ouvertes, ils s'appelaient d'une maison à l'autre ; les boutiquiers, au milieu du trottoir, regardaient d'un air inquiet ; les volets se fermaient ; et, quand il arriva dans la rue Soufflot[3], il aperçut un grand rassemblement autour du Panthéon.

Des jeunes gens, par bandes inégales de cinq à douze, se promenaient en se donnant le bras et abordaient les groupes plus considérables qui stationnaient çà et là ; au fond de la place, contre les grilles, des hommes en blouse péroraient, tandis que, le tricorne sur l'oreille et les mains derrière le dos, des sergents de ville erraient le long des murs, en faisant sonner les dalles sous leurs fortes bottes. Tous avaient un air mystérieux, ébahi ; on attendait quelque chose évidemment ; chacun retenait au bord des lèvres une interrogation.

Frédéric se trouvait auprès d'un jeune homme blond, à figure avenante, et portant moustache et barbiche comme un raffiné du temps de Louis XIII. Il lui demanda la cause du désordre.

– « Je n'en sais rien », reprit l'autre, « ni eux non plus ! C'est leur mode à présent ! Quelle bonne farce ! »

Et il éclata de rire.

---

1. Voir la note 3, p. 68.
2. Voir la note 2, p. 68.
3. La rue Soufflot monte du jardin du Luxembourg vers le Panthéon, au sommet de la montagne Sainte-Geneviève (voir le dossier, p. 583).

Les pétitions pour la réforme[1], que l'on faisait signer dans la garde nationale[2], jointes au recensement Humann[3], d'autres événements encore, amenaient depuis six mois, dans Paris, d'inexplicables attroupements ; et même ils se renouvelaient si souvent, que les journaux n'en parlaient plus.

– « Cela manque de galbe et de couleur », continua le voisin de Frédéric. « Ie cuyde, messire, que nous avons dégénéré ! À la bonne époque de Loys onzième, voire de Benjamin Constant, il y avait plus de mutinerie parmi les escholiers. Ie les treuve pacifiques comme moutons, bêtes comme cornichons, et idoines à estre épiciers, Pasque-Dieu ! Et voilà ce qu'on appelle la Jeunesse des écoles[4] ! »

Il écarta les bras, largement, comme Frédéric Lemaître[5] dans *Robert Macaire*.

– « Jeunesse des écoles, je te bénis ! »

Ensuite, apostrophant un chiffonnier, qui remuait des écailles d'huîtres contre la borne d'un marchand de vin :

– « En fais-tu partie, toi, de la Jeunesse des écoles ? »

Le vieillard releva une face hideuse où l'on distinguait, au milieu d'une barbe grise, un nez rouge, et deux yeux avinés stupides.

– « Non ! tu me parais plutôt *un de ces hommes à figure patibulaire que l'on voit, dans divers groupes, semant l'or à*

1. Cette réforme est celle du droit de vote : étaient réclamés, pour le moins, l'élargissement du système censitaire, voire, pour les plus avancés, l'établissement du suffrage universel. En tout cas, on demandait que les « capacités » (bacheliers et officiers de la garde nationale, entre autres) pussent voter.
2. La garde nationale était formée des seuls citoyens capables de payer leur uniforme et leurs armes.
3. Le ministre des Finances Humann organisa en février 1841, conformément à la loi de finances du 14 juillet 1838, un recensement visant à une meilleure organisation de la collecte des impôts. La mesure fut interprétée (à tort) comme une aggravation de la fiscalité, et des troubles s'ensuivirent dans plusieurs villes.
4. Cette déclaration burlesque en pseudo-français de la Renaissance reprend des expressions usuelles chez Rabelais et les mêle à des considérations contemporaines.
5. Frédéric Lemaître (1800-1876) est un célèbre acteur qui joua dans de nombreux drames romantiques et créa en particulier le personnage de Robert Macaire dans *L'Auberge des Adrets* (1823), mélodrame de Benjamin Antier, Saint-Amand et Paulyanthe.

pleines mains… Oh ! sème, mon patriarche, sème ! Corromps-moi avec les trésors d'Albion[1] ! *Are you English ?* Je ne repousse pas les présents d'Artaxerxès[2] ! Causons un peu de l'union douanière[3]. »

Frédéric sentit quelqu'un lui toucher l'épaule ; il se retourna. C'était Martinon, prodigieusement pâle.

– « Eh bien ! » fit-il en poussant un gros soupir, « encore une émeute ! »

Il avait peur d'être compromis, se lamentait. Des hommes en blouse, surtout, l'inquiétaient, comme appartenant à des sociétés secrètes[4].

– « Est-ce qu'il y a des sociétés secrètes ! » dit le jeune homme à moustaches. « C'est une vieille blague du Gouvernement, pour épouvanter les bourgeois ! »

Martinon l'engagea à parler plus bas, dans la crainte de la police.

– « Vous croyez encore à la police, vous ? Au fait, que savez-vous, monsieur, si je ne suis pas moi-même un mouchard ? »

Et il le regarda d'une telle manière, que Martinon, fort ému, ne comprit point d'abord la plaisanterie. La foule les poussait, et ils avaient été forcés, tous les trois, de se mettre sur le petit escalier conduisant, par un couloir, dans le nouvel amphithéâtre.

Bientôt la multitude se fendit d'elle-même ; plusieurs têtes se découvrirent ; on saluait l'illustre professeur Samuel Rondelot, qui, enveloppé de sa grosse redingote, levant en l'air ses lunettes d'argent, et soufflant de son asthme,

---

1. Albion est le nom antique de la Grande-Bretagne. Il comporte souvent une connotation péjorative (« la perfide Albion »).

2. Artaxerxès est le nom générique de plusieurs rois de Perse. Mais Hussonnet évoque ici les rapports d'Artaxerce Ier (roi de 471 à 424 av. J.-C.) et du général athénien Thémistocle. Ostracisé et ne trouvant nulle part une retraite sûre, ce dernier prit la résolution hardie d'aller chercher asile auprès d'Artaxerce qui l'accueillit magnifiquement. Il ne rougit pas d'accepter les bienfaits de ces Perses qu'il avait pourtant tant de fois combattus.

3. À cette époque, la question des tarifs douaniers et du libre-échange avait fait naître plusieurs projets d'union douanière s'inspirant du *Zollverein* allemand.

4. Les sociétés secrètes étaient des groupuscules d'opposants politiques qui se développèrent sous la monarchie de Juillet.

s'avançait à pas tranquilles, pour faire son cours. Cet homme était une des gloires judiciaires du XIXᵉ siècle, le rival des Zachariæ, des Rudorff[1]. Sa dignité nouvelle de pair de France n'avait modifié en rien ses allures. On le savait pauvre, et un grand respect l'entourait.

Cependant, du fond de la place, quelques-uns crièrent :

– « À bas Guizot[2] ! »

– « À bas Pritchard[3] ! »

– « À bas les vendus ! »

– « À bas Louis-Philippe ! »

La foule oscilla, et, se pressant contre la porte de la cour qui était fermée, elle empêchait le professeur d'aller plus loin. Il s'arrêta devant l'escalier. On l'aperçut bientôt sur la dernière des trois marches. Il parla ; un bourdonnement couvrit sa voix. Bien qu'on l'aimât tout à l'heure, on le haïssait maintenant, car il représentait l'Autorité. Chaque fois qu'il essayait de se faire entendre, les cris recommençaient. Il fit un grand geste pour engager les étudiants à le suivre. Une vocifération universelle lui répondit. Il haussa les épaules dédaigneusement et s'enfonça dans le couloir. Martinon avait profité de sa place pour disparaître en même temps.

– « Quel lâche ! » dit Frédéric.

– « Il est prudent ! » reprit l'autre.

La foule éclata en applaudissements. Cette retraite du professeur devenait une victoire pour elle. À toutes les fenêtres, des curieux regardaient. Quelques-uns entonnaient *La Marseillaise*[4] ; d'autres proposaient d'aller chez Béranger[5].

---

1. Zachariæ von Ligenthal (1769-1843) et Rudorff (1803-1873) étaient d'éminents juristes allemands.

2. Voir la note 5, p. 54.

3. L'Anglais Pritchard était missionnaire protestant à Tahiti. Son influence auprès de la reine Pomaré fut à l'origine d'un grave contentieux franco-britannique qui envenima les relations entre les deux pays de 1836 à 1845. Il prit fin avec l'allocation par la France d'une indemnité à Pritchard, décision qui fut beaucoup reprochée à Guizot.

4. *La Marseillaise* n'était plus l'hymne national depuis le Premier Empire, et ne devait le redevenir qu'en février 1879. À cette époque, elle a donc une dimension subversive.

5. Chansonnier et poète, Béranger (1780-1857) connut un extraordinaire succès et fut comparé aux plus grandes gloires littéraires. Il critiqua la Restauration et refusa la Légion d'honneur sous la monarchie de Juillet.

– « Chez Laffitte [1] ! »
– « Chez Chateaubriand [2] ! »
– « Chez Voltaire [3] ! » hurla le jeune homme à moustaches blondes.

Les sergents de ville tâchaient de circuler, en disant le plus doucement qu'ils pouvaient :

– « Partez, messieurs, partez, retirez-vous ! »

Quelqu'un cria :

– « À bas les assommeurs ! »

C'était une injure usuelle depuis les troubles du mois de septembre [4]. Tous la répétèrent. On huait, on sifflait les gardiens de l'ordre public ; ils commençaient à pâlir ; un d'eux n'y résista plus, et, avisant un petit jeune homme qui s'approchait de trop près, en lui riant au nez, il le repoussa si rudement, qu'il le fit tomber cinq pas plus loin, sur le dos, devant la boutique du marchand de vin. Tous s'écartèrent ; mais presque aussitôt il roula lui-même, terrassé par une sorte d'Hercule dont la chevelure, telle qu'un paquet d'étoupes [5], débordait sous une casquette en toile cirée.

Arrêté depuis quelques minutes au coin de la rue Saint-Jacques, il avait lâché bien vite un large carton qu'il portait pour bondir vers le sergent de ville et, le tenant renversé sous lui, il labourait sa face à grands coups de poing. Les autres sergents accoururent. Le terrible garçon était si fort, qu'il en fallut quatre, au moins, pour le dompter. Deux le secouaient par le collet, deux autres le tiraient par les bras,

---

1. Très riche banquier de la Restauration, Jacques Laffitte (1767-1844) fut célébré pour son honnêteté. Libéral, il finança le mouvement insurrectionnel de 1830 qui le ruina. Brièvement ministre au début de la monarchie de Juillet, il s'opposa à Guizot et fonda le premier établissement de crédit, restant ainsi fidèle à ses principes.

2. L'écrivain Chateaubriand (1768-1848) joua un rôle politique important sous la Restauration. À l'avènement de la monarchie de Juillet, il s'effaça. Bien qu'il restât légitimiste, il prônait certains principes démocratiques.

3. Voltaire est mort en 1778…

4. Aux troubles causés par le recensement Humann (voir la note 3, p. 76) s'était ajouté, le 15 septembre 1841, un attentat qui visait le duc d'Aumale (voir la note 3, p. 357), rue Traversière. Il échoua, mais dans la confusion qui s'ensuivit, la police assomma quelques passants.

5. L'étoupe est la partie la plus grossière de la matière textile végétale, qui ne peut être filée.

un cinquième lui donnait, avec le genou, des bourrades dans les reins, et tous l'appelaient brigand, assassin, émeutier. La poitrine nue et les vêtements en lambeaux, il protestait de son innocence ; il n'avait pu, de sang-froid, voir battre un enfant.

– « Je m'appelle Dussardier ! chez MM. Valinçart frères, dentelles et nouveautés, rue de Cléry. Où est mon carton ? Je veux mon carton ! » Il répétait : « Dussardier !... rue de Cléry. Mon carton ! »

Il s'apaisa pourtant, et, d'un air stoïque, se laissa conduire vers le poste de la rue Descartes. Un flot de monde le suivit. Frédéric et le jeune homme à moustaches marchaient immédiatement par-derrière, pleins d'admiration pour le commis et révoltés contre la violence du Pouvoir.

À mesure que l'on avançait, la foule devenait moins grosse.

Les sergents de ville, de temps à autre, se retournaient d'un air féroce ; et les tapageurs n'ayant plus rien à faire, les curieux rien à voir, tous s'en allaient peu à peu. Des passants, que l'on croisait, considéraient Dussardier et se livraient tout haut à des commentaires outrageants. Une vieille femme, sur sa porte, s'écria même qu'il avait volé un pain ; cette injustice augmenta l'irritation des deux amis. Enfin on arriva devant le corps de garde. Il ne restait qu'une vingtaine de personnes. La vue des soldats suffit pour les disperser.

Frédéric et son camarade réclamèrent, hardiment, celui qu'on venait de mettre en prison. Le factionnaire les menaça, s'ils insistaient, de les y fourrer eux-mêmes. Ils demandèrent le chef du poste, et déclinèrent leur nom avec leur qualité d'élèves en droit, affirmant que le prisonnier était leur condisciple.

On les fit entrer dans une pièce toute nue, où quatre bancs s'allongeaient contre les murs de plâtre, enfumés. Au fond, un guichet s'ouvrit. Alors parut le robuste visage de Dussardier, qui, dans le désordre de sa chevelure, avec ses petits yeux francs et son nez carré du bout, rappelait confusément la physionomie d'un bon chien.

– « Tu ne nous reconnais pas ? » dit Hussonnet.

C'était le nom du jeune homme à moustaches.

– « Mais… » balbutia Dussardier.

– « Ne fais donc plus l'imbécile », reprit l'autre ; « on sait que tu es, comme nous, élève en droit. »

Malgré leurs clignements de paupières, Dussardier ne devinait rien. Il parut se recueillir, puis tout à coup :

– « A-t-on trouvé mon carton ? »

Frédéric leva les yeux, découragé. Hussonnet répliqua :

– « Ah ! ton carton, où tu mets tes notes de cours ? Oui, oui ! rassure-toi ! »

Ils redoublaient leur pantomime. Dussardier comprit enfin qu'ils venaient pour le servir ; et il se tut, craignant de les compromettre. D'ailleurs, il éprouvait une sorte de honte en se voyant haussé au rang social d'étudiant et le pareil de ces jeunes hommes qui avaient des mains si blanches.

– « Veux-tu faire dire quelque chose à quelqu'un ? » demanda Frédéric.

– « Non, merci, à personne ! »

– « Mais ta famille ? »

Il baissa la tête sans répondre ; le pauvre garçon était bâtard. Les deux amis restaient étonnés de son silence.

– « As-tu de quoi fumer ? » reprit Frédéric.

Il se palpa, puis retira du fond de sa poche les débris d'une pipe, – une belle pipe en écume de mer [1], avec un tuyau en bois noir, un couvercle d'argent et un bout d'ambre.

Depuis trois ans, il travaillait à en faire un chef-d'œuvre. Il avait eu soin d'en tenir le fourneau constamment serré dans une gaine de chamois, de la fumer le plus lentement possible, sans jamais la poser sur du marbre, et, chaque soir, de la suspendre au chevet de son lit. À présent, il en secouait les morceaux dans sa main dont les ongles saignaient ; et, le menton sur la poitrine, les prunelles fixes, béant, il contemplait ces ruines de sa joie avec un regard d'une ineffable [2] tristesse.

---

1. L'écume de mer est le nom courant du silicate de magnésium, une pierre légère et poreuse employée pour faire des pipes.
2. Est ineffable ce qui ne peut être exprimé par des paroles.

– « Si nous lui donnions des cigares, hein ? » dit tout bas Hussonnet, en faisant le geste d'en atteindre.

Frédéric avait déjà posé, au bord du guichet, un porte-cigares rempli.

– « Prends donc ! Adieu, bon courage ! »

Dussardier se jeta sur les deux mains qui s'avançaient. Il les serrait frénétiquement, la voix entrecoupée par des sanglots.

– « Comment ?… à moi !… à moi !… »

Les deux amis se dérobèrent à sa reconnaissance, sortirent, et allèrent déjeuner ensemble au café Tabourey, devant le Luxembourg [1].

Tout en séparant le beefsteak, Hussonnet apprit à son compagnon qu'il travaillait dans des journaux de modes et fabriquait des réclames pour *L'Art industriel*.

– « Chez Jacques Arnoux ? » dit Frédéric.

– « Vous le connaissez ? »

– « Oui ! non !… C'est-à-dire je l'ai vu, je l'ai rencontré. »

Il demanda négligemment à Hussonnet s'il voyait quelquefois sa femme.

– « De temps à autre », reprit le bohème [2].

Frédéric n'osa poursuivre ses questions ; cet homme venait de prendre une place démesurée dans sa vie ; il paya la note du déjeuner, sans qu'il y eût de la part de l'autre aucune protestation.

La sympathie était mutuelle ; ils échangèrent leurs adresses, et Hussonnet l'invita cordialement à l'accompagner jusqu'à la rue de Fleurus [3].

Ils étaient au milieu du jardin quand l'employé d'Arnoux, retenant son haleine, contourna son visage dans une grimace abominable et se mit à faire le coq. Alors tous les coqs qu'il y avait aux environs lui répondirent par des cocoricos prolongés.

– « C'est un signal », dit Hussonnet.

---

1. Voir la note 1, p. 69.
2. Un bohème est une personne qui vit sans règles, en marge de la société, souvent dans les milieux artistiques.
3. La rue de Fleurus se trouve juste de l'autre côté du jardin du Luxembourg (voir le dossier, p. 583).

Ils s'arrêtèrent près du théâtre Bobino[1], devant une maison où l'on pénétrait par une allée. Dans la lucarne d'un grenier, entre des capucines et des pois de senteur, une jeune femme se montra, nu-tête, en corset, et appuyant ses deux bras contre le bord de la gouttière.

– « Bonjour, mon ange, bonjour, bibiche ! » fit Hussonnet, en lui envoyant des baisers.

Il ouvrit la barrière d'un coup de pied, et disparut.

Frédéric l'attendit toute la semaine. Il n'osait aller chez lui, pour n'avoir point l'air impatient de se faire rendre à déjeuner ; mais il le chercha par tout le Quartier latin. Il le rencontra un soir, et l'emmena dans sa chambre sur le quai Napoléon[2].

La causerie fut longue ; ils s'épanchèrent. Hussonnet ambitionnait la gloire et les profits du théâtre. Il collaborait à des vaudevilles non reçus, « avait des masses de plans », tournait le couplet ; il en chanta quelques-uns. Puis, remarquant dans l'étagère un volume de Hugo et un autre de Lamartine, il se répandit en sarcasmes sur l'école romantique. Ces poètes-là n'avaient ni bon sens ni correction, et n'étaient pas Français, surtout ! Il se vantait de savoir sa langue et épluchait les phrases les plus belles avec cette sévérité hargneuse, ce goût académique qui distinguent les personnes d'humeur folâtre quand elles abordent l'art sérieux.

Frédéric fut blessé dans ses prédilections ; il avait envie de rompre. Pourquoi ne pas hasarder, tout de suite, le mot d'où son bonheur dépendait ? Il demanda au garçon de lettres s'il pouvait le présenter chez Arnoux.

La chose était facile, et ils convinrent du jour suivant.

Hussonnet manqua le rendez-vous ; il en manqua trois autres. Un samedi, vers quatre heures, il apparut. Mais, profitant de la voiture, il s'arrêta d'abord au Théâtre-Français pour avoir un coupon de loge ; il se fit descendre chez un tailleur, chez une couturière ; il écrivait des billets chez les concierges. Enfin ils arrivèrent boulevard Montmartre[3].

---

1. Le théâtre Bobino (du nom d'un pitre des années 1820) était alors situé à l'angle de la rue Madame et de la rue de Fleurus. Il fut détruit en 1868.

2. Voir la note 1, p. 74.

3. Voir la note 3, p. 45.

Frédéric traversa la boutique, monta l'escalier. Arnoux le reconnut dans la glace placée devant son bureau ; et, tout en continuant à écrire, lui tendit la main par-dessus l'épaule.

Cinq ou six personnes, debout, emplissaient l'appartement étroit, qu'éclairait une seule fenêtre donnant sur la cour ; un canapé en damas [1] de laine brune occupait au fond l'intérieur d'une alcôve, entre deux portières d'étoffe semblable. Sur la cheminée couverte de paperasses, il y avait une Vénus en bronze ; deux candélabres, garnis de bougies roses, la flanquaient parallèlement. À droite, près d'un cartonnier [2], un homme dans un fauteuil lisait le journal, en gardant son chapeau sur sa tête ; les murailles disparaissaient sous des estampes et des tableaux, gravures précieuses ou esquisses de maîtres contemporains, ornées de dédicaces, qui témoignaient pour Jacques Arnoux de l'affection la plus sincère.

– « Cela va toujours bien ? » fit-il en se tournant vers Frédéric.

Et, sans attendre sa réponse, il demanda bas à Hussonnet :

– « Comment l'appelez-vous, votre ami ? »

Puis tout haut :

– « Prenez donc un cigare, sur le cartonnier, dans la boîte. »

L'Art industriel, posé au point central de Paris, était un lieu de rendez-vous commode, un terrain neutre où les rivalités se coudoyaient familièrement. On y voyait ce jour-là, Anténor Braive, le portraitiste des rois ; Jules Burrieu, qui commençait à populariser par ses dessins les guerres d'Algérie [3] ; le caricaturiste Sombaz, le sculpteur Vourdat, d'autres encore, et aucun ne répondait aux préjugés de l'étudiant. Leurs manières étaient simples, leurs propos libres. Le mystique Lovarias débita un conte obscène ; et l'inventeur du paysage oriental, le fameux

---

1. Voir la note 5, p. 71.
2. Un cartonnier est un meuble de bureau pour le classement des dossiers. Il comporte de nombreux tiroirs faits de carton fort.
3. La colonisation française de l'Algérie commença en 1827. Alger fut prise en 1830.

Dittmer, portait une camisole [1] de tricot sous son gilet, et prit l'omnibus pour s'en retourner.

Il fut d'abord question d'une nommée Apollonie, un ancien modèle [2], que Burrieu prétendait avoir reconnue sur le boulevard, dans une daumont [3]. Hussonnet expliqua cette métamorphose par la série de ses entreteneurs.

– « Comme ce gaillard-là connaît les filles de Paris ! » dit Arnoux.

– « Après vous, s'il en reste, sire », répliqua le bohème [4], avec un salut militaire, pour imiter le grenadier offrant sa gourde à Napoléon.

Puis on discuta quelques toiles, où la tête d'Apollonie avait servi. Les confrères absents furent critiqués. On s'étonnait du prix de leurs œuvres ; et tous se plaignaient de ne point gagner suffisamment, lorsque entra un homme de taille moyenne, l'habit fermé par un seul bouton, les yeux vifs, l'air un peu fou.

– « Quel tas de bourgeois vous êtes ! » dit-il. « Qu'est-ce que cela fait, miséricorde ! Les vieux qui confectionnaient des chefs-d'œuvre ne s'inquiétaient pas du million. Corrège, Murillo [5]... »

– « Ajoutez Pellerin », dit Sombaz.

Mais sans relever l'épigramme [6], il continua de discourir avec tant de véhémence, qu'Arnoux fut contraint de lui répéter deux fois :

– « Ma femme a besoin de vous, jeudi. N'oubliez pas ! »

Cette parole ramena la pensée de Frédéric sur Mme Arnoux. Sans doute, on pénétrait chez elle par le cabinet près du divan ? Arnoux, pour prendre un mouchoir,

---

1. Une camisole est une chemise en toile de coton légère.
2. Voir la note 2, p. 48.
3. Une daumont est une voiture attelée à la manière du duc d'Aumont (1762-1831) : les quatre chevaux sont conduits par deux postillons.
4. Voir la note 2, p. 82.
5. Le Corrège et Murillo sont deux grands peintres. Le premier était italien et vécut au début du XVIe siècle (la légende faisait de lui un peintre solitaire et vivant de manière modeste) ; le second était espagnol et vécut au XVIIe siècle (ses peintures étaient d'inspiration religieuse ou représentaient des pauvres).
6. Une épigramme est un trait satirique, un mot spirituel et mordant.

venait de l'ouvrir ; Frédéric avait aperçu, dans le fond, un lavabo. Mais une sorte de grommellement sortit du coin de la cheminée ; c'était le personnage qui lisait son journal, dans le fauteuil. Il avait cinq pieds neuf pouces, les paupières un peu tombantes, la chevelure grise, l'air majestueux – et s'appelait Regimbart.

– « Qu'est-ce donc, citoyen ? » dit Arnoux.

– « Encore une nouvelle canaillerie du Gouvernement ! »

Il s'agissait de la destitution d'un maître d'école ; Pellerin reprit son parallèle entre Michel-Ange et Shakespeare. Dittmer s'en allait. Arnoux le rattrapa pour lui mettre dans la main deux billets de banque. Alors, Hussonnet, croyant le moment favorable :

– « Vous ne pourriez pas m'avancer, mon cher patron ?… »

Mais Arnoux s'était rassis et gourmandait un vieillard d'aspect sordide, en lunettes bleues.

– « Ah ! vous êtes joli, père Isaac ! Voilà trois œuvres décriées, perdues ! Tout le monde se fiche de moi ! On les connaît maintenant ! Que voulez-vous que j'en fasse ? Il faudra que je les envoie en Californie !… au diable ! Taisez-vous ! »

La spécialité de ce bonhomme consistait à mettre au bas de ses tableaux des signatures de maîtres anciens. Arnoux refusait de le payer ; il le congédia brutalement. Puis, changeant de manières, il salua un monsieur décoré, gourmé [1], avec favoris et cravate blanche.

Le coude sur l'espagnolette de la fenêtre, il lui parla pendant longtemps, d'un air mielleux. Enfin il éclata :

– « Eh ! je ne suis pas embarrassé d'avoir des courtiers [2], monsieur le comte ! »

Le gentilhomme s'étant résigné, Arnoux lui solda vingt-cinq louis, et, dès qu'il fut dehors :

– « Sont-ils assommants, ces grands seigneurs ! »

– « Tous des misérables ! » murmura Regimbart.

---

1. Est gourmé celui qui affecte un maintien grave, raide.
2. Le courtier est l'intermédiaire entre deux parties contractantes dans une transaction commerciale ou financière.

À mesure que l'heure avançait, les occupations d'Arnoux redoublaient ; il classait des articles, décachetait des lettres, alignait des comptes ; au bruit du marteau dans le magasin, sortait pour surveiller les emballages, puis reprenait sa besogne ; et, tout en faisant courir sa plume de fer sur le papier, il ripostait aux plaisanteries. Il devait dîner le soir chez son avocat, et partait le lendemain pour la Belgique.

Les autres causaient des choses du jour : le portrait de Cherubini [1], l'hémicycle des Beaux-Arts [2], l'Exposition prochaine. Pellerin déblatérait contre l'Institut. Les cancans, les discussions s'entrecroisaient. L'appartement, bas de plafond, était si rempli, qu'on ne pouvait remuer ; et la lumière des bougies roses passait dans la fumée des cigares comme des rayons de soleil dans la brume.

La porte, près du divan, s'ouvrit, et une grande femme mince entra, – avec des gestes brusques qui faisaient sonner sur sa robe en taffetas noir toutes les breloques de sa montre.

C'était la femme entrevue, l'été dernier, au Palais-Royal. Quelques-uns, l'appelant par son nom, échangèrent avec elle des poignées de main. Hussonnet avait enfin arraché une cinquantaine de francs ; la pendule sonna sept heures ; tous se retirèrent.

Arnoux dit à Pellerin de rester, et conduisit Mlle Vatnaz dans le cabinet.

Frédéric n'entendait pas leurs paroles ; ils chuchotaient. Cependant, la voix féminine s'éleva :

– « Depuis six mois que l'affaire est faite, j'attends toujours ! »

Il y eut un long silence. Mlle Vatnaz reparut. Arnoux lui avait encore promis quelque chose.

– « Oh ! oh ! plus tard, nous verrons ! »

– « Adieu, homme heureux ! » dit-elle, en s'en allant. Arnoux rentra vivement dans le cabinet, écrasa du

---

1. Le peintre Ingres (1780-1867) a fait en 1842 le portrait du compositeur italien Cherubini.
2. L'hémicycle de l'École des beaux-arts a été décoré par le peintre Paul Delaroche (1797-1856) et inauguré en décembre 1842.

cosmétique[1] sur ses moustaches, haussa ses bretelles pour tendre ses sous-pieds ; et, tout en se lavant les mains :

– « Il me faudrait deux dessus-de-porte, à deux cent cinquante la pièce, genre Boucher[2], est-ce convenu ? »

– « Soit », dit l'artiste, devenu rouge.

– « Bon ! et n'oubliez pas ma femme ! »

Frédéric accompagna Pellerin jusqu'au haut du faubourg Poissonnière[3], et lui demanda la permission de venir le voir quelquefois, faveur qui fut accordée gracieusement.

Pellerin lisait tous les ouvrages d'esthétique pour découvrir la véritable théorie du Beau, convaincu, quand il l'aurait trouvée, de faire des chefs-d'œuvre. Il s'entourait de tous les auxiliaires imaginables, dessins, plâtres, modèles, gravures ; et il cherchait, se rongeait ; il accusait le temps, ses nerfs, son atelier, sortait dans la rue pour rencontrer l'inspiration, tressaillait de l'avoir saisie, puis abandonnait son œuvre et en rêvait une autre qui devait être plus belle. Ainsi tourmenté par des convoitises de gloire et perdant ses jours en discussions, croyant à mille niaiseries, aux systèmes, aux critiques, à l'importance d'un règlement ou d'une réforme en matière d'art, il n'avait, à cinquante ans, encore produit que des ébauches. Son orgueil robuste l'empêchait de subir aucun découragement, mais il était toujours irrité, et dans cette exaltation à la fois factice et naturelle qui constitue les comédiens.

On remarquait en entrant chez lui deux grands tableaux, où les premiers tons, posés çà et là, faisaient sur la toile blanche des taches de brun, de rouge et de bleu. Un réseau de lignes à la craie s'étendait par-dessus, comme les mailles vingt fois reprises d'un filet ; il était même impossible d'y rien comprendre. Pellerin expliqua le sujet de ces deux compositions en indiquant avec le pouce les parties qui

---

1. Le cosmétique était un produit servant à fixer et à lustrer cheveux, barbe et moustaches.

2. Le peintre et décorateur Boucher (1703-1770) est le maître de la peinture galante et rococo.

3. Le faubourg Poissonnière se trouve entre le faubourg Saint-Martin et le faubourg Saint-Denis, à la limite des actuels IXe et X[e] arrondissements (voir le dossier, p. 583). C'était le quartier des marchands de faïence, de porcelaine et de verrerie.

manquaient. L'une devait représenter *La Démence de Nabu-chodonosor*[1], l'autre *L'Incendie de Rome par Néron*[2]. Frédéric les admira.

Il admira des académies[3] de femmes échevelées, des paysages où les troncs d'arbres tordus par la tempête foisonnaient, et surtout des caprices[4] à la plume, souvenirs de Callot, de Rembrandt ou de Goya, dont il ne connaissait pas les modèles. Pellerin n'estimait plus ces travaux de sa jeunesse ; maintenant, il était pour le grand style ; il dogmatisa sur Phidias[5] et Winckelmann[6], éloquemment. Les choses autour de lui renforçaient la puissance de sa parole : on voyait une tête de mort sur un prie-Dieu, des yatagans[7], une robe de moine ; Frédéric l'endossa.

Quand il arrivait de bonne heure, il le surprenait dans son mauvais lit de sangle, que cachait un lambeau de tapisserie ; car Pellerin se couchait tard, fréquentant les théâtres avec assiduité. Il était servi par une vieille femme en haillons, dînait à la gargote et vivait sans maîtresse. Ses connaissances, ramassées pêle-mêle, rendaient ses paradoxes amusants. Sa haine contre le commun et le bourgeois débordait en sarcasmes d'un lyrisme superbe, et il avait pour les

---

1. Nabuchodonosor fut roi de Babylone de 605 à 562 av. J.-C. La Bible rapporte, au Livre de Daniel, que le roi s'était fait élever une statue d'or haute de soixante coudées, et que chacun devait se prosterner devant elle. Trois jeunes Hébreux refusèrent et furent jetés dans une fournaise où ils passèrent trois jours à chanter un cantique. Touché de ce miracle, Nabuchodonosor raconta qu'il avait eu un songe dans lequel il s'était vu transformé en bête. Aussitôt, la parole divine s'accomplit et le roi, se croyant transformé en animal monstrueux, vécut pendant sept ans de l'herbe des prés. Cet épisode de démence a été popularisé par l'opéra de Verdi (première représentation à Paris en 1845).
2. L'empereur Néron (37-68) fut accusé d'être à l'origine du grand incendie de Rome en 64.
3. Ici, une académie est un exercice de peinture ou de dessin, où l'on travaille d'après le modèle nu.
4. Un caprice est ici un morceau de fantaisie, un dessin bizarre ou original qui s'écarte des règles et des conventions ordinaires.
5. Sculpteur athénien du Ve siècle av. J.-C., Phidias est le représentant le plus illustre de l'art classique grec.
6. Archéologue et historien de l'art allemand, Winckelmann (1717-1768) écrivit des *Réflexions sur l'imitation des œuvres des Grecs en peinture et en sculpture* qui prônaient un retour à la simplicité de l'art grec.
7. Un yatagan est un sabre turc, à lame recourbée vers la pointe.

maîtres une telle religion, qu'elle le montait presque jusqu'à eux.

Mais pourquoi ne parlait-il jamais de Mme Arnoux ?
Quant à son mari, tantôt il l'appelait un bon garçon,
d'autres fois un charlatan. Frédéric attendait ses
confidences.

Un jour en feuilletant un de ses cartons, il trouva dans le
portrait d'une bohémienne quelque chose de Mlle Vatnaz,
et, comme cette personne l'intéressait, il voulut savoir sa
position.

Elle avait été, croyait Pellerin, d'abord institutrice en province ; maintenant, elle donnait des leçons et tâchait d'écrire
dans les petites feuilles.

D'après ses manières avec Arnoux, on pouvait, selon Frédéric, la supposer sa maîtresse.

– « Ah ! bah ! il en a d'autres ! »

Alors, le jeune homme, en détournant son visage qui rou-
gissait de honte sous l'infamie de sa pensée, ajouta d'un
air crâne :

– « Sa femme le lui rend, sans doute ? »

– « Pas du tout ! elle est honnête ! »

Frédéric eut un remords, et se montra plus assidu au
journal.

Les grandes lettres composant le nom d'Arnoux sur la
plaque de marbre, au haut de la boutique, lui semblaient
toutes particulières et grosses de significations, comme une
écriture sacrée. Le large trottoir, descendant, facilitait sa
marche, la porte tournait presque d'elle-même ; et la poignée, lisse au toucher, avait la douceur et comme l'intelligence d'une main dans la sienne. Insensiblement, il devint
aussi ponctuel que Regimbart.

Tous les jours, Regimbart s'asseyait au coin du feu, dans
son fauteuil, s'emparait du *National*[1], ne le quittait plus,
et exprimait sa pensée par des exclamations ou de simples
haussements d'épaules. De temps à autre, il s'essuyait le

_____
1. Le journal politique *Le National* fut fondé en janvier 1830 par Thiers
et Carrel pour renverser Charles X. Pendant la monarchie de Juillet, il
devint l'organe du parti républicain et, sous la direction de Marrast (voir la
note 6, p. 114), contribua à la chute du régime.

front avec son mouchoir de poche roulé en boudin, et qu'il portait sur sa poitrine, entre deux boutons de sa redingote verte. Il avait un pantalon à plis, des souliers-bottes, une cravate longue ; et son chapeau à bords retroussés le faisait reconnaître, de loin, dans les foules.

À huit heures du matin, il descendait des hauteurs de Montmartre, pour prendre le vin blanc dans la rue Notre-Dame-des-Victoires [1]. Son déjeuner, que suivaient plusieurs parties de billard, le conduisait jusqu'à trois heures. Il se dirigeait alors vers le passage des Panoramas, pour prendre l'absinthe. Après la séance chez Arnoux, il entrait à l'estaminet [2] Bordelais, pour prendre le vermouth ; puis, au lieu de rejoindre sa femme, souvent il préférait dîner seul, dans un petit café de la place Gaillon, où il voulait qu'on lui servît « des plats de ménage, des choses naturelles » ! Enfin il se transportait dans un autre billard, et y restait jusqu'à minuit, jusqu'à une heure du matin, jusqu'au moment où le gaz éteint et les volets fermés, le maître de l'établissement, exténué, le suppliait de sortir.

Et ce n'était pas l'amour des boissons qui attirait dans ces endroits le citoyen Regimbart, mais l'habitude ancienne d'y causer politique ; avec l'âge, sa verve était tombée, il n'avait plus qu'une morosité silencieuse. On aurait dit, à voir le sérieux de son visage, qu'il roulait le monde dans sa tête. Rien n'en sortait ; et personne, même de ses amis, ne lui connaissait d'occupations, bien qu'il se donnât pour tenir un cabinet d'affaires.

Arnoux paraissait l'estimer infiniment. Il dit un jour à Frédéric :

– « Celui-là en sait long, allez ! C'est un homme fort ! »

Une autre fois, Regimbart étala sur son pupitre des papiers concernant des mines de kaolin [3] en Bretagne ; Arnoux s'en rapportait à son expérience.

---

1. La rue Notre-Dame-des-Victoires borde la Bourse sur le flanc est (actuel IIe arrondissement). Le passage des Panoramas et la place Gaillon se trouvent à quelques pas (voir le dossier, p. 583).

2. Un estaminet est un petit café.

3. Le kaolin est un type d'argile réfractaire qui est utilisé pour les pâtes céramiques, la porcelaine.

Frédéric se montra plus cérémonieux pour Regimbart, – jusqu'à lui offrir l'absinthe de temps à autre ; et quoiqu'il le jugeât stupide, souvent il demeurait dans sa compagnie pendant une grande heure, uniquement parce que c'était l'ami de Jacques Arnoux.

Après avoir poussé dans leurs débuts des maîtres contemporains, le marchand de tableaux, homme de progrès, avait tâché, tout en conservant des allures artistiques, d'étendre ses profits pécuniaires [1]. Il recherchait l'émancipation des arts, le sublime à bon marché. Toutes les industries du luxe parisien subirent son influence, qui fut bonne pour les petites choses, et funeste pour les grandes. Avec sa rage de flatter l'opinion, il détourna de leur voie les artistes habiles, corrompit les forts, épuisa les faibles et illustra les médiocres ; il en disposait par ses relations et par sa revue. Les rapins [2] ambitionnaient de voir leurs œuvres à sa vitrine et les tapissiers prenaient chez lui des modèles d'ameublement. Frédéric le considérait à la fois comme millionnaire, comme dilettante [3], comme homme d'action. Bien des choses, pourtant, l'étonnaient, car le sieur Arnoux était malicieux dans son commerce.

Il recevait du fond de l'Allemagne ou de l'Italie une toile achetée à Paris quinze cents francs, et, exhibant une facture qui la portait à quatre mille, la revendait trois mille cinq cents, par complaisance. Un de ses tours ordinaires avec les peintres était d'exiger comme pot-de-vin une réduction de leur tableau, sous prétexte d'en publier la gravure ; il vendait toujours la réduction et jamais la gravure ne paraissait. À ceux qui se plaignaient d'être exploités, il répondait par une tape sur le ventre. Excellent d'ailleurs, il prodiguait les cigares, tutoyait les inconnus, s'enthousiasmait pour une œuvre ou pour un homme, et, s'obstinant alors, ne regardant à rien, multipliait les courses, les correspondances, les réclames. Il se croyait fort honnête, et, dans son besoin d'expansion, racontait naïvement ses indélicatesses.

---

1. Voir la note 4, p. 72.
2. Un rapin est un apprenti dans un atelier de peinture, ou un peintre bohème et sans grand talent.
3. Un dilettante est un amateur d'art.

Une fois, pour vexer un confrère qui inaugurait un autre journal de peinture par un grand festin, il pria Frédéric d'écrire sous ses yeux, un peu avant l'heure du rendez-vous, des billets où l'on désinvitait les convives.

– « Cela n'attaque pas l'honneur, vous comprenez ? »

Et le jeune homme n'osa lui refuser ce service.

Le lendemain, en entrant avec Hussonnet dans son bureau, Frédéric vit par la porte (celle qui s'ouvrait sur l'escalier) le bas d'une robe disparaître.

– « Mille excuses ! » dit Hussonnet. « Si j'avais cru qu'il y eût des femmes... »

– « Oh ! pour celle-là c'est la mienne », reprit Arnoux. « Elle montait me faire une petite visite, en passant. »

– « Comment ? » dit Frédéric.

– « Mais oui ! elle s'en retourne chez elle, à la maison. »

Le charme des choses ambiantes se retira tout à coup. Ce qu'il y sentait confusément épandu venait de s'évanouir, ou plutôt n'y avait jamais été. Il éprouvait une surprise infinie et comme la douleur d'une trahison.

Arnoux, en fouillant dans son tiroir, souriait. Se moquait-il de lui ? Le commis déposa sur la table une liasse de papiers humides.

– « Ah ! les affiches ! » s'écria le marchand. « Je ne suis pas près de dîner ce soir ! »

Regimbart prenait son chapeau.

– « Comment, vous me quittez ? »

– « Sept heures ! » dit Regimbart.

Frédéric le suivit.

Au coin de la rue Montmartre, il se retourna ; il regarda les fenêtres du premier étage ; et il rit intérieurement de pitié sur lui-même, en se rappelant avec quel amour il les avait si souvent contemplées ! Où donc vivait-elle ? Comment la rencontrer maintenant ? La solitude se rouvrait autour de son désir plus immense que jamais !

– « Venez-vous la prendre ? » dit Regimbart.

– « Prendre qui ? »

– « L'absinthe ! »

Et, cédant à ses obsessions, Frédéric se laissa conduire à l'estaminet [1] Bordelais. Tandis que son compagnon, posé

---

1. Voir la note 2, p. 91.

sur le coude, considérait la carafe, il jetait les yeux de droite et de gauche. Mais il aperçut le profil de Pellerin sur le trottoir ; il cogna vivement contre le carreau, et le peintre n'était pas assis que Regimbart lui demanda pourquoi on ne le voyait plus à *L'Art industriel.*

– « Que je crève, si j'y retourne ! C'est une brute, un bourgeois, un misérable, un drôle ! »

Ces injures flattaient la colère de Frédéric. Il en était blessé cependant, car il lui semblait qu'elles atteignaient un peu Mme Arnoux.

– « Qu'est-ce donc qu'il vous a fait ? » dit Regimbart.

Pellerin battit le sol avec son pied, et souffla fortement, au lieu de répondre.

Il se livrait à des travaux clandestins, tels que portraits aux deux crayons ou pastiches de grands maîtres pour les amateurs peu éclairés ; et, comme ces travaux l'humiliaient, il préférait se taire, généralement. Mais « la crasse d'Arnoux » l'exaspérait trop. Il se soulagea.

D'après une commande, dont Frédéric avait été le témoin, il lui avait apporté deux tableaux. Le marchand, alors, s'était permis des critiques ! Il avait blâmé la composition, la couleur et le dessin, le dessin surtout, bref, à aucun prix n'en avait voulu. Mais, forcé par l'échéance d'un billet [1], Pellerin les avait cédés au juif Isaac ; et, quinze jours plus tard, Arnoux, lui-même les vendait à un Espagnol, pour deux mille francs.

– « Pas un sou de moins ! Quelle gredinerie ! et il en fait bien d'autres, parbleu ! Nous le verrons, un de ces matins, en cour d'assises. »

– « Comme vous exagérez ! » dit Frédéric d'une voix timide.

– « Allons ! bon ! j'exagère ! » s'écria l'artiste, en donnant sur la table un grand coup de poing.

Cette violence rendit au jeune homme tout son aplomb. Sans doute, on pouvait se conduire plus gentiment ; cependant, si Arnoux trouvait ces deux toiles…

---

1. Un billet est une promesse écrite, un engagement de payer une certaine somme avant une date précise.

– « Mauvaises ! lâchez le mot ! Les connaissez-vous ? Est-ce votre métier ? Or, vous savez, mon petit, moi, je n'admets pas cela, les amateurs ! »

– « Eh ! ce ne sont pas mes affaires ! » dit Frédéric.

– « Quel intérêt avez-vous donc à le défendre ? » reprit froidement Pellerin.

Le jeune homme balbutia :

– « Mais… parce que je suis son ami. »

– « Embrassez-le de ma part ! bonsoir ! »

Et le peintre sortit furieux, sans parler, bien entendu, de sa consommation.

Frédéric s'était convaincu lui-même, en défendant Arnoux. Dans l'échauffement de son éloquence, il fut pris de tendresse pour cet homme intelligent et bon, que ses amis calomniaient et qui maintenant travaillait tout seul, abandonné. Il ne résista pas au singulier besoin de le revoir immédiatement. Dix minutes après, il poussait la porte du magasin.

Arnoux élaborait, avec son commis, des affiches monstres pour une exposition de tableaux.

– « Tiens ! qui vous ramène ? »

Cette question bien simple embarrassa Frédéric ; et, ne sachant que répondre, il demanda si l'on n'avait point trouvé par hasard son calepin, un petit calepin en cuir bleu.

– « Celui où vous mettez vos lettres de femmes ? » dit Arnoux.

Frédéric, en rougissant comme une vierge, se défendit d'une telle supposition.

– « Vos poésies, alors ? » répliqua le marchand.

Il maniait les spécimens étalés, en discutait la forme, la couleur, la bordure ; et Frédéric se sentait de plus en plus irrité par son air de méditation, et surtout par ses mains qui se promenaient sur les affiches, – de grosses mains, un peu molles, à ongles plats. Enfin Arnoux se leva ; et, en disant : « C'est fait ! » il lui passa la main sous le menton, familièrement. Cette privauté déplut à Frédéric, il se recula ; puis il franchit le seuil du bureau, pour la dernière fois de son existence, croyait-il. Mme Arnoux, elle-même, se trouvait comme diminuée par la vulgarité de son mari.

Il reçut, dans la même semaine, une lettre où Deslauriers annonçait qu'il arriverait à Paris, jeudi prochain. Alors, il se rejeta violemment sur cette affection plus solide et plus haute. Un pareil homme valait toutes les femmes. Il n'aurait plus besoin de Regimbart, de Pellerin, d'Hussonnet, de personne ! Afin de mieux loger son ami, il acheta une couchette de fer, un second fauteuil, dédoubla sa literie ; et, le jeudi matin, il s'habillait pour aller au-devant de Deslauriers quand un coup de sonnette retentit à sa porte. Arnoux entra.

– « Un mot, seulement ! Hier, on m'a envoyé de Genève une belle truite ; nous comptons sur vous, tantôt, à sept heures juste... C'est rue de Choiseul[1], 24 *bis*. N'oubliez pas ! »

Frédéric fut obligé de s'asseoir. Ses genoux chancelaient. Il se répétait : « Enfin ! enfin ! » Puis il écrivit à son tailleur, à son chapelier, à son bottier ; et il fit porter ces trois billets par trois commissionnaires différents. La clef tourna dans la serrure et le concierge parut, avec une malle sur l'épaule.

Frédéric, en apercevant Deslauriers, se mit à trembler comme une femme adultère sous le regard de son époux.

– « Qu'est-ce donc qui te prend ? » dit Deslauriers, « tu dois cependant avoir reçu de moi une lettre ? »

Frédéric n'eut pas la force de mentir.

Il ouvrit les bras et se jeta sur sa poitrine.

Ensuite, le clerc conta son histoire. Son père n'avait pas voulu rendre ses comptes de tutelle[2], s'imaginant que ces comptes-là se prescrivaient par dix ans. Mais, fort en procédure[3], Deslauriers avait enfin arraché tout l'héritage de sa mère, sept mille francs nets, qu'il tenait là, sur lui, dans un vieux portefeuille.

– « C'est une réserve, en cas de malheur. Il faut que j'avise à les placer et à me caser moi-même, dès demain matin. Pour aujourd'hui, vacance complète, et tout à toi, mon vieux ! »

---

1. La rue de Choiseul se trouve dans la partie ouest de l'actuel IIe arrondissement, non loin du boulevard Montmartre (voir le dossier, p. 583).
2. Voir la note 3, p. 59.
3. Voir la note 3, p. 68.

– « Oh ! ne te gêne pas ! » dit Frédéric. « Si tu avais ce soir quelque chose d'important… »

– « Allons donc ! Je serais un fier misérable… »

Cette épithète, lancée au hasard, toucha Frédéric en plein cœur, comme une allusion outrageante.

Le concierge avait disposé sur la table, auprès du feu, des côtelettes, de la galantine [1], une langouste, un dessert, et deux bouteilles de vin de Bordeaux. Une réception si bonne émut Deslauriers.

– « Tu me traites comme un roi, ma parole ! »

Ils causèrent de leur passé, de l'avenir ; et, de temps à autre, ils se prenaient les mains par-dessus la table, en se regardant une minute avec attendrissement. Mais un commissionnaire apporta un chapeau neuf. Deslauriers remarqua, tout haut, combien la coiffe était brillante.

Puis le tailleur, lui-même, vint remettre l'habit auquel il avait donné un coup de fer.

– « On croirait que tu vas te marier », dit Deslauriers.

Une heure après, un troisième individu survint et retira d'un grand sac noir une paire de bottes vernies, splendides. Pendant que Frédéric les essayait, le bottier observait narquoisement la chaussure du provincial.

– « Monsieur n'a besoin de rien ? »

– « Merci », répliqua le clerc, en rentrant sous sa chaise ses vieux souliers à cordons.

Cette humiliation gêna Frédéric. Il reculait à faire son aveu. Enfin, il s'écria, comme saisi par une idée :

– « Ah ! saprelotte, j'oubliais ! »

– « Quoi donc ? »

– « Ce soir, je dîne en ville ! »

– « Chez les Dambreuse ? Pourquoi ne m'en parles-tu jamais dans tes lettres ? »

Ce n'était pas chez les Dambreuse, mais chez les Arnoux.

– « Tu aurais dû m'avertir ! » dit Deslauriers. « Je serais venu un jour plus tard. »

– « Impossible ! » répliqua brusquement Frédéric. « On ne m'a invité que ce matin, tout à l'heure. »

---

1. La galantine est une charcuterie à base de viandes blanches désossées et de farce, que l'on sert dans sa gelée.

Et, pour racheter sa faute et en distraire son ami, il dénoua les cordes emmêlées de sa malle, il arrangea dans la commode toutes ses affaires, il voulait lui donner son propre lit, coucher dans le cabinet au bois. Puis, dès quatre heures, il commença les préparatifs de sa toilette.

– « Tu as bien le temps ! » dit l'autre.

Enfin, il s'habilla, il partit.

– « Voilà les riches ! » pensa Deslauriers.

Et il alla dîner rue Saint-Jacques, chez un petit restaurateur qu'il connaissait.

Frédéric s'arrêta plusieurs fois dans l'escalier, tant son cœur battait fort. Un de ses gants trop juste éclata ; et, tandis qu'il enfonçait la déchirure sous la manchette de sa chemise, Arnoux, qui montait par-derrière, le saisit au bras et le fit entrer.

L'antichambre, décorée à la chinoise, avait une lanterne peinte, au plafond, et des bambous dans les coins. En traversant le salon, Frédéric trébucha contre une peau de tigre. On n'avait point allumé les flambeaux, mais deux lampes brûlaient dans le boudoir tout au fond.

Mlle Marthe vint dire que sa maman s'habillait. Arnoux l'enleva jusqu'à la hauteur de sa bouche pour la baiser ; puis, voulant choisir lui-même dans la cave certaines bouteilles de vin, il laissa Frédéric avec l'enfant.

Elle avait grandi beaucoup depuis le voyage de Montereau. Ses cheveux bruns descendaient en longs anneaux frisés sur ses bras nus. Sa robe, plus bouffante que le jupon d'une danseuse, laissait voir ses mollets roses, et toute sa gentille personne sentait frais comme un bouquet. Elle reçut les compliments du monsieur avec des airs de coquette, fixa sur lui ses yeux profonds, puis, se coulant parmi les meubles, disparut comme un chat.

Il n'éprouvait plus aucun trouble. Les globes des lampes, recouverts d'une dentelle en papier, envoyaient un jour laiteux et qui attendrissait la couleur des murailles, tendues de satin mauve. À travers les lames du garde-feu, pareil à un gros éventail, on apercevait les charbons dans la cheminée ; il y avait, contre la pendule, un coffret à fermoirs d'argent. Çà et là, des choses intimes traînaient : une poupée au milieu de la causeuse [1], un fichu contre le dossier d'une chaise, et, sur la table à ouvrage, un tricot de laine d'où pendaient en dehors deux aiguilles d'ivoire, la pointe en bas. C'était un endroit paisible, honnête et familier tout ensemble.

Arnoux rentra ; et, par l'autre portière, Mme Arnoux parut. Comme elle se trouvait enveloppée d'ombre, il ne distingua d'abord que sa tête. Elle avait une robe de velours noir et, dans les cheveux, une longue bourse algérienne en filet de soie rouge qui, s'entortillant à son peigne, lui tombait sur l'épaule gauche.

Arnoux présenta Frédéric.

– « Oh ! je reconnais monsieur parfaitement », répondit-elle.

Puis les convives arrivèrent tous, presque en même temps : Dittmer, Lovarias, Burrieu, le compositeur Rosenwald, le poète Théophile Lorris, deux critiques d'art collègues d'Hussonnet, un fabricant de papier, et enfin l'illustre Pierre-Paul Meinsius, le dernier représentant de la grande peinture, qui portait gaillardement avec sa gloire ses quatre-vingts années et son gros ventre.

Lorsqu'on passa dans la salle à manger, Mme Arnoux prit son bras. Une chaise était restée vide pour Pellerin. Arnoux l'aimait, tout en l'exploitant. D'ailleurs, il redoutait sa terrible langue – si bien que, pour l'attendrir, il avait publié dans *L'Art industriel* son portrait accompagné d'éloges hyperboliques ; et Pellerin, plus sensible à la gloire qu'à l'argent, apparut vers huit heures, tout essoufflé. Frédéric s'imagina qu'ils étaient réconciliés depuis longtemps.

La compagnie, les mets, tout lui plaisait. La salle, telle qu'un parloir moyen âge, était tendue de cuir battu ; une étagère hollandaise se dressait devant un râtelier de chibouques [2] ; et, autour de la table, les verres de Bohême, diversement colorés, faisaient au milieu des fleurs et des fruits comme une illumination dans un jardin.

---

1. Une causeuse est un petit canapé.
2. Un (ou une) chibouque est une pipe turque à long tuyau rigide.

Il eut à choisir entre dix espèces de moutarde. Il mangea du daspachio [1], du cari [2], du gingembre, des merles de Corse, des lasagnes romaines ; il but des vins extraordinaires, du lip-fraoli et du tokay [3]. Arnoux se piquait effectivement de bien recevoir. Il courtisait en vue des comestibles tous les conducteurs de malle-poste, et il était lié avec des cuisiniers de grandes maisons qui lui communiquaient des sauces.

Mais la causerie surtout amusait Frédéric. Son goût pour les voyages fut caressé par Dittmer, qui parla de l'Orient ; il assouvit sa curiosité des choses du théâtre en écoutant Rosenwald causer de l'Opéra ; et l'existence atroce de la bohème [4] lui parut drôle, à travers la gaieté d'Hussonnet, lequel narra, d'une manière pittoresque, comment il avait passé tout un hiver, n'ayant pour nourriture que du fromage de Hollande. Puis, une discussion entre Lovarias et Burrieu, sur l'école florentine, lui révéla des chefs-d'œuvre, lui ouvrit des horizons, et il eut mal à contenir son enthousiasme quand Pellerin s'écria :

– « Laissez-moi tranquille avec votre hideuse réalité ! Qu'est-ce que cela veut dire, la réalité ? Les uns voient noir, d'autres bleu, la multitude voit bête. Rien de moins naturel que Michel-Ange, rien de plus fort ! Le souci de la vérité extérieure dénote la bassesse contemporaine ; et l'art deviendra, si l'on continue, je ne sais quelle rocambole [5] au-dessous de la religion comme poésie, et de la politique comme intérêt. Vous n'arriverez pas à son but, – oui, son but ! – qui est de nous causer une exaltation impersonnelle, avec de petites œuvres, malgré toutes vos finasseries d'exécution. Voilà les tableaux de Bassolier, par exemple : c'est joli, coquet, propret, et pas lourd ! Ça peut se mettre dans la poche, se prendre en voyage ! Les notaires achètent ça vingt

---

1. Flaubert pense-t-il au gaspacho, soupe espagnole froide et épicée, à base de tomate ?

2. Un cari, ou curry, est un mets préparé avec cette épice indienne.

3. Le lip-fraoli semble une corruption de l'allemand *Liebfrauenmilch* (ou Lait de Notre-Dame), nom d'un vin blanc du Rhin. Le tokay est un vin de Hongrie.

4. Voir la note 2, p. 82.

5. Une rocambole est une chose sans valeur, une futilité.

mille francs ; il y a pour trois sous d'idées ; mais, sans l'idée, rien de grand ! sans grandeur, pas de beau ! L'Olympe est une montagne ! Le plus crâne monument, ce sera toujours les Pyramides. Mieux vaut l'exubérance que le goût, le désert qu'un trottoir, et un sauvage qu'un coiffeur ! »

Frédéric, en écoutant ces choses, regardait Mme Arnoux. Elles tombaient dans son esprit comme des métaux dans une fournaise, s'ajoutaient à sa passion et faisaient de l'amour.

Il était assis trois places au-dessous d'elle, sur le même côté. De temps à autre, elle se penchait un peu, en tournant la tête pour adresser quelques mots à sa petite fille ; et, comme elle souriait alors, une fossette se creusait dans sa joue, ce qui donnait à son visage un air de bonté plus délicate.

Au moment des liqueurs, elle disparut. La conversation devint très libre ; M. Arnoux y brilla, et Frédéric fut étonné du cynisme de ces hommes. Cependant, leur préoccupation de la femme établissait entre eux et lui comme une égalité, qui le haussait dans sa propre estime.

Rentré au salon, il prit, par contenance, un des albums traînant sur la table. Les grands artistes de l'époque l'avaient illustré de dessins, y avaient mis de la prose, des vers, ou simplement leurs signatures ; parmi les noms fameux, il s'en trouvait beaucoup d'inconnus, et les pensées curieuses n'apparaissaient que sous un débordement de sottises. Toutes contenaient un hommage plus ou moins direct à Mme Arnoux. Frédéric aurait eu peur d'écrire une ligne à côté.

Elle alla chercher dans son boudoir le coffret à fermoirs d'argent qu'il avait remarqué sur la cheminée. C'était un cadeau de son mari, un ouvrage de la Renaissance. Les amis d'Arnoux le complimentèrent, sa femme le remerciait ; il fut pris d'attendrissement, et lui donna devant le monde un baiser.

Ensuite, tous causèrent çà et là, par groupes ; le bon-homme Meinsius était avec Mme Arnoux, sur une bergère [1],

---

1. Une bergère est un fauteuil large et profond à joues pleines, et dont le siège est garni d'un coussin.

près du feu ; elle se penchait vers son oreille, leurs têtes se touchaient ; – et Frédéric aurait accepté d'être sourd, infirme et laid pour un nom illustre et des cheveux blancs, enfin pour avoir quelque chose qui l'intronisât dans une intimité pareille. Il se rongeait le cœur, furieux contre sa jeunesse.

Mais elle vint dans l'angle du salon où il se tenait, lui demanda s'il connaissait quelques-uns des convives, s'il aimait la peinture, depuis combien de temps il étudiait à Paris. Chaque mot qui sortait de sa bouche semblait à Frédéric être une chose nouvelle, une dépendance exclusive de sa personne. Il regardait attentivement les effilés de sa coiffure, caressant par le bout son épaule nue ; et il n'en détachait pas ses yeux, il enfonçait son âme dans la blancheur de cette chair féminine ; cependant, il n'osait lever ses paupières, pour la voir plus haut, face à face.

Rosenwald les interrompit, en priant Mme Arnoux de chanter quelque chose. Il préluda, elle attendait ; ses lèvres s'entrouvrirent, et un son pur, long, filé, monta dans l'air.

Frédéric ne comprit rien aux paroles italiennes.

Cela commençait sur un rythme grave, tel qu'un chant d'église, puis, s'animant crescendo, multipliait les éclats sonores, s'apaisait tout à coup ; et la mélodie revenait amoureusement, avec une oscillation large et paresseuse.

Elle se tenait debout, près du clavier, les bras tombants, le regard perdu. Quelquefois, pour lire la musique, elle clignait ses paupières en avançant le front, un instant. Sa voix de contralto [1] prenait dans les cordes basses une intonation lugubre qui glaçait, et alors sa belle tête, aux grands sourcils, s'inclinait sur son épaule ; sa poitrine se gonflait, ses bras s'écartaient, son cou d'où s'échappaient des roulades [2] se renversait mollement comme sous des baisers aériens ; elle lança trois notes aiguës, redescendit, en jeta une plus haute encore, et, après un silence, termina par un point d'orgue [3].

---

1. Le contralto est la plus grave des voix de femme.
2. Une roulade est un ornement de chant qui consiste en la succession de notes chantées rapidement sur une seule syllabe.
3. Un point d'orgue est la prolongation de la durée d'une note ou d'un silence, laissée à l'appréciation de l'exécutant.

Rosenwald n'abandonna pas le piano. Il continua de jouer, pour lui-même. De temps à autre, un des convives disparaissait. À onze heures, comme les derniers s'en allaient, Arnoux sortit avec Pellerin, sous prétexte de le reconduire. Il était de ces gens qui se disent malades quand ils n'ont pas fait *leur tour* après dîner.

Mme Arnoux s'était avancée dans l'antichambre ; Dittmer et Hussonnet la saluaient, elle leur tendit la main ; elle la tendit également à Frédéric ; et il éprouva comme une pénétration à tous les atomes de sa peau.

Il quitta ses amis ; il avait besoin d'être seul. Son cœur débordait. Pourquoi cette main offerte ? Était-ce un geste irréfléchi, ou un encouragement ? « Allons donc ! je suis fou ! » Qu'importait d'ailleurs, puisqu'il pouvait maintenant la fréquenter tout à son aise, vivre dans son atmosphère.

Les rues étaient désertes. Quelquefois une charrette lourde passait, en ébranlant les pavés. Les maisons se succédaient avec leurs façades grises, leurs fenêtres closes ; et il songeait dédaigneusement à tous ces êtres humains couchés derrière ces murs, qui existaient sans la voir, et dont pas un même ne se doutait qu'elle vécût ! Il n'avait plus conscience du milieu, de l'espace, de rien ; et, battant le sol du talon, en frappant avec sa canne les volets des boutiques, il allait toujours devant lui, au hasard, éperdu, entraîné. Un air humide l'enveloppa ; il se reconnut au bord des quais.

Les réverbères brillaient en deux lignes droites, indéfiniment, et de longues flammes rouges vacillaient dans la profondeur de l'eau. Elle était de couleur ardoise, tandis que le ciel, plus clair, semblait soutenu par les grandes masses d'ombre qui se levaient de chaque côté du fleuve. Des édifices, que l'on n'apercevait pas, faisaient des redoublements d'obscurité. Un brouillard lumineux flottait au-delà, sur les toits ; tous les bruits se fondaient en un seul bourdonnement ; un vent léger soufflait.

Il s'était arrêté au milieu du pont Neuf, et, tête nue, poitrine ouverte, il aspirait l'air. Cependant, il sentait monter du fond de lui-même quelque chose d'intarissable, un afflux de tendresse qui l'énervait, comme le mouvement des ondes sous ses yeux. À l'horloge d'une église, une heure sonna, lentement, pareille à une voix qui l'eût appelé.

Alors, il fut saisi par un de ces frissons de l'âme où il vous semble qu'on est transporté dans un monde supérieur. Une faculté extraordinaire, dont il ne savait pas l'objet, lui était venue. Il se demanda, sérieusement, s'il serait un grand peintre ou un grand poète ; – et il se décida pour la peinture, car les exigences de ce métier le rapprocheraient de Mme Arnoux. Il avait donc trouvé sa vocation ! Le but de son existence était clair maintenant, et l'avenir infaillible.

Quand il eut refermé sa porte, il entendit quelqu'un qui ronflait dans le cabinet noir, près de la chambre. C'était l'autre. Il n'y pensait plus.

Son visage s'offrait à lui dans la glace. Il se trouva beau ; – et resta une minute à se regarder.

V

Le lendemain, avant midi, il s'était acheté une boîte de couleurs, des pinceaux, un chevalet. Pellerin consentit à lui donner des leçons, et Frédéric l'emmena dans son logement pour voir si rien ne manquait parmi ses ustensiles de peinture.

Deslauriers était rentré. Un jeune homme occupait le second fauteuil. Le clerc dit en le montrant :

– « C'est lui ! le voilà ! Sénécal ! »

Ce garçon déplut à Frédéric. Son front était rehaussé par la coupe de ses cheveux taillés en brosse. Quelque chose de dur et de froid perçait dans ses yeux gris ; et sa longue redingote noire, tout son costume sentait le pédagogue et l'ecclésiastique.

D'abord, on causa des choses du jour, entre autres du *Stabat* de Rossini[1] ; Sénécal, interrogé, déclara qu'il n'allait jamais au théâtre. Pellerin ouvrit la boîte de couleurs.

– « Est-ce pour toi, tout cela ? » dit le clerc.

– « Mais sans doute ! »

– « Tiens ! quelle idée ! »

Et il se pencha sur la table, où le répétiteur[2] de mathématiques feuilletait un volume de Louis Blanc[3]. Il l'avait

---

1. Le *Stabat mater* du compositeur italien Rossini (1792-1868) fut joué pour la première fois le 7 janvier 1842 au Théâtre-Italien où il remporta un triomphe. Cette pièce fut au centre d'un scandale auquel se trouva mêlé l'éditeur de musique Schlesinger.

2. Voir la note 1, p. 72.

3. Historien et homme politique, Louis Blanc (1811-1882) publia en 1839 une étude qui le rendit célèbre, *De l'organisation du travail*, dans laquelle il formulait sa doctrine socialiste. En 1841, il commença la publication de son *Histoire de dix ans* (juillet 1830-1840), qui était un véritable réquisitoire contre la monarchie de Juillet. Il s'agit ici vraisemblablement du premier tome de cet ouvrage. Membre du Gouvernement provisoire en février 1848, Louis Blanc présida la commission des travailleurs qui siégeait au Luxem-

apporté lui-même, et lisait à voix basse des passages, tandis que Pellerin et Frédéric examinaient ensemble la palette, le couteau, les vessies [1], puis ils vinrent à s'entretenir du dîner chez Arnoux.

– « Le marchand de tableaux ? » demanda Sénécal. « Joli monsieur, vraiment ! »

– « Pourquoi donc ? » dit Pellerin.

Sénécal répliqua :

– « Un homme qui bat monnaie avec des turpitudes politiques ! »

Et il se mit à parler d'une lithographie célèbre, représentant toute la famille royale livrée à des occupations édifiantes : Louis-Philippe tenait un code, la reine un paroissien, les princesses brodaient, le duc de Nemours ceignait un sabre ; M. de Joinville montrait une carte géographique à ses jeunes frères ; on apercevait, dans le fond, un lit à deux compartiments. Cette image, intitulée *Une bonne famille*, avait fait les délices des bourgeois, mais l'affliction des patriotes [2]. Pellerin, d'un ton vexé comme s'il en était l'auteur, répondit que toutes les opinions se valaient ; Sénécal protesta. L'art devait exclusivement viser à la moralisation des masses ! Il ne fallait reproduire que des sujets poussant aux actions vertueuses ; les autres étaient nuisibles.

– « Mais ça dépend de l'exécution ! » cria Pellerin. « Je peux faire des chefs-d'œuvre ! »

– « Tant pis pour vous, alors ! on n'a pas le droit... »

– « Comment ? »

– « Non ! monsieur, vous n'avez pas le droit de m'intéresser à des choses que je réprouve ! Qu'avons-nous besoin de laborieuses bagatelles, dont il est impossible de tirer aucun profit, de ces Vénus, par exemple, avec tous vos paysages ? Je ne vois pas là d'enseignement pour le peuple ! Montrez-nous ses misères, plutôt ! Enthousiasmez-nous pour ses sacrifices ! Eh ! bon Dieu, les sujets ne manquent pas : la ferme, l'atelier... »

---

bourg. Lors de l'invasion de la Chambre le 15 mai, il fut malmené et se retira à Londres après les journées de Juin.

1. Ici, une vessie est un petit sac contenant de la peinture.

2. Dans la lignée de la Révolution française, un patriote est un républicain.

Pellerin en balbutiait d'indignation, et, croyant avoir trouvé un argument :

– « Molière, l'acceptez-vous ? »

– « Soit ! » dit Sénécal. « Je l'admire comme précurseur de la Révolution française. »

– « Ah ! la Révolution ! Quel art ! Jamais il n'y a eu d'époque plus pitoyable ! »

– « Pas de plus grande, monsieur ! »

Pellerin se croisa les bras, et, le regardant en face :

– « Vous m'avez l'air d'un fameux garde national [1] ! »

Son antagoniste, habitué aux discussions, répondit :

– « Je n'*en* suis pas ! et je la déteste autant que vous ! Mais, avec des principes pareils, on corrompt les foules ! Ça fait le compte du Gouvernement, du reste ! Il ne serait pas si fort sans la complicité d'un tas de farceurs comme celui-là. »

Le peintre prit la défense du marchand, car les opinions de Sénécal l'exaspéraient. Il osa même soutenir que Jacques Arnoux était un véritable cœur d'or, dévoué à ses amis, chérissant sa femme.

– « Oh ! oh ! si on lui offrait une bonne somme, il ne la refuserait pas pour servir de modèle [2]. »

Frédéric devint blême.

– « Il vous a donc fait bien du tort, monsieur ? »

– « À moi ? non ! Je l'ai vu, une fois, au café, avec un ami. Voilà tout. »

Sénécal disait vrai. Mais il se trouvait agacé, quotidiennement, par les réclames de *L'Art industriel*. Arnoux était, pour lui, le représentant d'un monde qu'il jugeait funeste à la démocratie. Républicain austère, il suspectait de corruption toutes les élégances, n'ayant d'ailleurs aucun besoin, et étant d'une probité inflexible.

La conversation eut peine à reprendre. Le peintre se rappela bientôt son rendez-vous, le répétiteur ses élèves ; et, quand ils furent sortis, après un long silence, Deslauriers fit différentes questions sur Arnoux.

– « Tu m'y présenteras plus tard, n'est-ce pas, mon vieux ? »

---

1. Voir la note 2, p. 76.
2. Voir la note 2, p. 48.

– « Certainement », dit Frédéric.

Puis ils avisèrent à leur installation. Deslauriers avait obtenu, sans peine, une place de second clerc chez un avoué, pris à l'École de droit son inscription, acheté les livres indispensables, – et la vie qu'ils avaient tant rêvée commença.

Elle fut charmante, grâce à la beauté de leur jeunesse. Deslauriers n'ayant parlé d'aucune convention pécuniaire [1], Frédéric n'en parla pas. Il subvenait à toutes les dépenses, rangeait l'armoire, s'occupait du ménage ; mais, s'il fallait donner une mercuriale [2] au concierge, le clerc s'en chargeait, continuant, comme au collège, son rôle de protecteur et d'aîné.

Séparés tout le long du jour, ils se retrouvaient le soir. Chacun prenait sa place au coin du feu et se mettait à la besogne. Ils ne tardaient pas à l'interrompre. C'étaient des épanchements sans fin, des gaietés sans cause, et des disputes quelquefois, à propos de la lampe qui filait, ou d'un livre égaré, colères d'une minute, que des rires apaisaient.

La porte du cabinet au bois restant ouverte, ils bavardaient de loin, dans leur lit.

Le matin, ils se promenaient en manches de chemise sur leur terrasse ; le soleil se levait, des brumes légères passaient sur le fleuve, on entendait un glapissement dans le marché aux fleurs à côté ; – et les fumées de leurs pipes tourbillonnaient dans l'air pur, qui rafraîchissait leurs yeux encore bouffis ; ils sentaient, en l'aspirant, un vaste espoir épandu.

Quand il ne pleuvait pas, le dimanche, ils sortaient ensemble ; et, bras dessus bras dessous, ils s'en allaient par les rues. Presque toujours la même réflexion leur survenait à la fois, ou bien ils causaient, sans rien voir autour d'eux. Deslauriers ambitionnait la richesse, comme moyen de puissance sur les hommes. Il aurait voulu remuer beaucoup de monde, faire beaucoup de bruit, avoir trois secrétaires sous ses ordres, et un grand dîner politique une fois par semaine. Frédéric se meublait un palais à la moresque, pour vivre couché sur des divans de cachemire, au murmure d'un jet d'eau, servi par des pages nègres ; – et ces choses rêvées

---

1. Voir la note 4, p. 72.
2. Une mercuriale est une remontrance, une réprimande.

devenaient à la fin tellement précises, qu'elles le désolaient comme s'il les avait perdues.

– « À quoi bon causer de tout cela », disait-il, « puisque jamais nous ne l'aurons ! »

– « Qui sait ? » reprenait Deslauriers.

Malgré ses opinions démocratiques, il l'engageait à s'introduire chez les Dambreuse. L'autre objectait ses tentatives.

– « Bah ! retournes-y ! On t'invitera ! »

Ils reçurent, vers le milieu du mois de mars, parmi des notes assez lourdes, celles du restaurateur qui leur apportait à dîner. Frédéric, n'ayant point la somme suffisante, emprunta cent écus à Deslauriers ; quinze jours plus tard, il réitéra la même demande, et le clerc le gronda pour les dépenses auxquelles il se livrait chez Arnoux.

Effectivement, il n'y mettait point de modération. Une vue de Venise, une vue de Naples et une autre de Constantinople occupant le milieu des trois murailles, des sujets équestres d'Alfred de Dreux [1] çà et là, un groupe de Pradier [2] sur la cheminée, des numéros de *L'Art industriel* sur le piano, et des cartonnages par terre dans les angles, encombraient le logis d'une telle façon, qu'on avait peine à poser un livre, à remuer les coudes. Frédéric prétendait qu'il lui fallait tout cela pour sa peinture.

Il travaillait chez Pellerin. Mais souvent Pellerin était en courses, – ayant coutume d'assister à tous les enterrements et événements dont les journaux devaient rendre compte ; – et Frédéric passait des heures entièrement seul dans l'atelier. Le calme de cette grande pièce, où l'on n'entendait que le trottinement des souris, la lumière qui tombait du plafond, et jusqu'au ronflement du poêle, tout le plongeait d'abord dans une sorte de bien-être intellectuel. Puis ses yeux, abandonnant son ouvrage, se portaient sur les écaillures de la muraille, parmi les bibelots de l'étagère, le long des torses où la poussière amassée faisait comme des lambeaux de

---

1. Alfred de Dreux (1808-1860) était un peintre de genre spécialisé dans les sujets équestres.
2. James Pradier (1792-1852) était un statuaire célèbre et bien connu de Flaubert.

velours ; et, tel qu'un voyageur perdu au milieu d'un bois et que tous les chemins ramènent à la même place, continuellement, il retrouvait au fond de chaque idée le souvenir de Mme Arnoux.

Il se fixait des jours pour aller chez elle ; arrivé au second étage, devant sa porte, il hésitait à sonner. Des pas se rapprochaient ; on ouvrait, et, à ces mots : « Madame est sortie », c'était une délivrance, et comme un fardeau de moins sur son cœur.

Il la rencontra, pourtant. La première fois, il y avait trois dames avec elle ; une autre après-midi, le maître d'écriture de Mlle Marthe survint. D'ailleurs, les hommes que recevait Mme Arnoux ne lui faisaient point de visites. Il n'y retourna plus, par discrétion.

Mais il ne manquait pas, pour qu'on l'invitât aux dîners du jeudi, de se présenter à *L'Art industriel*, chaque mercredi, régulièrement ; et il y restait après tous les autres, plus longtemps que Regimbart, jusqu'à la dernière minute, en feignant de regarder une gravure, de parcourir un journal. Enfin Arnoux lui disait : – « Êtes-vous libre, demain soir ? » Il acceptait avant que la phrase fût achevée. Arnoux semblait le prendre en affection. Il lui montra l'art de reconnaître les vins, à brûler le punch, à faire des salmis[1] de bécasses ; Frédéric suivait docilement ses conseils, – aimant tout ce qui dépendait de Mme Arnoux, ses meubles, ses domestiques, sa maison, sa rue.

Il ne parlait guère pendant ces dîners ; il la contemplait. Elle avait à droite, contre la tempe, un petit grain de beauté ; ses bandeaux[2] étaient plus noirs que le reste de sa chevelure et toujours comme un peu humides sur les bords ; elle les flattait de temps à autre, avec deux doigts seulement. Il connaissait la forme de chacun de ses ongles, il se délectait à écouter le sifflement de sa robe de soie quand elle passait auprès des portes, il humait en cachette la senteur de son mouchoir ; son peigne, ses gants, ses bagues étaient pour lui des choses particulières, importantes comme des œuvres

---

1. Un salmis est une préparation culinaire composée de pièces de gibier rôties, que l'on sert avec une sauce spéciale.
2. Voir la note 3, p. 47.

d'art, presque animées comme des personnes ; toutes lui prenaient le cœur et augmentaient sa passion.

Il n'avait pas eu la force de la cacher à Deslauriers. Quand il revenait de chez Mme Arnoux, il le réveillait comme par mégarde, afin de pouvoir causer d'elle.

Deslauriers, qui couchait dans le cabinet au bois, près de la fontaine, poussait un long bâillement. Frédéric s'asseyait au pied de son lit. D'abord il parlait du dîner, puis il racontait mille détails insignifiants, où il voyait des marques de mépris ou d'affection. Une fois, par exemple, elle avait refusé son bras, pour prendre celui de Dittmer, et Frédéric se désolait.

– « Ah ! quelle bêtise ! »

Ou bien elle l'avait appelé son « ami ».

– « Vas-y gaiement, alors ! »

– « Mais je n'ose pas », disait Frédéric.

– « Eh bien, n'y pense plus ! Bonsoir. »

Deslauriers se retournait vers la ruelle [1] et s'endormait. Il ne comprenait rien à cet amour, qu'il regardait comme une dernière faiblesse d'adolescence ; et, son intimité ne lui suffisant plus, sans doute, il imagina de réunir leurs amis communs une fois la semaine.

Ils arrivaient le samedi, vers neuf heures. Les trois rideaux d'algérienne [2] étaient soigneusement tirés ; la lampe et quatre bougies brûlaient ; au milieu de la table, le pot à tabac, tout plein de pipes, s'étalait entre les bouteilles de bière, la théière, un flacon de rhum et des petits fours. On discutait sur l'immortalité de l'âme, on faisait des parallèles entre les professeurs.

Hussonnet, un soir, introduisit un grand jeune homme habillé d'une redingote trop courte des poignets, et la contenance embarrassée. C'était le garçon qu'ils avaient réclamé au poste, l'année dernière.

N'ayant pu rendre à son maître le carton de dentelles perdu dans la bagarre, celui-ci l'avait accusé de vol, menacé des tribunaux ; maintenant, il était commis dans une maison

---

1. La ruelle est l'espace libre qu'on laisse entre le lit et le mur.
2. L'algérienne est une étoffe à rayures multicolores, mise à la mode par la conquête de l'Algérie (voir la note 3, p. 84).

de roulage [1]. Hussonnet, le matin, l'avait rencontré au coin d'une rue ; et il l'amenait, car Dussardier, par reconnaissance, voulait voir « l'autre ».

Il tendit à Frédéric le porte-cigares encore plein, et qu'il avait gardé religieusement avec l'espoir de le rendre. Les jeunes gens l'invitèrent à revenir. Il n'y manqua pas.

Tous sympathisaient. D'abord, leur haine du Gouvernement avait la hauteur d'un dogme indiscutable. Martinon seul tâchait de défendre Louis-Philippe. On l'accablait sous les lieux communs traînant dans les journaux : l'embastillement de Paris [2], les lois de septembre [3], Pritchard, lord Guizot [4], – si bien que Martinon se taisait, craignant d'offenser quelqu'un. En sept ans de collège, il n'avait pas mérité de pensum [5], et, à l'École de droit, il savait plaire aux professeurs. Il portait ordinairement une grosse redingote couleur mastic avec des claques [6] en caoutchouc ; mais il apparut un soir dans une toilette de marié : gilet de velours à châle, cravate blanche, chaîne d'or.

L'étonnement redoubla quand on sut qu'il sortait de chez M. Dambreuse. En effet, le banquier Dambreuse venait d'acheter au père Martinon une partie de bois considérable ; le bonhomme lui ayant présenté son fils, il les avait invités à dîner tous les deux.

– « Y avait-il beaucoup de truffes », demanda Deslauriers, « et as-tu pris la taille à son épouse, entre deux portes, *sicut decet* [7] ? »

---

1. Une maison de roulage s'occupe du transport de marchandises.
2. Entre 1840 et 1844, un système de fortifications (détruit en 1913) fut construit autour de Paris. L'opposition voyait dans ce dispositif autant une défense contre l'ennemi extérieur qu'une menace pour le peuple parisien (voir le dossier, p. 583).
3. Après l'attentat de Fieschi contre le roi (28 juillet 1835), le gouvernement alourdit les dispositions de la loi de 1834 sur la presse (cautionnement pour les journaux, amendes dissuasives, autorisation préalable pour les dessins) et imposa le visa de censure pour les pièces de théâtre.
4. Dans le contexte de l'affaire Pritchard (voir la note 3, p. 78), on reprochait à Guizot son anglophilie.
5. Un pensum est un travail supplémentaire imposé à un élève par punition.
6. Les claques sont des sortes de sandales que l'on met par-dessus ses souliers pour les préserver de la boue.
7. Cette expression latine signifie : « comme il se doit ».

Alors, la conversation s'engagea sur les femmes. Pellerin n'admettait pas qu'il y eût de belles femmes (il préférait les tigres) ; d'ailleurs, la femelle de l'homme était une créature inférieure dans la hiérarchie esthétique :

– « Ce qui vous séduit est particulièrement ce qui la dégrade comme idée ; je veux dire les seins, les cheveux... »

– « Cependant », objecta Frédéric, « de longs cheveux noirs, avec de grands yeux noirs... »

– « Oh ! connu ! » s'écria Hussonnet. « Assez d'Andalouses sur la pelouse ! des choses antiques ? serviteur ! Car enfin, voyons, pas de blagues ! une lorette [1] est plus amusante que la Vénus de Milo ! Soyons Gaulois, nom d'un petit bonhomme ! et Régence si nous pouvons !

> Coulez, bons vins ; femmes, daignez sourire !

Il faut passer de la brune à la blonde ! – Est-ce votre avis, père Dussardier ? »

Dussardier ne répondit pas. Tous le pressèrent pour connaître ses goûts.

– « Eh bien », fit-il en rougissant, « moi, je voudrais aimer la même, toujours ! »

Cela fut dit d'une telle façon, qu'il y eut un moment de silence, les uns étant surpris de cette candeur, et les autres y découvrant, peut-être, la secrète convoitise de leur âme.

Sénécal posa sur le chambranle sa chope de bière, et déclara dogmatiquement que, la prostitution étant une tyrannie et le mariage une immoralité, il valait mieux s'abstenir. Deslauriers prenait les femmes comme une distraction, rien de plus. M. de Cisy avait à leur endroit toute espèce de crainte.

Élevé sous les yeux d'une grand-mère dévote, il trouvait la compagnie de ces jeunes gens alléchante comme un mauvais lieu et instructive comme une Sorbonne. On ne lui ménageait pas les leçons ; et il se montrait plein de zèle, jusqu'à vouloir fumer, en dépit des maux de cœur qui le tourmentaient chaque fois, régulièrement. Frédéric l'entourait de soins. Il admirait la nuance de ses cravates, la fourrure de son paletot et surtout ses bottes, minces comme des

---

1. Une lorette est une jeune femme aux mœurs légères.

gants et qui semblaient insolentes de netteté et de délicatesse ; sa voiture l'attendait en bas dans la rue.

Un soir qu'il venait de partir, et que la neige tombait, Sénécal se mit à plaindre son cocher. Puis il déclama contre les gants jaunes [1], le Jockey Club [2]. Il faisait plus de cas d'un ouvrier que de ces messieurs.

– « Moi, je travaille, au moins ! je suis pauvre ! »

– « Cela se voit », dit à la fin Frédéric, impatienté.

Le répétiteur [3] lui garda rancune pour cette parole.

Mais, Regimbart ayant dit qu'il connaissait un peu Sénécal, Frédéric, voulant faire une politesse à l'ami d'Arnoux, le pria de venir aux réunions du samedi, et la rencontre fut agréable aux deux patriotes.

Ils différaient cependant.

Sénécal – qui avait un crâne en pointe [4] – ne considérait que les systèmes. Regimbart, au contraire, ne voyait dans les faits que les faits. Ce qui l'inquiétait principalement, c'était la frontière du Rhin [5]. Il prétendait se connaître en artillerie, et se faisait habiller par le tailleur de l'École polytechnique.

Le premier jour, quand on lui offrit des gâteaux, il leva les épaules dédaigneusement, en disant que cela convenait aux femmes ; et il ne parut guère plus gracieux les fois suivantes. Du moment que les idées atteignaient une certaine hauteur, il murmurait : « Oh ! pas d'utopies, pas de rêves ! » En fait d'art (bien qu'il fréquentât les ateliers, où quelquefois il donnait, par complaisance, une leçon d'escrime), ses opinions n'étaient point transcendantes. Il comparait le style de M. Marrast [6] à celui de Voltaire et Mlle Vatnaz à Mme de Staël, à cause d'une ode sur la Pologne, « où il y

---

1. Les gants jaunes étaient le symbole de l'aristocratie, comme la casquette et la blouse étaient celui de la classe ouvrière, et la redingote ou l'habit, celui de la bourgeoisie.

2. Voir la note 2, p. 287.

3. Voir la note 2, p. 72.

4. Dans la théorie phrénologique du médecin allemand Gall (1758-1828), la forme du crâne révèle le caractère et les tendances de chaque être humain.

5. Depuis la Révolution, une partie de l'opinion publique réclamait l'occupation de la rive gauche du Rhin pour se prémunir contre de possibles menées prussiennes.

6. Armand Marrast (1801-1852) était un journaliste de l'opposition, réputé pour ses dons de polémiste.

avait du cœur ». Enfin, Regimbart assommait tout le monde et particulièrement Deslauriers, car le Citoyen était un familier d'Arnoux. Or, le clerc ambitionnait de fréquenter cette maison, espérant y faire des connaissances profitables. « Quand donc m'y mèneras-tu ? » disait-il. Arnoux se trouvait surchargé de besogne, ou bien il partait en voyage ; puis, ce n'était pas la peine, les dîners allaient finir.

S'il avait fallu risquer sa vie pour son ami, Frédéric l'eût fait. Mais comme il tenait à se montrer le plus avantageusement possible, comme il surveillait son langage, ses manières et son costume jusqu'à venir au bureau de *L'Art industriel* toujours irréprochablement ganté, il avait peur que Deslauriers, avec son vieil habit noir, sa tournure de procureur et ses discours outrecuidants, ne déplût à Mme Arnoux, ce qui pouvait le compromettre, le rabaisser lui-même auprès d'elle. Il admettait bien les autres, mais celui-là, précisément, l'aurait gêné mille fois plus. Le clerc s'apercevait qu'il ne voulait pas tenir sa promesse, et le silence de Frédéric lui semblait une aggravation d'injure.

Il aurait voulu le conduire absolument, le voir se développer d'après l'idéal de leur jeunesse ; et sa fainéantise le révoltait, comme une désobéissance et comme une trahison. D'ailleurs Frédéric, plein de l'idée de Mme Arnoux, parlait de son mari souvent ; et Deslauriers commença une intolérable *scie*, consistant à répéter son nom cent fois par jour, à la fin de chaque phrase, comme un tic d'idiot. Quand on frappait à sa porte, il répondait : « Entrez, Arnoux ! » Au restaurant, il demandait un fromage de Brie « à l'instar d'Arnoux » ; et, la nuit, feignant d'avoir un cauchemar, il réveillait son compagnon en hurlant : « Arnoux ! Arnoux ! » Enfin, un jour, Frédéric, excédé, lui dit d'une voix lamentable :

– « Mais laisse-moi tranquille avec Arnoux ! »
– « Jamais ! » répondit le clerc.

> Toujours lui ! lui partout ! ou brûlante ou glacée !
> L'image de l'Arnoux… [1].

---

1. Ces vers sont une parodie de « Lui », célèbre pièce des *Orientales* (1829) de Victor Hugo : « Toujours lui ! lui partout ! ou brûlante ou glacée,/ Son image sans cesse ébranle ma pensée. »

– « Tais-toi donc ! » s'écria Frédéric en levant le poing. Il reprit doucement :

– « C'est un sujet qui m'est pénible, tu sais bien. »

– « Oh ! pardon, mon bonhomme », répliqua Deslauriers en s'inclinant très bas, « on respectera désormais les nerfs de mademoiselle ! Pardon encore une fois. Mille excuses ! »

Ainsi fut terminée la plaisanterie.

Mais, trois semaines après, un soir, il lui dit :

– « Eh bien, je l'ai vue tantôt, Mme Arnoux ! »

– « Où donc ? »

– « Au Palais[1], avec Balandard, avoué ; une femme brune, n'est-ce pas, de taille moyenne ? »

Frédéric fit un signe d'assentiment. Il attendait que Deslauriers parlât. Au moindre mot d'admiration, il se serait épanché largement, était tout prêt à le chérir ; l'autre se taisait toujours ; enfin, n'y tenant plus, il lui demanda d'un air indifférent ce qu'il pensait d'elle.

Deslauriers la trouvait « pas mal, sans avoir pourtant rien d'extraordinaire ».

– « Ah ! tu trouves », dit Frédéric.

Arriva le mois d'août, époque de son deuxième examen. D'après l'opinion courante, quinze jours devaient suffire pour en préparer les matières. Frédéric, ne doutant pas de ses forces, avala d'emblée les quatre premiers livres du Code de procédure[2], les trois premiers du Code pénal, plusieurs morceaux d'Instruction criminelle et une partie du Code civil, avec les annotations de M. Poncelet[3]. La veille, Deslauriers lui fit faire une récapitulation qui se prolongea jusqu'au matin ; et, pour mettre à profit le dernier quart d'heure, il continua à l'interroger sur le trottoir, tout en marchant.

Comme plusieurs examens se passaient simultanément, il y avait beaucoup de monde dans la cour, entre autres Hussonnet et Cisy ; on ne manquait pas de venir à ces épreuves quand il s'agissait des camarades. Frédéric endossa la robe

---

1. Sous-entendu : au Palais de justice.
2. Voir la note 3, p. 68.
3. Poncelet (1790-1843) fut un grand jurisconsulte qui contribua à faire connaître en France les travaux des savants allemands sur le droit romain.

noire traditionnelle ; puis il entra suivi de la foule, avec trois autres étudiants, dans une grande pièce, éclairée par des fenêtres sans rideaux et garnie de banquettes, le long des murs. Au milieu, des chaises de cuir entouraient une table, décorée d'un tapis vert. Elle séparait les candidats de MM. les examinateurs en robe rouge, tous portant des chausses d'hermine [1] sur l'épaule, avec des toques à galons d'or sur le chef.

Frédéric se trouvait l'avant-dernier dans la série, position mauvaise. À la première question sur la différence entre une convention et un contrat, il définit l'une pour l'autre ; et le professeur, un brave homme, lui dit : – « Ne vous troublez pas, monsieur, remettez-vous ! » puis, ayant fait deux demandes faciles, suivies de réponses obscures, il passa enfin au quatrième. Frédéric fut démoralisé par ce piètre commencement. Deslauriers, en face, dans le public, lui faisait signe que tout n'était pas encore perdu ; et à la deuxième interrogation sur le droit criminel, il se montra passable. Mais, après la troisième, relative au testament mystique [2], l'examinateur étant resté impassible tout le temps, son angoisse redoubla ; car Hussonnet joignait les mains comme pour applaudir, tandis que Deslauriers prodiguait les haussements d'épaules. Enfin, le moment arriva où il fallut répondre sur la procédure [3] ! Il s'agissait de la tierce opposition. Le professeur, choqué d'avoir entendu des théories contraires aux siennes, lui demanda d'un ton brutal :

– « Et vous, monsieur, est-ce votre avis ? Comment conciliez-vous le principe de l'article 1351 du Code civil avec cette voie d'attaque extraordinaire [4] ? »

Frédéric se sentait un grand mal de tête, pour avoir passé la nuit sans dormir. Un rayon de soleil, entrant par

---

1. Sur leur costume de cérémonie, les professeurs de droit (et certains magistrats) portent des bandes de fourrure d'hermine (blanche).
2. En droit, un testament mystique est déposé scellé chez un notaire, devant témoins, et selon une procédure précise.
3. Voir la note 3, p. 68.
4. La tierce opposition est l'opposition que formule une personne à un jugement qui lui est préjudiciable, mais dans lequel elle n'était pas partie. Qu'un tiers puisse faire opposition alors que les parties ne le peuvent pas entre en contradiction avec l'article 1351 du code civil qui affirme l'autorité de la chose jugée.

l'intervalle d'une jalousie [1], le frappait au visage. Debout derrière la chaise, il se dandinait et tirait sa moustache.

– « J'attends toujours votre réponse ! » reprit l'homme à la toque d'or.

Et, comme le geste de Frédéric l'agaçait sans doute :

– « Ce n'est pas dans votre barbe que vous la trouverez ! »

Ce sarcasme causa un rire dans l'auditoire ; le professeur, flatté, s'amadoua. Il lui fit deux questions encore sur l'ajournement et sur l'affaire sommaire, puis baissa la tête en signe d'approbation ; l'acte public était fini. Frédéric rentra dans le vestibule.

Pendant que l'huissier le dépouillait de sa robe, pour la repasser à un autre immédiatement, ses amis l'entourèrent, en achevant de l'ahurir avec leurs opinions contradictoires sur le résultat de l'examen. On le proclama bientôt d'une voix sonore, à l'entrée de la salle : « Le troisième était... ajourné ! »

– « Emballé ! » dit Hussonnet, « allons-nous-en ! »

Devant la loge du concierge, ils rencontrèrent Martinon, rouge, ému, avec un sourire dans les yeux et l'auréole du triomphe sur le front. Il venait de subir sans encombre son dernier examen. Restait seulement la thèse. Avant quinze jours, il serait licencié [2]. Sa famille connaissait un ministre, « une belle carrière » s'ouvrait devant lui.

– « Celui-là t'enfonce tout de même », dit Deslauriers.

Rien n'est humiliant comme de voir les sots réussir dans les entreprises où l'on échoue. Frédéric, vexé, répondit qu'il s'en moquait. Ses prétentions étaient plus hautes ; et, comme Hussonnet faisait mine de s'en aller, il le prit à l'écart pour lui dire :

– « Pas un mot de tout cela, chez eux, bien entendu ! »

Le secret était facile, puisque Arnoux, le lendemain, partait en voyage pour l'Allemagne.

---

1. Une jalousie est un treillis de bois permettant de voir sans être vu, ou, plus largement, un volet mobile.

2. Être licencié, c'est avoir passé avec succès les épreuves de la licence, ici en droit.

Le soir, en rentrant, le clerc trouva son ami singulièrement changé : il pirouettait, sifflait ; et, l'autre s'étonnant de cette humeur, Frédéric déclara qu'il n'irait pas chez sa mère ; il emploierait ses vacances à travailler.

À la nouvelle du départ d'Arnoux, une joie l'avait saisi. Il pouvait se présenter là-bas, tout à son aise, sans crainte d'être interrompu dans ses visites. La conviction d'une sécurité absolue lui donnerait du courage. Enfin il ne serait pas éloigné, ne serait pas séparé d'Elle ! Quelque chose de plus fort qu'une chaîne de fer l'attachait à Paris, une voix intérieure lui criait de rester.

Des obstacles s'y opposaient. Il les franchit en écrivant à sa mère ; il confessait d'abord son échec, occasionné par des changements faits dans le programme, – un hasard, une injustice ; – d'ailleurs, tous les grands avocats (il citait leurs noms) avaient été refusés à leurs examens. Mais il comptait se présenter de nouveau au mois de novembre. Or, n'ayant pas de temps à perdre, il n'irait point à la maison cette année ; et il demandait, outre l'argent d'un trimestre, deux cent cinquante francs, pour des répétitions [1] de droit, fort utiles ; – le tout enguirlandé de regrets, condoléances, chatteries [2] et protestations d'amour filial.

Mme Moreau, qui l'attendait le lendemain, fut chagrinée doublement. Elle cacha la mésaventure de son fils, et lui répondit « de venir tout de même ». Frédéric ne céda pas. Une brouille s'ensuivit. À la fin de la semaine, néanmoins, il reçut l'argent du trimestre avec la somme destinée aux répétitions, et qui servit à payer un pantalon gris perle, un chapeau de feutre blanc et une badine à pomme d'or.

Quand tout cela fut en sa possession :

– « C'est peut-être une idée de coiffeur que j'ai eue ? » songea-t-il.

Et une grande hésitation le prit.

Pour savoir s'il irait chez Mme Arnoux, il jeta par trois fois, dans l'air, des pièces de monnaie. Toutes les fois, le présage fut heureux. Donc, la fatalité l'ordonnait. Il se fit conduire en fiacre rue de Choiseul [3].

---

1. Voir la note 2, p. 72.
2. Une chatterie est une caresse, une câlinerie doucereuse.
3. Voir la note 1, p. 96.

Il monta vivement l'escalier, tira le cordon de la sonnette ; elle ne sonna pas ; il se sentait près de défaillir.

Puis il ébranla, d'un coup furieux, le lourd gland de soie rouge. Un carillon retentit, s'apaisa par degrés ; et l'on n'entendait plus rien. Frédéric eut peur.

Il colla son oreille contre la porte ; pas un souffle ! Il mit son œil au trou de la serrure, et il n'apercevait dans l'anti-chambre que deux pointes de roseau, sur la muraille, parmi les fleurs du papier. Enfin, il tournait les talons quand il se ravisa. Cette fois, il donna un petit coup, léger. La porte s'ouvrit ; et, sur le seuil, les cheveux ébouriffés, la face cra-moisie et l'air maussade, Arnoux lui-même parut.

– « Tiens ! Qui diable vous amène ? Entrez ! »

Il l'introduisit, non dans le boudoir ou dans sa chambre, mais dans la salle à manger, où l'on voyait sur la table une bouteille de vin de Champagne avec deux verres ; et, d'un ton brusque :

– « Vous avez quelque chose à me demander, cher ami ? »

– « Non ! rien ! rien ! » balbutia le jeune homme, cher-chant un prétexte à sa visite.

Enfin, il dit qu'il était venu savoir de ses nouvelles, car il le croyait en Allemagne, sur le rapport d'Hussonnet.

– « Nullement ! » reprit Arnoux. « Quelle linotte que ce garçon-là, pour entendre tout de travers ! »

Afin de dissimuler son trouble, Frédéric marchait de droite et de gauche, dans la salle. En heurtant le pied d'une chaise, il fit tomber une ombrelle posée dessus ; le manche d'ivoire se brisa.

– « Mon Dieu ! » s'écria-t-il, « comme je suis chagrin d'avoir brisé l'ombrelle de Mme Arnoux ! »

À ce mot, le marchand releva la tête, et eut un singulier sourire. Frédéric, prenant l'occasion qui s'offrait de parler d'elle, ajouta timidement :

– « Est-ce que je ne pourrai pas la voir ? »

Elle était dans son pays, près de sa mère malade.

Il n'osa faire de questions sur la durée de cette absence. Il demanda seulement quel était le pays de Mme Arnoux.

– « Chartres ! Cela vous étonne ? »

– « Moi ? non ! pourquoi ? Pas le moins du monde ! »

Ils ne trouvèrent, ensuite, absolument rien à se dire. Arnoux, qui s'était fait une cigarette, tournait autour de la table, en soufflant. Frédéric, debout contre le poêle, contemplait les murs, l'étagère, le parquet ; et des images charmantes défilaient dans sa mémoire, devant ses yeux plutôt. Enfin il se retira.

Un morceau de journal, roulé en boule, traînait par terre, dans l'antichambre ; Arnoux le prit ; et, se haussant sur la pointe des pieds, il l'enfonça dans la sonnette, pour continuer, dit-il, sa sieste interrompue. Puis, en lui donnant une poignée de main :

– « Avertissez le concierge, s'il vous plaît, que je n'y suis pas ! »

Et il referma la porte sur son dos, violemment.

Frédéric descendit l'escalier marche à marche. L'insuccès de cette première tentative le décourageait sur le hasard des autres. Alors commencèrent trois mois d'ennui. Comme il n'avait aucun travail, son désœuvrement renforçait sa tristesse.

Il passait des heures à regarder, du haut de son balcon, la rivière qui coulait entre les quais grisâtres, noircis, de place en place, par la bavure des égouts, avec un ponton de blanchisseuses amarré contre le bord, où des gamins quelquefois s'amusaient, dans la vase, à faire baigner un caniche. Ses yeux délaissant à gauche le pont de pierre de Notre-Dame et trois ponts suspendus, se dirigeaient toujours vers le quai aux Ormes [1], sur un massif de vieux arbres, pareils aux tilleuls du port de Montereau. La tour Saint-Jacques, l'Hôtel de Ville, Saint-Gervais, Saint-Louis, Saint-Paul se levaient en face, parmi les toits confondus, – et le génie de la colonne de Juillet [2] resplendissait à l'orient comme une large étoile d'or, tandis qu'à l'autre extrémité le dôme des Tuileries arrondissait, sur le ciel, sa lourde masse bleue. C'était par-derrière, de ce côté-là, que devait être la maison de Mme Arnoux.

---

1. Le quai aux Ormes s'étendait sur les actuels quai des Célestins et quai de l'Hôtel de Ville (au sud du IVᵉ arrondissement ; voir le dossier, p. 583).
2. À l'emplacement de la Bastille a été élevée, sous le règne de Louis-Philippe, une colonne en bronze, surmontée du génie de la Liberté, en mémoire de la révolution de 1789 et des journées de juillet 1830.

Il rentrait dans sa chambre ; puis, couché sur son divan, s'abandonnait à une méditation désordonnée : plans d'ouvrages, projets de conduite, élancements vers l'avenir. Enfin, pour se débarrasser de lui-même, il sortait.

Il remontait, au hasard, le Quartier latin, si tumultueux d'habitude, mais désert à cette époque, car les étudiants étaient partis dans leurs familles. Les grands murs des collèges, comme allongés par le silence, avaient un aspect plus morne encore ; on entendait toutes sortes de bruits paisibles, des battements d'ailes dans des cages, le ronflement d'un tour, le marteau d'un savetier ; et les marchands d'habits, au milieu des rues, interrogeaient de l'œil chaque fenêtre, inutilement. Au fond des cafés solitaires, la dame du comptoir bâillait entre ses carafons remplis ; les journaux demeuraient en ordre sur la table des cabinets de lecture ; dans l'atelier des repasseuses, des linges frissonnaient sous les bouffées du vent tiède. De temps à autre, il s'arrêtait à l'étalage d'un bouquiniste ; un omnibus, qui descendait en frôlant le trottoir, le faisait se retourner ; et, parvenu devant le Luxembourg [1], il n'allait pas plus loin.

Quelquefois, l'espoir d'une distraction l'attirait vers les boulevards. Après de sombres ruelles exhalant des fraîcheurs humides, il arrivait sur de grandes places désertes, éblouissantes de lumière, et où les monuments dessinaient au bord du pavé des dentelures d'ombre noire. Mais les charrettes, les boutiques recommençaient, et la foule l'étourdissait, – le dimanche surtout, – quand, depuis la Bastille jusqu'à la Madeleine, c'était un immense flot ondulant sur l'asphalte, au milieu de la poussière, dans une rumeur continue ; il se sentait tout écœuré par la bassesse des figures, la niaiserie des propos, la satisfaction imbécile transpirant sur les fronts en sueur ! Cependant, la conscience de mieux valoir que ces hommes atténuait la fatigue de les regarder.

Il allait tous les jours à *L'Art industriel* ; – et pour savoir quand reviendrait Mme Arnoux, il s'informait de sa mère très longuement. La réponse d'Arnoux ne variait pas ; « le mieux se continuait », sa femme, avec la petite, serait de retour la semaine prochaine. Plus elle tardait à revenir, plus

---

1. Voir la note 1, p. 69.

Frédéric témoignait d'inquiétude, – si bien qu'Arnoux, attendri par tant d'affection, l'emmena cinq ou six fois dîner au restaurant.

Frédéric, dans ces longs tête-à-tête, reconnut que le marchand de peintures n'était pas fort spirituel. Arnoux pouvait s'apercevoir de ce refroidissement ; et puis c'était l'occasion de lui rendre, un peu, ses politesses.

Voulant donc faire les choses très bien, il vendit à un brocanteur tous ses habits neufs, moyennant la somme de quatre-vingts francs ; et, l'ayant grossie de cent autres qui lui restaient, il vint chez Arnoux le prendre pour dîner. Regimbart s'y trouvait. Ils s'en allèrent aux Trois-Frères-Provençaux [1].

Le Citoyen commença par retirer sa redingote, et, sûr de la déférence des deux autres, écrivit la carte. Mais il eut beau se transporter dans la cuisine pour parler lui-même au chef, descendre à la cave dont il connaissait tous les coins, et faire monter le maître de l'établissement, auquel il « donna un savon », il ne fut content ni des mets, ni des vins, ni du service ! À chaque plat nouveau, à chaque bouteille différente, dès la première bouchée, la première gorgée, il laissait tomber sa fourchette, ou repoussait au loin son verre ; puis s'accoudant sur la nappe de toute la longueur de son bras, il s'écriait qu'on ne pouvait plus dîner à Paris ! Enfin, ne sachant qu'imaginer pour sa bouche, Regimbart se commanda des haricots à l'huile, « tout bonnement », lesquels, bien qu'à moitié réussis, l'apaisèrent un peu. Puis il eut, avec le garçon, un dialogue, roulant sur les anciens garçons des Provençaux : « Qu'était devenu Antoine ? Et un nommé Eugène ? Et Théodore, le petit, qui servait toujours en bas ? Il y avait dans ce temps-là une chère autrement distinguée, et des têtes de Bourgogne comme on n'en reverra plus ! »

Ensuite, il fut question de la valeur des terrains dans la banlieue, une spéculation d'Arnoux, infaillible. En attendant, il perdait ses intérêts. Puisqu'il ne voulait vendre à aucun prix, Regimbart lui découvrirait quelqu'un ; et ces

---

1. Les Trois-Frères-Provençaux était un restaurant situé dans une galerie du Palais-Royal (voir le dossier, p. 583), réputé pour sa cave et sa cuisine.

deux messieurs firent, avec un crayon, des calculs jusqu'à la fin du dessert.

On s'en alla prendre le café, passage du Saumon, dans un estaminet [1], à l'entresol. Frédéric assista, sur ses jambes, à d'interminables parties de billard, abreuvées d'innombrables chopes ; – et il resta là, jusqu'à minuit, sans savoir pourquoi, par lâcheté, par bêtise, dans l'espérance confuse d'un événement quelconque favorable à son amour.

Quand donc la reverrait-il ? Frédéric se désespérait. Mais, un soir, vers la fin de novembre, Arnoux lui dit :

– « Ma femme est revenue hier, vous savez ! »

Le lendemain, à cinq heures, il entrait chez elle.

Il débuta par des félicitations, à propos de sa mère, dont la maladie avait été si grave.

– « Mais non ! Qui vous l'a dit ? »

– « Arnoux ! »

Elle fit un « ah » léger, puis ajouta qu'elle avait eu d'abord, des craintes sérieuses, maintenant disparues.

Elle se tenait près du feu, dans la bergère [2] de tapisserie. Il était sur le canapé, avec son chapeau entre ses genoux ; et l'entretien fut pénible, elle l'abandonnait à chaque minute ; il ne trouvait pas de joint pour y introduire ses sentiments. Mais, comme il se plaignait d'étudier la chicane [3], elle répliqua : – « Oui…, je conçois…, les affaires !… » en baissant la figure, absorbée tout à coup par des réflexions.

Il avait soif de les connaître, et même ne songeait pas à autre chose. Le crépuscule amassait de l'ombre autour d'eux.

Elle se leva, ayant une course à faire, puis reparut avec une capote [4] de velours, et une mante [5] noire, bordée de petit-gris [6]. Il osa offrir de l'accompagner.

On n'y voyait plus ; le temps était froid, et un lourd brouillard, estompant la façade des maisons, puait dans

---

1. Voir la note 2, p. 91.
2. Voir la note 1, p. 101.
3. Dans un procès, une chicane est une difficulté, sur un point de détail, soulevée pour embrouiller l'affaire. La chicane désigne ici la procédure (voir la note 3, p. 68), dans un sens dépréciatif qui insiste sur les aspects inutilement complexes de cette branche du droit.
4. Une capote est un chapeau de femme en étoffe plissée ou piquée.
5. Voir la note 4, p. 66.
6. Le petit-gris est un écureuil de Russie dont la fourrure, très douce, est gris ardoisé.

l'air. Frédéric le humait avec délices ; car il sentait à travers la ouate du vêtement la forme de son bras ; et sa main, prise dans un gant chamois à deux boutons, sa petite main qu'il aurait voulu couvrir de baisers, s'appuyait sur sa manche. À cause du pavé glissant, ils oscillaient un peu ; il lui semblait qu'ils étaient tous les deux comme bercés par le vent, au milieu d'un nuage.

L'éclat des lumières, sur le boulevard, le remit dans la réalité. L'occasion était bonne, le temps pressait. Il se donna jusqu'à la rue de Richelieu pour déclarer son amour. Mais, presque aussitôt, devant un magasin de porcelaines, elle s'arrêta net, en lui disant :

– « Nous y sommes, je vous remercie ! À jeudi, n'est-ce pas, comme d'habitude ? »

Les dîners recommencèrent ; et plus il fréquentait Mme Arnoux, plus ses langueurs augmentaient.

La contemplation de cette femme l'énervait [1], comme l'usage d'un parfum trop fort. Cela descendit dans les profondeurs de son tempérament, et devenait presque une manière générale de sentir, un mode nouveau d'exister.

Les prostituées qu'il rencontrait aux feux du gaz, les cantatrices poussant leurs roulades [2], les écuyères sur leurs chevaux au galop, les bourgeoises à pied, les grisettes [3] à leur fenêtre, toutes les femmes lui rappelaient celle-là, par des similitudes ou par des contrastes violents. Il regardait, le long des boutiques, les cachemires, les dentelles et les pendeloques de pierreries, en les imaginant drapés autour de ses reins, cousues à son corsage, faisant des feux dans sa chevelure noire. À l'éventaire des marchandes, les fleurs s'épanouissaient pour qu'elle les choisît en passant ; dans la montre [4] des cordonniers, les petites pantoufles de satin à bordure de cygne semblaient attendre son pied ; toutes les rues conduisaient vers sa maison ; les voitures ne stationnaient sur les places que pour y mener plus vite ; Paris se

---

1. Au sens premier, énerver quelqu'un, c'est lui couper les nerfs, donc le priver de toute énergie.
2. Voir la note 2, p. 102.
3. La grisette est une jeune ouvrière employée dans une maison de couture, aux mœurs souvent légères.
4. Voir la note 2, p. 73.

rapportait à sa personne, et la grande ville avec toutes ses voix, bruissait, comme un immense orchestre, autour d'elle.

Quand il allait au Jardin des plantes [1], la vue d'un palmier l'entraînait vers des pays lointains. Ils voyageaient ensemble, au dos des dromadaires, sous le tendelet [2] des éléphants, dans la cabine d'un yacht parmi des archipels bleus, ou côte à côte sur deux mulets à clochettes, qui trébuchent dans les herbes contre des colonnes brisées. Quelquefois, il s'arrêtait au Louvre devant de vieux tableaux ; et son amour l'embrassant jusque dans les siècles disparus, il la substituait aux personnages des peintures. Coiffée d'un hennin [3], elle priait à deux genoux derrière un vitrage de plomb. Seigneuresse des Castilles ou des Flandres, elle se tenait assise, avec une fraise [4] empesée et un corps de baleines à gros bouillons [5]. Puis elle descendait quelque grand escalier de porphyre [6], au milieu des sénateurs, sous un dais [7] de plumes d'autruche, dans une robe de brocart [8]. D'autres fois, il la rêvait en pantalon de soie jaune, sur les coussins d'un harem ; – et tout ce qui était beau, le scintillement des étoiles, certains airs de musique, l'allure d'une phrase, un contour, l'amenaient à sa pensée d'une façon brusque et insensible.

Quant à essayer d'en faire sa maîtresse, il était sûr que toute tentative serait vaine.

---

1. Dès le XVIIᵉ siècle s'est affirmée la vocation du Jardin des Plantes (voir le dossier, p. 583) à conserver des échantillons des trois règnes, animal, végétal et minéral. Le nom générique de Muséum d'histoire naturelle lui a été donné en 1793. La Ménagerie que visite ici Frédéric permettait alors aux Parisiens de voir des ours, des singes, des éléphants…

2. Le tendelet est la tente qui protège du soleil les personnes qui ont pris place sur le dos d'un éléphant.

3. Le hennin est une coiffure féminine du Moyen Âge, en forme de bonnet conique, très haut et rigide.

4. La fraise est une collerette empesée (amidonnée, durcie) et plissée sur plusieurs rangs, qui était portée au XVIᵉ siècle et au début du XVIIᵉ.

5. Dans un vêtement, le corps est la partie principale recouvrant au minimum le buste. Ici, le corps est renforcé par des lames souples et flexibles, les baleines, qui laissent échapper des plis bouffants de tissu, les bouillons.

6. Le porphyre est une roche volcanique rouge foncé, compacte, mêlée de cristaux blancs.

7. Voir la note 5, p. 52.

8. Le brocart est un riche tissu de soie rehaussé de dessins brochés en fils d'or et d'argent.

Un soir, Dittmer, qui arrivait, la baisa sur le front ; Lovarias fit de même, en disant :

– « Vous permettez, n'est-ce pas, selon le privilège des amis ? »

Frédéric balbutia :

– « Il me semble que nous sommes tous des amis ? »

– « Pas tous des vieux ! » reprit-elle.

C'était le repousser d'avance, indirectement.

Que faire, d'ailleurs ? Lui dire qu'il l'aimait ? Elle l'éconduirait sans doute ; ou bien, s'indignant, le chasserait de sa maison ! Or, il préférait toutes les douleurs à l'horrible chance [1] de ne plus la voir.

Il enviait le talent des pianistes, les balafres des soldats. Il souhaitait une maladie dangereuse, espérant de cette façon l'intéresser.

Une chose l'étonnait, c'est qu'il n'était pas jaloux d'Arnoux ; et il ne pouvait se la figurer autrement que vêtue, – tant sa pudeur semblait naturelle, et reculait son sexe dans une ombre mystérieuse.

Cependant, il songeait au bonheur de vivre avec elle, de la tutoyer, de lui passer la main sur les bandeaux [2] longuement, ou de se tenir par terre, à genoux, les deux bras autour de sa taille, à boire son âme dans ses yeux ! Il aurait fallu, pour cela, subvertir la destinée ; et, incapable d'action, maudissant Dieu et s'accusant d'être lâche, il tournait dans son désir, comme un prisonnier dans son cachot. Une angoisse permanente l'étouffait. Il restait pendant des heures immobile, ou bien, il éclatait en larmes ; et, un jour qu'il n'avait pas eu la force de se contenir, Deslauriers lui dit :

– « Mais, saprelotte ! qu'est-ce que tu as ? »

Frédéric souffrait des nerfs. Deslauriers n'en crut rien. Devant une pareille douleur, il avait senti se réveiller sa tendresse, et il le réconforta. Un homme comme lui se laisser abattre, quelle sottise ! Passe encore dans la jeunesse, mais plus tard, c'est perdre son temps.

---

1. Chance est pris ici au sens de hasard, éventualité.
2. Voir la note 3, p. 47.

– « Tu me gâtes mon Frédéric ! Je redemande l'ancien.
Garçon, toujours du même ! Il me plaisait ! Voyons, fume
une pipe, animal ! Secoue-toi un peu, tu me désoles ! »

– « C'est vrai », dit Frédéric, « je suis fou ! »

Le clerc reprit :

– « Ah ! vieux troubadour, je sais bien ce qui t'afflige !
Le petit cœur ? Avoue-le ! Bah ! une de perdue, quatre de
trouvées ! On se console des femmes vertueuses avec les
autres. Veux-tu que je t'en fasse connaître, des femmes ? Tu
n'as qu'à venir à l'Alhambra. » (C'était un bal public ouvert
récemment au haut des Champs-Élysées, et qui se ruina,
dès la seconde saison, par un luxe prématuré dans ce genre
d'établissements.) « On s'y amuse à ce qu'il paraît. Allons-
y ! Tu prendras tes amis, si tu veux ; je te passe même
Regimbart ! »

Frédéric n'invita pas le Citoyen. Deslauriers se priva de
Sénécal. Ils emmenèrent seulement Hussonnet et Cisy avec
Dussardier ; et le même fiacre les descendit tous les cinq à
la porte de l'Alhambra.

Deux galeries moresques s'étendaient à droite et à
gauche, parallèlement. Le mur d'une maison, en face, occupait tout le fond, et le quatrième côté (celui du restaurant)
figurait un cloître gothique à vitraux de couleurs. Une sorte
de toiture chinoise abritait l'estrade où jouaient les musiciens ; le sol autour était couvert d'asphalte, et des lanternes
vénitiennes accrochées à des poteaux formaient, de loin, sur
les quadrilles, une couronne de feux multicolores. Un piédestal, çà et là, supportait une cuvette de pierre, d'où s'élevait un mince filet d'eau. On apercevait dans les feuillages
des statues en plâtre, Hébés [1] ou Cupidons tout gluants de
peinture à l'huile ; et les allées nombreuses, garnies d'un
sable très jaune soigneusement ratissé, faisaient paraître le
jardin beaucoup plus vaste qu'il ne l'était.

Des étudiants promenaient leurs maîtresses ; des commis
en nouveautés se pavanaient, une canne entre les doigts ;
des collégiens fumaient des régalias [2] ; de vieux célibataires

---

1. Dans la mythologie grecque, Hébé est la fille de Zeus et d'Héra ; elle
personnifie la jeunesse.
2. Les régalias sont un genre de cigares très estimé.

caressaient avec un peigne leur barbe teinte ; il y avait des Anglais, des Russes, des gens de l'Amérique du Sud, trois Orientaux en tarbouch [1]. Des lorettes [2], des grisettes [3] et des filles étaient venues là, espérant trouver un protecteur, un amoureux, une pièce d'or, ou simplement pour le plaisir de la danse ; et leurs robes à tunique vert d'eau, bleue, cerise, ou violette, passaient, s'agitaient entre les ébéniers [4] et les lilas. Presque tous les hommes portaient des étoffes à carreaux, quelques-uns des pantalons blancs, malgré la fraîcheur du soir. On allumait les becs de gaz.

Hussonnet, par ses relations avec les journaux de modes et les petits théâtres, connaissait beaucoup de femmes ; il leur envoyait des baisers par le bout des doigts, et de temps à autre, quittant ses amis, allait causer avec elles.

Deslauriers fut jaloux de ces allures. Il aborda cyniquement une grande blonde, vêtue de nankin [5]. Après l'avoir considéré d'un air maussade, elle dit : – « Non ! pas de confiance, mon bonhomme ! » et tourna les talons.

Il recommença près d'une grosse brune, qui était folle sans doute, car elle bondit dès le premier mot, en le menaçant, s'il continuait, d'appeler les sergents de ville. Deslauriers s'efforça de rire ; puis, découvrant une petite femme assise à l'écart sous un réverbère, il lui proposa une contredanse.

Les musiciens, juchés sur l'estrade, dans des postures de singe, raclaient et soufflaient, impétueusement. Le chef d'orchestre, debout, battait la mesure d'une façon automatique. On était tassé, on s'amusait ; les brides dénouées des chapeaux effleuraient les cravates, les bottes s'enfonçaient sous les jupons ; tout cela sautait en cadence ; Deslauriers pressait contre lui la petite femme, et, gagné par le délire du

---

1. Le tarbouch est une coiffure masculine orientale, un bonnet rouge cylindrique terminé par un gland de soie.

2. Voir la note 1, p. 113.

3. Voir la note 3, p. 125.

4. L'ébénier est l'arbre tropical qui fournit l'ébène. Il s'agit ici plus vraisemblablement de « faux ébéniers », les cytises, qui sont des arbrisseaux ornementaux à grappes jaunes, voisins de l'acacia.

5. Le nankin est un tissu de coton jaune chamois qui fut d'abord fabriqué à Nankin, en Chine.

cancan, se démenait au milieu des quadrilles comme une grande marionnette. Cisy et Dussardier continuaient leur promenade ; le jeune aristocrate lorgnait les filles, et, malgré les exhortations du commis, n'osait leur parler, s'imaginant qu'il y avait toujours chez ces femmes-là « un homme caché dans l'armoire avec un pistolet, et qui en sort pour vous faire souscrire des lettres de change ».

Ils revinrent près de Frédéric. Deslauriers ne dansait plus ; et tous se demandaient comment finir la soirée, quand Hussonnet s'écria :

– « Tiens ! la marquise d'Amaëgui ! »

C'était une femme pâle, à nez retroussé, avec des mitaines jusqu'aux coudes et de grandes boucles noires qui pendaient le long de ses joues, comme deux oreilles de chien. Hussonnet lui dit :

– « Nous devrions organiser une petite fête chez toi, un raout[1] oriental ? Tâche d'herboriser quelques-unes de tes amies pour ces chevaliers français ! Eh bien, qu'est-ce qui te gêne ? Attendrais-tu ton hidalgo ? »

L'Andalouse baissait la tête ; sachant les habitudes peu luxueuses de son ami, elle avait peur d'en être pour ses rafraîchissements. Enfin, au mot d'argent lâché par elle, Cisy proposa cinq napoléons, toute sa bourse ; la chose fut décidée. Mais Frédéric n'était plus là.

Il avait cru reconnaître la voix d'Arnoux, avait aperçu un chapeau de femme, et il s'était enfoncé bien vite dans le bosquet à côté.

Mlle Vatnaz se trouvait seule avec Arnoux.

– « Excusez-moi ! je vous dérange ? »

– « Pas le moins du monde ! » reprit le marchand.

Frédéric, aux derniers mots de leur conversation, comprit qu'il était accouru à l'Alhambra pour entretenir Mlle Vatnaz d'une affaire urgente ; et sans doute Arnoux n'était pas complètement rassuré, car il lui dit d'un air inquiet :

– « Vous êtes bien sûre ? »

– « Très sûre ! on vous aime ! Ah ! quel homme ! »

---

1. Un raout est une réunion, une fête mondaine.

Et elle lui faisait la moue, en avançant ses grosses lèvres, presque sanguinolentes à force d'être rouges. Mais elle avait d'admirables yeux, fauves avec des points d'or dans les prunelles, tout pleins d'esprit, d'amour et de sensualité. Ils éclairaient, comme des lampes, le teint un peu jaune de sa figure maigre. Arnoux semblait jouir de ses rebuffades. Il se pencha de son côté en lui disant :

– « Vous êtes gentille, embrassez-moi ! »

Elle le prit par les deux oreilles, et le baisa sur le front.

À ce moment, les danses s'arrêtèrent ; et, à la place du chef d'orchestre, parut un beau jeune homme, trop gras et d'une blancheur de cire. Il avait de longs cheveux noirs disposés à la manière du Christ, un gilet de velours azur à grandes palmes d'or, l'air orgueilleux comme un paon, bête comme un dindon ; et quand il eut salué le public, il entama une chansonnette. C'était un villageois narrant lui-même son voyage dans la capitale ; l'artiste parlait bas-normand, faisait l'homme soûl ; le refrain :

> Ah ! j'ai t'y ri, j'ai t'y ri,
> Dans ce gueusard de Paris !

soulevait des trépignements d'enthousiasme. Delmas, « chanteur expressif », était trop malin pour le laisser refroidir. On lui passa vivement une guitare, et il gémit une romance intitulée *Le Frère de l'Albanaise*.

Les paroles rappelèrent à Frédéric celles que chantait l'homme en haillons, entre les tambours [1] du bateau. Ses yeux s'attachaient involontairement sur le bas de la robe étalée devant lui. Après chaque couplet, il y avait une longue pause, – et le souffle du vent dans les arbres ressemblait au bruit des ondes.

Mlle Vatnaz, en écartant d'une main les branches d'un troène qui lui masquait la vue de l'estrade, contemplait le chanteur, fixement, les narines ouvertes, les cils rapprochés, et comme perdue dans une joie sérieuse.

– « Très bien ! » dit Arnoux. « Je comprends pourquoi vous êtes ce soir à l'Alhambra ! Delmas vous plaît, ma chère. »

---

1. Voir la note 2, p. 43.

Elle ne voulut rien avouer.

– « Ah ! quelle pudeur ! »

Et, montrant Frédéric :

– « Est-ce à cause de lui ? Vous auriez tort. Pas de garçon plus discret ! »

Les autres, qui cherchaient leur ami, entrèrent dans la salle de verdure. Hussonnet les présenta. Arnoux fit une distribution de cigares et régala de sorbets la compagnie.

Mlle Vatnaz avait rougi en apercevant Dussardier. Elle se leva bientôt, et, lui tendant la main :

– « Vous ne me remettez pas, monsieur Auguste ? »

– « Comment la connaissez-vous ? » demanda Frédéric.

– « Nous avons été dans la même maison ! » reprit-il.

Cisy le tirait par la manche, ils sortirent ; et, à peine disparu, Mlle Vatnaz commença l'éloge de son caractère. Elle ajouta même qu'il avait *le génie du cœur*.

Puis on causa de Delmas, qui pourrait, comme mime, avoir des succès au théâtre ; et il s'ensuivit une discussion, où l'on mêla Shakespeare, la censure, le style, le peuple, les recettes de la Porte-Saint-Martin[1], Alexandre Dumas, Victor Hugo et Dumersan[2]. Arnoux avait connu plusieurs actrices célèbres ; les jeunes gens se penchaient pour l'écouter. Mais ses paroles étaient couvertes par le tapage de la musique ; et, sitôt le quadrille ou la polka terminés, tous s'abattaient sur les tables, appelaient le garçon, riaient ; les bouteilles de bière et de limonade gazeuse détonaient dans les feuillages, des femmes criaient comme des poules ; quelquefois, deux messieurs voulaient se battre ; un voleur fut arrêté.

Au galop[3], les danseurs envahirent les allées. Haletant, souriant, et la face rouge, ils défilaient dans un tourbillon qui soulevait les robes avec les basques[4] des habits ; les

---

1. Le théâtre de la Porte-Saint-Martin, situé sur le boulevard dont il prend le nom, fut construit en 1781. À partir de 1814, il exploita avec succès les genres du mélodrame et de la féerie ; et dans les années 1830 défilèrent sur cette scène tous les grands drames romantiques : *Antony, La Tour de Nesle, Lucrèce Borgia, Marie Tudor*…

2. Auteur dramatique fécond, Dumersan (1780-1849) s'essaya à tous les genres et connut de grands succès populaires.

3. Le galop est la dernière figure du quadrille.

4. La basque est la partie rapportée d'une veste, qui part de la taille et descend plus ou moins bas sur les hanches.

trombones rugissaient plus fort ; le rythme s'accélérait ; derrière le cloître moyen âge, on entendit des crépitations, des pétards éclatèrent ; des soleils se mirent à tourner ; la lueur des feux de Bengale, couleur d'émeraude, éclaira pendant une minute tout le jardin ; – et, à la dernière fusée, la multitude exhala un grand soupir.

Elle s'écoula lentement. Un nuage de poudre à canon flottait dans l'air. Frédéric et Deslauriers marchaient au milieu de la foule pas à pas, quand un spectacle les arrêta : Martinon se faisait rendre de la monnaie au dépôt des parapluies ; et il accompagnait une femme d'une cinquantaine d'années, laide, magnifiquement vêtue, et d'un rang social problématique.

– « Ce gaillard-là », dit Deslauriers, « est moins simple qu'on ne suppose. Mais où est donc Cisy ? »

Dussardier leur montra l'estaminet [1], où ils aperçurent le fils des preux, devant un bol de punch, en compagnie d'un chapeau rose.

Hussonnet, qui s'était absenté depuis cinq minutes, reparut au même moment.

Une jeune fille s'appuyait sur son bras, en l'appelant tout haut « mon petit chat ».

– « Mais non ! » lui disait-il. « Non ! pas en public ! Appelle-moi vicomte, plutôt ! Ça vous donne un genre cavalier, Louis XIII et bottes molles, qui me plaît ! Oui, mes bons, une ancienne ! N'est-ce pas qu'elle est gentille ? » Il lui prenait le menton. – « Salue ces messieurs ! Ce sont tous des fils de pairs de France ! Je les fréquente pour qu'ils me nomment ambassadeur ! »

– « Comme vous êtes fou ! » soupira Mlle Vatnaz.

Elle pria Dussardier de la reconduire jusqu'à sa porte.

Arnoux les regarda s'éloigner, puis, se tournant vers Frédéric :

– « Vous plairait-elle, la Vatnaz ? Au reste, vous n'êtes pas franc là-dessus ! Je crois que vous cachez vos amours ? »

Frédéric, devenu blême, jura qu'il ne cachait rien.

– « C'est qu'on ne vous connaît pas de maîtresse », reprit Arnoux.

---

1. Voir la note 2, p. 91.

Frédéric eut envie de citer un nom, au hasard. Mais l'histoire pouvait *lui* être racontée. Il répondit qu'effectivement, il n'avait pas de maîtresse.

Le marchand l'en blâma.

— « Ce soir, l'occasion était bonne ! Pourquoi n'avez-vous pas fait comme les autres, qui s'en vont tous avec une femme ? »

— « Eh bien, et vous ? » dit Frédéric, impatienté d'une telle persistance.

— « Ah ! moi ! mon petit ! c'est différent ! Je m'en retourne auprès de la mienne ! »

Il appela un cabriolet, et disparut.

Les deux amis s'en allèrent à pied. Un vent d'est soufflait. Ils ne parlaient ni l'un ni l'autre. Deslauriers regrettait de n'avoir pas *brillé* devant le directeur d'un journal, et Frédéric s'enfonçait dans sa tristesse. Enfin, il dit que le bastringue lui avait paru stupide.

— « À qui la faute ? Si tu ne nous avais pas lâchés pour ton Arnoux ! »

— « Bah ! tout ce que j'aurais pu faire eût été complètement inutile ! »

Mais le clerc avait des théories. Il suffisait pour obtenir les choses, de les désirer fortement.

— « Cependant, toi-même, tout à l'heure... »

— « Je m'en moquais bien ! » fit Deslauriers, arrêtant net l'allusion. « Est-ce que je vais m'empêtrer de femmes ! »

Et il déclama contre leurs mièvreries, leurs sottises ; bref, elles lui déplaisaient.

— « Ne pose donc pas ! » dit Frédéric.

Deslauriers se tut. Puis, tout à coup :

— « Veux-tu parier cent francs que je *fais* la première qui passe ? »

— « Oui ! accepté ! »

La première qui passa était une mendiante hideuse ; et ils désespéraient du hasard, lorsqu'au milieu de la rue de Rivoli, ils aperçurent une grande fille, portant à la main un petit carton.

Deslauriers l'accosta sous les arcades. Elle inclina brusquement du côté des Tuileries, et elle prit bientôt par la place du Carrousel ; elle jetait des regards de droite et de gauche. Elle courut après un fiacre ; Deslauriers la rattrapa. Il marchait près d'elle, en lui parlant avec des gestes expressifs. Enfin elle accepta son bras, et ils continuèrent le long des quais. Puis, à la hauteur du Châtelet, pendant vingt minutes au moins, ils se promenèrent sur le trottoir, comme deux marins faisant leur quart. Mais, tout à coup, ils traversèrent le pont au Change, le marché aux fleurs, le quai Napoléon. Frédéric entra derrière eux. Deslauriers lui fit comprendre qu'il les gênerait, et n'avait qu'à suivre son exemple.

– « Combien as-tu encore ? »

– « Deux pièces de cent sous ! »

– « C'est assez ! bonsoir ! »

Frédéric fut saisi par l'étonnement que l'on éprouve à voir une farce réussir : « Il se moque de moi », pensa-t-il. « Si je remontais ? » Deslauriers croirait, peut-être, qu'il lui enviait cet amour ? « Comme si je n'en avais pas un, et cent fois plus rare, plus noble, plus fort ! » Une espèce de colère le poussait. Il arriva devant la porte de Mme Arnoux.

Aucune des fenêtres extérieures ne dépendait de son logement. Cependant, il restait les yeux collés sur la façade, – comme s'il avait cru, par cette contemplation, pouvoir fendre les murs. Maintenant, sans doute, elle reposait, tranquille comme une fleur endormie, avec ses beaux cheveux noirs parmi les dentelles de l'oreiller, les lèvres entrecloses, la tête sur un bras.

Celle d'Arnoux lui apparut. Il s'éloigna, pour fuir cette vision.

Le conseil de Deslauriers vint à sa mémoire ; il en eut horreur. Alors, il vagabonda dans les rues.

Quand un piéton s'avançait, il tâchait de distinguer son visage. De temps à autre, un rayon de lumière lui passait entre les jambes, décrivait au ras du pavé un immense quart de cercle ; et un homme surgissait, dans l'ombre, avec sa hotte et sa lanterne. Le vent, en de certains endroits, secouait le tuyau de tôle d'une cheminée ; des sons lointains s'élevaient, se mêlant au bourdonnement de sa tête, et il croyait entendre, dans les airs, la vague ritournelle des contredanses. Le mouvement de sa marche entretenait cette ivresse ; il se trouva sur le pont de la Concorde.

Alors, il se ressouvint de ce soir de l'autre hiver, – où, sortant de chez elle, pour la première fois, il lui avait fallu s'arrêter, tant son cœur battait vite sous l'étreinte de ses espérances. Toutes étaient mortes, maintenant !

Des nues sombres couraient sur la face de la lune. Il la contempla, en rêvant à la grandeur des espaces, à la misère de la vie, au néant de tout. Le jour parut ; ses dents claquaient ; et, à moitié endormi, mouillé par le brouillard et tout plein de larmes, il se demanda pourquoi n'en pas finir ? Rien qu'un mouvement à faire ! Le poids de son front l'entraînait, il voyait son cadavre flottant sur l'eau ; Frédéric se pencha. Le parapet était un peu large, et ce fut par lassitude qu'il n'essaya pas de le franchir.

Une épouvante le saisit. Il regagna les boulevards et s'affaissa sur un banc. Des agents de police le réveillèrent, convaincus qu'il « avait fait la noce ».

Il se remit à marcher. Mais comme il se sentait grand-faim, et que tous les restaurants étaient fermés, il alla souper dans un cabaret des Halles. Après quoi, jugeant qu'il était encore trop tôt, il flâna aux alentours de l'Hôtel de Ville, jusqu'à huit heures et un quart.

Deslauriers avait depuis longtemps congédié sa donzelle ; et il écrivait sur la table, au milieu de la chambre. Vers quatre heures, M. de Cisy entra.

Grâce à Dussardier, la veille au soir, il s'était abouché avec une dame ; et même il l'avait reconduite en voiture, avec son mari, jusqu'au seuil de sa maison, où elle lui avait donné rendez-vous. Il en sortait. On ne connaissait pas ce nom-là !

– « Que voulez-vous que j'y fasse ? » dit Frédéric.

Alors le gentilhomme battit la campagne ; il parla de Mlle Vatnaz, de l'Andalouse, et de toutes les autres. Enfin, avec beaucoup de périphrases, il exposa le but de sa visite : se fiant à la discrétion de son ami, il venait pour qu'il l'assistât dans une démarche, après laquelle il se regarderait définitivement comme un homme ; et Frédéric ne le refusa pas. Il conta l'histoire à Deslauriers, sans dire la vérité sur ce qui le concernait personnellement.

Le clerc trouva qu'« il allait maintenant très bien. » Cette déférence à ses conseils augmenta sa bonne humeur.

C'était par elle qu'il avait séduit, dès le premier jour, Mlle Clémence Daviou, brodeuse en or pour équipements militaires, la plus douce personne qui fût, et svelte comme un roseau, avec de grands yeux bleus, continuellement ébahis. Le clerc abusait de sa candeur, jusqu'à lui faire croire qu'il était décoré ; il ornait sa redingote d'un ruban rouge, dans leurs tête-à-tête, mais s'en privait en public, pour ne point humilier son patron, disait-il. Du reste, il la tenait à distance, se laissait caresser comme un pacha, et l'appelait « fille du peuple » par manière de rire. Elle lui apportait chaque fois de petits bouquets de violettes. Frédéric n'aurait pas voulu d'un tel amour.

Cependant, lorsqu'ils sortaient, bras dessus bras dessous, pour se rendre dans un cabinet [1] chez Pinson ou chez Barillot, il éprouvait une singulière tristesse. Frédéric ne savait pas combien, depuis un an, chaque jeudi, il avait fait souffrir Deslauriers, quand il se brossait les ongles, avant d'aller dîner rue de Choiseul !

Un soir que, du haut de son balcon, il venait de les regarder partir, il vit de loin Hussonnet sur le pont d'Arcole. Le bohème se mit à l'appeler par des signaux, et, Frédéric ayant descendu ses cinq étages :

– « Voici la chose : c'est samedi prochain, 24, la fête de Mme Arnoux. »

– « Comment, puisqu'elle s'appelle Marie ? »

– « Angèle aussi, n'importe ! On festoiera dans leur maison de campagne, à Saint-Cloud ; je suis chargé de vous en prévenir. Vous trouverez un véhicule à trois heures, au journal ! Ainsi convenu ! Pardon de vous avoir dérangé. Mais j'ai tant de courses ! »

Frédéric n'avait pas tourné les talons que son portier lui remit une lettre :

« Monsieur et Madame Dambreuse prient Monsieur F. Moreau de leur faire l'honneur de venir dîner chez eux samedi 24 courant. – R. S. V. P. »

– « Trop tard », pensa-t-il.

---

1. Dans un restaurant, un cabinet est une pièce isolée, un salon particulier.

Néanmoins, il montra la lettre à Deslauriers, lequel s'écria :

– « Ah ! enfin ! Mais tu n'as pas l'air content. Pourquoi ? »

Frédéric, ayant hésité quelque peu, dit qu'il avait le même jour une autre invitation.

– « Fais-moi le plaisir d'envoyer bouler la rue de Choiseul. Pas de bêtises ! Je vais répondre pour toi, si ça te gêne. »

Et le clerc écrivit une acceptation, à la troisième personne.

N'ayant jamais vu le monde qu'à travers la fièvre de ses convoitises, il se l'imaginait comme une création artificielle, fonctionnant en vertu de lois mathématiques. Un dîner en ville, la rencontre d'un homme en place, le sourire d'une jolie femme pouvaient, par une série d'actions se déduisant les unes des autres, avoir de gigantesques résultats. Certains salons parisiens étaient comme ces machines qui prennent la matière à l'état brut et la rendent centuplée de valeur. Il croyait aux courtisanes conseillant les diplomates, aux riches mariages obtenus par les intrigues, au génie des galériens, aux docilités du hasard sous la main des forts. Enfin il estimait la fréquentation des Dambreuse tellement utile, et il parla si bien, que Frédéric ne savait plus à quoi se résoudre.

Il n'en devait pas moins, puisque c'était la fête de Mme Arnoux, lui offrir un cadeau ; il songea, naturellement, à une ombrelle, afin de réparer sa maladresse. Or, il découvrit une marquise [1] en soie gorge-pigeon, à petit manche d'ivoire ciselé, et qui arrivait de la Chine. Mais cela coûtait cent soixante-quinze francs et il n'avait pas un sou, vivant même à crédit sur le trimestre prochain. Cependant, il la voulait, il y tenait, et, malgré sa répugnance, il eut recours à Deslauriers.

Deslauriers lui répondit qu'il n'avait pas d'argent.

– « J'en ai besoin », dit Frédéric, « grand besoin ! »

Et, l'autre ayant répété la même excuse, il s'emporta.

– « Tu pourrais bien, quelquefois... »

– « Quoi donc ? »

---

1. Une marquise est une ombrelle à manche articulé.

– « Rien ! »

Le clerc avait compris. Il leva sur sa réserve la somme en question, et, quand il l'eut versée pièce à pièce :

– « Je ne te réclame pas de quittance, puisque je vis à tes crochets ! »

Frédéric lui sauta au cou, avec mille protestations affectueuses. Deslauriers resta froid. Puis, le lendemain, apercevant l'ombrelle sur le piano :

– « Ah ! c'était pour cela ! »

– « Je l'enverrai peut-être », dit lâchement Frédéric.

Le hasard le servit, car il reçut, dans la soirée, un billet bordé de noir, et où Mme Dambreuse, lui annonçant la perte d'un oncle, s'excusait de remettre à plus tard le plaisir de faire sa connaissance.

Il arriva dès deux heures au bureau du journal. Au lieu de l'attendre pour le mener dans sa voiture, Arnoux était parti la veille, ne résistant plus à son besoin de grand air.

Chaque année, aux premières feuilles, durant plusieurs jours de suite, il décampait le matin, faisait de longues courses à travers champs, buvait du lait dans les fermes, batifolait avec les villageoises, s'informait des récoltes, et rapportait des pieds de salade dans son mouchoir. Enfin, réalisant un vieux rêve, il s'était acheté une maison de campagne.

Pendant que Frédéric parlait au commis, Mlle Vatnaz survint, et fut désappointée de ne pas voir Arnoux. Il resterait là-bas encore deux jours, peut-être. Le commis lui conseilla « d'y aller » ; elle ne pouvait y aller ; d'écrire une lettre, elle avait peur que la lettre ne fût perdue. Frédéric s'offrit à la porter lui-même. Elle en fit une rapidement, et le conjura de la remettre sans témoins.

Quarante minutes après, il débarquait à Saint-Cloud.

La maison, cent pas plus loin que le pont, se trouvait à mi-hauteur de la colline. Les murs du jardin étaient cachés par deux rangs de tilleuls, et une large pelouse descendait jusqu'au bord de la rivière. La porte de la grille étant ouverte, Frédéric entra.

Arnoux, étendu sur l'herbe, jouait avec une portée de petits chats. Cette distraction paraissait l'absorber infiniment. La lettre de Mlle Vatnaz le tira de sa torpeur.

– « Diable, diable ! c'est ennuyeux ! Elle a raison ; il faut que je parte. »

Puis, ayant fourré la missive dans sa poche, il prit plaisir à montrer son domaine. Il montra tout, l'écurie, le hangar, la cuisine. Le salon était à droite, et, du côté de Paris, donnait sur une varangue [1] en treillage, chargée d'une clématite [2]. Mais, au-dessus de leur tête, une roulade [3] éclata ; Mme Arnoux, se croyant seule, s'amusait à chanter. Elle faisait des gammes, des trilles, des arpèges. Il y avait de longues notes qui semblaient se tenir suspendues ; d'autres tombaient précipitées, comme les gouttelettes d'une cascade ; et sa voix, passant par la jalousie [4], coupait le grand silence, et montait vers le ciel bleu.

Elle cessa tout à coup, quand M. et Mme Oudry, deux voisins, se présentèrent.

Puis elle parut elle-même au haut du perron ; et, comme elle descendait les marches, il aperçut son pied. Elle avait de petites chaussures découvertes, en peau mordorée, avec trois pattes transversales, ce qui dessinait sur ses bas un grillage d'or.

Les invités arrivèrent. Sauf Me Lefaucheur, avocat, c'étaient les convives du jeudi. Chacun avait apporté quelque cadeau : Dittmer une écharpe syrienne, Rosenwald un album de romances, Burrieu une aquarelle, Sombaz sa propre caricature, et Pellerin un fusain, représentant une espèce de danse macabre, hideuse fantaisie d'une exécution médiocre. Hussonnet s'était dispensé de tout présent.

Frédéric attendit après les autres, pour offrir le sien.

Elle l'en remercia beaucoup. Alors, il dit :

– « Mais… c'est presque une dette ! J'ai été si fâché. »

– « De quoi donc ? » reprit-elle. « Je ne comprends pas ! »

– « À table ! » fit Arnoux, en le saisissant par le bras ; puis, dans l'oreille : « Vous n'êtes guère malin, vous ! »

---

1. Une varangue est une sorte de véranda en usage dans les pays de l'océan Indien.
2. La clématite est une plante vivace, ligneuse et grimpante, à fleurs roses ou violettes.
3. Voir la note 2, p. 102.
4. Voir la note 1, p. 118.

Rien n'était plaisant comme la salle à manger, peinte d'une couleur vert d'eau. À l'un des bouts, une nymphe de pierre trempait son orteil dans un bassin en forme de coquille. Par les fenêtres ouvertes, on apercevait tout le jardin avec la longue pelouse que flanquait un vieux pin d'Écosse, aux trois quarts dépouillé ; des massifs de fleurs la bombaient inégalement ; et, au-delà du fleuve, se développaient, en large demi-cercle, le bois de Boulogne, Neuilly, Sèvres, Meudon. Devant la grille, en face, un canot à la voile prenait des bordées.

On causa d'abord de cette vue que l'on avait, puis du paysage en général ; et les discussions commençaient quand Arnoux donna l'ordre à son domestique d'atteler l'américaine [1] vers les neuf heures et demie. Une lettre de son caissier le rappelait.

– « Veux-tu que je m'en retourne avec toi ? » dit Mme Arnoux.

– « Mais certainement ! » et, en lui faisant un beau salut : « Vous savez bien, madame, qu'on ne peut vivre sans vous ! »

Tous la complimentèrent d'avoir un si bon mari.

– « Ah ! c'est que je ne suis pas seule ! » répliqua-t-elle doucement, en montrant sa petite fille.

Puis, la conversation ayant repris sur la peinture, on parla d'un Ruysdael [2], dont Arnoux espérait des sommes considérables, et Pellerin lui demanda s'il était vrai que le fameux Saül Mathias, de Londres, fût venu, le mois passé, lui en offrir vingt-trois mille francs.

– « Rien de plus vrai ! » et, se tournant vers Frédéric : « C'est même le monsieur que je promenais l'autre jour à l'Alhambra, bien malgré moi, je vous assure, car ces Anglais ne sont pas drôles ! »

Frédéric, soupçonnant dans la lettre de Mlle Vatnaz quelque histoire de femme, avait admiré l'aisance du sieur Arnoux à trouver un moyen honnête de déguerpir ; mais son nouveau mensonge, absolument inutile, lui fit écarquiller les yeux.

---

1. Voir la note 1, p. 52.
2. Ruysdael est un peintre hollandais du XVIIe siècle.

Le marchand ajouta, d'un air simple :

– « Comment l'appelez-vous donc, ce grand jeune homme, votre ami ? »

– « Deslauriers », dit vivement Frédéric.

Et, pour réparer les torts qu'il se sentait à son endroit, il le vanta comme une intelligence supérieure.

– « Ah ! vraiment ? Mais il n'a pas l'air si brave garçon que l'autre, le commis de roulage [1]. »

Frédéric maudit Dussardier. Elle allait croire qu'il frayait avec les gens du commun.

Ensuite, il fut question des embellissements de la capitale, des quartiers nouveaux, et le bonhomme Oudry vint à citer, parmi les grands spéculateurs, M. Dambreuse.

Frédéric, saisissant l'occasion de se faire valoir, dit qu'il le connaissait. Mais Pellerin se lança dans une catilinaire [2] contre les épiciers ; vendeurs de chandelles ou d'argent, il n'y voyait pas de différence. Puis, Rosenwald et Burrieu devisèrent porcelaines ; Arnoux causait jardinage avec Mme Oudry ; Sombaz, loustic [3] de la vieille école, s'amusait à blaguer son époux ; il l'appelait Odry, comme l'acteur [4], déclara qu'il devait descendre d'Oudry, le peintre des chiens [5], car la bosse des animaux était visible sur son front. Il voulut même lui tâter le crâne, l'autre s'en défendait à cause de sa perruque ; et le dessert finit avec des éclats de rire.

Quand on eut pris le café, sous les tilleuls, en fumant, et fait plusieurs tours dans le jardin, on alla se promener le long de la rivière.

La compagnie s'arrêta devant un pêcheur, qui nettoyait des anguilles, dans une boutique à poisson. Mlle Marthe voulut les voir. Il vida sa boîte sur l'herbe ; et la petite fille se jetait à genoux pour les rattraper, riait de plaisir, criait d'effroi. Toutes furent perdues. Arnoux les paya.

---

1. Voir la note 1, p. 112.

2. Du nom des quatre harangues que Cicéron prononça contre Catilina (Ier siècle av. J.-C.), une catilinaire est un discours violemment hostile.

3. Un loustic est un individu facétieux, un plaisantin.

4. Jacques Odry (1781-1853) était un acteur célèbre pour la drôlerie de sa physionomie.

5. Jean-Baptiste Oudry (1686-1755) était un peintre animalier particulièrement versé dans la représentation des scènes de chasse.

Il eut, ensuite, l'idée de faire une promenade en canot.

Un côté de l'horizon commençait à pâlir, tandis que, de l'autre, une large couleur orange s'étalait dans le ciel et était plus empourprée au faîte des collines, devenues complètement noires. Mme Arnoux se tenait assise sur une grosse pierre, ayant cette lueur d'incendie derrière elle. Les autres personnes flânaient, çà et là ; Hussonnet, au bas de la berge, faisait des ricochets sur l'eau.

Arnoux revint, suivi par une vieille chaloupe, où malgré les représentations les plus sages il empila ses convives. Elle sombrait ; il fallut débarquer.

Déjà des bougies brûlaient dans le salon, tout tendu de perse [1], avec des girandoles [2] en cristal contre les murs. La mère Oudry s'endormait doucement dans un fauteuil, et les autres écoutaient M. Lefaucheur, dissertant sur les gloires du barreau. Mme Arnoux était seule près de la croisée, Frédéric l'aborda.

Ils causèrent de ce que l'on disait. Elle admirait les orateurs ; lui, il préférait la gloire des écrivains. Mais on devait sentir, reprit-elle, une plus forte jouissance à remuer les foules directement, soi-même, à voir que l'on fait passer dans leur âme tous les sentiments de la sienne. Ces triomphes ne tentaient guère Frédéric, qui n'avait point d'ambition.

– « Ah ! pourquoi ? » dit-elle. « Il faut en avoir un peu ! »

Ils étaient l'un près de l'autre, debout, dans l'embrasure de la croisée. La nuit, devant eux, s'étendait comme un immense voile sombre, piqué d'argent. C'était la première fois qu'ils ne parlaient pas de choses insignifiantes. Il vint même à savoir ses antipathies et ses goûts : certains parfums lui faisaient mal, les livres d'histoire l'intéressaient, elle croyait aux songes.

Il entama le chapitre des aventures sentimentales. Elle plaignait les désastres de la passion, mais était révoltée par les turpitudes hypocrites ; et cette droiture d'esprit se rap-

---

1. La perse est un tissu d'ameublement à décor floral.
2. Une girandole est un chandelier à plusieurs branches disposées en pyramide.

portait si bien à la beauté régulière de son visage, qu'elle semblait en dépendre.

Elle souriait quelquefois, arrêtant sur lui ses yeux, une minute. Alors, il sentait ses regards pénétrer son âme, comme ces grands rayons de soleil qui descendent jusqu'au fond de l'eau. Il l'aimait sans arrière-pensée, sans espoir de retour, absolument ; et, dans ces muets transports, pareils à des élans de reconnaissance, il aurait voulu couvrir son front d'une pluie de baisers. Cependant, un souffle intérieur l'enlevait comme hors de lui ; c'était une envie de se sacrifier, un besoin de dévouement immédiat, et d'autant plus fort qu'il ne pouvait l'assouvir.

Il ne partit pas avec les autres, Hussonnet non plus. Ils devaient s'en retourner dans la voiture ; et l'américaine [1] attendait au bas du perron, quand Arnoux descendit dans le jardin, pour cueillir des roses. Puis, le bouquet étant lié avec un fil, comme les tiges dépassaient inégalement, il fouilla dans sa poche, pleine de papiers, en prit un au hasard, les enveloppa, consolida son œuvre avec une forte épingle et il l'offrit à sa femme, avec une certaine émotion.

– « Tiens, ma chérie, excuse-moi de t'avoir oubliée ! »

Mais elle poussa un petit cri ; l'épingle, sottement mise, l'avait blessée, et elle remonta dans sa chambre. On l'attendit près d'un quart d'heure. Enfin elle reparut, enleva Marthe, se jeta dans la voiture.

– « Et ton bouquet ? » dit Arnoux.

– « Non ! non ! ce n'est pas la peine ! »

Frédéric courait pour l'aller prendre ; elle lui cria :

– « Je n'en veux pas ! »

Mais il l'apporta bientôt, disant qu'il venait de le remettre dans l'enveloppe, car il avait trouvé les fleurs à terre. Elle les enfonça dans le tablier de cuir, contre le siège, et l'on partit.

Frédéric, assis près d'elle, remarqua qu'elle tremblait horriblement. Puis, quand on eut passé le pont, comme Arnoux tournait à gauche :

– « Mais non ! tu te trompes ! par là, à droite ! »

Elle semblait irritée ; tout la gênait. Enfin, Marthe ayant fermé les yeux, elle tira le bouquet et le lança par la portière,

----
1. Voir la note 1, p. 52.

puis saisit au bras Frédéric, en lui faisant signe, avec l'autre main, de n'en jamais parler.

Ensuite, elle appliqua son mouchoir contre ses lèvres, et ne bougea plus.

Les deux autres, sur le siège, causaient imprimerie, abonnés. Arnoux, qui conduisait sans attention, se perdit au milieu du bois de Boulogne. Alors, on s'enfonça dans de petits chemins. Le cheval marchait au pas ; les branches des arbres frôlaient la capote. Frédéric n'apercevait de Mme Arnoux que ses deux yeux, dans l'ombre ; Marthe s'était allongée sur elle, et il lui soutenait la tête.

– « Elle vous fatigue ! » dit sa mère.

Il répondit :

– « Non ! oh non ! »

De lents tourbillons de poussière se levaient ; on traversait Auteuil ; toutes les maisons étaient closes ; un réverbère, çà et là, éclairait l'angle d'un mur, puis on rentrait dans les ténèbres ; une fois, il s'aperçut qu'elle pleurait.

Était-ce un remords ? un désir ? quoi donc ? Ce chagrin, qu'il ne savait pas, l'intéressait comme une chose personnelle ; maintenant, il y avait entre eux un lien nouveau, une espèce de complicité ; et il lui dit, de la voix la plus caressante qu'il put :

– « Vous souffrez ? »

– « Oui, un peu », reprit-elle.

La voiture roulait, et les chèvrefeuilles et les seringas[1] débordant les clôtures des jardins, envoyaient dans la nuit des bouffées d'odeurs amollissantes. Les plis nombreux de sa robe couvraient ses pieds. Il lui semblait communiquer avec toute sa personne par ce corps d'enfant étendu entre eux. Il se pencha vers la petite fille, et, écartant ses jolis cheveux bruns, la baisa au front, doucement.

– « Vous êtes bon ! » dit Mme Arnoux.

– « Pourquoi ? »

– « Parce que vous aimez les enfants. »

– « Pas tous ! »

---

1. Le seringa est un arbrisseau buissonnant à fleurs blanches très odorantes.

Il n'ajouta rien, mais il étendit la main gauche de son côté et la laissa toute grande ouverte, – s'imaginant qu'elle allait faire comme lui, peut-être, et qu'il rencontrerait la sienne. Puis il eut honte, et la retira.

On arriva bientôt sur le pavé. La voiture allait plus vite, les becs de gaz se multiplièrent, c'était Paris. Hussonnet, devant le Garde-Meuble [1], sauta du siège. Frédéric attendit pour descendre que l'on fût arrivé dans la cour ; puis il s'embusqua au coin de la rue de Choiseul, et aperçut Arnoux qui remontait lestement vers les boulevards.

Dès le lendemain, il se mit à travailler de toutes ses forces.

Il se voyait dans une cour d'assises, par un soir d'hiver, à la fin des plaidoiries, quand les jurés sont pâles et que la foule haletante fait craquer les cloisons du prétoire, parlant depuis quatre heures déjà, résumant toutes ses preuves, en découvrant de nouvelles, et sentant à chaque phrase, à chaque mot, à chaque geste, le couperet de la guillotine, suspendu derrière lui, se relever ; puis, à la tribune de la Chambre, orateur qui porte sur ses lèvres le salut de tout un peuple, noyant ses adversaires sous ses prosopopées [2], les écrasant d'une riposte, avec des foudres et des intonations musicales dans la voix, ironique, pathétique, emporté, sublime ; elle serait là, quelque part, au milieu des autres, cachant sous son voile ses pleurs d'enthousiasme ; ils se retrouveraient ensuite ; – et les découragements, les calomnies et les injures ne l'atteindraient pas, si elle disait : – « Ah ! cela est beau ! » en lui passant sur le front ses mains légères.

Ces images fulguraient, comme des phares, à l'horizon de sa vie. Son esprit, excité, devint plus leste et plus fort. Jusqu'au mois d'août, il s'enferma, et fut reçu à son dernier examen.

Deslauriers, qui avait eu tant de mal à lui seriner encore une fois le deuxième à la fin de décembre et le troisième en février, s'étonnait de son ardeur. Alors, les vieux espoirs

---

1. Le bâtiment qu'occupe l'actuel ministère de la Marine, en bordure nord de la place de la Concorde, servait autrefois de garde-meuble à la Couronne (voir le dossier, p. 583).

2. Une prosopopée est ici un discours particulièrement véhément et emphatique.

revinrent. Dans dix ans, il fallait que Frédéric fût député ;
dans quinze, ministre ; pourquoi pas ? Avec son patrimoine
qu'il allait toucher bientôt, il pouvait, d'abord, fonder un
journal ; ce serait le début ; ensuite, on verrait. Quant à lui,
il ambitionnait toujours une chaire à l'École de droit [1] ; et
il soutint sa thèse pour le doctorat d'une façon si remarquable, qu'elle lui valut les compliments des professeurs.

Frédéric passa la sienne trois jours après. Avant de partir
en vacances, il eut l'idée d'un pique-nique, pour clore les
réunions du samedi.

Il s'y montra gai. Mme Arnoux était maintenant près de
sa mère, à Chartres. Mais il la retrouverait bientôt, et finirait
par être son amant.

Deslauriers, admis le jour même à la parlotte d'Orsay [2],
avait fait un discours fort applaudi. Quoiqu'il fût sobre, il
se grisa, et dit au dessert à Dussardier :

– « Tu es honnête, toi ! Quand je serai riche, je t'institue-
rai mon régisseur. »

Tous étaient heureux ; Cisy ne finirait pas son droit ;
Martinon allait continuer son stage en province, où il serait
nommé substitut ; Pellerin se disposait à un grand tableau
figurant *Le Génie de la Révolution* ; Hussonnet, la semaine
prochaine, devait lire au directeur des Délassements [3] le plan
d'une pièce, et ne doutait pas du succès :

– « Car la charpente du drame, on me l'accorde ! Les
passions, j'ai assez roulé ma bosse pour m'y connaître ;
quant aux traits d'esprit, c'est mon métier ! »

Il fit un saut, retomba sur les deux mains, et marcha
quelque temps autour de la table, les jambes en l'air.

Cette gaminerie ne dérida pas Sénécal. Il venait d'être
chassé de sa pension, pour avoir battu un fils d'aristocrate.
Sa misère augmentant, il s'en prenait à l'ordre social, maudissait les riches ; et il s'épancha dans le sein de Regimbart,
lequel était de plus en plus désillusionné, attristé, dégoûté.
Le Citoyen se tournait, maintenant, vers les questions

---

1. Voir la note 4, p. 59.
2. De son véritable nom « conférence d'Orsay », la parlote, ou parlotte,
d'Orsay était un lieu de débats où les étudiants se perfectionnaient dans le
maniement de l'art oratoire.
3. Voir la note 1, p. 324.

budgétaires, et accusait la Camarilla de perdre des millions en Algérie [1].

Comme il ne pouvait dormir sans avoir stationné à l'estaminet [2] Alexandre, il disparut dès onze heures. Les autres se retirèrent plus tard ; et Frédéric, en faisant ses adieux à Hussonnet, apprit que Mme Arnoux avait dû revenir la veille.

Il alla donc aux Messageries changer sa place pour le lendemain, et, vers six heures du soir, se présenta chez elle. Son retour, lui dit le concierge, était différé d'une semaine. Frédéric dîna seul, puis flâna sur les boulevards.

Des nuages roses, en forme d'écharpe, s'allongeaient au-delà des toits ; on commençait à relever les tentes des boutiques ; des tombereaux d'arrosage versaient une pluie sur la poussière, et une fraîcheur inattendue se mêlait aux émanations des cafés, laissant voir par leurs portes ouvertes, entre des argenteries et des dorures, des fleurs en gerbes qui se miraient dans les hautes glaces. La foule marchait lentement. Il y avait des groupes d'hommes causant au milieu du trottoir ; et des femmes passaient, avec une mollesse dans les yeux et ce teint de camélia que donne aux chairs féminines la lassitude des grandes chaleurs. Quelque chose d'énorme s'épanchait, enveloppait les maisons. Jamais Paris ne lui avait semblé si beau. Il n'apercevait, dans l'avenir, qu'une interminable série d'années toutes pleines d'amour.

Il s'arrêta devant le théâtre de la Porte-Saint-Martin [3] à regarder l'affiche ; et, par désœuvrement, prit un billet.

On jouait une vieille féerie. Les spectateurs étaient rares ; et, dans les lucarnes du paradis [4], le jour se découpait en petits carrés bleus, tandis que les quinquets [5] de la rampe formaient une seule ligne de lumières jaunes. La scène

---

1. En 1844, Guizot et son entourage (d'où l'emploi du terme dépréciatif d'origine espagnole, « camarilla », qui sert à désigner une coterie influente autour d'un personnage important) choisirent de ne pas réclamer les importants dommages de guerre dus par les vaincus d'une campagne qui avait pour but de fixer les frontières entre l'Algérie et le Maroc.
2. Voir la note 2, p. 91.
3. Voir la note 1, p. 132.
4. Dans un théâtre, le paradis est la galerie supérieure (ou poulailler) où prend place le public le moins fortuné.
5. Voir la note 4, p. 71.

représentait un marché d'esclaves à Pékin, avec clochettes, tam-tam, sultanes, bonnets pointus et calembours. Puis, la toile baissée, il erra dans le foyer [1], solitairement, et admira, sur le boulevard, au bas du perron, un grand landau [2] vert, attelé de deux chevaux blancs, tenus par un cocher en culotte courte.

Il regagnait sa place, quand, au balcon, dans la première loge d'avant-scène, entrèrent une dame et un monsieur. Le mari avait un visage pâle, bordé d'un filet de barbe grise, la rosette d'officier, et cet aspect glacial qu'on attribue aux diplomates.

Sa femme, de vingt ans plus jeune pour le moins, ni grande ni petite, ni laide, ni jolie, portait ses cheveux blonds tirebouchonnés à l'anglaise, une robe à corsage plat, et un large éventail de dentelle noire. Pour que des gens d'un pareil monde fussent venus au spectacle dans cette saison, il fallait supposer un hasard, ou l'ennui de passer leur soirée en tête à tête. La dame mordillait son éventail, et le monsieur bâillait. Frédéric ne pouvait se rappeler où il avait vu cette figure.

À l'entracte suivant, comme il traversait un couloir, il les rencontra tous les deux ; sur le vague salut qu'il fit, M. Dambreuse, le reconnaissant, l'aborda et s'excusa, tout de suite, de négligences impardonnables. C'était une allusion aux cartes de visite nombreuses, envoyées d'après les conseils du clerc. Toutefois il confondait les époques, croyant que Frédéric était à sa seconde année de droit. Puis il l'envia de partir pour la campagne. Il aurait eu besoin de se reposer, mais les affaires le retenaient à Paris.

Mme Dambreuse, appuyée sur son bras, inclinait la tête, légèrement ; et l'aménité [3] spirituelle de son visage contrastait avec son expression chagrine de tout à l'heure.

– « On y trouve pourtant de belles distractions ! » dit-elle, aux derniers mots de son mari. « Comme ce spectacle est

---

1. Dans un théâtre, le foyer est la salle où l'on fume et boit, et où se rassemblaient les acteurs et les spectateurs pour se chauffer.
2. Un landau est une voiture à quatre roues, à capote formée de deux soufflets pliants.
3. L'aménité est le caractère agréable, avenant ou charmant de quelque chose ou de quelqu'un.

bête ! n'est-ce pas, monsieur ? » Et tous trois restèrent debout, à causer théâtres et pièces nouvelles.

Frédéric, habitué aux grimaces des bourgeoises provinciales, n'avait vu chez aucune femme une pareille aisance de manières, cette simplicité, qui est un raffinement, et où les naïfs aperçoivent l'expression d'une sympathie instantanée.

On comptait sur lui, dès son retour ; M. Dambreuse le chargea de ses souvenirs pour le père Roque.

Frédéric ne manqua pas, en rentrant, de conter cet accueil à Deslauriers.

– « Fameux ! » reprit le clerc, « et ne te laisse pas entortiller par ta maman ! Reviens tout de suite ! »

Le lendemain de son arrivée, après leur déjeuner, Mme Moreau emmena son fils dans le jardin.

Elle se dit heureuse de lui voir un état, car ils n'étaient pas aussi riches que l'on croyait ; la terre rapportait peu ; les fermiers payaient mal ; elle avait même été contrainte de vendre sa voiture. Enfin, elle lui exposa leur situation.

Dans les premiers embarras de son veuvage, un homme astucieux, M. Roque, lui avait fait des prêts d'argent, renouvelés, prolongés malgré elle. Il était venu les réclamer tout à coup ; et elle avait passé par ses conditions, en lui cédant à un prix dérisoire la ferme de Presles. Dix ans plus tard, son capital disparaissait dans la faillite d'un banquier, à Melun. Par horreur des hypothèques et pour conserver des apparences utiles à l'avenir de son fils, comme le père Roque se présentait de nouveau, elle l'avait écouté, encore une fois. Mais elle était quitte, maintenant. Bref, il leur restait environ dix mille francs de rente, dont deux mille trois cents à lui, tout son patrimoine !

– « Ce n'est pas possible ! » s'écria Frédéric.

Elle eut un mouvement de tête signifiant que cela était très possible.

Mais son oncle lui laisserait quelque chose ?

Rien n'était moins sûr !

Et ils firent un tour de jardin, sans parler. Enfin elle l'attira contre son cœur, et, d'une voix que les larmes étouffaient :

– « Ah ! mon pauvre garçon ! Il m'a fallu abandonner bien des rêves ! »

Il s'assit sur le banc, à l'ombre du grand acacia.

Ce qu'elle lui conseillait, c'était de se mettre clerc chez M. Prouharam, avoué, lequel lui céderait son étude ; s'il la faisait bien valoir, il pourrait la revendre, et trouver un bon parti.

Frédéric n'entendait plus. Il regardait machinalement, par-dessus la haie, dans l'autre jardin, en face.

Une petite fille d'environ douze ans, et qui avait les cheveux rouges, se trouvait là, toute seule. Elle s'était fait des boucles d'oreilles avec des baies de sorbier ; son corset de toile grise laissait à découvert ses épaules, un peu dorées par le soleil ; des taches de confitures maculaient son jupon blanc ; – et il y avait comme une grâce de jeune bête sauvage dans toute sa personne, à la fois nerveuse et fluette. La présence d'un inconnu l'étonnait, sans doute, car elle s'était brusquement arrêtée, avec son arrosoir à la main, en dardant sur lui ses prunelles, d'un vert-bleu limpide.

– « C'est la fille de M. Roque », dit Mme Moreau. « Il vient d'épouser sa servante et de légitimer son enfant. »

VI

Ruiné, dépouillé, perdu !

Il était resté sur le banc, comme étourdi par une commotion. Il maudissait le sort, il aurait voulu battre quelqu'un ; et, pour renforcer son désespoir, il sentait peser sur lui une sorte d'outrage, un déshonneur ; – car Frédéric s'était imaginé que sa fortune paternelle monterait un jour à quinze mille livres de rente, et il l'avait fait savoir, d'une façon indirecte, aux Arnoux. Il allait donc passer pour un hâbleur [1], un drôle, un obscur polisson, qui s'était introduit chez eux dans l'espérance d'un profit quelconque ! Et elle, Mme Arnoux, comment la revoir, maintenant ?

Cela, d'ailleurs, était complètement impossible, n'ayant que trois mille francs de rente ! Il ne pouvait loger toujours au quatrième, avoir pour domestique le portier, et se présenter avec de pauvres gants noirs bleuis du bout, un chapeau gras, la même redingote pendant un an. Non, non ! jamais ! Cependant, l'existence était intolérable sans elle. Beaucoup vivaient bien qui n'avaient pas de fortune, Deslauriers entre autres ; – et il se trouva lâche d'attacher une pareille importance à des choses médiocres. La misère, peut-être, centuplerait ses facultés. Il s'exalta, en pensant aux grands hommes qui travaillent dans les mansardes. Une âme comme celle de Mme Arnoux devait s'émouvoir à ce spectacle, et elle s'attendrirait. Ainsi, cette catastrophe était un bonheur, après tout ; comme ces tremblements de terre qui découvrent des trésors, elle lui avait révélé les secrètes opulences de sa nature. Mais il n'existait au monde qu'un seul endroit pour les faire valoir : Paris ! car, dans ses idées, l'art,

---

1. Un hâbleur est une personne qui a l'habitude de parler beaucoup en exagérant, en promettant, en se vantant.

la science et l'amour (ces trois faces de Dieu, comme eût dit Pellerin) dépendaient exclusivement de la capitale.

Il déclara le soir, à sa mère, qu'il y retournerait. Mme Moreau fut surprise et indignée. C'était une folie, une absurdité. Il ferait mieux de suivre ses conseils, c'est-à-dire de rester près d'elle, dans une étude. Frédéric haussa les épaules : – « Allons donc ! » se trouvant insulté par cette proposition.

Alors, la bonne dame employa une autre méthode. D'une voix tendre et avec de petits sanglots, elle se mit à lui parler de sa solitude, de sa vieillesse, des sacrifices qu'elle avait faits. Maintenant qu'elle était plus malheureuse, il l'abandonnait. Puis, faisant allusion à sa fin prochaine :

– « Un peu de patience, mon Dieu ! bientôt tu seras libre ! »

Ces lamentations se répétèrent vingt fois par jour, durant trois mois ; et, en même temps, les délicatesses du foyer le corrompaient ; il jouissait d'avoir un lit plus mou, des serviettes sans déchirures ; si bien que, lassé, énervé [1], vaincu enfin par la terrible force de la douceur, Frédéric se laissa conduire chez Me Prouharam.

Il n'y montra ni science ni aptitude. On l'avait considéré jusqu'alors comme un jeune homme de grands moyens, qui devait être la gloire du département. Ce fut une déception publique.

D'abord il s'était dit : – « Il faut avertir Mme Arnoux », et, pendant une semaine, il avait médité des lettres dithyrambiques [2], et de courts billets, en style lapidaire et sublime. La crainte d'avouer sa situation le retenait. Puis il songea qu'il valait mieux écrire au mari. Arnoux connaissait la vie et saurait le comprendre. Enfin, après quinze jours d'hésitation :

– « Bah ! je ne dois plus les revoir ; qu'ils m'oublient ! Au moins, je n'aurai pas déchu dans son souvenir ! Elle me croira mort, et me regrettera... peut-être. »

---

1. Voir la note 1, p. 125.
2. Est dithyrambique ce qui loue avec enthousiasme et exalte avec emphase.

Comme les résolutions excessives lui coûtaient peu, il s'était juré de ne jamais revenir à Paris, et même de ne point s'informer de Mme Arnoux.

Cependant, il regrettait jusqu'à la senteur du gaz et au tapage des omnibus. Il rêvait à toutes les paroles qu'elle lui avait dites, au timbre de sa voix, à la lumière de ses yeux, – et, se considérant comme un homme mort, il ne faisait plus rien, absolument.

Il se levait très tard, et regardait par sa fenêtre les attelages de rouliers [1] qui passaient. Les six premiers mois, surtout, furent abominables.

En de certains jours, pourtant, une indignation le prenait contre lui-même. Alors, il sortait. Il s'en allait dans les prairies, à moitié couvertes durant l'hiver par les débordements de la Seine. Des lignes de peupliers les divisent. Çà et là, un petit pont s'élève. Il vagabondait jusqu'au soir, roulant les feuilles jaunes sous ses pas, aspirant la brume, sautant les fossés ; à mesure que ses artères battaient plus fort, des désirs d'action furieuse l'emportaient ; il voulait se faire trappeur en Amérique, servir un pacha en Orient, s'embarquer comme matelot ; et il exhalait sa mélancolie dans de longues lettres à Deslauriers.

Celui-là se démenait pour percer. La conduite lâche de son ami et ses éternelles jérémiades lui semblaient stupides. Bientôt, leur correspondance devint presque nulle. Frédéric avait donné tous ses meubles à Deslauriers, qui gardait son logement. Sa mère lui en parlait de temps à autre ; un jour enfin, il déclara son cadeau, et elle le grondait, quand il reçut une lettre.

– « Qu'est-ce donc ? » dit-elle, « tu trembles ? »

– « Je n'ai rien ! » répliqua Frédéric.

Deslauriers lui apprenait qu'il avait recueilli Sénécal ; et depuis quinze jours, ils vivaient ensemble. Donc, Sénécal s'étalait, maintenant, au milieu des choses qui provenaient de chez Arnoux ! Il pouvait les vendre, faire des remarques dessus, des plaisanteries. Frédéric se sentit blessé, jusqu'au fond de l'âme. Il monta dans sa chambre. Il avait envie de mourir.

---

1. Voir la note 1, p. 112.

Sa mère l'appela. C'était pour le consulter, à propos d'une plantation dans le jardin.

Ce jardin, en manière de parc anglais, était coupé à son milieu par une clôture de bâtons, et la moitié appartenait au père Roque, qui en possédait une autre, pour les légumes, sur le bord de la rivière. Les deux voisins, brouillés, s'abstenaient d'y paraître aux mêmes heures. Mais, depuis que Frédéric était revenu, le bonhomme s'y promenait plus souvent et n'épargnait pas les politesses au fils de Mme Moreau. Il le plaignait d'habiter une petite ville. Un jour, il raconta que M. Dambreuse avait demandé de ses nouvelles. Une autre fois, il s'étendit sur la coutume de Champagne, où le ventre anoblissait.

– « Dans ce temps-là, vous auriez été un seigneur, puisque votre mère s'appelait de Fouvens. Et on a beau dire, allez ! c'est quelque chose, un nom ! Après tout », ajouta-t-il, en le regardant d'un air malin, « cela dépend du garde des Sceaux. »

Cette prétention d'aristocratie jurait singulièrement avec sa personne. Comme il était petit, sa grande redingote marron exagérait la longueur de son buste. Quand il ôtait sa casquette, on apercevait un visage presque féminin avec un nez extrêmement pointu ; ses cheveux de couleur jaune ressemblaient à une perruque ; il saluait le monde très bas, en frisant les murs.

Jusqu'à cinquante ans, il s'était contenté des services de Catherine, une Lorraine du même âge que lui, et fortement marquée de petite vérole. Mais, vers 1834, il ramena de Paris une belle blonde, à figure moutonnière, à « port de reine ». On la vit bientôt se pavaner avec de grandes boucles d'oreilles, et tout fut expliqué par la naissance d'une fille, déclarée sous les noms d'Élisabeth-Olympe-Louise Roque.

Catherine, dans sa jalousie, s'attendait à exécrer cette enfant. Au contraire, elle l'aima. Elle l'entoura de soins, d'attentions et de caresses, pour supplanter sa mère et la rendre odieuse, entreprise facile, car Mme Éléonore négligeait complètement la petite, préférant bavarder chez les fournisseurs. Dès le lendemain de son mariage, elle alla faire une visite à la sous-préfecture, ne tutoya plus les servantes, et crut devoir, par bon ton, se montrer sévère pour son enfant. Elle assistait à ses leçons ; le professeur, un vieux bureaucrate de la mairie, ne savait pas s'y prendre. L'élève s'insurgeait, recevait des gifles, et allait pleurer sur les genoux de Catherine, qui lui donnait invariablement raison. Alors, les deux femmes se querellaient ; M. Roque les faisait taire. Il s'était marié par tendresse pour sa fille, et ne voulait pas qu'on la tourmentât.

Souvent elle portait une robe blanche en lambeaux avec un pantalon garni de dentelles ; et, aux grandes fêtes, sortait vêtue comme une princesse, afin de mortifier un peu les bourgeois, qui empêchaient leurs marmots de la fréquenter, vu sa naissance illégitime.

Elle vivait seule, dans son jardin, se balançait à l'escarpolette [1], courait après les papillons, puis tout à coup s'arrêtait à contempler les cétoines [2] s'abattant sur les rosiers. C'étaient ces habitudes, sans doute, qui donnaient à sa figure une expression à la fois de hardiesse et de rêverie. Elle avait la taille de Marthe, d'ailleurs, si bien que Frédéric lui dit, dès leur seconde entrevue :

– « Voulez-vous me permettre de vous embrasser, mademoiselle ? »

La petite personne leva la tête, et répondit :

– « Je veux bien ! »

Mais la haie de bâtons les séparait l'un de l'autre.

– « Il faut monter dessus », dit Frédéric.

– « Non, enlève-moi ! »

Il se pencha par-dessus la haie et la saisit au bout de ses bras, en la baisant sur les deux joues ; puis il la remit chez elle, par le même procédé, qui se renouvela les fois suivantes.

Sans plus de réserve qu'une enfant de quatre ans, sitôt qu'elle entendait venir son ami, elle s'élançait à sa rencontre, ou bien, se cachant derrière un arbre, elle poussait un jappement de chien, pour l'effrayer.

Un jour que Mme Moreau était sortie, il la fit monter dans sa chambre. Elle ouvrit tous les flacons d'odeur et se pommada les cheveux abondamment ; puis, sans la moindre

---

1. Une escarpolette est une sorte de balançoire.
2. Une cétoine est un scarabée aux vives couleurs métalliques.

gêne, elle se coucha sur le lit où elle restait tout de son long, éveillée.

– « Je m'imagine que je suis ta femme », disait-elle.

Le lendemain, il l'aperçut tout en larmes. Elle avoua « qu'elle pleurait ses péchés », et, comme il cherchait à les connaître, elle répondit en baissant les yeux :

– « Ne m'interroge pas davantage ! »

La première communion approchait ; on l'avait conduite le matin à confesse.

Le sacrement ne la rendit guère plus sage. Elle entrait parfois dans de véritables colères ; on avait recours à M. Frédéric pour la calmer.

Souvent il l'emmenait avec lui dans ses promenades. Tandis qu'il rêvassait en marchant, elle cueillait des coquelicots au bord des blés, et, quand elle le voyait plus triste qu'à l'ordinaire, elle tâchait de le consoler par de gentilles paroles. Son cœur, privé d'amour, se rejeta sur cette amitié d'enfant ; il lui dessinait des bonshommes, lui contait des histoires et il se mit à lui faire des lectures.

Il commença par les *Annales romantiques*, un recueil de vers et de prose, alors célèbre. Puis, oubliant son âge, tant son intelligence le charmait, il lut successivement *Atala*, *Cinq-Mars*, *Les Feuilles d'automne* [1]. Mais, une nuit (le soir même, elle avait entendu *Macbeth* [2], dans la simple traduction de Letourneur [3]), elle se réveilla en criant : « La tache ! la tache ! » Ses dents claquaient, elle tremblait, et, fixant des yeux épouvantés sur sa main droite, elle la frottait en disant : « Toujours une tache ! » Enfin arriva le médecin, qui prescrivit d'éviter les émotions.

---

1. Les *Annales romantiques*, choix de textes signés des plus grands noms de l'époque, parurent chaque année de 1828 à 1836. *Atala* est un roman de Chateaubriand (1801) contant les amours tragiques de l'Indien Chactas et d'Atala ; *Cinq-Mars* est un roman historique de Vigny (1826) peignant la cour de Louis XIII et les intrigues de Richelieu ; *Les Feuilles d'automne* est un recueil de poésies lyriques de Victor Hugo (1831).

2. Dans ce drame de Shakespeare (1606), Macbeth, à l'instigation de son épouse, assassine le roi d'Écosse. En proie au remords, Lady Macbeth se donne la mort après une crise de somnambulisme au cours de laquelle elle ne cesse de se frotter les mains, pour en faire disparaître une tache ineffaçable.

3. Letourneur (1736-1788) est resté célèbre pour avoir traduit l'œuvre de Shakespeare et s'être attiré, ce faisant, les foudres de La Harpe et de Voltaire.

Les bourgeois ne virent là-dedans qu'un pronostic défavorable pour ses mœurs. On disait que « le fils Moreau » voulait en faire plus tard une actrice.

Bientôt il fut question d'un autre événement, à savoir
l'arrivée de l'oncle Barthélemy. Mme Moreau lui donna sa
chambre à coucher, et poussa la condescendance [1] jusqu'à
servir du gras les jours maigres.

Le vieillard fut médiocrement aimable. C'étaient de perpétuelles comparaisons entre Le Havre et Nogent, dont il
trouvait l'air lourd, le pain mauvais, les rues mal pavées, la
nourriture médiocre et les habitants des paresseux. – « Quel
pauvre commerce chez vous ! » Il blâma les extravagances
de défunt son frère, tandis que, lui, il avait amassé vingt-
sept mille livres de rente ! Enfin, il partit au bout de la
semaine, et sur le marchepied de la voiture, lâcha ces mots
peu rassurants :

– « Je suis toujours bien aise de vous savoir dans une
bonne position. »

– « Tu n'auras rien ! » dit Mme Moreau en rentrant dans
la salle.

Il n'était venu que sur ses instances ; et, huit jours durant,
elle avait sollicité de sa part une ouverture, trop clairement
peut-être. Elle se repentait d'avoir agi, et restait dans son
fauteuil, la tête basse, les lèvres serrées. Frédéric, en face
d'elle, l'observait ; et ils se taisaient tous les deux, comme il
y avait cinq ans, au retour de Montereau. Cette coïncidence,
s'offrant même à sa pensée, lui rappela Mme Arnoux.

À ce moment, des coups de fouet retentirent sous la
fenêtre, en même temps qu'une voix l'appelait.

C'était le père Roque, seul dans sa tapissière [2]. Il allait
passer toute la journée à la Fortelle, chez M. Dambreuse, et
proposa cordialement à Frédéric de l'y conduire.

– « Vous n'avez pas besoin d'invitation avec moi ; soyez
sans crainte ! »

---

1. En bonne part, la condescendance est la complaisance dont on fait
montre à l'égard de quelqu'un.
2. Une tapissière est une voiture légère, couverte d'un toit mais ouverte
sur les côtés.

Frédéric eut envie d'accepter. Mais comment expliquerait-il son séjour définitif à Nogent ? Il n'avait pas un costume d'été convenable ; enfin que dirait sa mère ? Il refusa.

Dès lors, le voisin se montra moins amical. Louise grandissait ; Mme Éléonore tomba malade dangereusement ; et la liaison se dénoua au grand plaisir de Mme Moreau, qui redoutait pour l'établissement de son fils la fréquentation de pareilles gens.

Elle rêvait de lui acheter le greffe du tribunal[1] ; Frédéric ne repoussait pas trop cette idée. Maintenant, il l'accompagnait à la messe, il faisait le soir sa partie d'impériale[2], il s'accoutumait à la province, s'y enfonçait ; – et même son amour avait pris comme une douceur funèbre, un charme assoupissant. À force d'avoir versé sa douleur dans ses lettres, de l'avoir mêlée à ses lectures, promenée dans la campagne et partout épandue, il l'avait presque tarie, si bien que Mme Arnoux était pour lui comme une morte dont il s'étonnait de ne pas connaître le tombeau, tant cette affection était devenue tranquille et résignée.

Un jour, le 12 décembre 1845, vers neuf heures du matin, la cuisinière monta une lettre dans sa chambre. L'adresse, en gros caractères, était d'une écriture inconnue ; et Frédéric, sommeillant, ne se pressa pas de la décacheter. Enfin il lut :

« Justice de paix du Havre, IIIe arrondissement.

Monsieur,
M. Moreau, votre oncle, étant mort *ab intestat*…[3]. »

Il héritait !

Comme si un incendie eût éclaté derrière le mur, il sauta hors de son lit, pieds nus, en chemise ; il se passa la main sur le visage, doutant de ses yeux, croyant qu'il rêvait encore, et, pour se raffermir dans la réalité, il ouvrit la fenêtre toute grande.

---

1. Comme toutes les charges, celle de greffier d'un tribunal s'achetait.
2. L'impériale est un jeu de cartes.
3. *Ab intestat* signifie que le défunt n'a pas fait de testament (voir aussi la note 4, p. 177).

Il était tombé de la neige ; les toits étaient blancs ; – et même il reconnut dans la cour un baquet à lessive, qui l'avait fait trébucher la veille au soir.

Il relut la lettre trois fois de suite ; rien de plus vrai ! toute la fortune de l'oncle ! Vingt-sept mille livres de rente ! – et une joie frénétique le bouleversa, à l'idée de revoir Mme Arnoux. Avec la netteté d'une hallucination, il s'aperçut auprès d'elle, chez elle, lui apportant quelque cadeau dans du papier de soie, tandis qu'à la porte stationnerait son tilbury[1], non, un coupé[2] plutôt ! un coupé noir, avec un domestique en livrée brune ; il entendait piaffer son cheval et le bruit de la gourmette[3] se confondant avec le murmure de leurs baisers. Cela se renouvellerait tous les jours, indéfiniment. Il les recevrait chez lui, dans sa maison ; la salle à manger serait en cuir rouge, le boudoir en soie jaune, des divans partout ! et quelles étagères ! quels vases de Chine ! quels tapis ! Ces images arrivaient si tumultueusement, qu'il sentait la tête lui tourner. Alors, il se rappela sa mère ; et il descendit, tenant toujours la lettre à sa main.

Mme Moreau tâcha de contenir son émotion et eut une défaillance. Frédéric la prit dans ses bras et la baisa au front.

– « Bonne mère, tu peux racheter ta voiture maintenant ; ris donc, ne pleure plus, sois heureuse ! »

Dix minutes après, la nouvelle circulait jusqu'aux faubourgs. Alors, Me Benoist, M. Gamblin, M. Chambrion, tous les amis, accoururent. Frédéric s'échappa une minute pour écrire à Deslauriers. D'autres visites survinrent. L'après-midi se passa en félicitations. On en oubliait la femme Roque, qui était cependant « très bas ».

Le soir, quand ils furent seuls, tous les deux, Mme Moreau dit à son fils qu'elle lui conseillait de s'établir à Troyes, avocat. Étant plus connu dans son pays que dans un autre, il pourrait plus facilement y trouver des partis avantageux.

---

1. Un tilbury est une voiture à deux roues, très légère, souvent munie d'une capote.
2. Voir la note 3, p. 66.
3. Voir la note 2, p. 70.

– « Ah ! c'est trop fort ! » s'écria Frédéric.

À peine avait-il son bonheur entre les mains qu'on voulait le lui prendre. Il signifia sa résolution formelle d'habiter Paris.

– « Pour quoi y faire ? »

– « Rien ! »

Mme Moreau, surprise de ses façons, lui demanda ce qu'il voulait devenir.

– « Ministre ! » répliqua Frédéric.

Et il affirma qu'il ne plaisantait nullement, qu'il prétendait se lancer dans la diplomatie, que ses études et ses instincts l'y poussaient. Il entrerait d'abord au Conseil d'État, avec la protection de M. Dambreuse.

– « Tu le connais donc ? »

– « Mais oui ! par M. Roque ! »

– « Cela est singulier », dit Mme Moreau.

Il avait réveillé dans son cœur ses vieux rêves d'ambition. Elle s'y abandonna intérieurement, et ne reparla plus des autres.

S'il eût écouté son impatience, Frédéric fût parti à l'instant même. Le lendemain, toutes les places dans les diligences étaient retenues ; il se rongea jusqu'au surlendemain, à sept heures du soir.

Ils s'asseyaient pour dîner, quand tintèrent à l'église trois longs coups de cloche ; et la domestique, entrant, annonça que Mme Éléonore venait de mourir.

Cette mort, après tout, n'était un malheur pour personne, pas même pour son enfant. La jeune fille ne s'en trouverait que mieux, plus tard.

Comme les deux maisons se touchaient, on entendait un grand va-et-vient, un bruit de paroles ; et l'idée de ce cadavre près d'eux jetait quelque chose de funèbre sur leur séparation. Mme Moreau, deux ou trois fois, s'essuya les yeux. Frédéric avait le cœur serré.

Le repas fini, Catherine l'arrêta entre deux portes. Mademoiselle voulait, absolument, le voir. Elle l'attendait dans le jardin. Il sortit, enjamba la haie, et, tout en se cognant aux arbres quelque peu, se dirigea vers la maison de M. Roque. Des lumières brillaient à une fenêtre au second étage ; puis une forme apparut dans les ténèbres, et une voix chuchota :

– « C'est moi. »

Elle lui sembla plus grande qu'à l'ordinaire, à cause de sa robe noire, sans doute. Ne sachant par quelle phrase l'aborder, il se contenta de lui prendre les mains, en soupirant :

– « Ah ! ma pauvre Louise ! »

Elle ne répondit pas. Elle le regarda profondément, pendant longtemps. Frédéric avait peur de manquer la voiture ; il croyait entendre un roulement tout au loin, et, pour en finir :

– « Catherine m'a prévenu que tu avais quelque chose… »

– « Oui, c'est vrai ! je voulais vous dire… »

Ce *vous* l'étonna ; et, comme elle se taisait encore :

– « Eh bien, quoi ? »

– « Je ne sais plus. J'ai oublié ! Est-ce vrai que vous partez ? »

– « Oui, tout à l'heure. »

Elle répéta :

– « Ah ! tout à l'heure ?… tout à fait ?… nous ne nous reverrons plus ? »

Des sanglots l'étouffaient.

– « Adieu ! adieu ! embrasse-moi donc ! »

Et elle le serra dans ses bras avec emportement.

Deuxième partie

I

Quand il fut à sa place, dans le coupé [1], au fond, et que la diligence s'ébranla, emportée par les cinq chevaux détalant à la fois, il sentit une ivresse le submerger. Comme un architecte qui fait le plan d'un palais, il arrangea, d'avance, sa vie. Il l'emplit de délicatesses et de splendeurs ; elle montait jusqu'au ciel ; une prodigalité de choses y apparaissait ; et cette contemplation était si profonde, que les objets extérieurs avaient disparu.

Au bas de la côte de Sourdun, il s'aperçut de l'endroit où l'on était. On n'avait fait que cinq kilomètres, tout au plus ! Il fut indigné. Il abattit le vasistas pour voir la route. Il demanda plusieurs fois au conducteur dans combien de temps, au juste, on arriverait. Il se calma cependant, et il restait dans son coin, les yeux ouverts.

La lanterne, suspendue au siège du postillon [2], éclairait les croupes des limoniers [3]. Il n'apercevait au-delà que les crinières des autres chevaux qui ondulaient comme des vagues blanches ; leurs haleines formaient un brouillard de chaque côté de l'attelage ; les chaînettes de fer sonnaient, les glaces tremblaient dans leurs châssis ; et la lourde voiture, d'un train égal, roulait sur le pavé. Çà et là, on distinguait le mur d'une grange, ou bien une auberge, toute seule. Parfois en passant dans les villages, le four d'un boulanger projetait des lueurs d'incendie, et la silhouette monstrueuse des chevaux courait sur l'autre maison en face. Aux relais, quand on avait dételé, il se faisait un grand silence, pendant une minute. Quelqu'un piétinait en haut, sous la bâche,

---

1. Voir la note 3, p. 66.
2. Le postillon est le conducteur de la voiture.
3. Les limoniers sont les chevaux qui, dans l'attelage, se trouvent en queue, entre les limons, ou brancards.

tandis qu'au seuil d'une porte, une femme, debout, abritait sa chandelle avec sa main. Puis, le conducteur sautant sur le marchepied, la diligence repartait.

À Mormant, on entendit sonner une heure et un quart.

– « C'est donc aujourd'hui », pensa-t-il, « aujourd'hui même, tantôt ! »

Mais, peu à peu ses espérances et ses souvenirs, Nogent, la rue de Choiseul, Mme Arnoux, sa mère, tout se confondait.

Un bruit sourd de planches le réveilla, on traversait le pont de Charenton, c'était Paris. Alors, ses deux compagnons, ôtant l'un sa casquette, l'autre son foulard, se couvrirent de leur chapeau et causèrent. Le premier, un gros homme rouge, en redingote de velours, était un négociant ; le second venait dans la capitale pour consulter un médecin ; – et, craignant de l'avoir incommodé pendant la nuit, Frédéric lui fit spontanément des excuses, tant il avait l'âme attendrie par le bonheur.

Le quai de la gare se trouvant inondé, sans doute, on continua tout droit, et la campagne recommença. Au loin, de hautes cheminées d'usines fumaient. Puis on tourna dans Ivry. On monta une rue ; tout à coup il aperçut le dôme du Panthéon.

La plaine, bouleversée, semblait de vagues ruines. L'enceinte des fortifications [1] y faisait un renflement horizontal ; et, sur les trottoirs en terre qui bordaient la route, de petits arbres sans branches étaient défendus par des lattes hérissées de clous. Des établissements de produits chimiques alternaient avec des chantiers de marchands de bois. De hautes portes, comme il y en a dans les fermes, laissaient voir, par leurs battants entrouverts, l'intérieur d'ignobles cours pleines d'immondices, avec des flaques d'eau sale au milieu. De longs cabarets, couleur sang-de-bœuf portaient à leur premier étage, entre les fenêtres, deux queues de billard en sautoir dans une couronne de fleurs peintes ; çà et là, une bicoque de plâtre à moitié construite était abandonnée. Puis, la double ligne de maisons ne discontinua plus ; et, sur la nudité de leurs façades, se détachait, de loin en loin, un

---

1. Voir la note 2, p. 112.

gigantesque cigare de fer-blanc, pour indiquer un débit de tabac. Des enseignes de sage-femme représentaient une matrone en bonnet, dodelinant [1] un poupon dans une courtepointe [2] garnie de dentelles. Des affiches couvraient l'angle des murs, et, aux trois quarts déchirées tremblaient au vent comme des guenilles. Des ouvriers en blouse passaient, et des haquets [3] de brasseurs, des fourgons de blanchisseuses, des carrioles de bouchers ; une pluie fine tombait, il faisait froid, le ciel était pâle, mais deux yeux qui valaient pour lui le soleil resplendissaient derrière la brume.

On s'arrêta longtemps à la barrière, car des coquetiers [4], des rouliers [5] et un troupeau de moutons y faisaient de l'encombrement. Le factionnaire, la capote rabattue, allait et venait devant sa guérite pour se réchauffer. Le commis de l'octroi [6] grimpa sur l'impériale [7], et une fanfare de cornet à piston éclata. On descendit le boulevard au grand trot, les palonniers [8] battants, les traits flottants. La mèche du long fouet claquait dans l'air humide. Le conducteur lançait son cri sonore : « Allume ! allume ! ohé ! » et les balayeurs se rangeaient, les piétons sautaient en arrière, la boue jaillissait contre les vasistas, on croisait des tombereaux, des cabriolets, des omnibus. Enfin la grille du Jardin des plantes [9] se déploya.

La Seine, jaunâtre, touchait presque au tablier des ponts. Une fraîcheur s'en exhalait. Frédéric l'aspira de toutes ses forces, savourant ce bon air de Paris qui semble contenir des effluves amoureuses et des émanations intellectuelles ; il eut un attendrissement en apercevant le premier fiacre. Et il aimait jusqu'au seuil des marchands de vin garni de paille,

---

1. Dodeliner, c'est balancer doucement, bercer.
2. Une courtepointe est une couverture de lit ouatée et piquée.
3. Un haquet est une charrette étroite et longue, sans ridelles sur les côtés pour maintenir la charge.
4. Un coquetier est ici un marchand d'œufs et de volailles en gros.
5. Voir la note 1, p. 112.
6. L'octroi était la taxe qu'il fallait acquitter pour entrer certaines marchandises dans Paris, et le lieu où cette taxe était perçue.
7. L'impériale désigne ici le dessus du véhicule.
8. Les palonniers sont les barres transversales aux extrémités desquelles on fixe les traits des chevaux.
9. Voir la note 1, p. 126.

jusqu'aux décrotteurs avec leurs boîtes, jusqu'aux garçons épiciers secouant leur brûloir à café. Des femmes trottinaient sous des parapluies ; il se penchait pour distinguer leur figure ; un hasard pouvait avoir fait sortir Mme Arnoux.

Les boutiques défilaient, la foule augmentait, le bruit devenait plus fort. Après le quai Saint-Bernard, le quai de la Tournelle et le quai Montebello, on prit le quai Napoléon[1] ; il voulut voir ses fenêtres, elles étaient loin. Puis on repassa la Seine sur le pont Neuf, on descendit jusqu'au Louvre ; et, par les rues Saint-Honoré, Croix-des-Petits-Champs et du Bouloi, on atteignit la rue Coq-Héron[2], et l'on entra dans la cour de l'hôtel.

Pour faire durer son plaisir, Frédéric s'habilla le plus lentement possible, et même il se rendit à pied au boulevard Montmartre[3] ; il souriait à l'idée de revoir, tout à l'heure, sur la plaque de marbre le nom chéri ; – il leva les yeux. Plus de vitrines, plus de tableaux, rien !

Il courut à la rue de Choiseul[4]. M. et Mme Arnoux n'y habitaient pas, et une voisine gardait la loge du portier ; Frédéric l'attendit ; enfin, il parut, ce n'était plus le même. Il ne savait point leur adresse.

Frédéric entra dans un café, et, tout en déjeunant, consulta l'*Almanach du commerce*. Il y avait trois cents Arnoux, mais pas de Jacques Arnoux ! Où donc logeaient-ils ? Pellerin devait le savoir.

Il se transporta tout en haut du faubourg Poissonnière[5], à son atelier. La porte n'ayant ni sonnette ni marteau, il donna de grands coups de poing, et il appela, cria. Le vide seul lui répondit.

Il songea ensuite à Hussonnet. Mais où découvrir un pareil homme ? Une fois, il l'avait accompagné jusqu'à la maison de sa maîtresse, rue de Fleurus[6]. Parvenu dans la

1. Voir la note 1, p. 74.
2. Voir la note 1, p. 64.
3. Voir la note 3, p. 45.
4. Voir la note 1, p. 96.
5. Voir la note 3, p. 88.
6. Voir la note 3, p. 82.

rue de Fleurus, Frédéric s'aperçut qu'il ignorait le nom de la demoiselle.

Il eut recours à la préfecture de Police. Il erra d'escalier en escalier, de bureau en bureau. Celui des renseignements se fermait. On lui dit de repasser le lendemain.

Puis il entra chez tous les marchands de tableaux qu'il put découvrir, pour savoir si l'on ne connaissait point Arnoux. M. Arnoux ne faisait plus le commerce.

Enfin, découragé, harassé, malade, il s'en revint à son hôtel et se coucha. Au moment où il s'allongeait entre ses draps, une idée le fit bondir de joie :

– « Regimbart ! quel imbécile je suis de n'y avoir pas songé ! »

Le lendemain, dès sept heures, il arriva rue Notre-Dame-des-Victoires devant la boutique d'un rogommiste[1], où Regimbart avait coutume de prendre le vin blanc. Elle n'était pas encore ouverte ; il fit un tour de promenade aux environs, et, au bout d'une demi-heure, s'y présenta de nouveau. Regimbart en sortait. Frédéric s'élança dans la rue. Il crut même apercevoir au loin son chapeau ; un corbillard et des voitures de deuil s'interposèrent. L'embarras passé, la vision avait disparu.

Heureusement, il se rappela que le Citoyen déjeunait tous les jours à onze heures précises chez un petit restaurateur de la place Gaillon[2]. Il s'agissait de patienter ; et, après une interminable flânerie de la Bourse à la Madeleine, et de la Madeleine au Gymnase[3], Frédéric, à onze heures précises, entra dans le restaurant de la place Gaillon, sûr d'y trouver son Regimbart.

– « Connais pas ! » dit le gargotier d'un ton rogue.

Frédéric insistait ; il reprit :

– « Je ne le connais plus, monsieur ! » avec un haussement de sourcils majestueux et des oscillations de la tête, qui décelaient un mystère.

---

1. En langue populaire, un rogommiste est un débitant d'eau-de-vie et de liqueurs.
2. Voir la note 1, p. 91.
3. Le théâtre du Gymnase-Dramatique fut construit en 1820 sur le boulevard Bonne-Nouvelle. Il joua essentiellement des vaudevilles et de la comédie mêlée de couplets, dont les pièces de Scribe (voir le dossier, p. 583).

Mais, dans leur dernière entrevue, le Citoyen avait parlé de l'estaminet [1] Alexandre. Frédéric avala une brioche, et, sautant dans un cabriolet, s'enquit près du cocher s'il n'y avait point quelque part, sur les hauteurs de Sainte-Geneviève, un certain café Alexandre. Le cocher le conduisit rue des Francs-Bourgeois-Saint-Michel [2] dans un établissement de ce nom-là, et à sa question : – « M. Regimbart, s'il vous plaît ? » le cafetier lui répondit, avec un sourire extra-gracieux :

– « Nous ne l'avons pas encore vu, monsieur », tandis qu'il jetait à son épouse, assise dans le comptoir, un regard d'intelligence.

Et aussitôt se tournant vers l'horloge :

– « Mais nous l'aurons, j'espère, d'ici à dix minutes, un quart d'heure tout au plus. – Célestin, vite les feuilles ! – Qu'est-ce que monsieur désire prendre ? »

Quoique n'ayant besoin de rien prendre, Frédéric avala un verre de rhum, puis un verre de kirsch, puis un verre de curaçao, puis différents grogs [3], tant froids que chauds. Il lut tout *Le Siècle* [4] du jour, et le relut ; il examina, jusque dans les grains du papier, la caricature du *Charivari* [5] ; à la fin, il savait par cœur les annonces. De temps à autre, des bottes résonnaient sur le trottoir, c'était lui ! et la forme de quelqu'un se profilait sur les carreaux ; mais cela passait toujours !

Afin de se désennuyer, Frédéric changeait de place ; il alla se mettre dans le fond, puis à droite, ensuite à gauche ; et il restait au milieu de la banquette, les deux bras étendus. Mais un chat, foulant délicatement le velours du dossier, lui faisait des peurs en bondissant tout à coup, pour lécher les taches de sirop sur le plateau ; et l'enfant de la maison, un

---

1. Voir la note 2, p. 91.
2. La rue des Francs-Bourgeois-Saint-Michel est l'ancien nom du haut de la rue Monsieur-le-Prince (actuel VIᵉ arrondissement ; voir le dossier, p. 583).
3. Voir la note 2, p. 50.
4. Fondé en 1836, *Le Siècle* était l'un des journaux de l'opposition libérale.
5. Fondé en 1832, *Le Charivari* était un journal satirique d'opposition. En raison des lois de septembre (voir la note 3, p. 112), il perdit beaucoup de son intérêt en 1836, mais connut un renouveau en 1848.

intolérable mioche de quatre ans, jouait avec une crécelle sur les marches du comptoir. Sa maman, petite femme pâlotte, à dents gâtées, souriait d'un air stupide. Que pouvait donc faire Regimbart ? Frédéric l'attendait, perdu dans une détresse illimitée.

La pluie sonnait comme grêle, sur la capote du cabriolet. Par l'écartement du rideau de mousseline, il apercevait dans la rue le pauvre cheval, plus immobile qu'un cheval de bois. Le ruisseau, devenu énorme, coulait entre deux rayons des roues, et le cocher s'abritant de la couverture sommeillait ; mais, craignant que son bourgeois ne s'esquivât, de temps à autre il entrouvrait la porte, tout ruisselant comme un fleuve ; – et si les regards pouvaient user les choses, Frédéric aurait dissous l'horloge à force d'attacher dessus les yeux. Elle marchait, cependant. Le sieur Alexandre se promenait – de long en large, en répétant : « Il va venir, allez ! il va venir ! » et, pour le distraire, lui tenait des discours, parlait politique. Il poussa même la complaisance jusqu'à lui proposer une partie de dominos.

Enfin, à quatre heures et demie, Frédéric, qui était là depuis midi, se leva d'un bond, déclarant qu'il n'attendait plus.

– « Je n'y comprends rien moi-même », répondit le cafetier d'un air candide, « c'est la première fois que manque M. Ledoux ! »

– « Comment, M. Ledoux ? »

– « Mais oui, monsieur ! »

– « J'ai dit Regimbart ! » s'écria Frédéric exaspéré.

– « Ah ! mille excuses ! vous faites erreur ! – N'est-ce pas, madame Alexandre, monsieur a dit : M. Ledoux ? »

Et, interpellant le garçon :

– « Vous l'avez entendu, vous-même, comme moi ? »

Pour se venger de son maître, sans doute, le garçon se contenta de sourire.

Frédéric se fit ramener vers les boulevards, indigné du temps perdu, furieux contre le Citoyen, implorant sa présence comme celle d'un dieu, et bien résolu à l'extraire du fond des caves les plus lointaines. Sa voiture l'agaçait, il la renvoya ; ses idées se brouillaient ; puis tous les noms des cafés qu'il avait entendu prononcer par cet imbécile jaillirent de sa mémoire, à la fois, comme les mille pièces d'un feu d'artifice : café Gascard, café Grimbert, café Halbout, estaminet [1] Bordelais, Havanais, Havrais, Bœuf-à-la-Mode, brasserie Allemande, Mère-Morel ; et il se transporta dans tous successivement. Mais, dans l'un, Regimbart venait de sortir ; dans un autre, il viendrait peut-être ; dans un troisième, on ne l'avait pas vu depuis six mois ; ailleurs, il avait commandé, hier, un gigot pour samedi. Enfin, chez Vautier, limonadier, Frédéric, ouvrant la porte, se heurta contre le garçon.

– « Connaissez-vous M. Regimbart ? »

– « Comment, monsieur, si je le connais ? C'est moi qui ai l'honneur de le servir. Il est en haut ; il achève de dîner ! »

Et, la serviette sous le bras, le maître de l'établissement, lui-même, l'aborda :

– « Vous demandez M. Regimbart, monsieur ? Il était ici à l'instant. »

Frédéric poussa un juron, mais le limonadier affirma qu'il le trouverait chez Bouttevilain, infailliblement.

– « Je vous en donne ma parole d'honneur ! Il est parti un peu plus tôt que de coutume, car il a un rendez-vous d'affaires avec des messieurs. Mais vous le trouverez, je vous le répète, chez Bouttevilain, rue Saint-Martin, 92, deuxième perron, à gauche, au fond de la cour, entresol, porte à droite ! »

Enfin, il l'aperçut à travers la fumée des pipes, seul, au fond de l'arrière-buvette après le billard, une chope devant lui, le menton baissé et dans une attitude méditative.

– « Ah ! il y a longtemps que je vous cherchais, vous ! »

Sans s'émouvoir, Regimbart lui tendit deux doigts seulement, et comme s'il l'avait vu la veille, il débita plusieurs phrases insignifiantes sur l'ouverture de la session.

Frédéric l'interrompit, en lui disant, de l'air le plus naturel qu'il put :

– « Arnoux va bien ? »

La réponse fut longue à venir, Regimbart se gargarisait avec son liquide.

– « Oui, pas mal ! »

---

1. Voir la note 2, p. 91.

– « Où demeure-t-il donc, maintenant ? »

– « Mais... rue Paradis-Poissonnière[1] », répondit le Citoyen étonné.

– « Quel numéro ? »

– « Trente-sept, parbleu, vous êtes drôle ! »

Frédéric se leva.

– « Comment, vous partez ? »

– « Oui, oui, j'ai une course, une affaire que j'oubliais ! Adieu ! »

Frédéric alla de l'estaminet[2] chez Arnoux, comme soulevé par un vent tiède et avec l'aisance extraordinaire que l'on éprouve dans les songes.

Il se trouva bientôt à un second étage, devant une porte dont la sonnette retentissait ; une servante parut ; une seconde porte s'ouvrit ; Mme Arnoux était assise près du feu. Arnoux fit un bond et l'embrassa. Elle avait sur ses genoux un petit garçon de trois ans, à peu près ; sa fille, grande comme elle maintenant, se tenait debout, de l'autre côté de la cheminée.

– « Permettez-moi de vous présenter ce monsieur-là », dit Arnoux, en prenant son fils par les aisselles.

Et il s'amusa quelques minutes à le faire sauter en l'air, très haut, pour le recevoir au bout de ses bras.

– « Tu vas le tuer ! ah ! mon Dieu ! finis donc ! » s'écriait Mme Arnoux.

Mais Arnoux, jurant qu'il n'y avait pas de danger, continuait, et même zézayait des caresses en patois marseillais, son langage natal : – « Ah ! brave pichoûn, mon poulit rossignolet ! » Puis il demanda à Frédéric pourquoi il avait été si longtemps sans leur écrire, ce qu'il avait pu faire là-bas, ce qui le ramenait.

– « Moi, à présent, cher ami, je suis marchand de faïences. Mais causons de vous ! »

Frédéric allégua un long procès, la santé de sa mère ; il insista beaucoup là-dessus, afin de se rendre intéressant.

---

1. La rue Paradis-Poissonnière est l'actuelle rue de Paradis, sise dans le faubourg Poissonnière (voir la note 3, p. 88).
2. Voir la note 2, p. 91.

Bref, il se fixait à Paris, définitivement cette fois ; et il ne dit rien de l'héritage, – dans la peur de nuire à son passé.

Les rideaux, comme les meubles, étaient en damas[1] de laine marron ; deux oreillers se touchaient contre le traversin ; une bouillotte chauffait dans les charbons ; et l'abat-jour de la lampe, posée au bord de la commode, assombrissait l'appartement. Mme Arnoux avait une robe de chambre en mérinos[2] gros bleu. Le regard tourné vers les cendres et une main sur l'épaule du petit garçon, elle défaisait, de l'autre, le lacet de la brassière ; le mioche en chemise pleurait tout en se grattant la tête, comme M. Alexandre fils.

Frédéric s'était attendu à des spasmes de joie ; – mais les passions s'étiolent quand on les dépayse, et, ne retrouvant plus Mme Arnoux dans le milieu où il l'avait connue, elle lui semblait avoir perdu quelque chose, porter confusément comme une dégradation, enfin n'être pas la même. Le calme de son cœur le stupéfiait. Il s'informa des anciens amis, de Pellerin, entre autres.

– « Je ne le vois pas souvent », dit Arnoux.

Elle ajouta :

– « Nous ne recevons plus, comme autrefois ! »

Était-ce pour l'avertir qu'on ne lui ferait aucune invitation ? Mais Arnoux, poursuivant ses cordialités, lui reprocha de n'être pas venu dîner avec eux, à l'improviste ; et il expliqua pourquoi il avait changé d'industrie.

– « Que voulez-vous faire dans une époque de décadence comme la nôtre ? La grande peinture est passée de mode ! D'ailleurs, on peut mettre de l'art partout. Vous savez, moi, j'aime le Beau ! Il faudra un de ces jours que je vous mène à ma fabrique. »

Et il voulut lui montrer, immédiatement, quelques-uns de ses produits dans son magasin à l'entresol.

Les plats, les soupières, les assiettes et les cuvettes encombraient le plancher. Contre les murs étaient dressés de larges carreaux de pavage pour salles de bains et cabinets de toilette, avec sujets mythologiques dans le style de la Renaissance,

---

1. Voir la note 5, p. 71.
2. Le mérinos désigne le tissu fait à partir de la laine du mouton espagnol appelé mérinos.

tandis qu'au milieu une double étagère, montant jusqu'au plafond, supportait des vases à contenir la glace, des pots à fleurs, des candélabres, de petites jardinières et de grandes statuettes polychromes [1] figurant un nègre ou une bergère pompadour [2]. Les démonstrations d'Arnoux ennuyaient Frédéric, qui avait froid et faim.

Il courut au café Anglais [3], y soupa splendidement, et, tout en mangeant, il se disait :

– « J'étais bien bon là-bas avec mes douleurs ! À peine si elle m'a reconnu ! quelle bourgeoise ! »

Et, dans un brusque épanouissement de santé, il se fit des résolutions d'égoïsme. Il se sentait le cœur dur comme la table où ses coudes posaient. Donc, il pouvait, maintenant, se jeter au milieu du monde, sans peur. L'idée des Dambreuse lui vint ; il les utiliserait ; puis il se rappela Deslauriers. « Ah ! ma foi, tant pis ! » Cependant, il lui envoya, par un commissionnaire, un billet lui donnant rendez-vous le lendemain au Palais-Royal, afin de déjeuner ensemble.

La fortune n'était pas si douce pour celui-là.

Il s'était présenté au concours d'agrégation avec une thèse sur *le droit de tester* [4], où il soutenait qu'on devait le restreindre autant que possible ; – et, son adversaire l'excitant à lui faire dire des sottises, il en avait dit beaucoup, sans que les examinateurs bronchassent. Puis le hasard avait voulu qu'il tirât au sort, pour sujet de leçon, la prescription [5]. Alors, Deslauriers s'était livré à des théories déplorables ; les vieilles contestations devaient se produire comme les nouvelles ; pourquoi le propriétaire serait-il privé de son bien parce qu'il n'en peut fournir les titres qu'après trente

---

1. Est polychrome ce qui présente plusieurs couleurs.
2. Le style Pompadour (du nom de la favorite de Louis XV, la marquise de Pompadour) se caractérise par la recherche du joli et apparaît dans les peintures de Boucher, les architectures à volutes, les grottes de rocailles, les petits temples et les porcelaines de Sèvres.
3. Le café Anglais était un établissement très réputé, situé sur le boulevard des Italiens, au niveau de la rue Marivaux (actuel IIe arrondissement ; voir le dossier, p. 583).
4. Tester, c'est disposer de ses biens après sa mort par testament.
5. D'après le code civil, la prescription est le moyen d'acquérir ou de se libérer après un certain laps de temps, et sous les conditions déterminées par la loi.

et un ans révolus ? C'était donner la sécurité de l'honnête homme à l'héritier du voleur enrichi. Toutes les injustices étaient consacrées par une extension de ce droit, qui était la tyrannie, l'abus de la force ! Il s'était même écrié :

– « Abolissons-le ; et les Francs ne pèseront plus sur les Gaulois [1], les Anglais sur les Irlandais, les Yankees sur les Peaux-Rouges, les Turcs sur les Arabes, les blancs sur les nègres, la Pologne… »

Le président l'avait interrompu :

– « Bien ! bien ! monsieur ! nous n'avons que faire de vos opinions politiques, vous vous représenterez plus tard ! »

Deslauriers n'avait pas voulu se représenter. Mais ce malheureux titre XX du IIIᵉ livre du Code civil était devenu pour lui une montagne d'achoppement. Il élaborait un grand ouvrage sur *La Prescription, considérée comme base du droit civil et du droit naturel des peuples* ; et il était perdu dans Dunod, Rogérius, Balbus, Merlin, Vazeille, Savigny, Troplong [2], et autres lectures considérables. Afin de s'y livrer plus à l'aise, il s'était démis de sa place de maître-clerc. Il vivait en donnant des répétitions [3], en fabriquant des thèses ; et, aux séances de la Parlotte [4], il effrayait par sa virulence le parti conservateur, tous les jeunes doctrinaires issus de M. Guizot [5], – si bien qu'il avait, dans un certain monde, une espèce de célébrité, quelque peu mêlée de défiance pour sa personne.

Il arriva au rendez-vous, portant un gros paletot doublé de flanelle rouge, comme celui de Sénécal autrefois.

---

1. Selon l'historiographie d'Augustin Thierry (1795-1856), la noblesse descendait des Francs, c'est-à-dire de Germains venus s'établir en Gaule et ayant pris le dessus sur les populations autochtones, les Gaulois.
2. Le jurisconsulte Dunod de Charnage est l'auteur d'un remarquable *Traité des prescriptions* (1734). Lucius Lucinius Balbus est un jurisconsulte romain du Iᵉʳ siècle av. J.-C. Le jurisconsulte et homme d'État Merlin de Douai (1754-1838) s'est fait remarquer par un rapport à l'Assemblée constituante sur la loi des successions *ab intestat*, et est à l'origine de la rédaction de nombreux traités de droit. Savigny, jurisconsulte allemand, est célèbre pour son *Traité de la possession* (1830) ; et Troplong, magistrat et homme politique, a écrit, entre autres, un traité *De la prescription* (1835).
3. Voir la note 2, p. 72.
4. Voir la note 2, p. 147.
5. Voir la note 5, p. 54.

Le respect humain, à cause du public qui passait, les empêcha de s'étreindre longuement, et ils allèrent jusque chez Véfour [1], bras dessus bras dessous, en ricanant de plaisir, avec une larme au fond des yeux. Puis, dès qu'ils furent seuls, Deslauriers s'écria :

– « Ah ! saprelotte, nous allons nous la repasser douce, maintenant ! »

Frédéric n'aima point cette manière de s'associer, tout de suite, à sa fortune. Son ami témoignait trop de joie pour eux deux, et pas assez pour lui seul.

Ensuite, Deslauriers conta son échec, et peu à peu ses travaux, son existence, parlant de lui-même stoïquement et des autres avec aigreur. Tout lui déplaisait. Pas un homme en place qui ne fût un crétin ou une canaille. Pour un verre mal rincé, il s'emporta contre le garçon, et, sur le reproche anodin de Frédéric :

– « Comme si j'allais me gêner pour de pareils cocos, qui vous gagnent jusqu'à des six et huit mille francs par an, qui sont électeurs, éligibles [2] peut-être ! Ah non, non ! »

Puis, d'un air enjoué :

– « Mais j'oublie que je parle à un capitaliste, à un Mondor [3], car tu es un Mondor, maintenant ! »

Et, revenant sur l'héritage, il exprima cette idée : que les successions collatérales [4] (chose injuste en soi, bien qu'il se réjouît de celle-là) seraient abolies, un de ces jours, à la prochaine révolution.

– « Tu crois ? » dit Frédéric.

– « Compte dessus ! » répondit-il. « Ça ne peut pas durer ! on souffre trop ! Quand je vois dans la misère des gens comme Sénécal… »

---

1. Le Véfour était (et est toujours) un établissement situé dans la galerie de Beaujolais au Palais-Royal (voir le dossier, p. 583), fort réputé pour la qualité de sa cuisine.

2. Dans le système électoral censitaire alors en vigueur, il fallait payer un certain montant d'impôts pour être électeur, et un montant plus élevé encore pour être éligible.

3. Au XVIIe siècle, le charlatan Mondor amassa une fortune considérable en vendant des remèdes place Dauphine. Son nom, prédestiné, devint synonyme de Crésus.

4. Est dite collatérale une succession qui se fait entre les membres d'une même famille, descendant d'un auteur commun, mais sans descendre les uns des autres (ici, l'oncle et le neveu).

– « Toujours le Sénécal ! » pensa Frédéric.

– « Quoi de neuf, du reste ? Es-tu encore amoureux de Mme Arnoux ? C'est passé, hein ? »

Frédéric, ne sachant que répondre, ferma les yeux en baissant la tête.

À propos d'Arnoux, Deslauriers lui apprit que son journal appartenait maintenant à Hussonnet, lequel l'avait transformé. Cela s'appelait « L'Art, institut littéraire, société par actions de cent francs chacune ; capital social : quarante mille francs », avec la faculté pour chaque actionnaire de pousser là sa copie ; car « la société a pour but de publier les œuvres des débutants, d'épargner au talent, au génie peut-être, les crises douloureuses qui abreuvent, etc. ; tu vois la blague ! » Il y avait cependant quelque chose à faire, c'était de hausser le ton de ladite feuille, puis tout à coup, gardant les mêmes rédacteurs et promettant la suite du feuilleton, de servir aux abonnés un journal politique ; les avances ne seraient pas énormes.

– « Qu'en penses-tu, voyons ! Veux-tu t'y mettre ? »

Frédéric ne repoussa pas la proposition. Mais il fallait attendre le règlement de ses affaires.

– « Alors, si tu as besoin de quelque chose... »

– « Merci, mon petit ! » dit Deslauriers.

Ensuite, ils fumèrent des puros [1], accoudés sur la planche de velours, au bord de la fenêtre. Le soleil brillait, l'air était doux, des troupes d'oiseaux voletant s'abattaient dans le jardin ; les statues de bronze et de marbre, lavées par la pluie, miroitaient ; des bonnes en tablier causaient assises sur des chaises ; et l'on entendait les rires des enfants, avec le murmure continu que faisait la gerbe du jet d'eau.

Frédéric s'était senti troublé par l'amertume de Deslauriers ; mais, sous l'influence du vin qui circulait dans ses veines, à moitié endormi, engourdi, et recevant la lumière en plein visage, il n'éprouvait plus qu'un immense bien-être, voluptueusement stupide, – comme une plante saturée de chaleur et d'humidité. Deslauriers, les paupières entrecloses, regardait au loin, vaguement. Sa poitrine se gonflait, et il se mit à dire :

---

1. Un puros est une espèce de cigare.

– « Ah ! c'était plus beau, quand Camille Desmoulins [1], debout là-bas sur une table, poussait le peuple à la Bastille ! On vivait dans ce temps-là, on pouvait s'affirmer, prouver sa force ! De simples avocats commandaient à des généraux, des va-nu-pieds battaient les rois, tandis qu'à présent... »

Il se tut, puis tout à coup :

– « Bah ! l'avenir est gros ! »

Et, tambourinant la charge sur les vitres, il déclama ces vers de Barthélemy [2] :

> Elle reparaîtra, la terrible Assemblée
> Dont, après quarante ans, votre tête est troublée,
> Colosse qui sans peur marche d'un pas puissant.

– « Je ne sais plus le reste ! Mais il est tard, si nous partions ? »

Et il continua, dans la rue, à exposer ses théories.

Frédéric, sans l'écouter, observait à la devanture des marchands les étoffes et les meubles convenables pour son installation ; et ce fut peut-être la pensée de Mme Arnoux qui le fit s'arrêter à l'étalage d'un brocanteur, devant trois assiettes de faïence. Elles étaient décorées d'arabesques jaunes, à reflets métalliques, et valaient cent écus la pièce. Il les fit mettre de côté.

– « Moi, à ta place », dit Deslauriers, « je m'achèterais plutôt de l'argenterie », décelant, par cet amour du cossu, l'homme de mince origine.

Dès qu'il fut seul, Frédéric se rendit chez le célèbre Pomadère, où il se commanda trois pantalons, deux habits, une pelisse [3] de fourrure et cinq gilets ; puis chez un bottier, chez un chemisier, et chez un chapelier, ordonnant partout qu'on se hâtât le plus possible.

Trois jours après, le soir, à son retour du Havre, il trouva chez lui sa garde-robe complète ; et, impatient de s'en servir,

---

1. Le révolutionnaire Camille Desmoulins (1760-1794) joua un rôle important dans les journées insurrectionnelles des 12, 13 et 14 juillet 1789. Il était avocat au barreau de Paris.

2. Le poète Auguste Barthélemy (1796-1867) est l'auteur de nombreuses satires en vers contre la monarchie de Juillet.

3. Une pelisse est un manteau.

il résolut de faire à l'instant même une visite aux Dambreuse. Mais il était trop tôt, huit heures à peine.

– « Si j'allais chez les autres ? » se dit-il.

Arnoux, seul, devant sa glace, était en train de se raser. Il lui proposa de le conduire dans un endroit où il s'amuserait, et, au nom de M. Dambreuse :

– « Ah ! ça se trouve bien ! Vous verrez là de ses amis ; venez donc ! ce sera drôle ! »

Frédéric s'excusait, Mme Arnoux reconnut sa voix et lui souhaita le bonjour à travers la cloison, car sa fille était indisposée, elle-même souffrante ; et l'on entendait le bruit d'une cuiller contre un verre, et tout ce frémissement de choses délicatement remuées qui se fait dans la chambre d'un malade. Puis Arnoux disparut pour dire adieu à sa femme. Il entassait les raisons :

– « Tu sais bien que c'est sérieux ! Il faut que j'y aille, j'y ai besoin, on m'attend. »

– « Va, va, mon ami. Amuse-toi ! »

Arnoux héla un fiacre.

– « Palais-Royal ! galerie Montpensier, 7. »

Et, se laissant tomber sur les coussins :

– « Ah ! comme je suis las, mon cher ! j'en crèverai. Du reste, je peux bien vous le dire, à vous. »

Il se pencha vers son oreille, mystérieusement :

– « Je cherche à retrouver le rouge de cuivre des Chinois. »

Et il expliqua ce qu'étaient la couverte et le petit feu [1].

Arrivé chez Chevet, on lui remit une grande corbeille, qu'il fit porter sur le fiacre. Puis il choisit pour « sa pauvre femme » du raisin, des ananas, différentes curiosités de bouche et recommanda qu'elles fussent envoyées de bonne heure, le lendemain.

Ils allèrent ensuite chez un costumier ; c'était d'un bal qu'il s'agissait. Arnoux prit une culotte de velours bleu, une veste pareille, une perruque rouge ; Frédéric un domino [2] ;

---

1. Ces deux expressions appartiennent au vocabulaire technique de la faïence.
2. Voir la note 5, p. 72.

et ils descendirent rue de Laval [1], devant une maison illuminée au second étage par des lanternes de couleur.

Dès le bas de l'escalier, on entendait le bruit des violons.

– « Où diable me menez-vous ? » dit Frédéric.

– « Chez une bonne fille ! n'ayez pas peur ! »

Un groom leur ouvrit la porte, et ils entrèrent dans l'antichambre, où des paletots, des manteaux et des châles étaient jetés en pile sur des chaises. Une jeune femme, en costume de dragon [2] Louis XV, la traversait en ce moment-là. C'était Mlle Rose-Annette Bron, la maîtresse du lieu.

– « Eh bien ? » dit Arnoux.

– « C'est fait ! » répondit-elle.

– « Ah ! merci, mon ange ! »

Et il voulut l'embrasser.

– « Prends donc garde, imbécile ! tu vas gâter mon maquillage ! »

Arnoux présenta Frédéric.

– « Tapez là-dedans, monsieur, soyez le bienvenu ! »

Elle écarta une portière derrière elle, et se mit à crier emphatiquement :

– « Le sieur Arnoux, marmiton, et un prince de ses amis ! »

Frédéric fut d'abord ébloui par les lumières ; il n'aperçut que de la soie, du velours, des épaules nues, une masse de couleurs qui se balançait aux sons d'un orchestre caché par des verdures, entre des murailles tendues de soie jaune, avec des portraits au pastel, çà et là, et des torchères de cristal en style Louis XVI. De hautes lampes, dont les globes dépolis ressemblaient à des boules de neige, dominaient des corbeilles de fleurs, posées sur des consoles, dans les coins ; – et, en face, après une seconde pièce plus petite, on distinguait, dans une troisième, un lit à colonnes torses, ayant une glace de Venise à son chevet.

Les danses s'arrêtèrent, et il y eut des applaudissements, un vacarme de joie, à la vue d'Arnoux s'avançant avec son panier sur la tête ; les victuailles faisaient bosse au milieu.

---

1. La rue de Laval est aujourd'hui la rue Victor-Massé, entre la rue des Martyrs et la rue Pigalle (IXe arrondissement ; voir le dossier, p. 583).

2. Un dragon est un soldat de cavalerie.

– « Gare au lustre ! » Frédéric leva les yeux : c'était le lustre en vieux saxe [1] qui ornait la boutique de *L'Art industriel* ; le souvenir des anciens jours passa dans sa mémoire, mais un fantassin de la ligne en petite tenue, avec cet air nigaud que la tradition donne aux conscrits, se planta devant lui, en écartant les deux bras pour marquer l'étonnement ; et il reconnut, malgré les effroyables moustaches noires extra-pointues qui le défiguraient, son ancien ami Hussonnet. Dans un charabia moitié alsacien, moitié nègre, le bohème l'accablait de félicitations, l'appelant son colonel. Frédéric, décontenancé par toutes ces personnes ne savait que répondre. Un archet ayant frappé sur un pupitre, danseurs et danseuses se mirent en place.

Ils étaient une soixantaine environ, les femmes pour la plupart en villageoises ou en marquises, et les hommes, presque tous d'âge mûr, en costumes de roulier, de débardeur [2] ou de matelot.

Frédéric, s'étant rangé contre le mur, regarda le quadrille devant lui.

Un vieux beau, vêtu, comme un doge vénitien, d'une longue simarre [3] de soie pourpre, dansait avec Mme Rosanette, qui portait un habit vert, une culotte de tricot et des bottes molles à éperons d'or. Le couple en face se composait d'un Arnaute [4] chargé de yatagans [5] et d'une Suissesse aux yeux bleus, blanche comme du lait, potelée comme une caille, en manches de chemise et corset rouge. Pour faire valoir sa chevelure qui lui descendait jusqu'aux jarrets, une grande blonde, marcheuse [6] à l'Opéra, s'était mise en femme

---

1. Voir la note 2, p. 67.
2. L'ouvrier débardeur avait pour rôle de désunir les trains de bois (voir la note 1, p. 44) arrivés à destination. À partir de 1830, leur costume fut mis à la mode par le dessinateur Gavarni : large pantalon de velours, bourgeron (courte blouse de toile) entré sous la ceinture rouge flottante, et bonnet de police incliné sur l'oreille.
3. Une simarre est une longue robe d'homme ou de femme, faite d'une riche étoffe.
4. Les Arnautes sont une peuplade de l'Empire ottoman, habitant l'Albanie et les régions montagneuses voisines. Elle a fourni ses meilleurs soldats à l'armée turque.
5. Voir la note 7, p. 89.
6. Une marcheuse est une figurante muette dans un spectacle.

sauvage ; et, par-dessus son maillot de couleur brune, n'avait qu'un pagne de cuir, des bracelets de verroterie, et un diadème de clinquant, d'où s'élevait une haute gerbe en plumes de paon. Devant elle, un Pritchard [1], affublé d'un habit noir grotesquement large, battait la mesure avec son coude sur sa tabatière. Un petit berger Watteau [2], azur et argent comme un clair de lune, choquait sa houlette [3] contre le thyrse d'une Bacchante [4], couronnée de raisins, une peau de léopard sur le flanc gauche et des cothurnes [5] à rubans d'or. De l'autre côté une Polonaise, en spencer [6] de velours nacarat [7], balançait son jupon de gaze sur ses bas de soie gris perle, pris dans des bottines roses cerclées de fourrure blanche. Elle souriait à un quadragénaire ventru, déguisé en enfant de chœur, et qui gambadait très haut, levant d'une main son surplis [8] et retenant de l'autre sa calotte rouge. Mais la reine, l'étoile, c'était Mlle Loulou, célèbre danseuse des bals publics. Comme elle se trouvait riche maintenant, elle portait une large collerette de dentelle sur sa veste de velours noir uni ; et son large pantalon de soie ponceau [9], collant sur la croupe et serré à la taille par une écharpe de cachemire, avait, tout le long de la couture, des petits camélias blanc naturels. Sa mine pâle, un peu bouffie et à nez retroussé, semblait plus insolente encore par l'ébouriffure de sa perruque où tenait un chapeau d'homme, en feutre gris, plié d'un coup de poing sur l'oreille droite ; et, dans les

1. Voir la note 3, p. 78.
2. Le peintre Watteau (1684-1721) est célèbre pour ses toiles d'inspiration mythologique et champêtre.
3. La houlette est le bâton du berger, muni à son extrémité d'une plaque de fer en forme de gouttière.
4. Les Bacchantes étaient les prêtresses de Bacchus (dieu romain de la Vigne), toujours représentées échevelées, vêtues de peaux de bêtes ou de robes transparentes. Le thyrse était l'attribut de Bacchus, un bâton entouré de feuilles de lierre ou de vigne, et surmonté d'une pomme de pin.
5. Les cothurnes étaient des chaussures montantes à semelle très épaisse, portées par les comédiens du théâtre antique.
6. Un spencer est une veste courte s'arrêtant à la ceinture.
7. Le nacarat est un rouge clair dont les reflets rappellent ceux de la nacre.
8. Un surplis est un vêtement de lin à manches larges, souvent plissé, que les prêtres portent sur la soutane, et qui descend à mi-jambe.
9. Est ponceau ce qui est de la couleur du coquelicot (rouge vif).

bonds qu'elle faisait, ses escarpins à boucles de diamants atteignaient presque au nez de son voisin, un grand baron moyen âge tout empêtré dans une armure de fer. Il y avait aussi un ange, un glaive d'or à la main, deux ailes de cygne dans le dos, et qui, allant, venant, perdant à toute minute son cavalier, un Louis XIV, ne comprenait rien aux figures et embarrassait la contredanse.

Frédéric, en regardant ces personnes, éprouvait un sentiment d'abandon, un malaise. Il songeait encore à Mme Arnoux et il lui semblait participer à quelque chose d'hostile se tramant contre elle.

Quand le quadrille fut achevé, Mme Rosanette l'aborda. Elle haletait un peu, et son hausse-col[1], poli comme un miroir, se soulevait doucement sous son menton.

– « Et vous, monsieur », dit-elle, « vous ne dansez pas ? » Frédéric s'excusa, il ne savait pas danser.

– « Vraiment ! mais avec moi ? bien sûr ? »

Et, posée sur une seule hanche, l'autre genou un peu rentré, en caressant de la main gauche le pommeau de nacre de son épée, elle le considéra pendant une minute, d'un air moitié suppliant, moitié gouailleur. Enfin elle dit « Bonsoir ! », fit une pirouette, et disparut.

Frédéric, mécontent de lui-même, et ne sachant que faire, se mit à errer dans le bal.

Il entra dans le boudoir, capitonné de soie bleu pâle avec des bouquets de fleurs des champs, tandis qu'au plafond, dans un cercle de bois doré, des Amours, émergeant d'un ciel d'azur, batifolaient sur des nuages en forme d'édredon. Ces élégances, qui seraient aujourd'hui des misères pour les pareilles de Rosanette, l'éblouirent ; et il admira tout : les volubilis[2] artificiels ornant le contour de la glace, les rideaux de la cheminée, le divan turc, et, dans un renfoncement de la muraille, une manière de tente tapissée de soie rose, avec de la mousseline blanche par-dessus. Des meubles noirs à marqueterie de cuivre garnissaient la chambre à

---

1. Le hausse-col est une pièce de l'armure, en acier ou en cuivre, protégeant la base du cou.
2. Les volubilis sont une variété de plantes grimpantes ornementales, à grosses fleurs colorées en forme d'entonnoir.

coucher, où se dressait, sur une estrade couverte d'une peau de cygne, le grand lit à baldaquin et à plumes d'autruche. Des épingles à tête de pierreries fichées dans des pelotes, des bagues traînant sur des plateaux, des médaillons à cercle d'or et des coffrets d'argent se distinguaient dans l'ombre, sous la lueur qu'épanchait une urne de Bohême, suspendue à trois chaînettes. Par une petite porte entrebâillée, on apercevait une serre chaude occupant toute la largeur d'une terrasse, et que terminait une volière à l'autre bout.

C'était bien là un milieu fait pour lui plaire. Dans une brusque révolte de sa jeunesse, il se jura d'en jouir, s'enhardit ; puis, revenu à l'entrée du salon, où il y avait plus de monde maintenant (tout s'agitait dans une sorte de pulvérulence [1] lumineuse), il resta debout à contempler les quadrilles, clignant les yeux pour mieux voir, – et humant les molles senteurs de femmes, qui circulaient comme un immense baiser épandu.

Mais il y avait près de lui, de l'autre côté de la porte, Pellerin ; – Pellerin en grande toilette, le bras gauche dans la poitrine et tenant de la droite, avec son chapeau, un gant blanc, déchiré.

– « Tiens, il y a longtemps qu'on ne vous a vu ! Où diable étiez-vous donc ? parti en voyage, en Italie ? Poncif, hein, l'Italie ? pas si raide qu'on dit ? N'importe ! apportez-moi vos esquisses, un de ces jours ! »

Et, sans attendre sa réponse, l'artiste se mit à parler de lui-même.

Il avait fait beaucoup de progrès, ayant reconnu définitivement la bêtise de la ligne. On ne devait pas tant s'enquérir de la beauté et de l'unité, dans une œuvre, que du caractère et de la diversité des choses.

– « Car tout existe dans la nature, donc tout est légitime, tout est plastique. Il s'agit seulement d'attraper la note, voilà. J'ai découvert le secret ! » Et lui donnant un coup de coude, il répéta plusieurs fois : – « J'ai découvert le secret, vous voyez ! Ainsi regardez-moi cette petite femme à coiffure de sphinx qui danse avec un postillon [2] russe, c'est net,

---

1. La pulvérulence est le caractère de ce qui est à l'état de poudre.
2. Voir la note 2, p. 165.

sec, arrêté, tout en méplats[1] et en tons crus : de l'indigo
sous les yeux, une plaque de cinabre à la joue, du bistre sur
les tempes ; pif ! paf ! » Et il jetait, avec le pouce, comme
des coups de pinceau dans l'air. – « Tandis que la grosse, là-
bas », continua-t-il en montrant une poissarde[2], en robe
cerise avec une croix d'or au cou et un fichu de linon[3] noué
dans le dos, – « rien que des rondeurs ; les narines s'épatent
comme les ailes de son bonnet, les coins de la bouche se
relèvent, le menton s'abaisse, tout est gras, fondu, copieux,
tranquille et soleillant[4], un vrai Rubens ! Elles sont par-
faites cependant ! Où est le type alors ? » Il s'échauffait.
« Qu'est-ce qu'une belle femme ? Qu'est-ce que le beau ?
Ah ! le beau ! me direz-vous… » Frédéric l'interrompit pour
savoir ce qu'était un pierrot à profil de bouc, en train de
bénir tous les danseurs au milieu d'une pastourelle[5].

– « Rien du tout ! un veuf, père de trois garçons. Il les
laisse sans culottes, passe sa vie au club, et couche avec la
bonne. »

– « Et celui-là, costumé en bailli[6], qui parle dans
l'embrasure de la fenêtre à une marquise Pompadour[7] ? »

– « La marquise, c'est Mme Vandaël, l'ancienne actrice
du Gymnase[8], la maîtresse du doge, le comte de Palazot.
Voilà vingt ans qu'ils sont ensemble ; on ne sait pourquoi.
Avait-elle de beaux yeux, autrefois, cette femme-là ! Quant
au citoyen près d'elle, on le nomme le capitaine d'Herbigny,
un vieux de la vieille, qui n'a pour toute fortune que sa croix
d'honneur et sa pension, sert d'oncle aux grisettes[9] dans les
solennités, arrange les duels et dîne en ville. »

---

1. Les méplats sont chacun des plans par lesquels on représente ou sug-
gère le modelé des formes.
2. Une poissarde est une femme de la halle, du bas peuple, au langage
grossier.
3. Le linon est un tissu fin et transparent, plus clair que la batiste.
4. D'un emploi rare, « soleillant » (participe présent employé comme
adjectif) signifie : radieux, épanoui.
5. La pastourelle est la quatrième figure d'un quadrille.
6. Au Moyen Âge, le bailli était un officier d'épée ou de robe qui rendait
la justice au nom du roi ou d'un seigneur.
7. Voir la note 2, p. 175.
8. Voir la note 3, p. 169.
9. Voir la note 3, p. 125.

– « Une canaille ? » dit Frédéric.

– « Non ! un honnête homme ! »

– « Ah ! »

L'artiste lui en nomma d'autres encore, quand, apercevant un monsieur qui portait comme les médecins de Molière une grande robe de serge [1] noire, mais bien ouverte de haut en bas, afin de montrer toutes ses breloques :

– « Ceci vous représente le docteur Des Rogis, enragé de n'être pas célèbre, a écrit un livre de pornographie médicale, cire volontiers les bottes dans le grand monde, est discret ; ces dames l'adorent. Lui et son épouse (cette maigre châtelaine en robe grise) se trimbalent ensemble dans tous les endroits publics, et autres. Malgré la gêne du ménage, on a *un jour*, – thés artistiques où il se dit des vers. – Attention ! »

En effet, le Docteur les aborda ; et bientôt ils formèrent tous les trois, à l'entrée du salon, un groupe de causeurs, où vint s'adjoindre Hussonnet, puis l'amant de la Femme-Sauvage, un jeune poète, exhibant, sous un court mantel à la François Ier, la plus piètre des anatomies, et enfin un garçon d'esprit, déguisé en Turc de barrière. Mais sa veste à galons jaunes avait si bien voyagé sur le dos des dentistes ambulants, son large pantalon à plis était d'un rouge si déteint, son turban roulé comme une anguille à la tartare d'un aspect si pauvre, tout son costume enfin tellement déplorable et réussi, que les femmes ne dissimulaient pas leur dégoût. Le Docteur l'en consola par de grands éloges sur la Débardeuse [2] sa maîtresse. Ce Turc était fils d'un banquier.

Entre deux quadrilles, Rosanette se dirigea vers la cheminée, où était installé, dans un fauteuil, un petit vieillard replet, en habit marron, à boutons d'or. Malgré ses joues flétries qui tombaient sur sa haute cravate blanche, ses cheveux encore blonds, et frisés naturellement comme les poils d'un caniche, lui donnaient quelque chose de folâtre.

Elle l'écouta, penchée vers son visage. Ensuite, elle lui accommoda un verre de sirop ; et rien n'était mignon comme ses mains sous leurs manches de dentelles qui

---

1. La serge est un tissu de laine, sec et serré.
2. Voir la note 2, p. 182.

dépassaient les parements de l'habit vert. Quand le bonhomme eut bu, il les baisa.

– « Mais c'est M. Oudry, le voisin d'Arnoux ! »

– « Il l'a perdu ! » dit en riant Pellerin.

– « Comment ? »

Un postillon de Longjumeau [1] la saisit par la taille, une valse commençait. Alors, toutes les femmes, assises autour du salon sur des banquettes, se levèrent à la file, prestement ; et leurs jupes, leurs écharpes, leurs coiffures se mirent à tourner.

Elles tournaient si près de lui, que Frédéric distinguait les gouttelettes de leur front ; – et ce mouvement giratoire de plus en plus vif et régulier, vertigineux, communiquant à sa pensée une sorte d'ivresse, y faisait surgir d'autres images, tandis que toutes passaient dans le même éblouissement, et chacune avec une excitation particulière selon le genre de sa beauté. La Polonaise, qui s'abandonnait d'une façon langoureuse, lui inspirait l'envie de la tenir contre son cœur, en filant tous les deux dans un traîneau sur une plaine couverte de neige. Des horizons de volupté tranquille, au bord d'un lac, dans un chalet, se déroulaient sous les pas de la Suissesse, qui valsait le torse droit et les paupières baissées. Puis, tout à coup, la Bacchante [2], penchant en arrière sa tête brune, le faisait rêver à des caresses dévoratrices, dans des bois de lauriers-roses, par un temps d'orage, au bruit confus des tambourins. La Poissarde [3], que la mesure trop rapide essoufflait, poussait des rires ; et il aurait voulu, buvant avec elle aux Porcherons [4], chiffonner à pleines mains son fichu, comme au bon vieux temps. Mais la Débardeuse, dont les orteils légers effleuraient à peine le parquet, semblait receler dans la souplesse de ses membres et le sérieux de son visage tous les raffinements de l'amour moderne, qui a la justesse d'une science et la mobilité d'un oiseau. Rosanette tournait,

---

1. Le postillon de Longjumeau était le personnage principal et éponyme d'une opérette à succès d'Adam, créée à l'Opéra-Comique en 1836.

2. Voir la note 4, p. 183.

3. Voir la note 2, p. 186.

4. Les Porcherons étaient un hameau situé au nord-ouest de l'ancien Paris et fort à la mode pendant le XVIIIe siècle. C'était un lieu de plaisir où abondaient les guinguettes.

le poing sur la hanche ; sa perruque à marteau [1], sautillant sur son collet, envoyait de la poudre d'iris autour d'elle ; et, à chaque tour, du bout de ses éperons d'or, elle manquait d'attraper Frédéric.

Au dernier accord de la valse, Mlle Vatnaz parut. Elle avait un mouchoir algérien sur la tête, beaucoup de piastres sur le front, de l'antimoine [2] au bord des yeux, avec une espèce de paletot en cachemire noir tombant sur un jupon clair, lamé d'argent, et elle tenait un tambour de basque [3] à la main.

Derrière son dos marchait un grand garçon, dans le costume classique du Dante [4], et qui était (elle ne s'en cachait plus, maintenant) l'ancien chanteur de l'Alhambra, – lequel, s'appelant Auguste Delamare, s'était fait appeler primitivement Anténor Dellamarre, puis Delmas, puis Belmar, et enfin Delmar, modifiant ainsi et perfectionnant son nom, d'après sa gloire croissante ; car il avait quitté le bastringue pour le théâtre, et venait même de débuter bruyamment à l'Ambigu, dans *Gaspardo le Pêcheur* [5].

Hussonnet, en l'apercevant, se renfrogna. Depuis qu'on avait refusé sa pièce, il exécrait les comédiens. On n'imaginait pas la vanité de ces messieurs, de celui-là, surtout ! – « Quel poseur, voyez donc ! »

Après un léger salut à Rosanette, Delmar s'était adossé à la cheminée ; et il restait immobile, une main sur le cœur, le pied gauche en avant, les yeux au ciel, avec sa couronne de lauriers dorés par-dessus son capuchon, tout en s'efforçant de mettre dans son regard beaucoup de poésie, pour fasciner les dames. On faisait, de loin, un grand cercle autour de lui.

Mais la Vatnaz, quand elle eut embrassé longuement Rosanette, s'en vint prier Hussonnet de revoir, sous le point

---

1. Ici, un marteau est une boucle de cheveux roulés en forme de tube plus ou moins long, maintenus par des épingles et se coiffant au-dessus des oreilles.
2. L'antimoine est une poudre utilisée en Orient pour noircir le tour des yeux.
3. Un tambour de basque est un petit tambour à grelots.
4. Le poète italien Dante (1265-1321) est le célèbre auteur de *La Divine Comédie*.
5. *Gaspardo le Pêcheur* est un mélodrame de Bouchardy (1837), qui eut de très nombreuses représentations.

de vue du style, un ouvrage d'éducation qu'elle voulait publier : *La Guirlande des jeunes personnes*, recueil de littérature et de morale. L'homme de lettres promit son concours. Alors, elle lui demanda s'il ne pourrait pas, dans une des feuilles où il avait accès, faire mousser quelque peu son ami, et même lui confier plus tard un rôle. Hussonnet en oublia de prendre un verre de punch.

C'était Arnoux qui l'avait fabriqué ; et, suivi par le groom du comte portant un plateau vide, il l'offrait aux personnes avec satisfaction.

Quand il vint à passer devant M. Oudry, Rosanette l'arrêta.

– « Eh bien, et cette affaire ? »

Il rougit quelque peu ; enfin, s'adressant au bonhomme :

– « Notre amie m'a dit que vous auriez l'obligeance... »

– « Comment donc, mon voisin ! tout à vous. »

Et le nom de M. Dambreuse fut prononcé ; comme ils s'entretenaient à demi-voix, Frédéric les entendait confusément ; il se porta vers l'autre coin de la cheminée, où Rosanette et Delmar causaient ensemble.

Le cabotin[1] avait une mine vulgaire, faite comme les décors de théâtre pour être contemplée à distance, des mains épaisses, de grands pieds, une mâchoire lourde ; et il dénigrait les acteurs les plus illustres, traitait de haut les poètes, disait : « mon organe, mon physique, mes moyens », en émaillant son discours de mots peu intelligibles pour lui-même, et qu'il affectionnait, tels que « morbidezza[2], analogue et homogénéité ».

Rosanette l'écoutait avec de petits mouvements de tête approbatifs. On voyait l'admiration s'épanouir sous le fard de ses joues, et quelque chose d'humide passait comme un voile sur ses yeux clairs, d'une indéfinissable couleur. Comment un pareil homme pouvait-il la charmer ? Frédéric s'excitait intérieurement à le mépriser encore plus, pour bannir, peut-être, l'espèce d'envie qu'il lui portait.

---

1. Un cabotin est un comédien sans talent, un mauvais acteur.
2. Le terme italien *morbidezza* (morbidesse, en français) caractérise la grâce un peu maladive, alanguie, de quelqu'un.

Mlle Vatnaz était maintenant avec Arnoux ; et, tout en riant très haut, de temps à autre, elle jetait un coup d'œil sur son amie, que M. Oudry ne perdait pas de vue.

Puis Arnoux et la Vatnaz disparurent ; le bonhomme vint parler bas à Rosanette.

– « Eh bien, oui, c'est convenu ! Laissez-moi tranquille. »

Et elle pria Frédéric d'aller voir dans la cuisine si M. Arnoux n'y était pas.

Un bataillon de verres à moitié pleins couvrait le plancher ; et les casseroles, les marmites, la turbotière [1], la poêle à frire sautaient. Arnoux commandait aux domestiques en les tutoyant, battait la rémolade [2], goûtait les sauces, rigolait avec la bonne.

– « Bien », dit-il, « avertissez-la ! Je fais servir. »

On ne dansait plus, les femmes venaient de se rasseoir, les hommes se promenaient. Au milieu du salon, un des rideaux tendus sur une fenêtre se bombait au vent ; et la Sphinx, malgré les observations de tout le monde, exposait au courant d'air ses bras en sueur. Où donc était Rosanette ? Frédéric la chercha plus loin, jusque dans le boudoir et dans la chambre. Quelques-uns, pour être seuls, ou deux à deux, s'y étaient réfugiés. L'ombre et les chuchotements se mêlaient. Il y avait de petits rires sous des mouchoirs, et l'on entrevoyait au bord des corsages des frémissements d'éventails, lents et doux comme des battements d'aile d'oiseau blessé.

En entrant dans la serre, il vit, sous les larges feuilles d'un caladium [3], près le jet d'eau, Delmar, couché à plat ventre sur le canapé de toile ; Rosanette, assise près de lui, avait la main passée dans ses cheveux ; et ils se regardaient. Au même moment, Arnoux entra par l'autre côté, celui de la volière. Delmar se leva d'un bond, puis il sortit à pas tranquilles sans se retourner ; et même, s'arrêta près de la porte, pour cueillir une fleur d'hibiscus dont il garnit sa boutonnière. Rosanette pencha le visage ; Frédéric, qui la voyait de profil, s'aperçut qu'elle pleurait.

---

1. Une turbotière est un récipient long et ovale destiné à la cuisson des poissons plats (turbots, limandes, soles…).
2. La rémolade, ou rémoulade, est une sorte de sauce piquante.
3. Le caladium est une plante ornementale, à larges feuilles colorées et marbrées, originaire des tropiques.

– « Tiens ! qu'as-tu donc ? » dit Arnoux.

Elle haussa les épaules sans répondre.

– « Est-ce à cause de lui ? » reprit-il.

Elle étendit les bras autour de son cou, et, le baisant au front, lentement :

– « Tu sais bien que je t'aimerai toujours, mon gros. N'y pensons plus ! Allons souper ! »

Un lustre de cuivre à quarante bougies éclairait la salle, dont les murailles disparaissaient sous de vieilles faïences accrochées ; et cette lumière crue, tombant d'aplomb, rendait plus blanc encore, parmi les hors-d'œuvre et les fruits, un gigantesque turbot occupant le milieu de la nappe, bordée par des assiettes pleines de potage à la bisque. Avec un froufrou d'étoffes, les femmes, tassant leurs jupes, leurs manches et leurs écharpes, s'assirent les unes près des autres ; les hommes, debout, s'établirent dans les angles. Pellerin et M. Oudry furent placés près de Rosanette ; Arnoux était en face. Palazot et son amie venaient de partir.

– « Bon voyage ! » dit-elle, « attaquons ! »

Et l'Enfant de chœur, homme facétieux, en faisant un grand signe de croix, commença le *Benedicite*[1].

Les dames furent scandalisées, et principalement la Poissarde[2], mère d'une fille dont elle voulait faire une femme honnête. Arnoux, non plus, « n'aimait pas ça », trouvant qu'on devait respecter la religion.

Une horloge allemande, munie d'un coq, carillonnant deux heures, provoqua sur le coucou force plaisanteries. Toutes sortes de propos s'ensuivirent : calembours, anecdotes, vantardises, gageures, mensonges tenus pour vrais, assertions improbables, un tumulte de paroles qui bientôt s'éparpilla en conversations particulières. Les vins circulaient, les plats se succédaient, le Docteur découpait. On se lançait de loin une orange, un bouchon ; on quittait sa place pour causer avec quelqu'un. Souvent Rosanette se tournait vers Delmar, immobile derrière elle ; Pellerin bavardait, M. Oudry souriait. Mlle Vatnaz mangea presque à elle seule

---

1. Le *Benedicite* est la prière d'action de grâces que les chrétiens récitent avant le repas.

2. Voir la note 2, p. 186.

le buisson d'écrevisses, et les carapaces sonnaient sous ses longues dents. L'Ange, posée sur le tabouret du piano (seul endroit où ses ailes lui permissent de s'asseoir), mastiquait placidement, sans discontinuer.

– « Quelle fourchette ! » répétait l'Enfant de chœur ébahi, « quelle fourchette ! »

Et la Sphinx buvait de l'eau-de-vie, criait à plein gosier, se démenait comme un démon. Tout à coup ses joues s'enflèrent, et, ne résistant plus au sang qui l'étouffait, elle porta sa serviette contre ses lèvres, puis la jeta sous la table.

Frédéric l'avait vue.

– « Ce n'est rien ! »

Et, à ses instances pour partir et se soigner, elle répondit lentement :

– « Bah ! à quoi bon ? autant ça qu'autre chose ! la vie n'est pas si drôle ! »

Alors, il frissonna, pris d'une tristesse glaciale, comme s'il avait aperçu des mondes entiers de misère et de désespoir, un réchaud de charbon près d'un lit de sangle, et les cadavres de la morgue en tablier de cuir, avec le robinet d'eau froide qui coule sur leurs cheveux.

Cependant, Hussonnet, accroupi aux pieds de la Femme-Sauvage, braillait d'une voix enrouée, pour imiter l'acteur Grassot[1] :

– « Ne sois pas cruelle, ô Céluta[2] ! Cette petite fête de famille est charmante ! Enivrez-moi de voluptés, mes amours ! Folichonnons ! folichonnons ! »

Et il se mit à baiser les femmes sur l'épaule. Elles tressaillaient, piquées par ses moustaches ; puis il imagina de casser contre sa tête une assiette, en la heurtant d'un petit coup. D'autres l'imitèrent ; les morceaux de faïence volaient comme des ardoises par un grand vent, et la Débardeuse[3] s'écria :

---

1. Sa voix fêlée valut à Auguste Grassot (1804-1860) une immense popularité dans les rôles comiques.
2. Céluta est l'une des héroïnes des *Natchez* de Chateaubriand (1826). Aimant passionnément René, elle refuse les avances du chef Onduré qui la viole.
3. Voir la note 2, p. 182.

– « Ne vous gênez pas ! Ça ne coûte rien ! Le bourgeois qui en fabrique nous en cadote ! »

Tous les yeux se portèrent sur Arnoux. Il répliqua :

– « Ah ! sur facture, permettez ! » tenant, sans doute, à passer pour n'être pas, ou n'être plus l'amant de Rosanette.

Mais deux voix furieuses s'élevèrent :

– « Imbécile ! »

– « Polisson ! »

– « À vos ordres ! »

– « Aux vôtres ! »

C'était le Chevalier moyen âge et le Postillon [1] russe qui se disputaient ; celui-ci ayant soutenu que les armures dispensaient d'être brave, l'autre avait pris cela pour une injure. Il voulait se battre, tous s'interposaient, et le Capitaine, au milieu du tumulte, tâchait de se faire entendre.

– « Messieurs, écoutez-moi ! un mot ! J'ai de l'expérience, messieurs ! »

Rosanette, ayant frappé avec son couteau sur un verre, finit par obtenir du silence ; et, s'adressant au Chevalier qui gardait son casque, puis au Postillon coiffé d'un bonnet à longs poils :

– « Retirez d'abord votre casserole ! ça m'échauffe ! – et vous, là-bas, votre tête de loup. – Voulez-vous bien m'obéir, saprelotte ! Regardez donc mes épaulettes ! Je suis votre maréchale ! »

Ils s'exécutèrent, et tous applaudirent en criant :

– « Vive la Maréchale ! vive la Maréchale ! »

Alors, elle prit sur le poêle une bouteille de vin de Champagne, et elle le versa de haut, dans les coupes qu'on lui tendait. Comme la table était trop large, les convives, les femmes surtout, se portèrent de son côté, en se dressant sur la pointe des pieds, sur les barreaux des chaises, ce qui forma pendant une minute un groupe pyramidal de coiffures, d'épaules nues, de bras tendus, de corps penchés ; – et de longs jets de vin rayonnaient dans tout cela, car le Pierrot et Arnoux, aux deux angles de la salle, lâchant chacun une bouteille, éclaboussaient les visages. Les petits oiseaux de la volière, dont on avait laissé la porte ouverte, envahirent la

---

1. Voir la note 2, p. 165.

salle, tout effarouchés, voletant autour du lustre, se cognant contre les carreaux, contre les meubles ; et quelques-uns, posés sur les têtes, faisaient au milieu des chevelures comme de larges fleurs.

Les musiciens étaient partis. On tira le piano de l'antichambre dans le salon. La Vatnaz s'y mit, et, accompagnée de l'Enfant de chœur qui battait du tambour de basque [1], elle entama une contredanse avec furie, tapant les touches comme un cheval qui piaffe, et se dandinant de la taille, pour mieux marquer la mesure. La Maréchale entraîna Frédéric, Hussonnet faisait la roue, la Débardeuse se disloquait comme un clown, le Pierrot avait des façons d'orangoutang, la Sauvagesse, les bras écartés, imitait l'oscillation d'une chaloupe. Enfin tous, n'en pouvant plus, s'arrêtèrent ; et on ouvrit une fenêtre.

Le grand jour entra, avec la fraîcheur du matin. Il y eut une exclamation d'étonnement, puis un silence. Les flammes jaunes vacillaient, en faisant de temps à autre éclater leurs bobèches [2] ; des rubans, des fleurs et des perles jonchaient le parquet ; des taches de punch et de sirop poissaient les consoles ; les tentures étaient salies, les costumes fripés, poudreux ; les nattes pendaient sur les épaules ; et le maquillage, coulant avec la sueur, découvrait des faces blêmes, dont les paupières rouges clignotaient.

La Maréchale, fraîche comme au sortir d'un bain, avait les joues roses, les yeux brillants. Elle jeta au loin sa perruque ; et ses cheveux tombèrent autour d'elle comme une toison, ne laissant voir de tout son vêtement que sa culotte, ce qui produisit un effet à la fois comique et gentil.

La Sphinx, dont les dents claquaient de fièvre, eut besoin d'un châle.

Rosanette courut dans sa chambre pour le chercher, et, comme l'autre la suivait, elle lui ferma la porte au nez, vivement.

Le Turc observa, tout haut, qu'on n'avait pas vu sortir M. Oudry. Aucun ne releva cette malice, tant on était fatigué.

---

1. Voir la note 3, p. 189.
2. La bobèche est le disque légèrement concave adapté au chandelier et destiné à recueillir la cire coulant de la bougie.

Puis, en attendant les voitures, on s'embobelina dans les capelines et les manteaux. Sept heures sonnèrent. L'Ange était toujours dans la salle, attablée devant une compote de beurre et de sardines ; et la Poissarde, près d'elle, fumait des cigarettes, tout en lui donnant des conseils sur l'existence.

Enfin, les fiacres étant survenus, les invités s'en allèrent. Hussonnet, employé dans une correspondance pour la province, devait lire avant son déjeuner cinquante-trois journaux ; la Sauvagesse avait une répétition à son théâtre, Pellerin un modèle, l'Enfant de chœur trois rendez-vous. Mais l'Ange, envahie par les premiers symptômes d'une indigestion, ne put se lever. Le Baron moyen âge la porta jusqu'au fiacre.

– « Prends garde à ses ailes ! » cria par la fenêtre la Débardeuse.

On était sur le palier quand Mlle Vatnaz dit à Rosanette :

– « Adieu, chère ! C'était très bien, ta soirée. »

Puis se penchant à son oreille :

– « Garde-le ! »

– « Jusqu'à des temps meilleurs », reprit la Maréchale en tournant le dos, lentement.

Arnoux et Frédéric s'en revinrent ensemble, comme ils étaient venus. Le marchand de faïence avait un air tellement sombre, que son compagnon le crut indisposé.

– « Moi ? pas du tout ! »

Il se mordait la moustache, fronçait les sourcils, et Frédéric lui demanda si ce n'était pas ses affaires qui le tourmentaient.

– « Nullement ! »

Puis tout à coup :

– « Vous le connaissiez, n'est-ce pas, le père Oudry ? »

Et, avec une expression de rancune :

– « Il est riche, le vieux gredin ! »

Ensuite, Arnoux parla d'une cuisson importante que l'on devait finir aujourd'hui, à sa fabrique. Il voulait la voir. Le train partait dans une heure. « Il faut cependant que j'aille embrasser ma femme. »

– « Ah ! sa femme ! » pensa Frédéric.

Puis il se coucha, avec une douleur intolérable à l'occiput ; et il but une carafe d'eau, pour calmer sa soif.

Une autre soif lui était venue, celle des femmes, du luxe et de tout ce que comporte l'existence parisienne. Il se sentait quelque peu étourdi, comme un homme qui descend d'un vaisseau ; et, dans l'hallucination du premier sommeil, il voyait passer et repasser continuellement les épaules de la Poissarde, les reins de la Débardeuse, les mollets de la Polonaise, la chevelure de la Sauvagesse. Puis deux grands yeux noirs, qui n'étaient pas dans le bal, parurent ; et légers comme des papillons, ardents comme des torches, ils allaient, venaient, vibraient, montaient dans la corniche, descendaient jusqu'à sa bouche. Frédéric s'acharnait à reconnaître ces yeux sans y parvenir. Mais déjà le rêve l'avait pris ; il lui semblait qu'il était attelé près d'Arnoux, au timon [1] d'un fiacre, et que la Maréchale, à califourchon sur lui, l'éventrait avec ses éperons d'or.

---

1. Le timon est la longue pièce de bois disposée longitudinalement à l'avant d'une voiture, et de chaque côté de laquelle on attelle une bête de trait.

II

Frédéric trouva, au coin de la rue Rumford[1], un petit hôtel et il s'acheta, tout à la fois, le coupé[2], le cheval, les meubles et deux jardinières prises chez Arnoux, pour mettre aux deux coins de la porte dans son salon. Derrière cet appartement, étaient une chambre et un cabinet. L'idée lui vint d'y loger Deslauriers. Mais, comment la recevrait-il, *elle*, sa maîtresse future ? La présence d'un ami serait une gêne. Il abattit le refend[3] pour agrandir le salon, et fit du cabinet un fumoir.

Il acheta les poètes qu'il aimait, des Voyages, des Atlas, des Dictionnaires, car il avait des plans de travail sans nombre ; il pressait les ouvriers, courait les magasins, et, dans son impatience de jouir, emportait tout sans marchander.

D'après les notes des fournisseurs, Frédéric s'aperçut qu'il aurait à débourser prochainement une quarantaine de mille francs, non compris les droits de succession, lesquels dépasseraient trente-sept mille ; comme sa fortune était en biens territoriaux, il écrivit au notaire du Havre d'en vendre une partie, pour se libérer de ses dettes et avoir quelque argent à sa disposition. Puis, voulant connaître enfin cette chose vague, miroitante et indéfinissable qu'on appelle *le monde*, il demanda par un billet aux Dambreuse s'ils pouvaient le recevoir. Madame répondit qu'elle espérait sa visite pour le lendemain.

---

1. La rue Rumford se trouvait près de la place Saint-Augustin, dans le faubourg Saint-Honoré (voir le dossier, p. 583), et disparut en 1860 lors du percement des boulevards Haussmann et Malesherbes (actuel VIIIᵉ arrondissement).

2. Voir la note 3, p. 66.

3. Un mur de refend est un mur porteur formant séparation dans l'intérieur d'un bâtiment.

C'était jour de réception. Des voitures stationnaient dans la cour. Deux valets se précipitèrent sous la marquise [1], et un troisième, au haut de l'escalier, se mit à marcher devant lui.

Il traversa une antichambre, une seconde pièce, puis un grand salon à hautes fenêtres, et dont la cheminée monumentale supportait une pendule en forme de sphère, avec deux vases de porcelaine monstrueux où se hérissaient, comme deux buissons d'or, deux faisceaux de bobèches [2]. Des tableaux dans la manière de l'Espagnolet [3] étaient appendus au mur ; les lourdes portières en tapisserie tombaient majestueusement ; et les fauteuils, les consoles, les tables, tout le mobilier, qui était de style Empire, avait quelque chose d'imposant et de diplomatique. Frédéric souriait de plaisir, malgré lui.

Enfin il arriva dans un appartement ovale, lambrissé de bois de rose, bourré de meubles mignons et qu'éclairait une seule glace donnant sur un jardin. Mme Dambreuse était auprès du feu, une douzaine de personnes formant cercle autour d'elle. Avec un mot aimable, elle lui fit signe de s'asseoir, mais sans paraître surprise de ne l'avoir pas vu depuis longtemps.

On vantait, quand il entra, l'éloquence de l'abbé Cœur [4]. Puis on déplora l'immoralité des domestiques, à propos d'un vol commis par un valet de chambre ; et les cancans se déroulèrent. La vieille dame de Sommery avait un rhume, Mlle de Turvisot se mariait, les Montcharron ne reviendraient pas avant la fin de janvier, les Bretancourt non plus, maintenant on restait tard à la campagne ; et la misère des propos se trouvait comme renforcée par le luxe des choses ambiantes ; mais ce qu'on disait était moins stupide que la

---

1. Ici, la marquise est un auvent – généralement vitré – installé au-dessus d'une porte d'entrée ou d'un perron pour servir d'abri contre la pluie.
2. Voir la note 2, p. 195.
3. L'Espagnolet est le surnom du peintre espagnol Ribera (1591-1652) qui représenta de nombreuses scènes religieuses, et en particulier des martyres d'un grand réalisme dramatique.
4. L'éloquence de l'abbé Louis Cœur (1805-1860) était si célèbre dans les années 1840 qu'elle le fit surnommer le « saint Cyprien du XIXe siècle ». Il prononça l'oraison funèbre de Mgr Affre (voir la note 3, p. 395).

manière de causer, sans but, sans suite et sans animation. Il y avait là, cependant, des hommes versés dans la vie, un ancien ministre, le curé d'une grande paroisse, deux ou trois hauts fonctionnaires du Gouvernement ; ils s'en tenaient aux lieux communs les plus rebattus. Quelques-uns ressemblaient à des douairières[1] fatiguées, d'autres avaient des tournures de maquignon[2] ; et des vieillards accompagnaient leurs femmes, dont ils auraient pu se faire passer pour les grands-pères.

Mme Dambreuse les recevait tous avec grâce. Dès qu'on parlait d'un malade, elle fronçait les sourcils douloureusement, et prenait un air joyeux s'il était question de bals ou de soirées. Elle serait bientôt contrainte de s'en priver, car elle allait faire sortir de pension une nièce de son mari, une orpheline. On exalta son dévouement ; c'était se conduire en véritable mère de famille.

Frédéric l'observait. La peau mate de son visage paraissait tendue, et d'une fraîcheur sans éclat, comme celle d'un fruit conservé. Mais ses cheveux, tirebouchonnés à l'anglaise, étaient plus fins que de la soie, ses yeux d'un azur brillant, tous ses gestes délicats. Assise au fond, sur la causeuse[3], elle caressait les floches[4] rouges d'un écran japonais, pour faire valoir ses mains, sans doute, de longues mains étroites, un peu maigres, avec des doigts retroussés par le bout. Elle portait une robe de moire[5] grise, à corsage montant, comme une puritaine.

Frédéric lui demanda si elle ne viendrait pas cette année à la Fortelle. Mme Dambreuse n'en savait rien. Il concevait cela, du reste : Nogent devait l'ennuyer. Les visites augmentaient. C'était un bruissement continu de robes sur les tapis ; les dames posées au bord des chaises, poussaient de petits ricanements, articulaient deux ou trois mots, et, au bout de cinq minutes, partaient avec leurs jeunes filles. Bientôt, la

---

1. Au sens propre, une douairière est une veuve qui jouit des biens de son défunt mari. Plus généralement, c'est une vieille dame de la bonne société, hautaine et sévère.
2. Un maquignon est un marchand de chevaux.
3. Voir la note 1, p. 99.
4. Une floche est un amas floconneux.
5. Voir la note 1, p. 71.

conversation fut impossible à suivre, et Frédéric se retirait quand Mme Dambreuse lui dit :

– « Tous les mercredis, n'est-ce pas, monsieur Moreau ? » rachetant par cette seule phrase ce qu'elle avait montré d'indifférence.

Il était content. Néanmoins, il huma dans la rue une large bouffée d'air ; et, par besoin d'un milieu moins artificiel, Frédéric se ressouvint qu'il devait une visite à la Maréchale.

La porte de l'antichambre était ouverte. Deux bichons havanais accoururent. Une voix cria :

– « Delphine ! Delphine ! – Est-ce vous, Félix ? »

Il se tenait sans avancer ; les deux petits chiens jappaient toujours. Enfin Rosanette parut, enveloppée dans une sorte de peignoir en mousseline blanche garnie de dentelles, pieds nus dans des babouches.

– « Ah ! pardon, monsieur ! Je vous prenais pour le coiffeur. Une minute ! je reviens ! »

Et il resta seul dans la salle à manger.

Les persiennes en étaient closes. Frédéric la parcourait des yeux, en se rappelant le tapage de l'autre nuit, lorsqu'il remarqua au milieu, sur la table, un chapeau d'homme, un vieux feutre bossué, gras, immonde. À qui donc ce chapeau ? Montrant impudemment sa coiffe décousue, il semblait dire : « Je m'en moque après tout ! Je suis le maître ! »

La Maréchale survint. Elle le prit, ouvrit la serre, l'y jeta, referma la porte (d'autres portes, en même temps, s'ouvraient et se refermaient), et, ayant fait passer Frédéric par la cuisine, elle l'introduisit dans son cabinet de toilette.

On voyait, tout de suite, que c'était l'endroit de la maison le plus hanté, et comme son vrai centre moral. Une perse [1] à grands feuillages tapissait les murs, les fauteuils et un vaste divan élastique ; sur une table de marbre blanc s'espaçaient deux larges cuvettes en faïence bleue ; des planches de cristal formant étagère au-dessus étaient encombrées par des fioles, des brosses, des peignes, des bâtons de cosmétique, des boîtes à poudre ; le feu se mirait dans une haute psyché [2] ;

1. Voir la note 1, p. 143.
2. Une psyché est une grande glace mobile dans laquelle on peut se regarder en pied.

un drap pendait en dehors d'une baignoire, et des senteurs de pâte d'amandes et de benjoin [1] s'exhalaient.

– « Vous excuserez le désordre ! Ce soir, je dîne en ville. »

Et, comme elle tournait sur ses talons, elle faillit écraser un des petits chiens. Frédéric les déclara charmants. Elle les souleva tous les deux, et, haussant jusqu'à lui leur museau noir :

– « Voyons, faites une risette, baisez le monsieur. »

Un homme, habillé d'une sale redingote à collet de fourrure, entra brusquement.

– « Félix, mon brave », dit-elle, « vous aurez votre affaire dimanche prochain, sans faute. »

L'homme se mit à la coiffer. Il lui apprenait des nouvelles de ses amies : Mme de Rochegune, Mme de Saint-Florentin, Mme Lombard, toutes étant nobles comme à l'hôtel Dambreuse. Puis il causa théâtres ; on donnait le soir à l'Ambigu une représentation extraordinaire.

– « Irez-vous ? »

– « Ma foi, non ! Je reste chez moi. »

Delphine parut. Elle la gronda pour être sortie sans sa permission. L'autre jura qu'elle « rentrait du marché ».

– « Eh bien, apportez-moi votre livre ! – Vous permettez, n'est-ce pas ? »

Et, lisant à demi-voix le cahier, Rosanette faisait des observations sur chaque article. L'addition était fausse.

– « Rendez-moi quatre sous ! »

Delphine les rendit, et, quand elle l'eut congédiée :

– « Ah ! Sainte Vierge ! est-on assez malheureux avec ces gens-là ! »

Frédéric fut choqué de cette récrimination. Elle lui rappelait trop les autres, et établissait entre les deux maisons une sorte d'égalité fâcheuse.

Delphine, étant revenue, s'approcha de la Maréchale pour chuchoter un mot à son oreille.

– « Eh non ! je n'en veux pas ! »

Delphine se présenta de nouveau.

– « Madame, elle insiste. »

---

1. Le benjoin est une substance aromatique et résineuse sécrétée par le tronc du styrax.

– « Ah ! quel embêtement ! Flanque-la dehors ! »

Au même instant, une vieille dame habillée de noir poussa la porte. Frédéric n'entendit rien, ne vit rien ; Rosanette s'était précipitée dans la chambre, à sa rencontre.

Quand elle reparut, elle avait les pommettes rouges et elle s'assit dans un des fauteuils, sans parler. Une larme tomba sur sa joue ; puis se tournant vers le jeune homme, doucement :

– « Quel est votre petit nom ? »

– « Frédéric. »

– « Ah ! Federico ! Ça ne vous gêne pas que je vous appelle comme ça ? »

Et elle le regardait d'une façon câline, presque amoureuse. Tout à coup, elle poussa un cri de joie à la vue de Mlle Vatnaz.

La femme artiste n'avait pas de temps à perdre, devant, à six heures juste, présider sa table d'hôte ; et elle haletait, n'en pouvant plus. D'abord, elle retira de son cabas une chaîne de montre avec un papier, puis différents objets, des acquisitions.

– « Tu sauras qu'il y a, rue Joubert, des gants de Suède à trente-six sous magnifiques ! Ton teinturier demande encore huit jours. Pour la guipure [1], j'ai dit qu'on repasserait. Bugneaux a reçu l'acompte. Voilà tout, il me semble ? C'est cent quatre-vingt-cinq francs que tu me dois ! »

Rosanette alla prendre dans un tiroir dix napoléons. Aucune des deux n'avait de monnaie, Frédéric en offrit.

– « Je vous les rendrai », dit la Vatnaz, en fourrant les quinze francs dans son sac. « Mais vous êtes un vilain. Je ne vous aime plus, vous ne m'avez pas fait danser une seule fois, l'autre jour ! – Ah ! ma chère, j'ai découvert, quai Voltaire, à une boutique, un cadre d'oiseaux-mouches empaillés qui sont des amours. À ta place, je me les donnerais. Tiens ! Comment trouves-tu ? »

Et elle exhiba un vieux coupon de soie rose qu'elle avait acheté au Temple pour faire un pourpoint [2] moyen âge à Delmar.

---

1. La guipure est une dentelle sans fond dont les motifs sont séparés par de grands vides.
2. Le pourpoint était la partie du vêtement d'homme qui couvrait le torse jusqu'au-dessous de la ceinture.

– « Il est venu aujourd'hui, n'est-ce pas ? »
– « Non ! »
– « C'est singulier ! »
Et, une minute après :
– « Où vas-tu ce soir ? »
– « Chez Alphonsine », dit Rosanette ; ce qui était la troisième version sur la manière dont elle devait passer la soirée.

Mlle Vatnaz reprit :
– « Et le Vieux de la Montagne[1], quoi de neuf ? »
Mais, d'un brusque clin d'œil, la Maréchale lui commanda de se taire ; et elle reconduisit Frédéric jusque dans l'antichambre, pour savoir s'il verrait bientôt Arnoux.
– « Priez-le donc de venir ; pas devant son épouse, bien entendu ! »

Au haut des marches, un parapluie était posé contre le mur, près d'une paire de socques.
– « Les caoutchoucs de la Vatnaz », dit Rosanette. « Quel pied, hein ? Elle est forte, ma petite amie ! »
Et d'un ton mélodramatique, en faisant rouler la dernière lettre du mot :
– « Ne pas s'y fierrr ! »

Frédéric, enhardi par cette espèce de confidence, voulut la baiser sur le col. Elle dit froidement :
– « Oh ! faites ! Ça ne coûte rien ! »

Il était léger en sortant de là, ne doutant pas que la Maréchale ne devînt bientôt sa maîtresse. Ce désir en éveilla un autre ; et, malgré l'espèce de rancune qu'il lui gardait, il eut envie de voir Mme Arnoux.

D'ailleurs, il devait y aller pour la commission de Rosanette.
– « Mais, à présent », songea-t-il (six heures sonnaient), « Arnoux est chez lui, sans doute. »
Il ajourna sa visite au lendemain.

Elle se tenait dans la même attitude que le premier jour, et cousait une chemise d'enfant. Le petit garçon, à ses pieds,

---

1. Par cette expression humoristique, la Vatnaz désigne Oudry. C'est une allusion (remise à la mode par les ouvrages historiques romantiques) à la manière dont les croisés du XIIe siècle appelaient le chef de la secte des Haschischins (« mangeurs de haschisch »).

jouait avec une ménagerie de bois ; Marthe, un peu plus loin, écrivait.

Il commença par la complimenter de ses enfants. Elle répondit sans aucune exagération de bêtise maternelle.

La chambre avait un aspect tranquille. Un beau soleil passait par les carreaux, les angles des meubles reluisaient, et, comme Mme Arnoux était assise auprès de la fenêtre, un grand rayon, frappant les accroche-cœurs de sa nuque, pénétrait d'un fluide d'or sa peau ambrée. Alors, il dit :

– « Voilà une jeune personne qui est devenue bien grande depuis trois ans ! – Vous rappelez-vous, mademoiselle, quand vous dormiez sur mes genoux, dans la voiture ? » Marthe ne se rappelait pas. « Un soir, en revenant de Saint-Cloud ? »

Mme Arnoux eut un regard singulièrement triste. Était-ce pour lui défendre toute allusion à leur souvenir commun ?

Ses beaux yeux noirs, dont la sclérotique [1] brillait, se mouvaient doucement sous leurs paupières un peu lourdes, et il y avait dans la profondeur de ses prunelles une bonté infinie. Il fut ressaisi par un amour plus fort que jamais, immense : c'était une contemplation qui l'engourdissait, il la secoua pourtant. Comment se faire valoir ? par quels moyens ? Et, ayant bien cherché, Frédéric ne trouva rien de mieux que l'argent. Il se mit à parler du temps, lequel était moins froid qu'au Havre.

– « Vous y avez été ? »

– « Oui, pour une affaire... de famille... un héritage. »

– « Ah ! j'en suis bien contente », reprit-elle avec un air de plaisir tellement vrai, qu'il en fut touché comme d'un grand service.

Puis elle lui demanda ce qu'il voulait faire, un homme devant s'employer à quelque chose. Il se rappela son mensonge et dit qu'il espérait parvenir au Conseil d'État, grâce à M. Dambreuse, le député.

– « Vous le connaissez peut-être ? »

– « De nom, seulement. »

Puis, d'une voix basse :

---

1. La sclérotique est la membrane fibreuse blanche qui entoure le globe oculaire. C'est le « blanc » de l'œil.

– « *Il* vous a mené au bal, l'autre jour, n'est-ce pas ? »
Frédéric se taisait.

– « C'est ce que je voulais savoir, merci. »

Ensuite, elle lui fit deux ou trois questions discrètes sur
sa famille et sa province. C'était bien aimable, d'être resté
là-bas si longtemps, sans les oublier.

– « Mais…, le pouvais-je ? » reprit-il. « En doutiez-
vous ? »

Mme Arnoux se leva.

– « Je crois que vous nous portez une bonne et solide
affection. – Adieu…, au revoir ! »

Et elle tendit sa main d'une manière franche et virile.
N'était-ce pas un engagement, une promesse ? Frédéric se
sentait tout joyeux de vivre ; il se retenait pour ne pas chanter, il avait besoin de se répandre, de faire des générosités et
des aumônes. Il regarda autour de lui s'il n'y avait personne
à secourir. Aucun misérable ne passait ; et sa velléité de
dévouement s'évanouit, car il n'était pas homme à en chercher au loin les occasions.

Puis il se ressouvint de ses amis. Le premier auquel il
songea fut Hussonnet, le second Pellerin. La position infime
de Dussardier commandait naturellement des égards ; quant
à Cisy, il se réjouissait de lui faire voir un peu sa fortune. Il
écrivit donc à tous les quatre de venir pendre la crémaillère
le dimanche suivant, à onze heures juste, et il chargea Deslauriers d'amener Sénécal.

Le répétiteur [1] avait été congédié de son troisième pen-
sionnat pour n'avoir point voulu de distribution de prix,
usage qu'il regardait comme funeste à l'égalité. Il était
maintenant chez un constructeur de machines, et n'habitait
plus avec Deslauriers depuis six mois.

Leur séparation n'avait eu rien de pénible. Sénécal, dans
les derniers temps, recevait des hommes en blouse, tous
patriotes, tous travailleurs, tous braves gens, mais dont la
compagnie semblait fastidieuse à l'avocat. D'ailleurs, certaines idées de son ami, excellentes comme armes de guerre,
lui déplaisaient. Il s'en taisait par ambition, tenant à le
ménager pour le conduire, car il attendait avec impatience

––––––––––
1. Voir la note 2, p. 72.

un grand bouleversement où il comptait bien faire son trou, avoir sa place.

Les convictions de Sénécal étaient plus désintéressées. Chaque soir, quand sa besogne était finie, il regagnait sa mansarde, et il cherchait dans les livres de quoi justifier ses rêves. Il avait annoté le *Contrat social*[1]. Il se bourrait de *La Revue indépendante*[2]. Il connaissait Mably[3], Morelly[4], Fourier[5], Saint-Simon[6], Comte[7], Cabet[8], Louis Blanc[9], la lourde charretée des écrivains socialistes, ceux qui réclament pour l'humanité le niveau des casernes, ceux qui voudraient la divertir dans un lupanar[10] ou la plier sur un comptoir ; et, du mélange de tout cela, il s'était fait un idéal de démocratie vertueuse, ayant le double aspect d'une métairie et

---

1. *Du contrat social ou Principes du droit politique* (1762) est un écrit philosophique de Rousseau qui analyse le pacte par lequel chaque associé renonce à sa liberté naturelle au profit du peuple souverain dont il reçoit en retour la liberté civile.

2. Fondée en 1841, *La Revue indépendante* subsista jusqu'en 1848. Elle eut pour principaux collaborateurs Pierre Leroux et George Sand, et était d'inspiration démocratique et sociale.

3. Les idées du philosophe Mably (1709-1785) étaient proches de celles de Rousseau. Comme lui, il était opposé au droit de propriété.

4. Morelly était un philosophe français du XVIIIe siècle dont on ne connaît que les écrits. Il prônait un système communiste qui inspira au révolutionnaire Babeuf sa théorie du « bonheur commun ».

5. Le penseur socialiste Charles Fourier (1772-1837) voulait étendre à l'organisation humaine le principe newtonien de la gravitation sous le nom d'« attraction passionnelle ». Il préconisait une organisation sociale en petites unités autonomes (les phalanstères), réunissant des membres de caractères et de passions opposés et complémentaires.

6. Le comte de Saint-Simon (1760-1825) a posé dans ses ouvrages (*Le Catéchisme des industriels*, 1824 ; *Le Nouveau Christianisme*, 1825) les bases d'une doctrine développée après sa mort par ses disciples Enfantin et Bazard. Se fondant sur une religion de la science et la constitution d'une nouvelle classe d'industriels, le saint-simonisme chercha à définir un socialisme planificateur et technocratique qui eut une grande influence sur certains industriels du Second Empire.

7. D'abord secrétaire de Saint-Simon, Auguste Comte (1798-1857) développa ensuite ses propres principes (qui forment le positivisme) dans ses *Cours de philosophie positive* (1830-1842), puis dans son *Catéchisme positiviste* (1852).

8. Le penseur socialiste Étienne Cabet (1788-1856) exposa les principes d'un communisme utopique dans son *Voyage en Icarie* (1842). Des adeptes de son système allèrent établir des colonies au Texas en 1848.

9. Voir la note 3, p. 105.

10. Un lupanar est une maison de prostitution.

d'une filature, une sorte de Lacédémone [1] américaine où l'individu n'existerait que pour servir la Société, plus omnipotente, absolue, infaillible et divine que les grands lamas [2] et les Nabuchodonosors [3]. Il n'avait pas un doute sur l'éventualité prochaine de cette conception ; et tout ce qu'il jugeait lui être hostile, Sénécal s'acharnait dessus, avec des raisonnements de géomètre et une bonne foi d'inquisiteur. Les titres nobiliaires, les croix, les panaches, les livrées surtout, et même les réputations trop sonores le scandalisaient, – ses études comme ses souffrances avivant chaque jour sa haine essentielle de toute distinction ou supériorité quelconque.

– « Qu'est-ce que je dois à ce monsieur pour lui faire des politesses ? S'il voulait de moi, il pouvait venir ! »

Deslauriers l'entraîna.

Ils trouvèrent leur ami dans sa chambre à coucher. Stores et doubles rideaux, glace de Venise, rien n'y manquait ; Frédéric, en veste de velours, était renversé dans une bergère [4], où il fumait des cigarettes de tabac turc.

Sénécal se rembrunit, comme les cagots [5] amenés dans les réunions de plaisir. Deslauriers embrassa tout d'un seul coup d'œil ; puis, le saluant très bas :

– « Monseigneur ! je vous présente mes respects ! »

Dussardier lui sauta au cou.

– « Vous êtes donc riche, maintenant ? Ah ! tant mieux, nom d'un chien, tant mieux ! »

Cisy parut, avec un crêpe à son chapeau. Depuis la mort de sa grand-mère, il jouissait d'une fortune considérable, et tenait moins à s'amuser qu'à se distinguer des autres, à n'être pas comme tout le monde, enfin à « avoir du cachet ». C'était son mot.

---

1. Lacédémone (ou Sparte) était une ville grecque du Péloponnèse. Ses citoyens étaient organisés en société égalitaire. Ils étaient réputés pour la frugalité de leur régime alimentaire, leur dévouement à la cité et la rudesse de leurs principes éducatifs.

2. Le grand lama ou dalaï-lama est le souverain temporel et spirituel du Tibet. C'est un personnage sacré considéré comme la réincarnation de ses prédécesseurs.

3. Voir la note 1, p. 89.

4. Voir la note 1, p. 101.

5. Un cagot est un faux dévot, un bigot, un hypocrite.

Il était midi cependant, et tous bâillaient ; Frédéric attendait quelqu'un. Au nom d'Arnoux, Pellerin fit la grimace. Il le considérait comme un renégat depuis qu'il avait abandonné les arts.

– « Si l'on se passait de lui ? qu'en dites-vous ? »

Tous approuvèrent.

Un domestique en longues guêtres [1] ouvrit la porte, et l'on aperçut la salle à manger avec sa haute plinthe [2] en chêne relevée d'or et ses deux dressoirs chargés de vaisselle. Les bouteilles de vin chauffaient sur le poêle ; les lames des couteaux neufs miroitaient près des huîtres ; il y avait dans le ton laiteux des verres-mousseline [3] comme une douceur engageante, et la table disparaissait sous du gibier, des fruits, des choses extraordinaires. Ces attentions furent perdues pour Sénécal.

Il commença par demander du pain de ménage (le plus ferme possible), et, à ce propos, parla des meurtres de Buzançais et de la crise des subsistances [4].

Rien de tout cela ne serait survenu si on protégeait mieux l'agriculture, si tout n'était pas livré à la concurrence, à l'anarchie, à la déplorable maxime du « laissez faire, laissez passer [5] ! ». Voilà comment se constituait la féodalité de l'argent, pire que l'autre ! Mais qu'on y prenne garde ! le peuple, à la fin, se lassera, et pourrait faire payer ses souffrances aux détenteurs du capital, soit par de sanglantes proscriptions, ou par le pillage de leurs hôtels.

Frédéric entrevit dans un éclair, un flot d'hommes aux bras nus envahissant le grand salon de Mme Dambreuse, cassant les glaces à coups de pique.

---

1. Les guêtres sont les enveloppes de tissu ou de cuir qui recouvrent le haut des chaussures.

2. Une plinthe est une bande plate de menuiserie qui fait le tour d'une pièce au bas d'une cloison ou d'un lambris.

3. Les verres-mousseline sont des verres dépolis ornés de dessins transparents qui imitent le tissu léger appelé mousseline.

4. Pendant l'hiver 1846-1847, après deux années de mauvaises récoltes, les vivres vinrent à manquer dans plusieurs régions. C'est dans ce contexte qu'à Buzançais (Indre), un riche propriétaire fut tué par des émeutiers qui furent à leur tour exécutés.

5. « Laissez faire, laissez passer ! » était la devise des physiocrates, économistes du XVIIIᵉ siècle qui revendiquaient une entière liberté pour le commerce et le travail. Elle fut souvent reprise sous la monarchie de Juillet.

Sénécal continuait : l'ouvrier, vu l'insuffisance des salaires, était plus malheureux que l'ilote[1], le nègre et le paria[2], s'il a des enfants surtout.

– « Doit-il s'en débarrasser par l'asphyxie, comme le lui conseille je ne sais plus quel docteur anglais, issu de Malthus[3] ? »

Et se tournant vers Cisy :

– « En serons-nous réduits aux conseils de l'infâme Malthus ? »

Cisy, qui ignorait l'infamie et même l'existence de Malthus, répondit qu'on secourait pourtant beaucoup de misères, et que les classes élevées…

– « Ah ! les classes élevées ! » dit, en ricanant, le socialiste. « D'abord, il n'y a pas de classes élevées ; on n'est élevé que par le cœur ! Nous ne voulons pas d'aumônes, entendez-vous ! mais l'égalité, la juste répartition des produits. »

Ce qu'il demandait, c'est que l'ouvrier pût devenir capitaliste, comme le soldat colonel. Les jurandes[4], au moins, en limitant le nombre des apprentis, empêchaient l'encombrement des travailleurs, et le sentiment de la fraternité se trouvait entretenu par les fêtes, les bannières.

Hussonnet, comme poète, regrettait les bannières ; Pellerin aussi, prédilection qui lui était venue au café Dagneaux, en écoutant causer des phalanstériens. Il déclara Fourier[5] un grand homme.

– « Allons donc ! » dit Deslauriers. « Une vieille bête ! qui voit dans les bouleversements d'empires des effets de la vengeance divine ! C'est comme le sieur Saint-Simon[6] et son

---

1. Dans la Grèce antique, les ilotes étaient les habitants de Laconie réduits en esclavage par les Spartiates.

2. En Inde, les parias sont des individus hors caste, situés au plus bas degré de l'échelle sociale et dont le contact est considéré comme une souillure.

3. Le pasteur et économiste anglais Malthus (1766-1834) avait publié en 1798 un *Essai sur le principe de la population*, dans lequel il soutenait que la croissance de la population amenait nécessairement la famine.

4. Sous l'Ancien Régime, les jurandes étaient des groupements professionnels autonomes, avec une personnalité juridique propre et une discipline collective stricte, composés de membres égaux unis par un serment.

5. Voir la note 5, p. 207.

6. Voir la note 6, p. 207.

église, avec sa haine de la Révolution française : un tas de farceurs qui voudraient nous refaire le catholicisme ! »

M. de Cisy, pour s'éclairer, sans doute, ou donner de lui une bonne opinion, se mit à dire doucement :

– « Ces deux savants ne sont donc pas de l'avis de Voltaire ? »

– « Celui-là, je vous l'abandonne ! » reprit Sénécal.

– « Comment ? moi, je croyais… »

– « Eh non ! il n'aimait pas le peuple ! »

Puis la conversation descendit aux événements contemporains : les mariages espagnols [1], les dilapidations de Rochefort [2], le nouveau chapitre de Saint-Denis [3], ce qui amènerait un redoublement d'impôts. Selon Sénécal, on en payait assez, cependant !

– « Et pourquoi, mon Dieu ? pour élever des palais aux singes du Muséum [4], faire parader sur nos places de brillants états-majors, ou soutenir, parmi les valets du Château [5], une étiquette gothique [6] ! »

– « J'ai lu dans *La Mode* [7] », dit Cisy, « qu'à la Saint-Ferdinand, au bal des Tuileries, tout le monde était déguisé en chicards [8]. »

---

1. Le 10 octobre 1846, la jeune reine Isabelle d'Espagne épousa François d'Assise de Bourbon, et sa sœur Luisa Fernanda le fils de Louis-Philippe. Ces mariages, fruits de longues tractations, signalaient la réussite de la politique étrangère de Guizot face à celle de l'Angleterre.

2. Pour souligner l'incurie du gouvernement, l'opposition se servit des malversations ayant eu lieu aux ateliers navals de Rochefort (Charente-Maritime).

3. Un chapitre est un corps de chanoines attachés à une église cathédrale ou collégiale. Celui de Saint-Denis avait été institué en 1806, essentiellement dans le but de prier pour les souverains français dont les restes mortels sont conservés dans les caveaux de la basilique. Un projet de réorganisation du chapitre avait été adopté par la Chambre des pairs au début de 1847.

4. La construction de la grande galerie du Muséum d'histoire naturelle (voir la note 1, p. 126), achevée en 1837, continuait à susciter la fureur de l'opposition qui affirmait qu'à Paris on traitait mieux les singes que le peuple.

5. L'expression « le Château » était usuelle pour désigner le palais des Tuileries.

6. En mauvaise part, gothique caractérise ce qui est vieux et dépassé.

7. Fondé en 1829, *La Mode* était un journal légitimiste destiné au monde élégant.

8. Le chicard (dérivé de *chic*) porte un costume de carnaval composé d'une veste courte, d'une culotte collante, de grandes bottes vernies et d'un casque surmonté d'un plumet.

– « Si ce n'est pas pitoyable ! » fit le socialiste, en haussant de dégoût les épaules.

– « Et le musée de Versailles ! » s'écria Pellerin. « Parlons-en ! Ces imbéciles-là ont raccourci un Delacroix et rallongé un Gros [1] ! Au Louvre, on a si bien restauré, gratté et tripoté toutes les toiles, que, dans dix ans, peut-être pas une ne restera. Quant aux erreurs du catalogue, un Allemand a écrit dessus tout un livre. Les étrangers, ma parole, se fichent de nous ! »

– « Oui, nous sommes la risée de l'Europe », dit Sénécal.

– « C'est parce que l'Art est inféodé à la Couronne. »

– « Tant que vous n'aurez pas le suffrage universel... »

– « Permettez ! » car l'artiste, refusé depuis vingt ans à tous les Salons, était furieux contre le Pouvoir. « Eh ! qu'on nous laisse tranquilles. Moi, je ne demande rien ! Seulement les Chambres devraient statuer sur les intérêts de l'Art. Il faudrait établir une chaire d'esthétique, et dont le professeur, un homme à la fois praticien et philosophe, parviendrait, j'espère, à grouper la multitude. – Vous feriez bien, Hussonnet, de toucher un mot de ça dans votre journal ? »

– « Est-ce que les journaux sont libres ? est-ce que nous le sommes ? » dit Deslauriers avec emportement. « Quand on pense qu'il peut y avoir jusqu'à vingt-huit formalités pour établir un batelet sur une rivière, ça me donne envie d'aller vivre chez les anthropophages [2] ! Le Gouvernement nous dévore ! Tout est à lui, la philosophie, le droit, les arts, l'air du ciel ; et la France râle, énervée [3], sous la botte du gendarme et la soutane du calotin [4] ! »

Le futur Mirabeau [5] épanchait ainsi sa bile, largement. Enfin, il prit son verre, se leva, et, le poing sur la hanche, l'œil allumé :

---

1. La création du musée de Versailles fut décidée en 1833 par Louis-Philippe qui l'inaugura en 1837. Comme l'affirme Sénécal, son aménagement n'alla pas sans dommages.

2. Un anthropophage est un cannibale, un homme qui mange de la chair humaine.

3. Voir la note 1, p. 125.

4. Calotin est un terme péjoratif qui désigne celui qui porte la calotte, l'ecclésiastique. Par extension, c'est aussi le partisan des prêtres.

5. Voir la note 1, p. 63.

– « Je bois à la destruction complète de l'ordre actuel, c'est-à-dire de tout ce qu'on nomme Privilège, Monopole, Direction, Hiérarchie, Autorité, État ! » et, d'une voix plus haute : « que je voudrais briser comme ceci ! » en lançant sur la table le beau verre à patte, qui se fracassa en mille morceaux.

Tous applaudirent, et Dussardier principalement.

Le spectacle des injustices lui faisait bondir le cœur. Il s'inquiétait de Barbès [1] ; il était de ceux qui se jettent sous les voitures pour porter secours aux chevaux tombés. Son érudition se bornait à deux ouvrages, l'un intitulé *Crimes des rois*, l'autre *Mystères du Vatican*. Il avait écouté l'avocat bouche béante, avec délices. Enfin, n'y tenant plus :

– « Moi, ce que je reproche à Louis-Philippe, c'est d'abandonner les Polonais [2] ! »

– « Un moment ! » dit Hussonnet. « D'abord, la Pologne n'existe pas ; c'est une invention de La Fayette [3] ! Les Polonais, règle générale, sont tous du faubourg Saint-Marceau [4], les véritables s'étant noyés avec Poniatowski [5]. » Bref, « il ne donnait plus là-dedans », il était « revenu de tout ça ! » C'était comme le serpent de mer, la révocation de l'édit de Nantes et « cette vieille blague de la Saint-Barthélemy ! »

Sénécal, sans défendre les Polonais, releva les derniers mots de l'homme de lettres. On avait calomnié les papes,

1. Le chef républicain Armand Barbès (1809-1870) avait été condamné à mort en 1839 après le mouvement insurrectionnel du 12 mai. Mais sa peine ayant été commuée, il se trouvait en prison lorsque la révolution de 1848 le libéra. Arrêté après le 15 mai, il fut condamné à la détention perpétuelle. Napoléon III le gracia en 1854.
2. En 1830, la Pologne s'était soulevée contre l'occupant russe. Une répression sévère s'en était suivie. Depuis, pour tous les républicains d'Europe, les Polonais symbolisaient le peuple opprimé par la réaction, et les Français reprochèrent toujours à Louis-Philippe son inaction et la formule de son ministre des Affaires étrangères Sébastiani : « l'ordre règne à Varsovie ».
3. Lorsqu'une révolution éclata en Pologne le 29 novembre 1830, La Fayette fut de ceux qui demandèrent à la Chambre des députés l'intervention des armées françaises contre les Russes. Il ne cessa de plaider la cause de la nation polonaise et reçut en 1831 le titre de garde national polonais.
4. Après l'échec de la révolution de 1830-1831, il y eut une émigration massive de Polonais, particulièrement en direction de Paris.
5. Le prince Joseph Poniatowski (1763-1813) servit dans l'armée napoléonienne avec une bravoure légendaire. Il se noya dans l'Elster en couvrant la retraite de l'Empereur après la bataille de Leipzig.

qui, après tout, défendaient le peuple, et il appelait la Ligue [1] « l'aurore de la Démocratie, un grand mouvement égalitaire contre l'individualisme des protestants ».

Frédéric était un peu surpris par ces idées. Elles ennuyaient Cisy probablement, car il mit la conversation sur les tableaux vivants du Gymnase [2], qui attiraient alors beaucoup de monde.

Sénécal s'en affligea. De tels spectacles corrompaient les filles du prolétaire ; puis on les voyait étaler un luxe insolent. Aussi approuvait-il les étudiants bavarois qui avaient outragé Lola Montès [3]. À l'instar de Rousseau, il faisait plus de cas de la femme d'un charbonnier que de la maîtresse d'un roi.

– « Vous blaguez les truffes ! » répliqua majestueusement Hussonnet. Et il prit la défense de ces dames, en faveur de Rosanette. Puis, comme il parlait de son bal et du costume d'Arnoux :

– « On prétend qu'il branle dans le manche ? » dit Pellerin.

Le marchand de tableaux venait d'avoir un procès pour ses terrains de Belleville, et il était actuellement dans une compagnie de kaolin [4] bas-breton avec d'autres farceurs de son espèce.

Dussardier en savait davantage ; car son patron à lui, M. Moussinot, ayant été aux informations sur Arnoux près du banquier Oscar Lefebvre, celui-ci avait répondu qu'il le jugeait peu solide, connaissant quelques-uns de ses renouvellements.

Le dessert était fini ; on passa dans le salon, tendu, comme celui de la Maréchale, en damas [5] jaune, et de style Louis XVI.

---

1. La Ligue était une confédération de catholiques qui joua un rôle essentiel dans les guerres de Religion en France, après 1576.
2. Voir la note 3, p. 169. Les tableaux vivants sont la reproduction sur scène de certaines peintures connues ou de scènes historiques célèbres, à l'aide de personnages vivants qui prennent les attitudes indiquées par le sujet.
3. La célèbre danseuse Lola Montès (1824-1861) devint la maîtresse de Louis Ier de Bavière en 1847. Cela suscita un tel scandale que le roi fut contraint d'abdiquer en 1848.
4. Voir la note 3, p. 91.
5. Voir la note 5, p. 71.

Pellerin blâma Frédéric de n'avoir pas choisi, plutôt, le style néo-grec ; Sénécal frotta des allumettes contre les tentures ; Deslauriers ne fit aucune observation. Il en fit dans la bibliothèque, qu'il appela une bibliothèque de petite fille. La plupart des littérateurs contemporains s'y trouvaient. Il fut impossible de parler de leurs ouvrages, car Hussonnet, immédiatement, contait des anecdotes sur leurs personnes, critiquait leurs figures, leurs mœurs, leur costume, exaltant les esprits de quinzième ordre, dénigrant ceux du premier, et déplorant, bien entendu, la décadence moderne. Telle chansonnette de villageois contenait, à elle seule, plus de poésie que tous les lyriques du XIXe siècle ; Balzac était surfait, Byron démoli, Hugo n'entendait rien au théâtre, etc.

– « Pourquoi donc », dit Sénécal, « n'avez-vous pas les volumes de nos poètes-ouvriers ? »

Et M. de Cisy, qui s'occupait de littérature, s'étonna de ne pas voir sur la table de Frédéric « quelques-unes de ces physiologies [1] nouvelles, physiologie du fumeur, du pêcheur à la ligne, de l'employé de barrière ».

Ils arrivèrent à l'agacer tellement, qu'il eut envie de les pousser dehors par les épaules. « Mais je deviens bête ! » Et, prenant Dussardier à l'écart, il lui demanda s'il pouvait le servir en quelque chose.

Le brave garçon fut attendri. Avec sa place de caissier, il n'avait besoin de rien.

Ensuite, Frédéric emmena Deslauriers dans sa chambre, et, tirant de son secrétaire deux mille francs :

– « Tiens, mon brave, empoche ! C'est le reliquat de mes vieilles dettes. »

– « Mais... et le journal ? » dit l'avocat. « J'en ai parlé à Hussonnet, tu sais bien. »

Et, Frédéric ayant répondu qu'il se trouvait « un peu gêné, maintenant », l'autre eut un mauvais sourire.

Après les liqueurs, on but de la bière ; après la bière, des grogs [2] ; on refuma des pipes. Enfin, à cinq heures du soir,

---

1. Les physiologies furent un genre littéraire à la mode dans la première moitié du XIXe siècle. Elles décrivaient un type humain ou une réalité sociale (*La Physiologie du mariage* de Balzac, par exemple).
2. Voir la note 2, p. 50.

tous s'en allèrent ; et ils marchaient les uns près des autres, sans parler, quand Dussardier se mit à dire que Frédéric les avait reçus parfaitement. Tous en convinrent.

Hussonnet déclara son déjeuner un peu trop lourd. Sénécal critiqua la futilité de son intérieur. Cisy pensait de même. Cela manquait de « cachet », absolument.

– « Moi, je trouve », dit Pellerin, « qu'il aurait bien pu me commander un tableau. »

Deslauriers se taisait, en tenant dans la poche de son pantalon ses billets de banque.

Frédéric était resté seul. Il pensait à ses amis, et sentait entre eux et lui comme un grand fossé plein d'ombre qui les séparait. Il leur avait tendu la main cependant, et ils n'avaient pas répondu à la franchise de son cœur.

Il se rappela les mots de Pellerin et de Dussardier sur Arnoux. C'était une invention, une calomnie sans doute ? Mais pourquoi ? Et il aperçut Mme Arnoux, ruinée, pleurant, vendant ses meubles. Cette idée le tourmenta toute la nuit ; le lendemain, il se présenta chez elle.

Ne sachant comment s'y prendre pour communiquer ce qu'il savait, il lui demanda en manière de conversation si Arnoux avait toujours ses terrains de Belleville.

– « Oui, toujours. »

– « Il est maintenant dans une compagnie pour du kaolin [1] de Bretagne, je crois ? »

– « C'est vrai. »

– « Sa fabrique marche très bien, n'est-ce pas ? »

– « Mais… je le suppose. »

Et, comme il hésitait :

– « Qu'avez-vous donc ? Vous me faites peur ! »

Il lui apprit l'histoire des renouvellements. Elle baissa la tête, et dit :

– « Je m'en doutais ! »

En effet, Arnoux, pour faire une bonne spéculation, s'était refusé à vendre ses terrains, avait emprunté dessus largement, et, ne trouvant point d'acquéreurs, avait cru se rattraper par l'établissement d'une manufacture. Les frais avaient dépassé les devis. Elle n'en savait pas davantage ; il

---

1. Voir la note 3, p. 91.

éludait toute question et affirmait continuellement que « ça allait très bien ».

Frédéric tâcha de la rassurer. C'étaient peut-être des embarras momentanés. Du reste, s'il apprenait quelque chose, il lui en ferait part.

– « Oh ! oui, n'est-ce pas ? » dit-elle, en joignant ses deux mains, avec un air de supplication charmant.

Il pouvait donc lui être utile. Le voilà qui entrait dans son existence, dans son cœur !

Arnoux parut.

– « Ah ! comme c'est gentil, de venir me prendre pour dîner ! »

Frédéric en resta muet.

Arnoux parla de choses indifférentes, puis avertit sa femme qu'il rentrerait fort tard, ayant un rendez-vous avec M. Oudry.

– « Chez lui ? »

– « Mais certainement, chez lui. »

Il avoua, tout en descendant l'escalier, que, la Maréchale se trouvant libre, ils allaient faire ensemble une partie fine au Moulin-Rouge ; et, comme il lui fallait toujours quelqu'un pour recevoir ses épanchements, il se fit conduire par Frédéric jusqu'à la porte.

Au lieu d'entrer, il se promena sur le trottoir, en observant les fenêtres du second étage. Tout à coup les rideaux s'écartèrent.

– « Ah ! bravo ! le père Oudry n'y est plus. Bonsoir ! »

C'était donc le père Oudry qui l'entretenait ? Frédéric ne savait que penser maintenant.

À partir de ce jour-là, Arnoux fut encore plus cordial qu'auparavant ; il l'invitait à dîner chez sa maîtresse, et bientôt Frédéric hanta tout à la fois les deux maisons.

Celle de Rosanette l'amusait. On venait là le soir, en sortant du club ou du spectacle ; on prenait une tasse de thé, on faisait une partie de loto ; le dimanche, on jouait des charades ; Rosanette, plus turbulente que les autres, se distinguait par des inventions drolatiques, comme de courir à quatre pattes ou de s'affubler d'un bonnet de coton. Pour regarder les passants par la croisée, elle avait un chapeau de cuir bouilli ; elle fumait des chibouques [1], elle chantait des tyroliennes. L'après-midi, par désœuvrement, elle découpait des fleurs dans un morceau de toile perse [2], les collait elle-même sur ses carreaux, barbouillait de fard ses deux petits chiens, faisait brûler des pastilles [3], ou se tirait la bonne aventure. Incapable de résister à une envie, elle s'engouait d'un bibelot qu'elle avait vu, n'en dormait pas, courait l'acheter, le troquait contre un autre, et gâchait les étoffes, perdait ses bijoux, gaspillait l'argent, aurait vendu sa chemise pour une loge d'avant-scène. Souvent, elle demandait à Frédéric l'explication d'un mot qu'elle avait lu, mais n'écoutait pas sa réponse, car elle sautait vite à une autre idée, en multipliant les questions. Après des spasmes de gaieté, c'étaient des colères enfantines ; ou bien elle rêvait, assise par terre, devant le feu, la tête basse et le genou dans ses deux mains, plus inerte qu'une couleuvre engourdie. Sans y prendre garde, elle s'habillait devant lui, tirait avec lenteur ses bas de soie, puis se lavait à grande eau le visage, en se renversant la taille comme une naïade [4] qui frissonne ; et le rire de ses dents blanches, les étincelles de ses yeux, sa beauté, sa gaieté éblouissaient Frédéric, et lui fouettaient les nerfs.

Presque toujours, il trouvait Mme Arnoux montrant à lire à son bambin, ou derrière la chaise de Marthe qui faisait des gammes sur son piano ; quand elle travaillait à un ouvrage de couture, c'était pour lui un grand bonheur que de ramasser, quelquefois, ses ciseaux. Tous ses mouvements étaient d'une majesté tranquille ; ses petites mains semblaient faites pour épandre des aumônes, pour essuyer des pleurs ; et sa voix, un peu sourde naturellement, avait des intonations caressantes et comme des légèretés de brise.

Elle ne s'exaltait point pour la littérature, mais son esprit charmait par des mots simples et pénétrants. Elle aimait les voyages, le bruit du vent dans les bois, et à se promener tête

---

1. Voir la note 2, p. 99.
2. Voir la note 1, p. 143.
3. Les pastilles étaient des morceaux de pâte odorante que l'on brûlait pour parfumer l'air.
4. Dans la mythologie, les Naïades sont les divinités des rivières et des sources.

nue sous la pluie. Frédéric écoutait ces choses délicieusement, croyant voir un abandon d'elle-même qui commençait.

La fréquentation de ces deux femmes faisait dans sa vie comme deux musiques : l'une folâtre, emportée, divertissante, l'autre grave et presque religieuse ; et, vibrant à la fois, elles augmentaient toujours, et peu à peu se mêlaient ; – car, si Mme Arnoux venait à l'effleurer du doigt seulement, l'image de l'autre, tout de suite, se présentait à son désir, parce qu'il avait, de ce côté-là, une chance moins lointaine ; – et, dans la compagnie de Rosanette, quand il lui arrivait d'avoir le cœur ému, il se rappelait immédiatement son grand amour.

Cette confusion était provoquée par des similitudes entre les deux logements. Un des bahuts que l'on voyait autrefois boulevard Montmartre ornait à présent la salle à manger de Rosanette, l'autre, le salon de Mme Arnoux. Dans les deux maisons, les services de table étaient pareils, et l'on retrouvait jusqu'à la même calotte de velours traînant sur les bergères [1] ; puis une foule de petits cadeaux, des écrans, des boîtes, des éventails allaient et venaient de chez la maîtresse chez l'épouse, car, sans la moindre gêne, Arnoux, souvent, reprenait à l'une ce qu'il lui avait donné, pour l'offrir à l'autre.

La Maréchale riait avec Frédéric de ses mauvaises façons. Un dimanche, après dîner, elle l'emmena derrière la porte, et lui fit voir dans son paletot un sac de gâteaux, qu'il venait d'escamoter sur la table, afin d'en régaler, sans doute, sa petite famille. M. Arnoux se livrait à des espiègleries côtoyant la turpitude. C'était pour lui un devoir que de frauder l'octroi [2] ; il n'allait jamais au spectacle en payant, avec un billet de secondes prétendait toujours se pousser aux premières, et racontait comme une farce excellente qu'il avait coutume, aux bains froids, de mettre dans le tronc du garçon un bouton de culotte pour une pièce de dix sous, ce qui n'empêchait point la Maréchale de l'aimer.

Un jour, cependant, elle dit, en parlant de lui :

---

1. Voir la note 1, p. 101.
2. Voir la note 6, p. 167.

– « Ah ! il m'embête, à la fin ! J'en ai assez ! Ma foi, tant pis, j'en trouverai un autre ! »

Frédéric croyait « l'autre » déjà trouvé et qu'il s'appelait M. Oudry.

– « Eh bien », dit Rosanette, « qu'est-ce que cela fait ? »

Puis, avec des larmes dans la voix :

– « Je lui demande bien peu de chose, pourtant, et il ne veut pas, l'animal ! Il ne veut pas ! Quant à ses promesses, oh ! c'est différent. »

Il lui avait même promis un quart de ses bénéfices dans les fameuses mines de kaolin [1] ; aucun bénéfice ne se montrait, pas plus que le cachemire dont il la leurrait depuis six mois.

Frédéric pensa, immédiatement, à lui en faire cadeau. Arnoux pouvait prendre cela pour une leçon et se fâcher.

Il était bon cependant, sa femme elle-même le disait. Mais si fou ! Au lieu d'amener tous les jours du monde à dîner chez lui, à présent il traitait ses connaissances chez le restaurateur. Il achetait des choses complètement inutiles, telles que des chaînes d'or, des pendules, des articles de ménage. Mme Arnoux montra même à Frédéric, dans le couloir, une énorme provision de bouillottes, chaufferettes et samovars [2]. Enfin, un jour, elle avoua ses inquiétudes : Arnoux lui avait fait signer un billet [3], souscrit à l'ordre de M. Dambreuse.

Cependant, Frédéric conservait ses projets littéraires, par une sorte de point d'honneur vis-à-vis de lui-même. Il voulut écrire une histoire de l'esthétique, résultat de ses conversations avec Pellerin, puis mettre en drames différentes époques de la Révolution française et composer une grande comédie, par l'influence indirecte de Deslauriers et d'Hussonnet. Au milieu de son travail, souvent le visage de l'une ou de l'autre passait devant lui ; il luttait contre l'envie de la voir, ne tardait pas à y céder ; et il était plus triste en revenant de chez Mme Arnoux.

Un matin qu'il ruminait sa mélancolie au coin de son feu, Deslauriers entra. Les discours incendiaires de Sénécal

---

1. Voir la note 3, p. 91.
2. Un samovar est une bouilloire russe.
3. Voir la note 1, p. 94.

avaient inquiété son patron, et, une fois de plus, il se trouvait sans ressources.

— « Que veux-tu que j'y fasse ? » dit Frédéric.

— « Rien ! tu n'as pas d'argent, je le sais. Mais ça ne te gênerait guère de lui découvrir une place, soit par M. Dambreuse ou bien Arnoux ? »

Celui-ci devait avoir besoin d'ingénieurs dans son établissement. Frédéric eut une inspiration : Sénécal pourrait l'avertir des absences du mari, porter des lettres, l'aider dans mille occasions qui se présenteraient. D'homme à homme, on se rend toujours ces services-là. D'ailleurs, il trouverait moyen de l'employer sans qu'il s'en doutât. Le hasard lui offrait un auxiliaire, c'était de bon augure, il fallait le saisir ; et, affectant de l'indifférence, il répondit que la chose peut-être était faisable et qu'il s'en occuperait.

Il s'en occupa tout de suite. Arnoux se donnait beaucoup de peine dans sa fabrique. Il cherchait le rouge de cuivre des Chinois ; mais ses couleurs se volatilisaient par la cuisson. Afin d'éviter les gerçures de ses faïences, il mêlait de la chaux à son argile ; mais les pièces se brisaient pour la plupart, l'émail de ses peintures sur cru[1] bouillonnait, ses grandes plaques gondolaient ; et, attribuant ces mécomptes au mauvais outillage de sa fabrique, il voulait se faire faire d'autres moulins à broyer, d'autres séchoirs. Frédéric se rappela quelques-unes de ces choses ; et il l'aborda en annonçant qu'il avait découvert un homme très fort, capable de trouver son fameux rouge. Arnoux en fit un bond, puis, l'ayant écouté, répondit qu'il n'avait besoin de personne.

Frédéric exalta les connaissances prodigieuses de Sénécal, tout à la fois ingénieur, chimiste et comptable, étant un mathématicien de première force.

Le faïencier consentit à le voir.

Tous deux se chamaillèrent sur les émoluments[2]. Frédéric s'interposa et parvint, au bout de la semaine, à leur faire conclure un arrangement.

---

1. Dans la peinture sur cru, les pièces sont peintes avant cuisson.
2. Au sens propre, les émoluments sont la rétribution des actes tarifés d'un officier ministériel (huissier ou notaire, par exemple). Ici, il s'agit plus largement du salaire.

Mais, l'usine étant située à Creil, Sénécal ne pouvait en rien l'aider. Cette réflexion, très simple, abattit son courage comme une mésaventure.

Il songea que plus Arnoux serait détaché de sa femme, plus il aurait de chance auprès d'elle. Alors, il se mit à faire l'apologie de Rosanette, continuellement ; il lui représenta tous ses torts à son endroit, conta les vagues menaces de l'autre jour, et même parla du cachemire, sans taire qu'elle l'accusait d'avarice.

Arnoux, piqué du mot (et, d'ailleurs, concevant des inquiétudes), apporta le cachemire à Rosanette, mais la gronda de s'être plainte à Frédéric ; comme elle disait lui avoir cent fois rappelé sa promesse, il prétendit qu'il ne s'en était pas souvenu, ayant trop d'occupations.

Le lendemain, Frédéric se présenta chez elle. Bien qu'il fût deux heures, la Maréchale était encore couchée ; et, à son chevet, Delmar, installé devant un guéridon, finissait une tranche de foie gras. Elle cria de loin : « Je l'ai, je l'ai » ; puis, le prenant par les oreilles, elle l'embrassa au front, le remercia beaucoup, le tutoya, voulut même le faire asseoir sur son lit. Ses jolis yeux tendres pétillaient, sa bouche humide souriait, ses deux bras ronds sortaient de sa chemise qui n'avait pas de manches ; et, de temps à autre, il sentait, à travers la batiste [1], les fermes contours de son corps. Delmar, pendant ce temps-là, roulait ses prunelles.

– « Mais, véritablement, mon amie, ma chère amie !... »

Il en fut de même les fois suivantes. Dès que Frédéric entrait, elle montait debout sur un coussin, pour qu'il l'embrassât mieux, l'appelait un mignon, un chéri, mettait une fleur à sa boutonnière, arrangeait sa cravate ; ces gentillesses redoublaient toujours lorsque Delmar se trouvait là.

Étaient-ce des avances ? Frédéric le crut. Quant à tromper un ami, Arnoux, à sa place, ne s'en gênerait guère ! et il avait bien le droit de n'être pas vertueux avec sa maîtresse, l'ayant toujours été avec sa femme ; car il croyait l'avoir été, ou plutôt il aurait voulu se le faire accroire, pour la justification de sa prodigieuse couardise [2]. Il se trouvait stupide

---

1. Voir la note 1, p. 45.
2. La couardise est le caractère de celui qui est lâche, peureux, qui manque de courage.

cependant, et résolut de s'y prendre avec la Maréchale carrément.

Donc une après-midi, comme elle se baissait devant sa commode, il s'approcha d'elle et eut un geste d'une éloquence si peu ambiguë, qu'elle se redressa tout empourprée. Il recommença de suite ; alors, elle fondit en larmes, disant qu'elle était bien malheureuse et que ce n'était pas une raison pour qu'on la méprisât.

Il réitéra ses tentatives. Elle prit un autre genre, qui fut de rire toujours. Il crut malin de riposter par le même ton, et en l'exagérant. Mais il se montrait trop gai pour qu'elle le crût sincère ; et leur camaraderie faisait obstacle à l'épanchement de toute émotion sérieuse. Enfin, un jour elle répondit qu'elle n'acceptait pas les restes d'une autre.

– « Quelle autre ? »

– « Eh oui ! va retrouver Mme Arnoux ! »

Car Frédéric en parlait souvent ; Arnoux, de son côté, avait la même manie ; elle s'impatientait, à la fin, d'entendre toujours vanter cette femme ; et son imputation [1] était une espèce de vengeance.

Frédéric lui en garda rancune.

Elle commençait, du reste, à l'agacer fortement. Quelquefois, se posant comme expérimentée, elle disait du mal de l'amour avec un rire sceptique qui donnait des démangeaisons de la gifler. Un quart d'heure après, c'était la seule chose qu'il y eût au monde, et, croisant ses bras sur sa poitrine, comme pour serrer quelqu'un, elle murmurait : « Oh ! oui, c'est bon ! c'est si bon ! » les paupières entrecloses et à demi pâmée d'ivresse. Il était impossible de la connaître, de savoir, par exemple, si elle aimait Arnoux, car elle se moquait de lui et en paraissait jalouse. De même pour la Vatnaz, qu'elle appelait une misérable, d'autres fois sa meilleure amie. Elle avait, enfin, sur toute sa personne et jusque dans le retroussement de son chignon, quelque chose d'inexprimable qui ressemblait à un défi ; – et il la désirait, pour le plaisir surtout de la vaincre et de la dominer.

---

1. Une imputation est le fait de mettre sur le compte de quelqu'un une action blâmable, une faute.

Comment faire ? car souvent elle le renvoyait sans nulle cérémonie, apparaissant une minute entre deux portes pour chuchoter : « Je suis occupée ; à ce soir ! » ou bien il la trouvait au milieu de douze personnes ; et quand ils étaient seuls, on aurait juré une gageure, tant les empêchements se succédaient. Il l'invitait à dîner, elle refusait toujours ; une fois, elle accepta, mais ne vint pas.

Une idée machiavélique surgit dans sa cervelle.

Connaissant par Dussardier les récriminations de Pellerin sur son compte, il imagina de lui commander le portrait de la Maréchale, un portrait grandeur nature, qui exigerait beaucoup de séances ; il n'en manquerait pas une seule ; l'inexactitude habituelle de l'artiste faciliterait les tête-à-tête. Il engagea donc Rosanette à se faire peindre, pour offrir son visage à son cher Arnoux. Elle accepta, car elle se voyait au milieu du Grand Salon[1], à la place d'honneur, avec une foule devant elle, et les journaux en parleraient, ce qui « la lancerait » tout à coup.

Quant à Pellerin, il saisit la proposition avidement. Ce portrait devait le poser en grand homme, être un chef-d'œuvre.

Il passa en revue dans sa mémoire tous les portraits de maître qu'il connaissait, et se décida finalement pour un Titien, lequel serait rehaussé d'ornements à la Véronèse. Donc il exécuterait son projet sans ombres factices, dans une lumière franche éclairant les chairs d'un seul ton, et faisant étinceler les accessoires.

– « Si je lui mettais », pensa-t-il, « une robe de soie rose, avec un burnous[2] oriental ? oh non ! canaille le burnous ! ou plutôt si je l'habillais de velours bleu, sur un fond gris, très coloré ? On pourrait lui donner également une collerette de guipure[3] blanche, avec un éventail noir et un rideau d'écarlate par-derrière ? »

Et, cherchant ainsi, il élargissait chaque jour sa conception et s'en émerveillait.

---

1. Un Salon est une exposition périodique d'œuvres d'artistes vivants.
2. Un burnous est un grand manteau de laine à capuchon et sans manches, en usage dans les pays du Maghreb.
3. Voir la note 1, p. 203.

Il eut un battement de cœur quand Rosanette, accompagnée de Frédéric, arriva chez lui pour la première séance. Il la plaça debout, sur une manière d'estrade, au milieu de l'appartement ; et, en se plaignant du jour et regrettant son ancien atelier, il la fit d'abord s'accouder contre un piédestal, puis asseoir dans un fauteuil, et tour à tour s'éloignant d'elle et s'en rapprochant pour corriger d'une chiquenaude les plis de sa robe, il la regardait les paupières entre-closes, et consultait d'un mot Frédéric.

– « Eh bien, non ! » s'écria-t-il. « J'en reviens à mon idée ! Je vous flanque en Vénitienne ! »

Elle aurait une robe de velours ponceau [1] avec une ceinture d'orfèvrerie, et sa large manche doublée d'hermine laisserait voir son bras nu qui toucherait à la balustrade d'un escalier montant derrière elle. À sa gauche, une grande colonne irait jusqu'au haut de la toile rejoindre des architectures, décrivant un arc. On apercevrait en dessous, vaguement, des massifs d'orangers presque noirs, où se découperait un ciel bleu, rayé de nuages blancs. Sur le balustre [2] couvert d'un tapis, il y aurait, dans un plat d'argent, un bouquet de fleurs, un chapelet d'ambre, un poignard et un coffret de vieil ivoire un peu jaune dégorgeant des sequins [3] d'or ; quelques-uns même, tombés par terre çà et là, formeraient une suite d'éclaboussures brillantes, de manière à conduire l'œil vers la pointe de son pied, car elle serait posée sur l'avant-dernière marche, dans un mouvement naturel et en pleine lumière.

Il alla chercher une caisse à tableaux, qu'il mit sur l'estrade pour figurer la marche ; puis il disposa comme accessoires sur un tabouret en guise de balustrade, sa vareuse, un bouclier, une boîte de sardines, un paquet de plumes, un couteau, et, quand il eut jeté devant Rosanette une douzaine de gros sous, il lui fit prendre sa pose.

– « Imaginez-vous que ces choses-là sont des richesses, des présents splendides. La tête un peu à droite ! Parfait !

---

1. Voir la note 9, p. 183.
2. Un balustre est une courte colonnette renflée, supportant un appui. Plusieurs forment une balustrade.
3. Le sequin était l'ancienne monnaie d'or de Venise.

Et ne bougez plus ! Cette attitude majestueuse va bien à votre genre de beauté. »

Elle avait une robe écossaise avec un gros manchon [1] et se retenait pour ne pas rire.

– « Quant à la coiffure, nous la mêlerons à un tortis de perles : cela fait toujours bon effet dans les cheveux rouges. »

La Maréchale se récria, disant qu'elle n'avait pas les cheveux rouges.

– « Laissez donc ! Le Rouge des peintres n'est pas celui des bourgeois ! »

Il commença à esquisser la position des masses ; et il était si préoccupé des grands artistes de la Renaissance, qu'il en parlait. Pendant une heure, il rêva tout haut à ces existences magnifiques, pleines de génie, de gloire et de somptuosités avec des entrées triomphales dans les villes, et des galas à la lueur des flambeaux, entre des femmes à moitié nues, belles comme des déesses.

– « Vous étiez faite pour vivre dans ce temps-là. Une créature de votre calibre aurait mérité un monseigneur ! »

Rosanette trouvait ses compliments fort gentils. On fixa le jour de la séance prochaine ; Frédéric se chargeait d'apporter les accessoires.

Comme la chaleur du poêle l'avait étourdie quelque peu, ils s'en retournèrent à pied par la rue du Bac et arrivèrent sur le pont Royal.

Il faisait un beau temps, âpre et splendide. Le soleil s'abaissait ; quelques vitres de maisons, dans la Cité, brillaient au loin comme des plaques d'or, tandis que, par-derrière, à droite, les tours de Notre-Dame se profilaient en noir sur le ciel bleu, mollement baigné à l'horizon dans des vapeurs grises. Le vent souffla ; et, Rosanette ayant déclaré qu'elle avait faim, ils entrèrent à la Pâtisserie anglaise.

Des jeunes femmes, avec leurs enfants, mangeaient debout contre le buffet de marbre, où se pressaient, sous des cloches de verre, les assiettes de petits gâteaux. Rosanette avala deux tartes à la crème. Le sucre en poudre faisait des moustaches

---

1. Un manchon est un fourreau cylindrique ouvert aux deux extrémités où l'on met les mains pour les protéger du froid.

au coin de sa bouche. De temps à autre, pour l'essuyer, elle tirait son mouchoir de son manchon ; et sa figure ressemblait, sous sa capote de soie verte, à une rose épanouie entre ses feuilles.

Ils se remirent en marche ; dans la rue de la Paix, elle s'arrêta, devant la boutique d'un orfèvre, à considérer un bracelet ; Frédéric voulut lui en faire cadeau.

– « Non », dit-elle, « garde ton argent. »

Il fut blessé de cette parole.

– « Qu'a donc le mimi ? On est triste ? »

Et, la conversation s'étant renouée, il en vint, comme d'habitude, à des protestations d'amour.

– « Tu sais bien que c'est impossible ! »

– « Pourquoi ? »

– « Ah ! parce que... »

Ils allaient côte à côte, elle appuyée sur son bras, et les volants de sa robe lui battaient contre les jambes. Alors, il se rappela un crépuscule d'hiver, où, sur le même trottoir, Mme Arnoux marchait ainsi à son côté ; et ce souvenir l'absorba tellement, qu'il ne s'apercevait plus de Rosanette et n'y songeait pas.

Elle regardait, au hasard, devant elle, tout en se laissant un peu traîner, comme un enfant paresseux. C'était l'heure où l'on rentrait de la promenade, et des équipages défilaient au grand trot sur le pavé sec. Les flatteries de Pellerin lui revenant sans doute à la mémoire, elle poussa un soupir.

– « Ah ! il y en a qui sont heureuses ! Je suis faite pour un homme riche, décidément. »

Il répliqua d'un ton brutal :

– « Vous en avez un, cependant ! » car M. Oudry passait pour trois fois millionnaire.

Elle ne demandait pas mieux que de s'en débarrasser.

– « Qui vous en empêche ? »

Et il exhala d'amères plaisanteries sur ce vieux bourgeois à perruque, lui montrant qu'une pareille liaison était indigne, et qu'elle devait la rompre !

– « Oui », répondit la Maréchale, comme se parlant à elle-même. « C'est ce que je finirai par faire, sans doute ! »

Frédéric fut charmé de ce désintéressement. Elle se ralentissait, il la crut fatiguée. Elle s'obstina à ne pas vouloir de voiture et elle le congédia devant sa porte, en lui envoyant un baiser du bout des doigts.

– « Ah ! quel dommage ! et songer que des imbéciles me trouvent riche ! »

Il était sombre en arrivant chez lui.

Hussonnet et Deslauriers l'attendaient.

Le bohème [1], assis devant sa table, dessinait des têtes de Turcs, et l'avocat, en bottes crottées, sommeillait sur le divan.

– « Ah ! enfin », s'écria-t-il. « Mais quel air farouche ! Peux-tu m'écouter ? »

Sa vogue comme répétiteur [2] diminuait, car il bourrait ses élèves de théories défavorables pour leurs examens. Il avait plaidé deux ou trois fois, avait perdu, et chaque déception nouvelle le rejetait plus fortement vers son vieux rêve : un journal où il pourrait s'étaler, se venger, cracher sa bile et ses idées. Fortune et réputation, d'ailleurs, s'ensuivraient. C'était dans cet espoir qu'il avait circonvenu le bohème, Hussonnet possédant une feuille.

À présent, il la tirait sur papier rose ; il inventait des canards [3], composait des rébus, tâchait d'engager des polémiques, et même (en dépit du local) voulait monter des concerts ! L'abonnement d'un an « donnait droit à une place d'orchestre dans un des principaux théâtres de Paris ; de plus, l'administration se chargeait de fournir à MM. les étrangers tous les renseignements désirables, artistiques, et autres ». Mais l'imprimeur faisait des menaces, on devait trois termes au propriétaire, toutes sortes d'embarras surgissaient ; et Hussonnet aurait laissé périr L'Art, sans les exhortations de l'avocat, qui lui chauffait le moral quotidiennement. Il l'avait pris, afin de donner plus de poids à sa démarche.

– « Nous venons pour le journal », dit-il.

– « Tiens, tu y penses encore ! » répondit Frédéric, d'un ton distrait.

---

1. Voir la note 2, p. 82.
2. Voir la note 2, p. 72.
3. Ici, un canard est une fausse nouvelle lancée dans la presse pour abuser le public.

– « Certainement j'y pense ! »

Et il exposa de nouveau son plan. Par des comptes rendus de la Bourse, ils se mettraient en relations avec des financiers, et obtiendraient ainsi les cent mille francs de cautionnement indispensables [1]. Mais, pour que la feuille pût être transformée en journal politique, il fallait auparavant avoir une large clientèle, et, pour cela, se résoudre à quelques dépenses, tant pour les frais de papeterie, d'imprimerie, de bureau, bref une somme de quinze mille francs.

– « Je n'ai pas de fonds », dit Frédéric.

– « Et nous donc ! » fit Deslauriers en croisant ses deux bras.

Frédéric, blessé du geste, répliqua :

– « Est-ce ma faute ?... »

– « Ah ! très bien ! Ils ont du bois dans leur cheminée, des truffes sur leur table, un bon lit, une bibliothèque, une voiture, toutes les douceurs ! Mais qu'un autre grelotte sous les ardoises, dîne à vingt sous, travaille comme un forçat et patauge dans la misère ! est-ce leur faute ? »

Et il répétait « Est-ce leur faute ? » avec une ironie cicéronienne qui sentait le Palais [2]. Frédéric voulait parler.

– « Du reste je comprends, on a des besoins... aristocratiques ; car sans doute... quelque femme... »

– « Eh bien, quand cela serait ? Ne suis-je pas libre ?... »

– « Oh ! très libre ! »

Et, après une minute de silence :

– « C'est si commode, les promesses ! »

– « Mon Dieu ! je ne les nie pas ! » dit Frédéric.

L'avocat continuait :

– « Au collège, on fait des serments, on constituera une phalange, on imitera les *Treize* [3] de Balzac ! Puis, quand on se retrouve : Bonsoir, mon vieux, va te promener ! Car celui

1. Cet important cautionnement est rendu nécessaire par les lois de septembre (voir la note 3, p. 112).

2. Voir la note 1, p. 116.

3. Sous le titre général d'*Histoire des Treize* sont regroupés trois récits de Balzac : *Ferragus* (1833), *La Duchesse de Langeais* (1833-1834) et *La Fille aux yeux d'or* (1835). Tous mettent en scène, plus ou moins directement, une association secrète d'hommes hors du commun.

qui pourrait servir l'autre retient précieusement tout, pour lui seul. »

– « Comment ? »

– « Oui, tu ne nous as pas même présentés chez les Dambreuse ! »

Frédéric le regarda ; avec sa pauvre redingote, ses lunettes dépolies et sa figure blême, l'avocat lui parut un tel cuistre[1], qu'il ne put empêcher sur ses lèvres un sourire dédaigneux. Deslauriers l'aperçut, et rougit.

Il avait déjà son chapeau pour s'en aller. Hussonnet, plein d'inquiétude, tâchait de l'adoucir par des regards suppliants, et, comme Frédéric lui tournait le dos :

– « Voyons, mon petit ! Soyez mon Mécène[2] ! Protégez les arts ! »

Frédéric, dans un brusque mouvement de résignation, prit une feuille de papier, et, ayant griffonné dessus quelques lignes, la lui tendit. Le visage du bohème[3] s'illumina. Puis, repassant la lettre à Deslauriers :

– « Faites des excuses, seigneur ! »

Leur ami conjurait son notaire de lui envoyer au plus vite, quinze mille francs.

– « Ah ! je te reconnais là ! » dit Deslauriers.

– « Foi de gentilhomme ! » ajouta le bohème, « vous êtes un brave, on vous mettra dans la galerie des hommes utiles ! »

L'avocat reprit :

– « Tu n'y perdras rien, la spéculation est excellente. »

– « Parbleu ! » s'écria Hussonnet, « j'en fourrerais ma tête sur l'échafaud. »

Et il débita tant de sottises et promit tant de merveilles (auxquelles il croyait peut-être), que Frédéric ne savait pas si c'était pour se moquer des autres ou de lui-même.

Ce soir-là, il reçut une lettre de sa mère.

Elle s'étonnait de ne pas le voir encore ministre, tout en le plaisantant quelque peu. Puis elle parlait de sa santé, et

---

1. Un cuistre est un pédant vaniteux et ridicule.
2. Mécène était un riche Romain du Ier siècle av. J.-C. qui encouragea les lettres et les arts.
3. Voir la note 2, p. 82.

lui apprenait que M. Roque venait maintenant chez elle.
« Depuis qu'il est veuf, j'ai cru sans inconvénient de le recevoir. Louise est très changée à son avantage. » Et en post-
scriptum : « Tu ne me dis rien de ta belle connaissance,
M. Dambreuse ; à ta place, je l'utiliserais. »

Pourquoi pas ? Ses ambitions intellectuelles l'avaient
quitté, et sa fortune (il s'en apercevait) était insuffisante ;
car, ses dettes payées et la somme convenue remise aux
autres, son revenu serait diminué de quatre mille francs,
pour le moins ! D'ailleurs, il sentait le besoin de sortir de
cette existence, de se raccrocher à quelque chose. Aussi, le
lendemain, en dînant chez Mme Arnoux, il dit que sa mère
le tourmentait pour qu'il embrassât une profession.

– « Mais je croyais », reprit-elle, « que M. Dambreuse
devait vous faire entrer au Conseil d'État ? Cela vous irait
très bien. »

Elle le voulait donc. Il obéit.

Le banquier, comme la première fois, était assis à son
bureau, et d'un geste le pria d'attendre quelques minutes,
car un monsieur tournant le dos à la porte, l'entretenait de
matières graves. Il s'agissait de charbons de terre et d'une
fusion à opérer entre diverses compagnies.

Les portraits du général Foy [1] et de Louis-Philippe se faisaient pendant de chaque côté de la glace ; des cartonniers [2]
montaient contre le lambris jusqu'au plafond, et il y avait
six chaises de paille, M. Dambreuse n'ayant pas besoin pour
ses affaires d'un appartement plus beau ; c'était comme ces
sombres cuisines où s'élaborent de grands festins. Frédéric
observa surtout deux coffres monstrueux, dressés dans les
encoignures. Il se demandait combien de millions y pouvaient tenir. Le banquier en ouvrit un, et la planche de fer
tourna, ne laissant voir à l'intérieur que des cahiers de
papier bleu.

Enfin l'individu passa devant Frédéric. C'était le père
Oudry. Tous deux se saluèrent en rougissant, ce qui parut

---

1. Le général Foy, homme très populaire, fut l'un des représentants du
parti libéral sous la Restauration. Ses obsèques, en 1825, rassemblèrent une
foule immense.
2. Voir la note 2, p. 84.

étonner M. Dambreuse. Du reste, il se montra fort aimable. Rien n'était plus facile que de recommander son jeune ami au garde des Sceaux. On serait trop heureux de l'avoir ; et il termina ses politesses en l'invitant à une soirée qu'il donnait dans quelques jours.

Frédéric montait en coupé [1] pour s'y rendre quand arriva un billet de la Maréchale. À la lueur des lanternes, il lut :

« Cher, j'ai suivi vos conseils. Je viens d'expulser mon Osage [2]. À partir de demain soir, liberté ! Dites que je ne suis pas brave. »

Rien de plus ! Mais c'était le convier à la place vacante. Il poussa une exclamation, serra le billet dans sa poche et partit.

Deux municipaux à cheval stationnaient dans la rue. Une file de lampions brûlaient sur les deux portes cochères ; et des domestiques, dans la cour, criaient, pour faire avancer les voitures jusqu'au bas du perron sous la marquise [3]. Puis, tout à coup, le bruit cessait dans le vestibule.

De grands arbres emplissaient la cage de l'escalier ; les globes de porcelaine versaient une lumière qui ondulait comme des moires [4] de satin blanc sur les murailles. Frédéric monta les marches allègrement. Un huissier lança son nom : M. Dambreuse lui tendit la main ; presque aussitôt, Mme Dambreuse parut.

Elle avait une robe mauve garnie de dentelles, les boucles de sa coiffure plus abondantes qu'à l'ordinaire, et pas un seul bijou.

Elle se plaignit de ses rares visites, trouva moyen de dire quelque chose. Les invités arrivaient ; en manière de salut, ils jetaient leur torse de côté, ou se courbaient en deux, ou baissaient la figure seulement ; puis un couple conjugal, une famille passait, et tous se dispersaient dans le salon déjà plein.

Sous le lustre, au milieu, un pouf énorme supportait une jardinière, dont les fleurs, s'inclinant comme des panaches,

1. Voir la note 3, p. 66.
2. Les Osages sont des Peaux-Rouges des rives du Missouri qui furent exhibés en France durant la monarchie de Juillet.
3. Voir la note 1, p. 199.
4. Voir la note 1, p. 71.

surplombaient la tête des femmes assises en rond, tout autour, tandis que d'autres occupaient les bergères [1] formant deux lignes droites interrompues symétriquement par les grands rideaux des fenêtres en velours nacarat [2] et les hautes baies des portes à linteau doré.

La foule des hommes qui se tenaient debout sur le parquet, avec leur chapeau à la main, faisait de loin une seule masse noire, où les rubans des boutonnières mettaient des points rouges çà et là, et que rendait plus sombre la monotone blancheur des cravates. Sauf de petits jeunes gens à barbe naissante, tous paraissaient s'ennuyer ; quelques dandies, d'un air maussade, se balançaient sur leurs talons. Les têtes grises, les perruques étaient nombreuses ; de place en place, un crâne chauve luisait ; et les visages, ou empourprés ou très blêmes, laissaient voir dans leur flétrissure la trace d'immenses fatigues, – les gens qu'il y avait là appartenant à la politique ou aux affaires. M. Dambreuse avait aussi invité plusieurs savants, des magistrats, deux ou trois médecins illustres, et il repoussait avec d'humbles attitudes les éloges qu'on lui faisait sur sa soirée et les allusions à sa richesse.

Partout, une valetaille [3] à larges galons d'or circulait. Les grandes torchères, comme des bouquets de feu, s'épanouissaient sur les tentures ; elles se répétaient dans les glaces ; et, au fond de la salle à manger, que tapissait un treillage de jasmin, le buffet ressemblait à un maître-autel de cathédrale ou à une exposition d'orfèvrerie, – tant il y avait de plats, de cloches, de couverts et de cuillers en argent et en vermeil, au milieu des cristaux à facettes qui entrecroisaient, pardessus les viandes, des lueurs irisées. Les trois autres salons regorgeaient d'objets d'art : paysages de maîtres contre les murs, ivoires et porcelaines au bord des tables, chinoiseries sur les consoles ; des paravents de laque [4] se développaient

---

1. Voir la note 1, p. 101.
2. Voir la note 7, p. 183.
3. La valetaille est un terme péjoratif qui désigne l'ensemble des valets d'une maison.
4. La laque est un vernis préparé à partir du suc naturel rouge-brun qui exsude de certains arbres d'Extrême-Orient, et dont on recouvre différentes surfaces.

devant les fenêtres, des touffes de camélias montaient dans les cheminées ; et une musique légère vibrait, au loin, comme un bourdonnement d'abeilles.

Les quadrilles n'étaient pas nombreux, et les danseurs, à la manière nonchalante dont ils traînaient leurs escarpins, semblaient s'acquitter d'un devoir. Frédéric entendait des phrases comme celles-ci :

– « Avez-vous été à la dernière fête de charité de l'hôtel Lambert, mademoiselle ? »

– « Non, monsieur ! »

– « Il va faire, tout à l'heure, une chaleur ! »

– « Oh ! c'est vrai, étouffante ! »

– « De qui donc cette polka ? »

– « Mon Dieu ! je ne sais pas, madame ! »

Et, derrière lui, trois roquentins [1], postés dans une embrasure, chuchotaient des remarques obscènes ; d'autres causaient chemins de fer [2], libre-échange [3] ; un sportsman contait une histoire de chasse ; un légitimiste et un orléaniste discutaient.

En errant de groupe en groupe, il arriva dans le salon des joueurs, où, dans un cercle de gens graves, il reconnut Martinon, « attaché maintenant au parquet [4] de la capitale ».

Sa grosse face couleur de cire emplissait convenablement son collier, lequel était une merveille, tant les poils noirs se trouvaient bien égalisés ; et, gardant un juste milieu entre l'élégance voulue par son âge et la dignité que réclamait sa profession, il accrochait son pouce dans son aisselle suivant l'usage des beaux, puis mettait son bras dans son gilet à la façon des doctrinaires. Bien qu'il eût des bottes extravernies, il portait les tempes rasées, pour se faire un front de penseur.

_____

1. Un roquentin est un vieillard ridicule, souvent parce qu'il veut jouer au jeune homme.

2. C'est pendant les dix premières années de la monarchie de Juillet que les chemins de fer s'organisèrent en France et qu'ils prirent leur essor.

3. Le libre-échange est l'assurance de la complète liberté du commerce international par la suppression de tous les droits de douane. Les conservateurs soutenaient en général la position inverse, le protectionnisme.

4. Le parquet est le groupe des magistrats chargés de requérir l'application de la loi au nom de la société.

Après quelques mots débités froidement, il se retourna vers son conciliabule. Un propriétaire disait :

– « C'est une classe d'hommes qui rêvent le bouleversement de la société ! »

– « Ils demandent l'organisation du travail ! » reprit un autre. « Conçoit-on cela ? »

– « Que voulez-vous ! » fit un troisième, « quand on voit M. de Genoude [1] donner la main au *Siècle* ! »

– « Et des conservateurs, eux-mêmes, s'intituler progressifs ! Pour nous amener, quoi ? la république ! comme si elle était possible en France ! »

Tous déclarèrent que la république était impossible en France.

– « N'importe », remarqua tout haut un monsieur. « On s'occupe trop de la Révolution ; on publie là-dessus un tas d'histoires, de livres !... »

– « Sans compter », dit Martinon, « qu'il y a, peut-être, des sujets d'étude plus sérieux ! »

Un ministériel s'en prit aux scandales du théâtre :

– « Ainsi, par exemple, ce nouveau drame *La Reine Margot* [2] dépasse véritablement les bornes ! Où était le besoin qu'on nous parlât des Valois ? Tout cela montre la royauté sous un jour défavorable ! C'est comme votre presse ! Les lois de septembre [3], on a beau dire, sont infiniment trop douces ! Moi, je voudrais des cours martiales pour bâillonner les journalistes ! À la moindre insolence, traînés devant un conseil de guerre ! et allez donc ! »

– « Oh ! prenez garde, monsieur, prenez garde ! » dit un professeur, « n'attaquez pas nos précieuses conquêtes de 1830 ! Respectons nos libertés. » Il fallait décentraliser plutôt, répartir l'excédent des villes dans les campagnes.

---

1. Le journaliste légitimiste Antoine Eugène de Genoude (1792-1849) fut un adversaire du régime de Juillet. À partir de 1830, il ne cessa de réclamer le suffrage universel, pensant qu'il favoriserait ses projets, et rejoignant ainsi sur ce point les positions de l'organe de la gauche constitutionnelle, *Le Siècle* (voir la note 4, p. 170).

2. Tiré du roman du même titre, *La Reine Margot* est un drame qui fut créé le 20 février 1847. Alexandre Dumas y peint la cour de Charles IX sous un jour particulièrement sombre.

3. Voir la note 3, p. 112.

– « Mais elles sont gangrenées ! » s'écria un catholique. « Faites qu'on raffermisse la religion ! »

Martinon s'empressa de dire :

– « Effectivement, c'est un frein ! »

Tout le mal gisait dans cette envie moderne de s'élever au-dessus de sa classe, d'avoir du luxe.

– « Cependant », objecta un industriel, « le luxe favorise le commerce. Aussi j'approuve le duc de Nemours d'exiger la culotte courte à ses soirées. »

– « M. Thiers y est venu en pantalon. Vous connaissez son mot ? »

– « Oui, charmant ! Mais il tourne au démagogue, et son discours dans la question des incompatibilités n'a pas été sans influence sur l'attentat du 12 mai. »

– « Ah ! bah ! »

– « Eh ! eh ! »

Le cercle fut contraint de s'entrouvrir pour livrer passage à un domestique portant un plateau, et qui tâchait d'entrer dans le salon des joueurs.

Sous l'abat-jour vert des bougies, des rangées de cartes et de pièces d'or couvraient la table. Frédéric s'arrêta devant une d'elles, perdit les quinze napoléons qu'il avait dans sa poche, fit une pirouette, et se trouva au seuil du boudoir où était alors Mme Dambreuse.

Des femmes le remplissaient, les unes près des autres, sur des sièges sans dossier. Leurs longues jupes, bouffant autour d'elles, semblaient des flots d'où leur taille émergeait, et les seins s'offraient aux regards dans l'échancrure des corsages. Presque toutes portaient un bouquet de violettes à la main. Le ton mat de leurs gants faisait ressortir la blancheur humaine de leurs bras ; des effilés, des herbes, leur pendaient sur les épaules, et on croyait quelquefois, à certains frissonnements, que la robe allait tomber. Mais la décence des figures tempérait les provocations du costume ; plusieurs même avaient une placidité presque bestiale, et ce rassemblement de femmes demi-nues faisait songer à un intérieur de harem ; il vint à l'esprit du jeune homme une comparaison plus grossière. En effet, toutes sortes de beautés se trouvaient là : des

Anglaises à profil de keepsake [1], une Italienne dont les yeux noirs fulguraient comme un Vésuve, trois sœurs habillées de bleu, trois Normandes, fraîches comme des pommiers d'avril, une grande rousse avec une parure d'améthystes ; – et les blanches scintillations des diamants qui tremblaient en aigrettes dans les chevelures, les taches lumineuses des pierreries étalées sur les poitrines, et l'éclat doux des perles accompagnant les visages se mêlaient au miroitement des anneaux d'or, aux dentelles, à la poudre, aux plumes, au vermillon [2] des petites bouches, à la nacre des dents. Le plafond, arrondi en coupole, donnait au boudoir la forme d'une corbeille ; et un courant d'air parfumé circulait sous le battement des éventails.

Frédéric, campé derrière elles avec son lorgnon dans l'œil, ne jugeait pas toutes les épaules irréprochables ; il songeait à la Maréchale, ce qui refoulait ses tentations, ou l'en consolait.

Il regardait cependant Mme Dambreuse, et il la trouvait charmante, malgré sa bouche un peu longue et ses narines trop ouvertes. Mais sa grâce était particulière. Les boucles de sa chevelure avaient comme une langueur passionnée, et son front couleur d'agate [3] semblait contenir beaucoup de choses et dénotait un maître.

Elle avait mis près d'elle la nièce de son mari, jeune personne assez laide. De temps à autre, elle se dérangeait pour recevoir celles qui entraient ; et le murmure des voix féminines, augmentant, faisait comme un caquetage d'oiseaux.

Il était question des ambassadeurs tunisiens et de leurs costumes. Une dame avait assisté à la dernière réception de l'Académie ; une autre parla du *Dom Juan* de Molière, représenté nouvellement aux Français [4]. Mais, désignant sa nièce d'un coup d'œil, Mme Dambreuse posa un doigt

---

1. Un keepsake est un livre-album, généralement illustré de fines gravures, qu'on offrait en cadeau, comme souvenir, à l'époque romantique.
2. Le vermillon est la couleur rouge vif.
3. L'agate est une pierre finement zonée, aux teintes nuancées et contrastées.
4. La première représentation de la pièce de Molière au Théâtre-Français eut lieu le 15 janvier 1847.

contre sa bouche, et un sourire qui lui échappa démentait cette austérité.

Tout à coup, Martinon apparut, en face, sous l'autre porte. Elle se leva. Il lui offrit son bras. Frédéric, pour le voir continuer ses galanteries, traversa les tables de jeu et les rejoignit dans le grand salon ; Mme Dambreuse quitta aussitôt son cavalier, et l'entretint familièrement.

Elle comprenait qu'il ne jouât pas, ne dansât pas.

– « Dans la jeunesse on est triste ! »

Puis, enveloppant le bal d'un seul regard :

– « D'ailleurs, tout cela n'est pas drôle ! pour certaines natures du moins ! »

Et elle s'arrêtait devant la rangée des fauteuils, distribuant çà et là des mots aimables, tandis que des vieux, qui avaient des binocles à deux branches, venaient lui faire la cour. Elle présenta Frédéric à quelques-uns. M. Dambreuse le toucha au coude légèrement, et l'emmena dehors sur la terrasse.

Il avait vu le ministre. La chose n'était pas facile. Avant d'être présenté comme auditeur au Conseil d'État, on devait subir un examen ; Frédéric, pris d'une confiance inexplicable, répondit qu'il en savait les matières.

Le financier n'en était pas surpris, d'après tous les éloges que faisait de lui M. Roque.

À ce nom, Frédéric revit la petite Louise, sa maison, sa chambre ; et il se rappela des nuits pareilles, où il restait à sa fenêtre, écoutant les rouliers [1] qui passaient. Ce souvenir de ses tristesses amena la pensée de Mme Arnoux ; et il se taisait, tout en continuant à marcher sur la terrasse. Les croisées dressaient au milieu des ténèbres de longues plaques rouges ; le bruit du bal s'affaiblissait ; les voitures commençaient à s'en aller.

– « Pourquoi donc », reprit M. Dambreuse, « tenez-vous au Conseil d'État ? »

Et il affirma, d'un ton de libéral, que les fonctions publiques ne menaient à rien, il en savait quelque chose ; les affaires valaient mieux. Frédéric objecta la difficulté de les apprendre.

---

1. Voir la note 1, p. 112.

– « Ah ! bah ! en peu de temps, je vous y mettrais. »

Voulait-il l'associer à ses entreprises ?

Le jeune homme aperçut, comme dans un éclair, une immense fortune qui allait venir.

– « Rentrons », dit le banquier. « Vous soupez avec nous, n'est-ce pas ? »

Il était trois heures, on partait. Dans la salle à manger, une table servie attendait les intimes.

M. Dambreuse aperçut Martinon, et, s'approchant de sa femme, d'une voix basse :

– « C'est vous qui l'avez invité ? »

Elle répliqua sèchement :

– « Mais oui ! »

La nièce n'était pas là. On but très bien, on rit très haut ; et des plaisanteries hasardeuses ne choquèrent point, tous éprouvant cet allégement qui suit les contraintes un peu longues. Seul Martinon se montra sérieux ; il refusa de boire du vin de Champagne par bon genre, souple d'ailleurs et fort poli, car M. Dambreuse, qui avait la poitrine étroite, se plaignant d'oppression, il s'informa de sa santé à plusieurs reprises ; puis il dirigeait ses yeux bleuâtres du côté de Mme Dambreuse.

Elle interpella Frédéric, pour savoir quelles jeunes personnes lui avaient plu. Il n'en avait remarqué aucune, et préférait, d'ailleurs, les femmes de trente ans.

– « Ce n'est peut-être pas bête ! » répondit-elle.

Puis, comme on mettait les pelisses[1] et les paletots, M. Dambreuse lui dit :

– « Venez me voir un de ces matins, nous causerons ! »

Martinon, au bas de l'escalier, alluma un cigare ; et il offrait, en le suçant, un profil tellement lourd, que son compagnon lâcha cette phrase :

– « Tu as une bonne tête, ma parole ! »

– « Elle en a fait tourner quelques-unes ! » reprit le jeune magistrat, d'un air à la fois convaincu et vexé.

Frédéric, en se couchant, résuma la soirée. D'abord, sa toilette (il s'était observé dans les glaces plusieurs fois), depuis la coupe de l'habit jusqu'au nœud des escarpins, ne

---

1. Voir la note 3, p. 179.

laissait rien à reprendre ; il avait parlé à des hommes considérables, avait vu de près des femmes riches, M. Dambreuse
s'était montré excellent et Mme Dambreuse presque engageante. Il pesa un à un ses moindres mots, ses regards, mille
choses inanalysables et cependant expressives. Ce serait crâ-
nement beau d'avoir une pareille maîtresse ! Pourquoi non,
après tout ? Il en valait bien un autre ! Peut-être qu'elle
n'était pas si difficile ? Martinon ensuite revint à sa
mémoire ; et, en s'endormant, il souriait de pitié sur ce
brave garçon.

L'idée de la Maréchale le réveilla ; ces mots de son billet :
« À partir de demain soir », étaient bien un rendez-vous
pour le jour même. Il attendit jusqu'à neuf heures, et courut
chez elle.

Quelqu'un, devant lui, qui montait l'escalier, ferma la
porte. Il tira la sonnette ; Delphine vint ouvrir, et affirma
que Madame n'y était pas.

Frédéric insista, pria. Il avait à lui communiquer quelque
chose de très grave, un simple mot. Enfin l'argument de la
pièce de cent sous réussit, et la bonne le laissa seul dans
l'antichambre.

Rosanette parut. Elle était en chemise, les cheveux
dénoués ; et, tout en hochant la tête, elle fit de loin avec
les deux bras, un grand geste exprimant qu'elle ne pouvait
le recevoir.

Frédéric descendit l'escalier, lentement. Ce caprice-là
dépassait tous les autres. Il n'y comprenait rien.

Devant la loge du portier, Mlle Vatnaz l'arrêta.

– « Elle vous a reçu ? »

– « Non ! »

– « On vous a mis à la porte ? »

– « Comment le savez-vous ? »

– « Ça se voit ! Mais venez ! sortons ! j'étouffe ! »

Elle l'emmena dans la rue. Elle haletait. Il sentait son bras
maigre trembler sur le sien. Tout à coup elle éclata :

– « Ah ! le misérable ! »

– « Qui donc ? »

– « Mais c'est lui ! lui ! Delmar ! »

Cette révélation humilia Frédéric ; il reprit :

– « En êtes-vous bien sûre ? »

– « Mais quand je vous dis que je l'ai suivi ! » s'écria la Vatnaz ; « je l'ai vu entrer ! Comprenez-vous maintenant ? Je devais m'y attendre, d'ailleurs ; c'est moi, dans ma bêtise, qui l'ai mené chez elle. Et si vous saviez, mon Dieu ! Je l'ai recueilli, je l'ai nourri, je l'ai habillé ; et toutes mes démarches dans les journaux ! Je l'aimais comme une mère ! » Puis, avec un ricanement : « Ah ! c'est qu'il faut à Monsieur des robes de velours ! une spéculation de sa part, vous pensez bien ! Et elle ! Dire que je l'ai connue confectionneuse de lingerie ! Sans moi, plus de vingt fois, elle serait tombée dans la crotte. Mais je l'y plongerai ! oh oui ! Je veux qu'elle crève à l'hôpital ! On saura tout ! »

Et, comme un torrent d'eau de vaisselle qui charrie des ordures, sa colère fit passer tumultueusement sous Frédéric les hontes de sa rivale.

– « Elle a couché avec Jumillac, avec Flacourt, avec le petit Allard, avec Bertinaux, avec Saint-Valéry, le grêlé [1]. Non ! l'autre ! Ils sont deux frères, n'importe ! Et quand elle avait des embarras, j'arrangeais tout. Qu'est-ce que j'y gagnais ? Elle est si avare ! Et puis, vous en conviendrez, c'était une jolie complaisance que de la voir, car enfin, nous ne sommes pas du même monde ! Est-ce que je suis une fille, moi ! Est-ce que je me vends ! Sans compter qu'elle est bête comme un chou ! Elle écrit catégorie par un *th*. Au reste, ils vont bien ensemble ; ça fait la paire, quoiqu'il s'intitule artiste et se croie du génie ! Mais, mon Dieu ! s'il avait seulement de l'intelligence, il n'aurait pas commis une infamie pareille ! On ne quitte pas une femme supérieure pour une coquine ! Je m'en moque, après tout. Il devient laid ! Je l'exècre ! Si je le rencontrais, tenez, je lui cracherais à la figure. » Elle cracha. « Oui, voilà le cas que j'en fais maintenant ! Et Arnoux, hein ? N'est-ce pas abominable ? Il lui a tant de fois pardonné ! On n'imagine pas ses sacrifices ! Elle devrait baiser ses pieds ! Il est si généreux, si bon ! »

Frédéric jouissait à entendre dénigrer Delmar. Il avait accepté Arnoux. Cette perfidie de Rosanette lui semblait une chose anormale, injuste ; et, gagné par l'émotion de la vieille fille, il arrivait à sentir pour lui comme de l'attendrissement.

---

1. Est grêlé le visage d'une personne qui a été atteinte de petite vérole.

Tout à coup, il se trouva devant sa porte ; Mlle Vatnaz, sans qu'il s'en aperçût, lui avait fait descendre le faubourg Poissonnière.

– « Nous y voilà », dit-elle. « Moi, je ne peux pas monter. Mais vous, rien ne vous empêche ? »

– « Pour quoi faire ? »

– « Pour lui dire tout, parbleu ! »

Frédéric, comme se réveillant en sursaut, comprit l'infamie où on le poussait.

– « Eh bien ? » reprit-elle.

Il leva les yeux vers le second étage. La lampe de Mme Arnoux brûlait. Rien effectivement ne l'empêchait de monter.

– « Je vous attends ici. Allez donc ! »

Ce commandement acheva de le refroidir, et il dit :

– « Je serai là-haut longtemps. Vous feriez mieux de vous en retourner. J'irai demain chez vous. »

– « Non, non ! » répliqua la Vatnaz, en tapant du pied. « Prenez-le ! emmenez-le ! faites qu'il les surprenne ! »

– « Mais Delmar n'y sera plus ! »

Elle baissa la tête.

– « Oui, c'est peut-être vrai ? »

Et elle resta sans parler, au milieu de la rue, entre les voitures ; puis, fixant sur lui ses yeux de chatte sauvage :

– « Je peux compter sur vous, n'est-ce pas ? Entre nous deux maintenant, c'est sacré ! Faites donc. À demain ! »

Frédéric, en traversant le corridor, entendit deux voix qui se répondaient. Celle de Mme Arnoux disait :

– « Ne mens pas ! ne mens donc pas ! »

Il entra. On se tut.

Arnoux marchait de long en large, et madame était assise sur la petite chaise près du feu, extrêmement pâle, l'œil fixe. Frédéric fit un mouvement pour se retirer. Arnoux lui saisit la main, heureux du secours qui lui arrivait.

– « Mais je crains... », dit Frédéric.

– « Restez donc ! » souffla Arnoux dans son oreille. Madame reprit :

– « Il faut être indulgent, monsieur Moreau ! Ce sont de ces choses que l'on rencontre parfois dans les ménages. »

– « C'est qu'on les y met », dit gaillardement Arnoux. « Les femmes vous ont des lubies ! Ainsi, celle-là, par exemple, n'est pas mauvaise. Non, au contraire ! Eh bien, elle s'amuse depuis une heure à me taquiner avec un tas d'histoires. »

– « Elles sont vraies ! » répliqua Mme Arnoux impatientée. « Car, enfin, tu l'as acheté. »

– « Moi ? »

– « Oui, toi-même ! au Persan ! »

– « Le cachemire ! » pensa Frédéric.

Il se sentait coupable et avait peur.

Elle ajouta, de suite :

– « C'était l'autre mois, un samedi, le 14. »

– « Ah ! ce jour-là, précisément, j'étais à Creil ! Ainsi, tu vois. »

– « Pas du tout ! Car nous avons dîné chez les Bertin, le 14. »

– « Le 14… ? » fit Arnoux, en levant les yeux comme pour chercher une date.

– « Et même, le commis qui t'a vendu était un blond ! »

– « Est-ce que je peux me rappeler le commis ! »

– « Il a cependant écrit, sous ta dictée, l'adresse : 18, rue de Laval [1]. »

– « Comment sais-tu ? » dit Arnoux stupéfait.

Elle leva les épaules.

– « Oh ! c'est bien simple : j'ai été pour faire réparer mon cachemire, et un chef de rayon m'a appris qu'on venait d'en expédier un autre pareil chez Mme Arnoux. »

– « Est-ce ma faute, à moi, s'il y a dans la même rue une dame Arnoux ? »

– « Oui ! mais pas Jacques Arnoux », reprit-elle.

Alors, il se mit à divaguer, protestant de son innocence. C'était une méprise, un hasard, une de ces choses inexplicables comme il en arrive. On ne devait pas condamner les gens sur de simples soupçons, des indices vagues ; et il cita l'exemple de l'infortuné Lesurques [2].

---

1. Voir la note 1, p. 181.
2. Condamné à mort dans l'affaire du courrier de Lyon, Lesurques n'avait cessé de clamer son innocence. Le véritable coupable fut découvert après son exécution en 1796.

– « Enfin, j'affirme que tu te trompes ! Veux-tu que je t'en jure ma parole ? »

– « Ce n'est point la peine ! »

– « Pourquoi ? »

Elle le regarda en face, sans rien dire ; puis allongea la main, prit le coffret d'argent sur la cheminée, et lui tendit une facture grande ouverte.

Arnoux rougit jusqu'aux oreilles et ses traits décomposés s'enflèrent.

– « Eh bien ? »

– « Mais… » répondit-il, lentement, « qu'est-ce que ça prouve ? »

– « Ah ! » fit-elle, avec une intonation de voix singulière, où il y avait de la douleur et de l'ironie. « Ah ! »

Arnoux gardait la note entre ses mains, et la retournait, n'en détachant pas les yeux comme s'il avait dû y découvrir la solution d'un grand problème.

– « Oh ! oui, oui, je me rappelle », dit-il enfin. « C'est une commission. – Vous devez savoir cela, vous, Frédéric ? » Frédéric se taisait. « Une commission dont j'étais chargé… par… par le père Oudry. »

– « Et pour qui ? »

– « Pour sa maîtresse ! »

– « Pour la vôtre ! » s'écria Mme Arnoux, se levant toute droite.

– « Je te jure… »

– « Ne recommencez pas ! Je sais tout ! »

– « Ah ! très bien ! Ainsi, on m'espionne ! »

Elle répliqua froidement :

– « Cela blesse, peut-être, votre délicatesse ? »

– « Du moment qu'on s'emporte », reprit Arnoux, en cherchant son chapeau, « et qu'il n'y a pas moyen de raisonner ! »

Puis, avec un grand soupir :

– « Ne vous mariez pas, mon pauvre ami, non, croyez-moi ! »

Et il décampa, ayant besoin de prendre l'air.

Alors, il se fit un grand silence ; et tout, dans l'appartement, sembla plus immobile. Un cercle lumineux, au-dessus de la carcel[1], blanchissait le plafond, tandis que, dans les coins, l'ombre s'étendait comme des gazes noires superposées ; on entendait le tic-tac de la pendule avec la crépitation du feu.

Mme Arnoux venait de se rasseoir, à l'autre angle de la cheminée dans le fauteuil ; elle mordait ses lèvres en grelottant ; ses deux mains se levèrent, un sanglot lui échappa, elle pleurait.

Il se mit sur la petite chaise ; et, d'une voix caressante, comme on fait à une personne malade :

– « Vous ne doutez pas que je ne partage… ? »

Elle ne répondit rien. Mais, continuant tout haut ses réflexions :

– « Je le laisse bien libre ! Il n'avait pas besoin de mentir ! »

– « Certainement », dit Frédéric.

C'était la conséquence de ses habitudes sans doute, il n'y avait pas songé, et peut-être que, dans des choses plus graves…

– « Que voyez-vous donc de plus grave ? »

– « Oh ! rien ! »

Frédéric s'inclina, avec un sourire d'obéissance. Arnoux néanmoins possédait certaines qualités ; il aimait ses enfants.

– « Ah ! et il fait tout pour les ruiner ! »

Cela venait de son humeur trop facile ; car, enfin, c'était un bon garçon.

Elle s'écria :

– « Mais qu'est-ce que cela veut dire, un bon garçon ! »

Il le défendait ainsi, de la manière la plus vague qu'il pouvait trouver, et, tout en la plaignant, il se réjouissait, se délectait au fond de l'âme. Par vengeance ou besoin d'affection, elle se réfugierait vers lui. Son espoir, démesurément accru, renforçait son amour.

Jamais elle ne lui avait paru si captivante, si profondément belle. De temps à autre, une aspiration soulevait sa poitrine ; ses deux yeux fixes semblaient dilatés par une vision

---

1. Une carcel (du nom de son inventeur) est une lampe à huile à rouages et à pistons.

intérieure, et sa bouche demeurait entre-close comme pour donner son âme. Quelquefois, elle appuyait dessus fortement son mouchoir ; il aurait voulu être ce petit morceau de batiste[1] tout trempé de larmes. Malgré lui, il regardait la couche, au fond de l'alcôve, en imaginant sa tête sur l'oreiller ; et il voyait cela si bien, qu'il se retenait pour ne pas la saisir dans ses bras. Elle ferma les paupières, apaisée, inerte. Alors, il s'approcha de plus près, et, penché sur elle, il examinait avidement sa figure. Un bruit de bottes résonna dans le couloir, c'était l'autre. Ils l'entendirent fermer la porte de sa chambre. Frédéric demanda, d'un signe, à Mme Arnoux, s'il devait y aller.

Elle répliqua « oui » de la même façon ; et ce muet échange de leurs pensées était comme un consentement, un début d'adultère.

Arnoux, près de se coucher, défaisait sa redingote.

– « Eh bien, comment va-t-elle ? »

– « Oh ! mieux ! » dit Frédéric. « Cela se passera ! »

Mais Arnoux était peiné.

– « Vous ne la connaissez pas ! Elle a maintenant des nerfs… ! Imbécile de commis ! Voilà ce que c'est que d'être trop bon ! Si je n'avais pas donné ce maudit châle à Rosanette ! »

– « Ne regrettez rien ! Elle vous est on ne peut plus reconnaissante ! »

– « Vous croyez ? »

Frédéric n'en doutait pas. La preuve, c'est qu'elle venait de congédier le père Oudry.

– « Ah ! pauvre biche ! »

Et, dans l'excès de son émotion, Arnoux voulait courir chez elle.

– « Ce n'est pas la peine ! j'en viens. Elle est malade ! »

– « Raison de plus ! »

Il repassa vivement sa redingote et avait pris son bougeoir. Frédéric se maudit pour sa sottise, et lui représenta qu'il devait, par décence, rester ce soir auprès de sa femme. Il ne pouvait l'abandonner, ce serait très mal.

---

1. Voir la note 1, p. 45.

– « Franchement, vous auriez tort ! Rien ne presse, là-bas ! Vous irez demain ! Voyons ! faites cela pour moi. »

Arnoux déposa son bougeoir, et lui dit, en l'embrassant :

– « Vous êtes bon, vous ! »

III

Alors commença pour Frédéric une existence misérable.
Il fut le parasite de la maison.

Si quelqu'un était indisposé, il venait trois fois par jour
savoir de ses nouvelles, allait chez l'accordeur de piano,
inventait mille prévenances ; et il endurait d'un air content
les bouderies de Mlle Marthe et les caresses du jeune
Eugène, qui lui passait toujours ses mains sales sur la figure.
Il assistait aux dîners où monsieur et madame, en face l'un
de l'autre, n'échangeaient pas un mot ; ou bien, Arnoux
agaçait sa femme par des remarques saugrenues. Le repas
terminé, il jouait dans la chambre avec son fils, se cachait
derrière les meubles, ou le portait sur son dos, en marchant
à quatre pattes, comme le Béarnais [1]. Il s'en allait enfin ; et
elle abordait immédiatement l'éternel sujet de plainte :
Arnoux.

Ce n'était pas son inconduite qui l'indignait. Mais elle
paraissait souffrir dans son orgueil, et laissait voir sa répugnance pour cet homme sans délicatesse, sans dignité, sans
honneur.

– « Ou plutôt il est fou ! » disait-elle.

Frédéric sollicitait adroitement ses confidences. Bientôt, il
connut toute sa vie.

Ses parents étaient de petits bourgeois de Chartres. Un
jour, Arnoux, dessinant au bord de la rivière (il se croyait
peintre dans ce temps-là), l'avait aperçue comme elle sortait
de l'église et demandée en mariage ; à cause de sa fortune,

---

1. Cette comparaison est une allusion à un tableau du peintre Ingres,
Henri IV et ses enfants, qui illustre une anecdote historique : le roi joue avec
ses enfants au moment où entre l'ambassadeur d'Espagne ; l'un d'eux est à
cheval sur son dos. « Êtes-vous père, monsieur l'ambassadeur ? dit le roi.
– Sire, j'ai ce bonheur. – En ce cas, je puis achever le tour de la chambre. »

on n'avait pas hésité. D'ailleurs, il l'aimait éperdument. Elle ajouta :

– « Mon Dieu, il m'aime encore ! à sa manière ! »

Ils avaient, les premiers mois, voyagé en Italie.

Arnoux, malgré son enthousiasme devant les paysages et les chefs-d'œuvre, n'avait fait que gémir sur le vin, et organisait des pique-niques avec des Anglais, pour se distraire. Quelques tableaux bien revendus l'avaient poussé au commerce des arts. Puis il s'était engoué d'une manufacture de faïence. D'autres spéculations, à présent, le tentaient ; et, se vulgarisant de plus en plus, il prenait des habitudes grossières et dispendieuses [1]. Elle avait moins à lui reprocher ses vices que toutes ses actions. Aucun changement ne pouvait survenir, et son malheur à elle était irréparable.

Frédéric affirmait que son existence, de même, se trouvait manquée.

Il était bien jeune cependant. Pourquoi désespérer ? Et elle lui donnait de bons conseils : « Travaillez ! mariez-vous ! » Il répondait par des sourires amers ; car, au lieu d'exprimer le véritable motif de son chagrin, il en feignait un autre, sublime, faisant un peu l'Antony [2], le maudit, – langage, du reste, qui ne dénaturait pas complètement sa pensée.

L'action, pour certains hommes, est d'autant plus impraticable que le désir est plus fort. La méfiance d'eux-mêmes les embarrasse, la crainte de déplaire les épouvante ; d'ailleurs, les affections profondes ressemblent aux honnêtes femmes ; elles ont peur d'être découvertes, et passent dans la vie les yeux baissés.

Bien qu'il connût Mme Arnoux davantage (à cause de cela, peut-être), il était encore plus lâche qu'autrefois. Chaque matin, il se jurait d'être hardi. Une invincible pudeur l'en empêchait ; et il ne pouvait se guider d'après aucun exemple puisque celle-là différait des autres. Par la force de ses rêves, il l'avait posée en dehors des conditions

---

1. Est dispendieux ce qui exige de grandes dépenses.
2. Antony est le héros éponyme d'un célèbre drame romantique d'Alexandre Dumas (1831). C'est le type de l'amant maudit qu'une passion fatale entraîne au crime.

humaines. Il se sentait, à côté d'elle, moins important sur la terre que les brindilles de soie s'échappant de ses ciseaux.

Puis il pensait à des choses monstrueuses, absurdes, telles que des surprises, la nuit, avec des narcotiques et des fausses clefs, – tout lui paraissait plus facile que d'affronter son dédain.

D'ailleurs, les enfants, les deux bonnes, la disposition des pièces faisaient d'insurmontables obstacles. Donc, il résolut de la posséder à lui seul, et d'aller vivre ensemble bien loin, au fond d'une solitude [1] ; il cherchait même sur quel lac assez bleu, au bord de quelle plage assez douce, si ce serait l'Espagne, la Suisse ou l'Orient ; et, choisissant exprès les jours où elle semblait plus irritée, il lui disait qu'il faudrait sortir de là, imaginer un moyen, et qu'il n'en voyait pas d'autre qu'une séparation. Mais, pour l'amour de ses enfants, jamais elle n'en viendrait à une telle extrémité. Tant de vertu augmenta son respect.

Ses après-midi se passaient à se rappeler la visite de la veille, à désirer celle du soir. Quand il ne dînait pas chez eux, vers neuf heures, il se postait au coin de la rue ; et, dès qu'Arnoux avait tiré la grande porte, Frédéric montait vivement les deux étages et demandait à la bonne d'un air ingénu :

– « Monsieur est là ? »

Puis faisait l'homme surpris de ne pas le trouver.

Arnoux, souvent, rentrait à l'improviste. Alors, il fallait le suivre dans un petit café de la rue Sainte-Anne, que fréquentait maintenant Regimbart.

Le Citoyen commençait par articuler contre la Couronne quelque nouveau grief. Puis ils causaient, en se disant amicalement des injures ; car le fabricant tenait Regimbart pour un penseur de haute volée, et, chagriné de voir tant de moyens perdus, il le taquinait sur sa paresse. Le Citoyen jugeait Arnoux plein de cœur et d'imagination, mais décidément trop immoral ; aussi le traitait-il sans la moindre indulgence et refusait même de dîner chez lui, parce que « la cérémonie l'embêtait ».

_____

1. Ici, une solitude est un lieu solitaire, désert.

Quelquefois, au moment des adieux, Arnoux était pris de fringale. Il « avait besoin » de manger une omelette ou des pommes cuites ; et, les comestibles ne se trouvant jamais dans l'établissement, il les envoyait chercher. On attendait. Regimbart ne s'en allait pas, et finissait, en grommelant, par accepter quelque chose.

Il était sobre néanmoins, car il restait pendant des heures, en face du même verre à moitié plein. La Providence ne gouvernant point les choses selon ses idées, il tournait à l'hypocondriaque [1], ne voulait même plus lire les journaux, et poussait des rugissements au seul nom de l'Angleterre [2]. Il s'écria une fois, à propos d'un garçon qui le servait mal :

– « Est-ce que nous n'avons pas assez des affronts de l'Étranger ! »

En dehors de ces crises, il se tenait taciturne, méditant « un coup infaillible pour faire péter toute la boutique ».

Tandis qu'il était perdu dans ses réflexions, Arnoux, d'une voix monotone et avec un regard un peu ivre, contait d'incroyables anecdotes où il avait toujours brillé, grâce à son aplomb ; et Frédéric (cela tenait sans doute à des ressemblances profondes) éprouvait un certain entraînement pour sa personne. Il se reprochait cette faiblesse, trouvant qu'il aurait dû le haïr, au contraire.

Arnoux se lamentait devant lui sur l'humeur de sa femme, son entêtement, ses préventions injustes. Elle n'était pas comme cela autrefois.

– « À votre place », disait Frédéric, « je lui ferais une pension, et je vivrais seul. »

Arnoux ne répondait rien ; et, un moment après, entamait son éloge. Elle était bonne, dévouée, intelligente, vertueuse ; et, passant à ses qualités corporelles, il prodiguait les révélations, avec l'étourderie de ces gens qui étalent leurs trésors dans les auberges.

Une catastrophe dérangea son équilibre.

Il était entré, comme membre du conseil de surveillance, dans une compagnie de kaolin [3]. Mais, se fiant à tout ce

---

1. Un hypocondriaque est une personne d'humeur triste et capricieuse.
2. Voir les notes 3, p. 78 sur l'affaire Pritchard et 1, p. 211 sur les mariages espagnols.
3. Voir la note 3, p. 91.

qu'on lui disait, il avait signé des rapports inexacts et approuvé, sans vérification, les inventaires annuels frauduleusement dressés par le gérant. Or, la compagnie avait croulé, et Arnoux, civilement responsable, venait d'être condamné, avec les autres, à la garantie des dommages-intérêts, ce qui lui faisait une perte d'environ trente mille francs, aggravée par les motifs du jugement.

Frédéric apprit cela dans un journal, et se précipita vers la rue Paradis.

On le reçut dans la chambre de madame. C'était l'heure du premier déjeuner. Des bols de café au lait encombraient un guéridon auprès du feu. Des savates traînaient sur le tapis, des vêtements sur les fauteuils. Arnoux, en caleçon et en veste de tricot, avait les yeux rouges et la chevelure ébouriffée ; le petit Eugène, à cause de ses oreillons, pleurait, tout en grignotant sa tartine ; sa sœur mangeait tranquillement ; Mme Arnoux, un peu plus pâle que d'habitude, les servait tous les trois.

– « Eh bien », dit Arnoux, en poussant un gros soupir, « vous savez ! » Et Frédéric ayant fait un geste de compassion : « Voilà ! J'ai été victime de ma confiance ! »

Puis il se tut ; et son abattement était si fort, qu'il repoussa le déjeuner. Mme Arnoux leva les yeux, avec un haussement d'épaules. Il se passa les mains sur le front.

– « Après tout, je ne suis pas coupable. Je n'ai rien à me reprocher. C'est un malheur ! On s'en tirera ! Ah ! ma foi, tant pis ! »

Et il entama une brioche, obéissant, du reste, aux sollicitations de sa femme.

Le soir, il voulut dîner seul, avec elle, dans un cabinet particulier, à la Maison d'or [1]. Mme Arnoux ne comprit rien à ce mouvement de cœur, s'offensant même d'être traitée en lorette [2] ; – ce qui, de la part d'Arnoux, au contraire, était une preuve d'affection. Puis, comme il s'ennuyait, il alla se distraire chez la Maréchale.

---

1. La Maison d'or ou Maison dorée, située au coin du boulevard des Italiens et de la rue Laffitte, était l'un des restaurants les plus célèbres de l'époque.
2. Voir la note 1, p. 113.

Jusqu'à présent, on lui avait passé beaucoup de choses, grâce à son caractère bonhomme. Son procès le classa parmi les gens tarés. Une solitude se fit autour de sa maison.

Frédéric, par point d'honneur, crut devoir les fréquenter plus que jamais. Il loua une baignoire [1] aux Italiens et les y conduisit chaque semaine. Cependant, ils en étaient à cette période où, dans les unions disparates, une invincible lassitude ressort des concessions que l'on s'est faites et rend l'existence intolérable. Mme Arnoux se retenait pour ne pas éclater, Arnoux s'assombrissait ; et le spectacle de ces deux êtres malheureux attristait Frédéric.

Elle l'avait chargé, puisqu'il possédait sa confiance, de s'enquérir de ses affaires. Mais il avait honte, il souffrait de prendre ses dîners en ambitionnant sa femme. Il continuait néanmoins, se donnant pour excuse qu'il devait la défendre, et qu'une occasion pouvait se présenter de lui être utile.

Huit jours après le bal, il avait fait une visite à M. Dambreuse. Le financier lui avait offert une vingtaine d'actions dans son entreprise de houilles ; Frédéric n'y était pas retourné. Deslauriers lui écrivait des lettres ; il les laissait sans réponse. Pellerin l'avait engagé à venir voir le portrait ; il l'éconduisait toujours. Il céda cependant à Cisy, qui l'obsédait pour faire la connaissance de Rosanette.

Elle le reçut fort gentiment, mais sans lui sauter au cou, comme autrefois. Son compagnon fut heureux d'être admis chez une impure, et surtout de causer avec un acteur ; Delmar se trouvait là.

Un drame, où il avait représenté un manant qui fait la leçon à Louis XIV et prophétise 89, l'avait mis en telle évidence, qu'on lui fabriquait sans cesse le même rôle ; et sa fonction, maintenant, consistait à bafouer les monarques de tous les pays. Brasseur anglais, il invectivait Charles Ier [2] ; étudiant de Salamanque, maudissait Philippe II [3] ; ou, père

---

1. Dans une salle de spectacle, une baignoire est une loge de rez-de-chaussée.

2. Roi d'Angleterre, d'Écosse et d'Irlande, Charles Ier (1600-1649) s'aliéna le Parlement et l'opinion publique par son absolutisme politique et religieux.

3. Roi d'Espagne, Philippe II (1527-1598) mit au point un système bureaucratique fort et mena une politique religieuse intolérante.

sensible, s'indignait contre la Pompadour [1], c'était le plus beau ! Les gamins, pour le voir, l'attendaient à la porte des coulisses ; et sa biographie, vendue dans les entractes, le dépeignait comme soignant sa vieille mère, lisant l'Évangile, assistant les pauvres, enfin sous les couleurs d'un saint Vincent de Paul [2] mélangé de Brutus [3] et de Mirabeau [4]. On disait : « Notre Delmar ». Il avait une mission, il devenait Christ.

Tout cela avait fasciné Rosanette ; et elle s'était débarrassée du père Oudry, sans se soucier de rien, n'étant pas cupide [5].

Arnoux, qui la connaissait, en avait profité pendant longtemps pour l'entretenir à peu de frais ; le bonhomme était venu, et ils avaient eu soin, tous les trois, de ne point s'expliquer franchement. Puis, s'imaginant qu'elle congédiait l'autre pour lui seul, Arnoux avait augmenté sa pension. Mais ses demandes se renouvelaient avec une fréquence inexplicable, car elle menait un train moins dispendieux [6] ; elle avait même vendu jusqu'au cachemire, tenant à s'acquitter de ses vieilles dettes, disait-elle ; et il donnait toujours, elle l'ensorcelait, elle abusait de lui, sans pitié. Aussi les factures, les papiers timbrés pleuvaient dans la maison. Frédéric sentait une crise prochaine.

Un jour, il se présenta pour voir Mme Arnoux. Elle était sortie. Monsieur travaillait en bas dans le magasin.

En effet, Arnoux, au milieu de ses potiches, tâchait d'*enfoncer* de jeunes mariés, des bourgeois de la province. Il parlait du tournage et du tournassage, du truité et du glacé [7] ; les autres, ne voulant pas avoir l'air de n'y rien comprendre, faisaient des signes d'approbation et achetaient.

---

1. Voir la note 2, p. 175.
2. Prêtre du XVIIᵉ siècle, Vincent de Paul se rendit célèbre par ses actions charitables, en particulier envers les galériens et les enfants trouvés.
3. Neveu de Tarquin le Superbe, Brutus fit abolir la royauté à Rome (509 av. J.-C.). Ses fils ayant comploté pour rétablir la monarchie, il présida à leur exécution. Il reste le type du républicain farouche.
4. Voir la note l, p. 63.
5. Est cupide la personne qui est avide d'argent, intéressée.
6. Voir la note 1, p. 249.
7. Ces quatre termes appartiennent au vocabulaire technique de la faïence.

Quand les chalands [1] furent dehors, il conta qu'il avait eu, le matin, avec sa femme une petite altercation. Pour prévenir les observations sur la dépense, il avait affirmé que la Maréchale n'était plus sa maîtresse.

– « Je lui ai même dit que c'était la vôtre. »

Frédéric fut indigné ; mais des reproches pouvaient le trahir, il balbutia :

– « Ah ! vous avez eu tort, grand tort ! »

– « Qu'est-ce que ça fait ? » dit Arnoux. « Où est le déshonneur de passer pour son amant ? Je le suis bien, moi ! Ne seriez-vous pas flatté de l'être ? »

Avait-elle parlé ? Était-ce une allusion ? Frédéric se hâta de répondre :

– « Non ! pas du tout ! au contraire ! »

– « Eh bien, alors ? »

– « Oui, c'est vrai ! cela n'y fait rien. »

Arnoux reprit :

– « Pourquoi ne venez-vous plus là-bas ? »

Frédéric promit d'y retourner.

– « Ah ! j'oubliais ! vous devriez…, en causant de Rosanette…, lâcher à ma femme quelque chose… je ne sais quoi, mais vous trouverez… quelque chose qui la persuade que vous êtes son amant. Je vous demande cela comme un service, hein ? »

Le jeune homme, pour toute réponse, fit une grimace ambiguë. Cette calomnie le perdait. Il alla le soir même chez elle, et jura que l'allégation d'Arnoux était fausse.

– « Bien vrai ? »

Il paraissait sincère ; et, quand elle eut respiré largement, elle lui dit : « Je vous crois », avec un beau sourire ; puis elle baissa la tête et, sans le regarder :

– « Au reste, personne n'a de droit sur vous ! »

Elle ne devinait donc rien, et elle le méprisait, puisqu'elle ne pensait pas qu'il pût assez l'aimer pour lui être fidèle ! Frédéric, oubliant ses tentatives près de l'autre, trouvait la permission outrageante.

Ensuite, elle le pria d'aller quelquefois « chez cette femme », pour voir un peu ce qui en était.

---

1. Un chaland est un acheteur.

Arnoux survint, et, cinq minutes après, voulut l'entraîner chez Rosanette.

La situation devenait intolérable.

Il en fut distrait par une lettre du notaire qui devait lui envoyer le lendemain quinze mille francs ; et, pour réparer sa négligence envers Deslauriers, il alla lui apprendre tout de suite cette bonne nouvelle.

L'avocat logeait rue des Trois-Maries [1], au cinquième étage, sur une cour. Son cabinet, petite pièce carrelée, froide, et tendue d'un papier grisâtre, avait pour principale décoration une médaille en or, son prix de doctorat, insérée dans un cadre d'ébène contre la glace. Une bibliothèque d'acajou enfermait sous vitres cent volumes, à peu près. Le bureau, couvert de basane [2], tenait le milieu de l'appartement. Quatre vieux fauteuils de velours vert en occupaient les coins ; et des copeaux flambaient dans la cheminée, où il y avait toujours un fagot prêt à allumer au coup de sonnette. C'était l'heure de ses consultations ; l'avocat portait une cravate blanche.

L'annonce des quinze mille francs (il n'y comptait plus, sans doute) lui causa un ricanement de plaisir.

– « C'est bien, mon brave, c'est bien, c'est très bien ! »

Il jeta du bois dans le feu, se rassit, et parla immédiatement du journal. La première chose à faire était de se débarrasser d'Hussonnet.

– « Ce crétin-là me fatigue ! Quant à desservir une opinion, le plus équitable, selon moi, et le plus fort, c'est de n'en avoir aucune. »

Frédéric parut étonné.

– « Mais sans doute ! Il serait temps de traiter la politique scientifiquement. Les vieux du XVIIIe siècle commençaient, quand Rousseau, les littérateurs, y ont introduit la philanthropie [3], la poésie, et autres blagues, pour la plus

---

1. La rue des Trois-Maries a disparu lors du percement de la rue du Pont-Neuf en 1866 (actuel Ier arrondissement, entre le Pont-Neuf et les Halles ; voir le dossier, p. 583).

2. La basane est une peau de mouton tannée qu'on emploie en sellerie, en maroquinerie et en reliure.

3. La philanthropie est l'attitude de celui qui se préoccupe d'améliorer le sort matériel et moral des hommes.

grande joie des catholiques ; alliance naturelle, du reste, puisque les réformateurs modernes (je peux le prouver) croient tous à la révélation [1]. Mais, si vous chantez des messes pour la Pologne [2], si à la place du Dieu des dominicains [3], qui était un bourreau, vous prenez le Dieu des romantiques, qui est un tapissier ; si, enfin, vous n'avez pas de l'Absolu une conception plus large que vos aïeux, la monarchie percera sous vos formes républicaines, et votre bonnet rouge ne sera jamais qu'une calotte sacerdotale ! Seulement, le régime cellulaire aura remplacé la torture, l'outrage à la religion le sacrilège, le concert européen la Sainte-Alliance ; et, dans ce bel ordre qu'on admire, fait de débris louis-quatorziens, de ruines voltairiennes, avec du badigeon impérial par-dessus et des fragments de constitution anglaise, on verra les conseils municipaux tâchant de vexer le maire, les conseils généraux leur préfet, les Chambres le roi, la presse le pouvoir, l'administration tout le monde ! Mais les bonnes âmes s'extasient sur le Code civil, œuvre fabriquée, quoi qu'on dise, dans un esprit mesquin, tyrannique ; car le législateur, au lieu de faire son état, qui est de régulariser la coutume, a prétendu modeler la société comme un Lycurgue [4] ! Pourquoi la loi gêne-t-elle le père de famille en matière de testament ? Pourquoi entrave-t-elle la vente forcée des immeubles ? Pourquoi punit-elle comme délit le vagabondage, lequel ne devrait pas être même une contravention ! Et il y en a d'autres ! Je les connais ! aussi je vais écrire un petit roman intitulé *Histoire de l'idée de justice*, qui sera drôle ! Mais j'ai une soif abominable ! et toi ? »

Il se pencha par la fenêtre, et cria au portier d'aller chercher des grogs [5] au cabaret.

---

1. Dans un contexte religieux, la révélation est le phénomène par lequel les vérités cachées sont dévoilées aux hommes d'une manière surnaturelle.
2. Voir la note 2, p. 213.
3. Les dominicains sont des religieux de l'ordre des Frères prêcheurs fondé par saint Dominique au XIIIᵉ siècle.
4. Législateur mythique de Sparte, Lycurgue aurait vécu au IXᵉ siècle av. J.-C. et serait allé chercher le modèle de ses lois en Crète, en Égypte et en Asie. Avant de disparaître, il aurait fait jurer à ses compatriotes de ne jamais changer cette constitution.
5. Voir la note 2, p. 50.

– « En résumé, je vois trois partis..., non ! trois groupes, – et dont aucun ne m'intéresse : ceux qui ont, ceux qui n'ont plus, et ceux qui tâchent d'avoir. Mais tous s'accordent dans l'idolâtrie imbécile de l'Autorité ! Exemples : Mably[1] recommande qu'on empêche les philosophes de publier leurs doctrines ; M. Wronski[2], géomètre, appelle en son langage la censure « répression critique de la spontanéité spéculative » ; le père Enfantin[3] bénit les Habsbourg « d'avoir passé par-dessus les Alpes une main pesante pour comprimer l'Italie » ; Pierre Leroux[4] veut qu'on vous force à entendre un orateur, et Louis Blanc[5] incline à une religion d'État, tant ce peuple de vassaux a la rage du gouvernement ! Pas un cependant n'est légitime, malgré leurs sempiternels principes. Mais, *principe* signifiant *origine*, il faut se reporter toujours à une révolution, à un acte de violence, à un fait transitoire. Ainsi, le principe du nôtre est la souveraineté nationale, comprise dans la forme parlementaire, quoique le parlement n'en convienne pas ! Mais en quoi la souveraineté du peuple serait-elle plus sacrée que le droit divin ? L'un et l'autre sont deux fictions ! Assez de métaphysique, plus de fantômes ! Pas n'est besoin de dogmes pour faire balayer les rues ! On dira que je renverse la société ! Eh bien, après ? où serait le mal ? Elle est propre, en effet, ta société. »

Frédéric aurait eu beaucoup de choses à lui répondre. Mais, le voyant loin des théories de Sénécal, il était plein d'indulgence. Il se contenta d'objecter qu'un pareil système les ferait haïr généralement.

– « Au contraire, comme nous aurons donné à chaque parti un gage de haine contre son voisin, tous compteront

---

1. Voir la note 3, p. 207
2. Polonais établi en France, Hoene-Wronski (1776-1853), après avoir été soldat, se consacra aux mathématiques et à la philosophie.
3. Disciple de Saint-Simon (voir la note 6, p. 207), Enfantin (1796-1864) transforma, à partir de 1830, le mouvement saint-simonien en Église dont il se promut chef. Il se faisait appeler le père Enfantin.
4. Théoricien socialiste d'abord proche du saint-simonisme, Pierre Leroux (1797-1871) rompit avec Enfantin et se lança dans l'*Encyclopédie nouvelle* (1836-1843) et *La Revue indépendante* (1841-1848). Député en 1848 et 1849, il s'exila après le coup d'État du 2 décembre 1851.
5. Voir la note 3, p. 105.

sur nous. Tu vas t'y mettre aussi, toi, et nous faire de la critique transcendante ! »

Il fallait attaquer les idées reçues, l'Académie, l'École normale, le Conservatoire, la Comédie-Française, tout ce qui ressemblait à une institution. C'est par là qu'ils donneraient un ensemble de doctrine à leur revue. Puis, quand elle serait bien posée, le journal tout à coup deviendrait quotidien ; alors, ils s'en prendraient aux personnes.

– « Et on nous respectera, sois-en sûr ! »

Deslauriers touchait à son vieux rêve : une rédaction en chef, c'est-à-dire au bonheur inexprimable de diriger les autres, de tailler en plein dans leurs articles, d'en commander, d'en refuser. Ses yeux pétillaient sous ses lunettes, il s'exaltait et buvait des petits verres, coup sur coup, machinalement.

– « Il faudra que tu donnes un dîner une fois la semaine. C'est indispensable, quand même la moitié de ton revenu y passerait ! On voudra y venir, ce sera un centre pour les autres, un levier pour toi ; et, maniant l'opinion par les deux bouts, littérature et politique, avant six mois, tu verras, nous tiendrons le haut du pavé dans Paris. »

Frédéric, en l'écoutant, éprouvait une sensation de rajeunissement, comme un homme qui, après un long séjour dans une chambre, est transporté au grand air. Cet enthousiasme le gagnait.

– « Oui, j'ai été un paresseux, un imbécile, tu as raison ! »

– « À la bonne heure ! » s'écria Deslauriers ; « je retrouve mon Frédéric ! »

Et, lui mettant le poing sous la mâchoire :

– « Ah ! tu m'as fait souffrir. N'importe ! je t'aime tout de même. »

Ils étaient debout et se regardaient, attendris l'un et l'autre, et près de s'embrasser.

Un bonnet de femme parut au seuil de l'antichambre.

– « Qui t'amène ? » dit Deslauriers.

C'était Mlle Clémence, sa maîtresse.

Elle répondit que, passant devant sa maison par hasard, elle n'avait pu résister au désir de le voir ; et, pour faire une petite collation ensemble, elle lui apportait des gâteaux, qu'elle déposa sur la table.

– « Prends garde à mes papiers ! » reprit aigrement l'avocat. « D'ailleurs, c'est la troisième fois que je te défends de venir pendant mes consultations. »

Elle voulut l'embrasser.

– « Bien ! va-t'en ! file ton nœud [1] ! »

Il la repoussait, elle eut un grand sanglot.

– « Ah ! tu m'ennuies, à la fin ! »

– « C'est que je t'aime ! »

– « Je ne demande pas qu'on m'aime, mais qu'on m'oblige ! »

Ce mot, si dur, arrêta les larmes de Clémence. Elle se planta devant la fenêtre, et y restait immobile, le front posé contre le carreau.

Son attitude et son mutisme agaçaient Deslauriers.

– « Quand tu auras fini, tu commanderas ton carrosse, n'est-ce pas ! »

Elle se retourna en sursaut.

– « Tu me renvoies ! »

– « Parfaitement ! »

Elle fixa sur lui ses grands yeux bleus, pour une dernière prière sans doute, puis croisa les deux bouts de son tartan [2], attendit une minute encore et s'en alla.

– « Tu devrais la rappeler », dit Frédéric.

– « Allons donc ! »

Et, comme il avait besoin de sortir, Deslauriers passa dans sa cuisine, qui était son cabinet de toilette. Il y avait sur la dalle, près d'une paire de bottes, les débris d'un maigre déjeuner, et un matelas avec une couverture était roulé par terre dans un coin.

– « Ceci te démontre », dit-il, « que je reçois peu de marquises ! On s'en passe aisément, va ! et des autres aussi. Celles qui ne coûtent rien prennent votre temps ; c'est de l'argent sous une autre forme ; or, je ne suis pas riche ! Et puis elles sont toutes si bêtes ! si bêtes ! Est-ce que tu peux causer avec une femme, toi ? »

---

1. « Filer son nœud » est une expression familière pour « partir, s'en aller ».
2. Le tartan est le tissu de laine traditionnel écossais. Ici, il s'agit vraisemblablement d'un châle fait de cette étoffe.

Ils se séparèrent à l'angle du pont Neuf.

– « Ainsi, c'est convenu ! tu m'apporteras la chose demain, dès que tu l'auras. »

– « Convenu ! » dit Frédéric.

Le lendemain à son réveil, il reçut par la poste un bon de quinze mille francs sur la Banque.

Ce chiffon de papier lui représenta quinze gros sacs d'argent ; et il se dit qu'avec une somme pareille, il pourrait : d'abord garder sa voiture pendant trois ans, au lieu de la vendre comme il y serait forcé prochainement, ou s'acheter deux belles armures damasquinées [1] qu'il avait vues sur le quai Voltaire, puis quantité de choses encore, des peintures, des livres et combien de bouquets de fleurs, de cadeaux pour Mme Arnoux ! Tout, enfin, aurait mieux valu que de risquer, que de perdre tant d'argent dans ce journal ! Deslauriers lui semblait présomptueux, son insensibilité de la veille le refroidissant à son endroit, et Frédéric s'abandonnait à ces regrets quand il fut tout surpris de voir entrer Arnoux, – lequel s'assit sur le bord de sa couche, pesamment, comme un homme accablé.

– « Qu'y a-t-il donc ? »

– « Je suis perdu ! »

Il avait à verser, le jour même, en l'étude de Me Beauminet, notaire rue Sainte-Anne, dix-huit mille francs, prêtés par un certain Vanneroy.

– « C'est un désastre inexplicable ! Je lui ai donné une hypothèque qui devait le tranquilliser, pourtant ! Mais il me menace d'un commandement [2], s'il n'est pas payé cette après-midi, tantôt ! »

– « Et alors ? »

– « Alors, c'est bien simple ! Il va faire exproprier mon immeuble. La première affiche me ruine, voilà tout ! Ah ! si je trouvais quelqu'un pour m'avancer cette maudite somme-là, il prendrait la place de Vanneroy et je serais sauvé ! Vous ne l'auriez pas, par hasard ? »

---

1. Est damasquinée la surface métallique qui est incrustée de filets d'or, d'argent, de cuivre formant des dessins.

2. En droit, un commandement est un acte d'huissier mettant un débiteur en demeure de satisfaire à ses obligations.

Le mandat était resté sur la table de nuit, près d'un livre. Frédéric souleva le volume et le posa par-dessus, en répondant :

– « Mon Dieu, non, cher ami ! »

Mais il lui coûtait de refuser à Arnoux.

– « Comment, vous ne trouvez personne qui veuille… ? »

– « Personne ! et songer que, d'ici à huit jours, j'aurai des rentrées ! On me doit peut-être… cinquante mille francs pour la fin du mois ! »

– « Est-ce que vous ne pourriez pas prier les individus qui vous doivent d'avancer… ? »

– « Ah bien, oui ! »

– « Mais vous avez des valeurs quelconques, des billets ? »

– « Rien ! »

– « Que faire ? » dit Frédéric.

– « C'est ce que je me demande », reprit Arnoux.

Il se tut, et il marchait dans la chambre de long en large.

– « Ce n'est pas pour moi, mon Dieu ! mais pour mes enfants, pour ma pauvre femme ! »

Puis, en détachant chaque mot :

– « Enfin… je serai fort… j'emballerai tout cela… et j'irai chercher fortune… je ne sais où ! »

– « Impossible ! » s'écria Frédéric.

Arnoux répliqua d'un air calme :

– « Comment voulez-vous que je vive à Paris, maintenant ? »

Il y eut un long silence.

Frédéric se mit à dire :

– « Quand le rendriez-vous, cet argent ? »

Non pas qu'il l'eût ; au contraire ! Mais rien ne l'empêchait de voir des amis, de faire des démarches. Et il sonna son domestique pour s'habiller. Arnoux le remerciait.

– « C'est dix-huit mille francs qu'il vous faut, n'est-ce pas ? »

– « Oh ! je me contenterais bien de seize mille ! Car j'en ferai bien deux mille cinq cents, trois mille avec mon argenterie, si Vanneroy, toutefois, m'accorde jusqu'à demain ; et, je vous le répète, vous pouvez affirmer, jurer au prêteur que, dans huit jours, peut-être même dans cinq ou six, l'argent sera remboursé. D'ailleurs, l'hypothèque en répond. Ainsi, pas de danger, vous comprenez ? »

Frédéric assura qu'il comprenait et qu'il allait sortir immédiatement.

Il resta chez lui, maudissant Deslauriers, car il voulait tenir sa parole, et cependant obliger Arnoux.

– « Si je m'adressais à M. Dambreuse ? Mais sous quel prétexte demander de l'argent ? C'est à moi, au contraire, d'en porter chez lui pour ses actions de houilles ! Ah ! qu'il aille se promener avec ses actions ! Je ne les dois pas ! »

Et Frédéric s'applaudissait de son indépendance, comme s'il eût refusé un service à M. Dambreuse.

– « Eh bien », se dit-il ensuite, « puisque je fais une perte de ce côté-là car je pourrais, avec quinze mille francs, en gagner cent mille ! À la Bourse, ça se voit quelquefois... Donc, puisque je manque à l'un, ne suis-je pas libre ?... D'ailleurs, quand Deslauriers attendrait ! – Non, non, c'est mal, allons-y ! »

Il regarda sa pendule.

– « Ah ! rien ne presse ! La Banque ne ferme qu'à cinq heures. »

Et, à quatre heures et demie, quand il eut touché son argent :

– « C'est inutile, maintenant ! Je ne le trouverais pas ; j'irai ce soir ! » se donnant ainsi le moyen de revenir sur sa décision, car il reste toujours dans la conscience quelque chose des sophismes[1] qu'on y a versés ; elle en garde l'arrière-goût, comme d'une liqueur mauvaise.

Il se promena sur les boulevards, et dîna seul au restaurant. Puis il entendit un acte au Vaudeville, pour se distraire. Mais ses billets de banque le gênaient, comme s'il les eût volés. Il n'aurait pas été chagrin de les perdre.

En rentrant chez lui, il trouva une lettre contenant ces mots :

« Quoi de neuf ?

Ma femme se joint à moi, cher ami, dans l'espérance, etc.

À vous, »

---

1. Un sophisme est un raisonnement faux en dépit de ses apparences de vérité.

Et un parafe.

– « Sa femme ! elle me prie ! »

Au même moment, parut Arnoux, pour savoir s'il avait trouvé la somme urgente.

– « Tenez, la voilà ! » dit Frédéric.

Et, vingt-quatre heures après, il répondit à Deslauriers :

– « Je n'ai rien reçu. »

L'avocat revint trois jours de suite. Il le pressait d'écrire au notaire. Il offrit même de faire le voyage du Havre.

– « Non ! c'est inutile ! Je vais y aller ! »

La semaine finie, Frédéric demanda timidement au sieur Arnoux ses quinze mille francs.

Arnoux le remit au lendemain, puis au surlendemain. Frédéric se risquait dehors à la nuit close, craignant d'être surpris par Deslauriers.

Un soir, quelqu'un le heurta au coin de la Madeleine. C'était lui.

– « Je vais les chercher », dit-il.

Et Deslauriers l'accompagna jusqu'à la porte d'une maison, dans le faubourg Poissonnière [1].

– « Attends-moi ! »

Il attendit. Enfin, après quarante-trois minutes, Frédéric sortit avec Arnoux, et lui fit signe de patienter encore un peu. Le marchand de faïences et son compagnon montèrent, bras dessus, bras dessous, la rue Hauteville, prirent ensuite la rue de Chabrol.

La nuit était sombre, avec des rafales de vent tiède. Arnoux marchait doucement, tout en parlant des Galeries du commerce : une suite de passages couverts qui auraient mené du boulevard Saint-Denis au Châtelet, spéculation merveilleuse, où il avait grande envie d'entrer ; et il s'arrêtait de temps à autre, pour voir aux carreaux des boutiques la figure des grisettes [2], puis reprenait son discours.

Frédéric entendait les pas de Deslauriers derrière lui, comme des reproches, comme des coups frappant sur sa conscience. Mais il n'osait faire sa réclamation, par

_____
1. Voir la note 3, p. 88.
2. Voir la note 3, p. 125.

mauvaise honte, et dans la crainte qu'elle ne fût inutile. L'autre se rapprochait. Il se décida.

Arnoux, d'un ton fort dégagé, dit que, ses recouvrements n'ayant pas eu lieu, il ne pouvait rendre actuellement les quinze mille francs.

– « Vous n'en avez pas besoin, j'imagine ? »

À ce moment, Deslauriers accosta Frédéric, et, le tirant à l'écart :

– « Sois franc, les as-tu, oui ou non ? »

– « Eh bien, non ! » dit Frédéric, « je les ai perdus ! »

– « Ah ! et à quoi ? »

– « Au jeu ! »

Deslauriers ne répondit pas un mot, salua très bas, et partit. Arnoux avait profité de l'occasion pour allumer un cigare dans un débit de tabac. Il revint en demandant quel était ce jeune homme.

– « Rien ! un ami ! »

Puis, trois minutes après, devant la porte de Rosanette :

– « Montez donc », dit Arnoux, « elle sera contente de vous voir. Quel sauvage vous êtes maintenant ! »

Un réverbère, en face, l'éclairait ; et avec son cigare entre ses dents blanches et son air heureux, il avait quelque chose d'intolérable.

– « Ah ! à propos, mon notaire a été ce matin chez le vôtre, pour cette inscription d'hypothèque. C'est ma femme qui me l'a rappelé. »

– « Une femme de tête ! » reprit machinalement Frédéric.

– « Je crois bien ! »

Et Arnoux recommença son éloge. Elle n'avait pas sa pareille pour l'esprit, le cœur, l'économie ; il ajouta d'une voix basse, en roulant des yeux :

– « Et comme corps de femme ! »

– « Adieu ! » dit Frédéric.

Arnoux fit un mouvement.

– « Tiens ! pourquoi ? »

Et, la main à demi tendue vers lui, il l'examinait, tout décontenancé par la colère de son visage.

Frédéric répliqua sèchement :

– « Adieu ! »

Il descendit la rue de Bréda comme une pierre qui déroule, furieux contre Arnoux, se faisant le serment de ne jamais plus le revoir, ni elle non plus, navré, désolé. Au lieu de la rupture qu'il attendait, voilà que l'autre, au contraire, se mettait à la chérir et complètement, depuis le bout des cheveux jusqu'au fond de l'âme. La vulgarité de cet homme exaspérait Frédéric. Tout lui appartenait donc, à celui-là ! Il le retrouvait sur le seuil de la lorette [1] ; et la mortification d'une rupture s'ajoutait à la rage de son impuissance. D'ailleurs, l'honnêteté d'Arnoux offrant des garanties pour son argent l'humiliait ; il aurait voulu l'étrangler ; et par-dessus son chagrin planait dans sa conscience, comme un brouillard, le sentiment de sa lâcheté envers son ami. Des larmes l'étouffaient.

Deslauriers dévalait la rue des Martyrs, en jurant tout haut d'indignation ; car son projet, tel qu'un obélisque abattu, lui paraissait maintenant d'une hauteur extraordinaire. Il s'estimait volé, comme s'il avait subi un grand dommage. Son amitié pour Frédéric était morte, et il en éprouvait de la joie ; c'était une compensation ! Une haine l'envahit contre les riches. Il pencha vers les opinions de Sénécal et se promettait de les servir.

Arnoux, pendant ce temps-là, commodément assis dans une bergère [2], auprès du feu, humait sa tasse de thé, en tenant la Maréchale sur ses genoux.

Frédéric ne retourna point chez eux ; et, pour se distraire de sa passion calamiteuse, adoptant le premier sujet qui se présenta, il résolut de composer une *Histoire de la Renaissance*. Il entassa pêle-mêle sur sa table les humanistes, les philosophes et les poètes ; il allait au Cabinet des estampes, voir les gravures de Marc-Antoine [3] ; il tâchait d'entendre Machiavel. Peu à peu, la sérénité du travail l'apaisa. En plongeant dans la personnalité des autres, il oublia la sienne, ce qui est la seule manière peut-être de n'en pas souffrir.

---

1. Voir la note 1, p. 113.
2. Voir la note 1, p. 101.
3. Marc-Antoine Raimondi (v. 1480-1534), graveur italien, a reproduit des œuvres de Dürer, de Michel-Ange et de Raphaël, et ainsi contribué à la diffusion des œuvres de la Renaissance.

Un jour qu'il prenait des notes, tranquillement, la porte s'ouvrit et le domestique annonça Mme Arnoux.

C'était bien elle ! seule ? Mais non ! car elle tenait par la main le petit Eugène, suivi de sa bonne en tablier blanc. Elle s'assit ; et, quand elle eut toussé :

– « Il y a longtemps que vous n'êtes venu à la maison. »

Frédéric ne trouvant pas d'excuse, elle ajouta :

– « C'est une délicatesse de votre part ! »

Il reprit :

– « Quelle délicatesse ? »

– « Ce que vous avez fait pour Arnoux ! » dit-elle.

Frédéric eut un geste signifiant : « Je m'en moque bien ! c'était pour vous ! »

Elle envoya son enfant jouer avec la bonne, dans le salon. Ils échangèrent deux ou trois mots sur leur santé, puis l'entretien tomba.

Elle portait une robe de soie brune, de la couleur d'un vin d'Espagne, avec un paletot de velours noir, bordé de martre ; cette fourrure donnait envie de passer les mains dessus, et ses longs bandeaux [1], bien lissés, attiraient les lèvres. Mais une émotion la troublait, et, tournant les yeux du côté de la porte :

– « Il fait un peu chaud, ici ! »

Frédéric devina l'intention prudente de son regard.

– « Pardon ! les deux battants ne sont que poussés. »

– « Ah ! c'est vrai ! »

Et elle sourit, comme pour dire : « Je ne crains rien. »

Il lui demanda immédiatement ce qui l'amenait.

– « Mon mari », reprit-elle avec effort, « m'a engagée à venir chez vous, n'osant faire cette démarche lui-même. »

– « Et pourquoi ? »

– « Vous connaissez M. Dambreuse, n'est-ce pas ? »

– « Oui, un peu ! »

– « Ah ! un peu. »

Elle se taisait.

– « N'importe ! achevez. »

Alors, elle conta que l'avant-veille, Arnoux n'avait pu payer quatre billets de mille francs souscrits à l'ordre du

---

1. Voir la note 3, p. 47.

banquier, et sur lesquels il lui avait fait mettre sa signature. Elle se repentait d'avoir compromis la fortune de ses enfants. Mais tout valait mieux que le déshonneur ; et, si M. Dambreuse arrêtait les poursuites, on le payerait bientôt, certainement ; car elle allait vendre, à Chartres, une petite maison qu'elle avait.

– « Pauvre femme ! » murmura Frédéric. – « J'irai ! comptez sur moi. »

– « Merci ! »

Et elle se leva pour partir.

– « Oh ! rien ne vous presse encore ! »

Elle resta debout, examinant le trophée de flèches mongoles suspendu au plafond, la bibliothèque, les reliures, tous les ustensiles pour écrire ; elle souleva la cuvette de bronze qui contenait les plumes ; ses talons se posèrent à des places différentes sur le tapis. Elle était venue plusieurs fois chez Frédéric, mais toujours avec Arnoux. Ils se trouvaient seuls, maintenant, – seuls, dans sa propre maison ; – c'était un événement extraordinaire, presque une bonne fortune.

Elle voulut voir son jardinet ; il lui offrit le bras pour lui montrer ses domaines, trente pieds de terrain, enclos par des maisons, ornés d'arbustes dans les angles et d'une plate-bande au milieu.

On était aux premiers jours d'avril. Les feuilles des lilas verdoyaient déjà, un souffle pur se roulait dans l'air, et de petits oiseaux pépiaient, alternant leur chanson avec le bruit lointain que faisait la forge d'un carrossier.

Frédéric alla chercher une pelle à feu ; et, tandis qu'ils se promenaient côte à côte, l'enfant élevait des tas de sable dans l'allée.

Mme Arnoux ne croyait pas qu'il eût plus tard une grande imagination, mais il était d'humeur caressante. Sa sœur, au contraire, avait une sécheresse naturelle qui la blessait quelquefois.

– « Cela changera », dit Frédéric. « Il ne faut jamais désespérer. »

Elle répliqua :

– « Il ne faut jamais désespérer ! »

Cette répétition machinale de sa phrase lui parut une sorte d'encouragement ; il cueillit une rose, la seule du jardin.

– « Vous rappelez-vous… un certain bouquet de roses, un soir, en voiture ? »

Elle rougit quelque peu ; et, avec un air de compassion railleuse :

– « Ah ! j'étais bien jeune ! »

– « Et celle-là », reprit à voix basse Frédéric, « en sera-t-il de même ? »

Elle répondit, tout en faisant tourner la tige entre ses doigts, comme le fil d'un fuseau :

– « Non ! je la garderai ! »

Elle appela d'un geste la bonne, qui prit l'enfant sur son bras ; puis, au seuil de la porte, dans la rue, Mme Arnoux aspira la fleur, en inclinant la tête sur son épaule, et avec un regard aussi doux qu'un baiser.

Quand il fut remonté dans son cabinet, il contempla le fauteuil où elle s'était assise et tous les objets qu'elle avait touchés. Quelque chose d'elle circulait autour de lui. La caresse de sa présence durait encore.

– « Elle est donc venue là ! » se disait-il.

Et les flots d'une tendresse infinie le submergeaient.

Le lendemain, à onze heures, il se présenta chez M. Dambreuse. On le reçut dans la salle à manger. Le banquier déjeunait en face de sa femme. Sa nièce était près d'elle, et de l'autre côté l'institutrice, une Anglaise, fortement marquée de petite vérole.

M. Dambreuse invita son jeune ami à prendre place au milieu d'eux, et, sur son refus :

– « À quoi puis-je vous être bon ? Je vous écoute. »

Frédéric avoua, en affectant de l'indifférence, qu'il venait faire une requête pour un certain Arnoux.

– « Ah ! ah ! l'ancien marchand de tableaux », dit le banquier, avec un rire muet découvrant ses gencives. « Oudry le garantissait, autrefois ; on s'est fâché. »

Et il se mit à parcourir les lettres et les journaux posés près de son couvert.

Deux domestiques servaient, sans faire de bruit sur le parquet ; et la hauteur de la salle, qui avait trois portières en tapisserie et deux fontaines de marbre blanc, le poli des réchauds, la disposition des hors-d'œuvre, et jusqu'aux plis raides des serviettes, tout ce bien-être luxueux établissait dans la pensée de Frédéric un contraste avec un autre déjeuner chez Arnoux. Il n'osait interrompre M. Dambreuse.

Madame remarqua son embarras.

– « Voyez-vous quelquefois notre ami Martinon ? »

– « Il viendra ce soir », dit vivement la jeune fille.

– « Ah ! tu le sais ? » répliqua sa tante, en arrêtant sur elle un regard froid.

Puis, un des valets s'étant penché à son oreille :

– « Ta couturière, mon enfant !… miss John ! »

Et l'institutrice, obéissante, disparut avec son élève.

M. Dambreuse, troublé par le dérangement des chaises, demanda ce qu'il y avait.

– « C'est Mme Regimbart. »

– « Tiens ! Regimbart ! Je connais ce nom-là. J'ai rencontré sa signature. »

Frédéric aborda enfin la question ; Arnoux méritait de l'intérêt ; il allait même, dans le seul but de remplir ses engagements, vendre une maison à sa femme.

– « Elle passe pour très jolie », dit Mme Dambreuse.

Le banquier ajouta d'un air bonhomme :

– « Êtes-vous leur ami… intime ? »

Frédéric, sans répondre nettement, dit qu'il lui serait fort obligé de prendre en considération…

– « Eh bien, puisque cela vous fait plaisir, soit ! on attendra ! J'ai du temps encore. Si nous descendions dans mon bureau, voulez-vous ? »

Le déjeuner était fini ; Mme Dambreuse s'inclina légèrement, tout en souriant d'un rire singulier, plein à la fois de politesse et d'ironie. Frédéric n'eut pas le temps d'y réfléchir, car M. Dambreuse, dès qu'ils furent seuls :

– « Vous n'êtes pas venu chercher vos actions. »

Et, sans lui permettre de s'excuser :

– « Bien ! bien ! il est juste que vous connaissiez l'affaire un peu mieux. »

Il lui offrit une cigarette et commença.

L'Union générale des Houilles françaises était constituée ; on n'attendait plus que l'ordonnance. Le fait seul de la fusion diminuait les frais de surveillance et de main-d'œuvre, augmentait les bénéfices. De plus, la société imaginait une chose nouvelle, qui était d'intéresser les ouvriers à son entreprise. Elle leur bâtirait des maisons, des logements salubres ; enfin elle se constituait le fournisseur de ses employés, leur livrait tout à prix de revient.

– « Et ils gagneront, monsieur ; voilà du véritable progrès ; c'est répondre victorieusement à certaines criailleries républicaines ! Nous avons dans notre conseil », il exhiba le prospectus, « un pair de France, un savant de l'Institut, un officier supérieur du génie en retraite, des noms connus ! De pareils éléments rassurent les capitaux craintifs et appellent les capitaux intelligents ! » La compagnie aurait pour elle les commandes de l'État, puis les chemins de fer, la marine à vapeur, les établissements métallurgiques, le gaz, les cuisines bourgeoises. « Ainsi, nous chauffons, nous éclairons, nous pénétrons jusqu'au foyer des plus humbles ménages. Mais comment, me direz-vous, pourrons-nous assurer la vente ? Grâce à des droits protecteurs, cher monsieur, et nous les obtiendrons ; cela nous regarde ! Moi, du reste, je suis franchement prohibitionniste ! le Pays avant tout ! » On l'avait nommé directeur ; mais le temps lui manquait pour s'occuper de certains détails, de la rédaction entre autres. « Je suis un peu brouillé avec mes auteurs, j'ai oublié mon grec ! J'aurais besoin de quelqu'un... qui pût traduire mes idées. » Et tout à coup : « Voulez-vous être cet homme-là, avec le titre de secrétaire général ? » Frédéric ne sut que répondre.

– « Eh bien, qui vous empêche ? »

Ses fonctions se borneraient à écrire, tous les ans, un rapport pour les actionnaires. Il se trouverait en relations quotidiennes avec les hommes les plus considérables de Paris. Représentant la compagnie près les ouvriers, il s'en ferait adorer, naturellement, ce qui lui permettrait, plus tard, de se pousser au conseil général, à la députation.

Les oreilles de Frédéric tintaient. D'où provenait cette bienveillance ? Il se confondit en remerciements.

Mais il ne fallait point, dit le banquier, qu'il fût dépendant de personne. Le meilleur moyen, c'était de prendre des actions, « placement superbe d'ailleurs, car votre capital garantit votre position, comme votre position votre capital. »

– « À combien, environ, doit-il se monter ? » dit Frédéric.

– « Mon Dieu ! ce qui vous plaira ; de quarante à soixante mille francs, je suppose. »

Cette somme était si minime pour M. Dambreuse et son autorité si grande, que le jeune homme se décida immédiatement à vendre une ferme. Il acceptait. M. Dambreuse fixerait un de ces jours un rendez-vous pour terminer leurs arrangements.

– « Ainsi, je puis dire à Jacques Arnoux… ? »

– « Tout ce que vous voudrez ! le pauvre garçon ! Tout ce que vous voudrez ! »

Frédéric écrivit aux Arnoux de se tranquilliser, et il fit porter la lettre par son domestique auquel on répondit :

– « Très bien ! »

Sa démarche, cependant, méritait mieux. Il s'attendait à une visite, à une lettre tout au moins. Il ne reçut pas de visite. Aucune lettre n'arriva.

Y avait-il oubli de leur part ou intention ? Puisque Mme Arnoux était venue une fois, qui l'empêchait de revenir ? L'espèce de sous-entendu, d'aveu qu'elle lui avait fait, n'était donc qu'une manœuvre exécutée par intérêt ? « Se sont-ils joués de moi ? Est-elle complice ? » Une sorte de pudeur, malgré son envie, l'empêchait de retourner chez eux.

Un matin (trois semaines après leur entrevue), M. Dambreuse lui écrivit qu'il l'attendait le jour même, dans une heure.

En route, l'idée des Arnoux l'assaillit de nouveau ; et, ne découvrant point de raison à leur conduite, il fut pris par une angoisse, un pressentiment funèbre. Pour s'en débarrasser, il appela un cabriolet et se fit conduire rue Paradis.

Arnoux était en voyage.

– « Et madame ? »

– « À la campagne, à la fabrique ! »

– « Quand revient monsieur ? »

– « Demain, sans faute ! »

Il la trouverait seule ; c'était le moment. Quelque chose d'impérieux criait dans sa conscience : « Vas-y donc ! »

Mais M. Dambreuse ? « Eh bien, tant pis ! Je dirai que j'étais malade. » Il courut à la gare ; puis, dans le wagon : « J'ai eu tort, peut-être ? Ah bah ! qu'importe ! »

À droite et à gauche, des plaines vertes s'étendaient ; le convoi roulait ; les maisonnettes des stations glissaient comme des décors, et la fumée de la locomotive versait toujours du même côté ses gros flocons qui dansaient sur l'herbe quelque temps, puis se dispersaient.

Frédéric, seul sur sa banquette, regardait cela, par ennui, perdu dans cette langueur que donne l'excès même de l'impatience. Mais des grues, des magasins, parurent. C'était Creil [1].

La ville, construite au versant de deux collines basses (dont la première est nue et la seconde couronnée par un bois), avec la tour de son église, ses maisons inégales et son pont de pierre, lui semblait avoir quelque chose de gai, de discret et de bon. Un grand bateau plat descendait au fil de l'eau, qui clapotait fouettée par le vent ; des poules, au pied du calvaire, picoraient dans la paille ; une femme passa, portant du linge mouillé sur la tête.

Après le pont, il se trouva dans une île, où l'on voit sur la droite les ruines d'une abbaye. Un moulin tournait, barrant dans toute sa largeur le second bras de l'Oise, que surplombe la manufacture. L'importance de cette construction étonna grandement Frédéric. Il en conçut plus de respect pour Arnoux. Trois pas plus loin, il prit une ruelle, terminée au fond par une grille.

Il était entré. La concierge le rappela en lui criant :

– « Avez-vous une permission ? »

– « Pourquoi ? »

– « Pour visiter l'établissement ! »

Frédéric, d'un ton brutal, dit qu'il venait voir M. Arnoux.

– « Qu'est-ce que c'est que M. Arnoux ? »

– « Mais le chef, le maître, le propriétaire, enfin ! »

– « Non, monsieur, c'est ici la fabrique de MM. Lebœuf et Milliet ! »

La bonne femme plaisantait sans doute. Des ouvriers arrivaient ; il en aborda deux ou trois ; leur réponse fut la même.

Frédéric sortit de la cour, en chancelant comme un homme ivre ; et il avait l'air tellement ahuri que, sur le pont

1. Voir le dossier, p. 585.

de la Boucherie, un bourgeois en train de fumer sa pipe lui demanda s'il cherchait quelque chose. Celui-là connaissait la manufacture d'Arnoux. Elle était située à Montataire [1].

Frédéric s'enquit d'une voiture, on n'en trouvait qu'à la gare. Il y retourna. Une calèche [2] disloquée, attelée d'un vieux cheval dont les harnais décousus pendaient dans les brancards, stationnait devant le bureau des bagages, solitairement.

Un gamin s'offrit à découvrir « le père Pilon ». Il revint au bout de dix minutes ; le père Pilon déjeunait. Frédéric, n'y tenant plus, partit. Mais la barrière du passage était close. Il fallut attendre que deux convois eussent défilé. Enfin il se précipita dans la campagne.

La verdure monotone la faisait ressembler à un immense tapis de billard. Des scories de fer [3] étaient rangées, sur les deux bords de la route, comme des mètres de cailloux [4]. Un peu plus loin, des cheminées d'usine fumaient les unes près des autres. En face de lui se dressait sur une colline ronde, un petit château à tourelles, avec le clocher quadrangulaire d'une église. De longs murs, en dessous, formaient des lignes irrégulières parmi les arbres ; et, tout en bas, les maisons du village s'étendaient.

Elles sont à un seul étage, avec des escaliers de trois marches, faites de blocs sans ciment. On entendait, par intervalles, la sonnette d'un épicier. Des pas lourds s'enfonçaient dans la boue noire, et une pluie fine tombait, coupant de mille hachures le ciel pâle.

Frédéric suivit le milieu du pavé ; puis il rencontra sur sa gauche, à l'entrée d'un chemin, un grand arc de bois qui portait écrit en lettres d'or : FAÏENCES.

Ce n'était pas sans but que Jacques Arnoux avait choisi le voisinage de Creil ; en plaçant sa manufacture le plus près possible de l'autre (accréditée depuis longtemps), il provoquait dans le public une confusion favorable à ses intérêts.

---

1. Voir le dossier, p. 585.
2. Voir la note 1, p. 70.
3. Les scories de fer sont des résidus solides provenant de la fusion du minerai.
4. Voir la note 2, p. 52.

Le principal corps de bâtiment s'appuyait sur le bord même d'une rivière qui traverse la prairie. La maison de maître, entourée d'un jardin, se distinguait par son perron, orné de quatre vases où se hérissaient des cactus. Des amas de terre blanche séchaient sous des hangars ; il y en avait d'autres à l'air libre ; et au milieu de la cour se tenait Sénécal, avec son éternel paletot bleu, doublé de rouge.

L'ancien répétiteur [1] tendit sa main froide.

– « Vous venez pour le patron ? Il n'est pas là. »

Frédéric, décontenancé, répondit bêtement :

– « Je le savais. » Mais, se reprenant aussitôt : « C'est pour une affaire qui concerne Mme Arnoux. Peut-elle me recevoir ? »

– « Ah ! je ne l'ai pas vue depuis trois jours », dit Sénécal.

Et il entama une kyrielle de plaintes. En acceptant les conditions du fabricant, il avait entendu demeurer à Paris, et non s'enfouir dans cette campagne, loin de ses amis, privé de journaux. N'importe ! il avait passé par là-dessus ! Mais Arnoux ne paraissait faire nulle attention à son mérite. Il était borné d'ailleurs, et rétrograde, ignorant comme pas un. Au lieu de chercher des perfectionnements artistiques, mieux aurait valu introduire des chauffages à la houille et au gaz. Le bourgeois *s'enfonçait* ; Sénécal appuya sur le mot. Bref, ses occupations lui déplaisaient ; et il somma presque Frédéric de parler en sa faveur, afin qu'on augmentât ses émoluments [2].

– « Soyez tranquille ! » dit l'autre.

Il ne rencontra personne dans l'escalier. Au premier étage, il avança la tête dans une pièce vide ; c'était le salon. Il appela très haut. On ne répondit pas ; sans doute, la cuisinière était sortie, la bonne aussi ; enfin, parvenu au second étage, il poussa une porte. Mme Arnoux était seule, devant une armoire à glace. La ceinture de sa robe de chambre entrouverte pendait le long de ses hanches. Tout un côté de ses cheveux lui faisait un flot noir sur l'épaule droite ; et elle avait les deux bras levés, retenant d'une main son chignon,

---

1. Voir la note 2, p. 72.
2. Voir la note 2, p. 221.

tandis que l'autre y enfonçait une épingle. Elle jeta un cri, et disparut.

Puis elle revint correctement habillée. Sa taille, ses yeux, le bruit de sa robe, tout l'enchanta. Frédéric se retenait pour ne pas la couvrir de baisers.

– « Je vous demande pardon », dit-elle, « mais je ne pouvais… »

Il eut la hardiesse de l'interrompre :

– « Cependant…, vous étiez très bien… tout à l'heure. »

Elle trouva sans doute le compliment un peu grossier, car ses pommettes se colorèrent. Il craignait de l'avoir offensée. Elle reprit :

– « Par quel bon hasard êtes-vous venu ? »

Il ne sut que répondre ; et, après un petit ricanement qui lui donna le temps de réfléchir :

– « Si je vous le disais, me croiriez-vous ? »

– « Pourquoi pas ? »

Frédéric conta qu'il avait eu, l'autre nuit, un songe affreux :

– « J'ai rêvé que vous étiez gravement malade, près de mourir. »

– « Oh ! ni moi, ni mon mari ne sommes jamais malades ! »

– « Je n'ai rêvé que de vous », dit-il.

Elle le regarda d'un air calme.

– « Les rêves ne se réalisent pas toujours. »

Frédéric balbutia, chercha ses mots, et se lança enfin dans une longue période sur l'affinité des âmes. Une force existait qui peut, à travers les espaces, mettre en rapport deux personnes, les avertir de ce qu'elles éprouvent et les faire se rejoindre.

Elle l'écoutait la tête basse, tout en souriant de son beau sourire. Il l'observait du coin de l'œil, avec joie, et épanchait son amour plus librement sous la facilité d'un lieu commun. Elle proposa de lui montrer la fabrique ; et, comme elle insistait, il accepta.

Pour le distraire d'abord par quelque chose d'amusant, elle lui fit voir l'espèce de musée qui décorait l'escalier. Les spécimens accrochés contre les murs ou posés sur des planchettes attestaient les efforts et les engouements successifs d'Arnoux. Après avoir cherché le rouge de cuivre des Chinois, il avait voulu faire des majoliques, des faënza [1], de l'étrusque, de l'oriental, tenté enfin quelques-uns des perfectionnements réalisés plus tard. Aussi remarquait-on, dans la série, de gros vases couverts de mandarins, des écuelles d'un mordoré chatoyant, des pots rehaussés d'écritures arabes, des buires [2] dans le goût de la Renaissance, et de larges assiettes avec deux personnages, qui étaient comme dessinés à la sanguine, d'une façon mignarde [3] et vaporeuse. Il fabriquait maintenant des lettres d'enseigne, des étiquettes à vin ; mais son intelligence n'était pas assez haute pour atteindre jusqu'à l'art, ni assez bourgeoise non plus pour viser exclusivement au profit, si bien que, sans contenter personne, il se ruinait. Tous deux considéraient ces choses, quand Mlle Marthe passa.

– « Tu ne le reconnais donc pas ? » lui dit sa mère.

– « Si fait ! » reprit-elle en le saluant, tandis que son regard limpide et soupçonneux, son regard de vierge semblait murmurer : « Que viens-tu faire ici, toi ? » et elle montait les marches, la tête un peu tournée sur l'épaule.

Mme Arnoux emmena Frédéric dans la cour, puis elle expliqua d'un ton sérieux comment on broie les terres, on les nettoie, on les tamise.

– « L'important, c'est la préparation des pâtes. »

Et elle l'introduisit dans une salle que remplissaient des cuves, où virait sur lui-même un axe vertical armé de bras horizontaux. Frédéric s'en voulait de n'avoir pas refusé nettement sa proposition, tout à l'heure.

– « Ce sont les patouillards », dit-elle.

Il trouva le mot grotesque, et comme inconvenant dans sa bouche.

De larges courroies filaient d'un bout à l'autre du plafond, pour s'enrouler sur des tambours, et tout s'agitait d'une façon continue, mathématique, agaçante.

---

1. Faenza (d'où dérive « faïence ») est une ville italienne de la Romagne réputée pour ses poteries.
2. Une buire est un vase en forme de cruche, à bec et anse.
3. Est mignard ce qui présente une grâce délicate.

Ils sortirent de là, et passèrent près d'une cabane en ruine, qui avait autrefois servi à mettre des instruments de jardinage.

– « Elle n'est plus utile », dit Mme Arnoux.

Il répliqua d'une voix tremblante :

– « Le bonheur peut y tenir ! »

Le tintamarre de la pompe à feu couvrit ses paroles, et ils entrèrent dans l'atelier des ébauchages.

Des hommes, assis à une table étroite, posaient devant eux, sur un disque tournant, une masse de pâte ; leur main gauche en raclait l'intérieur, leur droite en caressait la surface, et l'on voyait s'élever des vases, comme des fleurs qui s'épanouissent.

Mme Arnoux fit exhiber les moules pour les ouvrages plus difficiles.

Dans une autre pièce, on pratiquait les filets, les gorges [1], les lignes saillantes. À l'étage supérieur, on enlevait les coutures, et l'on bouchait avec du plâtre les petits trous que les opérations précédentes avaient laissés.

Sur des claires-voies, dans des coins, au milieu des corridors, partout s'alignaient des poteries.

Frédéric commençait à s'ennuyer.

– « Cela vous fatigue peut-être ? » dit-elle.

Craignant qu'il ne fallût borner là sa visite, il affecta, au contraire, beaucoup d'enthousiasme. Il regrettait même de ne s'être pas voué à cette industrie.

Elle parut surprise.

– « Certainement ! j'aurais pu vivre près de vous ! »

Et, comme il cherchait son regard, Mme Arnoux, afin de l'éviter, prit sur une console des boulettes de pâte, provenant des rajustages manqués, les aplatit en une galette, et imprima dessus sa main.

– « Puis-je emporter cela ? » dit Frédéric.

– « Êtes-vous assez enfant, mon Dieu ! »

Il allait répondre, Sénécal entra.

M. le sous-directeur, dès le seuil, s'aperçut d'une infraction au règlement. Les ateliers devaient être balayés toutes les semaines ; on était au samedi, et, comme les ouvriers

---

1. Les gorges sont les parties creuses, les cannelures, les rainures.

n'en avaient rien fait, Sénécal leur déclara qu'ils auraient à rester une heure de plus. « Tant pis pour vous ! »

Ils se penchèrent sur leurs pièces, sans murmurer ; mais on devinait leur colère au souffle rauque de leur poitrine. Ils étaient, d'ailleurs, peu faciles à conduire, tous ayant été chassés de la grande fabrique. Le républicain les gouvernait durement. Homme de théories, il ne considérait que les masses et se montrait impitoyable pour les individus.

Frédéric, gêné par sa présence, demanda bas à Mme Arnoux s'il n'y avait pas moyen de voir les fours. Ils descendirent au rez-de-chaussée ; et elle était en train d'expliquer l'usage des cassettes, quand Sénécal, qui les avait suivis, s'interposa entre eux.

Il continua de lui-même la démonstration, s'étendit sur les différentes sortes de combustibles, l'enfournement, les pyroscopes, les alandiers, les engobes, les lustres et les métaux [1], prodiguant les termes de chimie, chlorure, sulfure, borax, carbonate. Frédéric n'y comprenait rien, et à chaque minute se retournait vers Mme Arnoux.

– « Vous n'écoutez pas », dit-elle. « M. Sénécal pourtant est très clair. Il sait toutes ces choses beaucoup mieux que moi. »

Le mathématicien, flatté de cet éloge, proposa de faire voir le posage des couleurs. Frédéric interrogea d'un regard anxieux Mme Arnoux. Elle demeura impassible, ne voulant sans doute ni être seule avec lui, ni le quitter cependant. Il lui offrit son bras.

– « Non ! merci bien ! l'escalier est trop étroit ! »

Et, quand ils furent en haut, Sénécal ouvrit la porte d'un appartement rempli de femmes.

Elles maniaient des pinceaux, des fioles, des coquilles, des plaques de verre. Le long de la corniche, contre le mur, s'alignaient des planches gravées ; des bribes de papier fin voltigeaient ; et un poêle de fonte exhalait une température écœurante, où se mêlait l'odeur de la térébenthine [2].

---

1. Ces différents termes appartiennent au vocabulaire technique de la faïencerie.

2. La térébenthine est une huile essentielle résineuse recueillie par incision de conifères.

Les ouvrières, presque toutes, avaient des costumes sordides. On en remarquait une, cependant, qui portait un madras [1] et de longues boucles d'oreilles. Tout à la fois mince et potelée, elle avait de gros yeux noirs et les lèvres charnues d'une négresse. Sa poitrine abondante saillissait sous sa chemise, tenue autour de sa taille par le cordon de sa jupe ; et, un coude sur l'établi, tandis que l'autre bras pendait, elle regardait vaguement, au loin dans la campagne. À côté d'elle traînaient une bouteille de vin et de la charcuterie.

Le règlement interdisait de manger dans les ateliers, mesure de propreté pour la besogne et d'hygiène pour les travailleurs.

Sénécal, par sentiment du devoir ou besoin de despotisme, s'écria de loin, en indiquant une affiche dans un cadre :

– « Hé ! là-bas, la Bordelaise ! lisez-moi tout haut l'article 9. »

– « Eh bien, après ? »

– « Après, mademoiselle ? C'est trois francs d'amende que vous payerez ! »

Elle le regarda en face, impudemment.

– « Qu'est-ce que ça me fait ? Le patron, à son retour, la lèvera votre amende ! Je me fiche de vous, mon bonhomme ! »

Sénécal, qui se promenait les mains derrière le dos, comme un pion dans une salle d'études se contenta de sourire.

– « Article 13, insubordination, dix francs ! »

La Bordelaise se remit à sa besogne. Mme Arnoux par convenance ne disait rien, mais ses sourcils se froncèrent. Frédéric murmura :

– « Ah ! pour un démocrate, vous êtes bien dur ! »

L'autre répondit magistralement :

– « La démocratie n'est pas le dévergondage de l'individualisme. C'est le niveau commun sous la loi, la répartition du travail, l'ordre ! »

---

1. Le madras est une étoffe légère à chaîne de soie et trame de coton, tissée d'abord à Madras, en Inde. Elle est souvent nouée sur la tête, comme foulard.

– « Vous oubliez l'humanité ! » dit Frédéric.

Mme Arnoux prit son bras ; Sénécal, offensé peut-être de cette approbation silencieuse, s'en alla.

Frédéric en ressentit un immense soulagement. Depuis le matin, il cherchait l'occasion de se déclarer ; elle était venue. D'ailleurs le mouvement spontané de Mme Arnoux lui semblait contenir des promesses ; et il demanda, comme pour se réchauffer les pieds, à monter dans sa chambre. Mais, quand il fut assis près d'elle, son embarras commença ; le point de départ lui manquait. Sénécal, heureusement, vint à sa pensée.

– « Rien de plus sot », dit-il, « que cette punition ! »

Mme Arnoux reprit :

– « Il y a des sévérités indispensables. »

– « Comment, vous qui êtes si bonne ! Oh ! je me trompe ! car vous vous plaisez quelquefois à faire souffrir ! »

– « Je ne comprends pas les énigmes, mon ami. »

Et son regard austère, plus encore que le mot, l'arrêta. Frédéric était déterminé à poursuivre. Un volume de Musset se trouvait par hasard sur la commode. Il en tourna quelques pages, puis se mit à parler de l'amour, de ses désespoirs et de ses emportements.

Tout cela, suivant Mme Arnoux, était criminel ou factice.

Le jeune homme se sentit blessé par cette négation ; et, pour la combattre, il cita en preuve les suicides qu'on voit dans les journaux, exalta les grands types littéraires, Phèdre, Didon, Roméo, Des Grieux [1]. Il s'enferrait.

Le feu dans la cheminée ne brûlait plus, la pluie fouettait contre les vitres. Mme Arnoux, sans bouger, restait les deux mains sur les bras de son fauteuil ; les pattes de son bonnet tombaient comme les bandelettes d'un sphinx ; son profil pur se découpait en pâleur au milieu de l'ombre.

Il avait envie de se jeter à ses genoux. Un craquement se fit dans le couloir, il n'osa.

---

1. Les personnages cités sont respectivement issus de la tragédie de Racine, *Phèdre* (1677), du poème de Virgile, l'*Énéide* (fin du Ier siècle av. J.-C.), du drame de Shakespeare, *Roméo et Juliette* (1594), et du roman de l'abbé Prévost, *Manon Lescaut* (1731).

Il était empêché, d'ailleurs, par une sorte de crainte religieuse. Cette robe, se confondant avec les ténèbres, lui paraissait démesurée, infinie, insoulevable ; et précisément à cause de cela son désir redoublait. Mais, la peur de faire trop et de ne pas faire assez lui ôtait tout discernement.

– « Si je lui déplais », pensait-il, « qu'elle me chasse ! Si elle veut de moi, qu'elle m'encourage ! »

Il dit en soupirant :

– « Donc, vous n'admettez pas qu'on puisse aimer... une femme ? »

Mme Arnoux répliqua :

– « Quand elle est à marier, on l'épouse ; lorsqu'elle appartient à un autre, on s'éloigne. »

– « Ainsi le bonheur est impossible ? »

– « Non ! mais on ne le trouve jamais dans le mensonge, les inquiétudes et le remords. »

– « Qu'importe ! s'il est payé par des joies sublimes. »

– « L'expérience est trop coûteuse ! »

Il voulut l'attaquer par l'ironie.

– « La vertu ne serait donc que de la lâcheté ? »

– « Dites de la clairvoyance, plutôt. Pour celles mêmes qui oublieraient le devoir ou la religion, le simple bon sens peut suffire. L'égoïsme fait une base solide à la sagesse. »

– « Ah ! quelles maximes bourgeoises vous avez ! »

– « Mais je ne me vante pas d'être une grande dame ! »

À ce moment-là, le petit garçon accourut.

– « Maman, viens-tu dîner ? »

– « Oui, tout à l'heure ! »

Frédéric se leva ; en même temps Marthe parut.

Il ne pouvait se résoudre à s'en aller ; et, avec un regard tout plein de supplications :

– « Ces femmes dont vous parlez sont donc bien insensibles ? »

– « Non ! mais sourdes quand il le faut. »

Et elle se tenait debout, sur le seuil de sa chambre, avec ses deux enfants à ses côtés. Il s'inclina sans dire un mot. Elle répondit silencieusement à son salut.

Ce qu'il éprouva d'abord, ce fut une stupéfaction infinie. Cette manière de lui faire comprendre l'inanité[1] de son

---

1. L'inanité est le caractère de ce qui est inutile, vain.

espoir l'écrasait. Il se sentait perdu comme un homme tombé au fond d'un abîme, qui sait qu'on ne le secourra pas et qu'il doit mourir.

Il marchait cependant, mais sans rien voir, au hasard ; il se heurtait contre les pierres ; il se trompa de chemin. Un bruit de sabots retentit près de son oreille ; c'étaient les ouvriers qui sortaient de la fonderie. Alors il se reconnut.

À l'horizon les lanternes du chemin de fer traçaient une ligne de feux. Il arriva comme un convoi partait, se laissa pousser dans un wagon, et s'endormit.

Une heure après, sur les boulevards, la gaieté de Paris le soir recula tout à coup son voyage dans un passé déjà loin. Il voulut être fort, et allégea son cœur en dénigrant Mme Arnoux par des épithètes injurieuses :

– « C'est une imbécile, une dinde, une brute, n'y pensons plus ! »

Rentré chez lui, il trouva dans son cabinet une lettre de huit pages sur papier à glaçure bleue et initiales R. A.

Cela commençait par des reproches amicaux :

« Que devenez-vous, mon cher ? Je m'ennuie. »

Mais l'écriture était si abominable, que Frédéric allait rejeter tout le paquet quand il aperçut, en post-scriptum :

« Je compte sur vous demain pour me conduire aux courses. »

Que signifiait cette invitation ? Était-ce encore un tour de la Maréchale ? Mais on ne se moque pas deux fois du même homme à propos de rien ; et pris de curiosité, il relut la lettre attentivement.

Frédéric distingua : « Malentendu… avoir fait fausse route… désillusions… Pauvres enfants que nous sommes !… Pareils à deux fleuves qui se rejoignent ! etc. »

Ce style contrastait avec le langage ordinaire de la lorette [1]. Quel changement était donc survenu ?

Il garda longtemps les feuilles entre ses doigts. Elles sentaient l'iris ; et il y avait, dans la forme des caractères et l'espacement irrégulier des lignes, comme un désordre de toilette qui le troubla.

---

1. Voir la note 1, p. 113.

– « Pourquoi n'irais-je pas ? » se dit-il enfin. « Mais si
Mme Arnoux le savait ? Ah ! qu'elle le sache ! Tant mieux !
et qu'elle en soit jalouse ! ça me vengera ! »

IV

La Maréchale était prête et l'attendait.

– « C'est gentil, cela ! » dit-elle, en fixant sur lui ses jolis yeux, à la fois tendres et gais.

Quand elle eut fait le nœud de sa capote [1], elle s'assit sur le divan et resta silencieuse.

– « Partons-nous ? » dit Frédéric.

Elle regarda la pendule.

– « Oh ! non ! pas avant une heure et demie », comme si elle eût posé en elle-même cette limite à son incertitude.

Enfin l'heure ayant sonné :

– « Eh bien, *andiamo, caro mio* [2] ! »

Et elle donna un dernier tour à ses bandeaux [3], fit des recommandations à Delphine.

– « Madame revient dîner ? »

– « Pourquoi donc ? Nous dînerons ensemble quelque part, au café Anglais [4], où vous voudrez ! »

– « Soit ! »

Ses petits chiens jappaient autour d'elle.

– « On peut les emmener, n'est-ce pas ? »

Frédéric les porta, lui-même, jusqu'à la voiture. C'était une berline [5] de louage avec deux chevaux de poste et un postillon [6] ; il avait mis sur le siège de derrière son domestique. La Maréchale parut satisfaite de ses prévenances ; puis, dès qu'elle fut assise, lui demanda s'il avait été chez Arnoux, dernièrement.

1. Voir la note 4, p. 124.
2. En italien : « allons-y, mon cher ! ».
3. Voir la note 3, p. 47.
4. Voir la note 3, p. 175.
5. Une berline est une voiture suspendue, à quatre roues et à deux fonds, garnie de glaces et d'une capote.
6. Voir la note 2, p. 165.

– « Pas depuis un mois », dit Frédéric.

– « Moi, je l'ai rencontré avant-hier, il serait même venu aujourd'hui. Mais il a toutes sortes d'embarras, encore un procès, je ne sais quoi. Quel drôle d'homme ! »

– « Oui ! très drôle ! »

Frédéric ajouta d'un air indifférent :

– « À propos, voyez-vous toujours… comment donc l'appelez vous ?… cet ancien chanteur…, Delmar ? »

Elle répliqua sèchement :

– « Non ! c'est fini. »

Ainsi, leur rupture était certaine. Frédéric en conçut de l'espoir.

Ils descendirent au pas le quartier Bréda ; les rues, à cause du dimanche, étaient désertes, et des figures de bourgeois apparaissaient derrière des fenêtres. La voiture prit un train plus rapide ; le bruit des roues faisait se retourner les passants, le cuir de la capote rabattue brillait, le domestique se cambrait la taille, et les deux havanais l'un près de l'autre semblaient deux manchons [1] d'hermine, posés sur les coussins. Frédéric se laissait aller au bercement des soupentes [2]. La Maréchale tournait la tête, à droite et à gauche, en souriant.

Son chapeau de paille nacrée avait une garniture de dentelle noire. Le capuchon de son burnous [3] flottait au vent ; et elle s'abritait du soleil, sous une ombrelle de satin lilas, pointue par le haut comme une pagode.

– « Quels amours de petits doigts ! » dit Frédéric, en lui prenant doucement l'autre main, la gauche, ornée d'un bracelet d'or, en forme de gourmette [4]. « Tiens, c'est mignon ; d'où cela vient-il ? »

– « Oh ! il y a longtemps que je l'ai », dit la Maréchale.

Le jeune homme n'objecta rien à cette réponse hypocrite. Il aima mieux « profiter de la circonstance ». Et, lui tenant toujours le poignet, il appuya dessus ses lèvres, entre le gant et la manchette.

---

1. Voir la note 1, p. 226.
2. Les soupentes sont ici l'assemblage de fortes courroies qui tiennent suspendu le corps d'une voiture.
3. Voir la note 2, p. 224.
4. Voir la note 2, p. 70.

– « Finissez, on va nous voir ! »

– « Bah ! qu'est-ce que cela fait ! »

Après la place de la Concorde, ils prirent par le quai de la Conférence et le quai de Billy [1], où l'on remarque un cèdre dans un jardin. Rosanette croyait le Liban situé en Chine ; elle rit elle-même de son ignorance et pria Frédéric de lui donner des leçons de géographie. Puis, laissant à droite le Trocadéro, ils traversèrent le pont d'Iéna, et s'arrêtèrent enfin, au milieu du Champ de Mars, près des autres voitures, déjà rangées dans l'hippodrome [2].

Les tertres de gazon étaient couverts de menu peuple. On apercevait des curieux sur le balcon de l'École militaire ; et les deux pavillons en dehors du pesage [3], les deux tribunes comprises dans son enceinte, et une troisième devant celle du roi se trouvaient remplis d'une foule en toilette qui témoignait, par son maintien, de la révérence pour ce divertissement encore nouveau. Le public des courses, plus spécial dans ce temps-là, avait un aspect moins vulgaire ; c'était l'époque des sous-pieds, des collets de velours et des gants blancs. Les femmes, vêtues de couleurs brillantes, portaient des robes à taille longue, et, assises sur les gradins des estrades, elles faisaient comme de grands massifs de fleurs, tachetés de noir, çà et là, par les sombres costumes des hommes. Mais tous les regards se tournaient vers le célèbre Algérien Bou-Maza [4], qui se tenait impassible, entre deux officiers d'état-major, dans une des tribunes particulières. Celle du Jockey Club contenait exclusivement des messieurs graves.

Les plus enthousiastes s'étaient placés, en bas, contre la piste, défendue par deux lignes de bâtons supportant des

<hr/>

1. Le quai de la Conférence et le quai de Billy sont aujourd'hui le cours La Reine, le cours Albert-Ier et l'avenue de New-York (sur la rive droite de la Seine, entre la place de la Concorde et le pont d'Iéna qui mène au Champ-de-Mars ; voir le dossier, p. 583).

2. Le Jockey Club organisa les premières courses hippiques au Champ-de-Mars au début de la monarchie de Juillet. En 1847, les installations étaient encore sommaires.

3. Le pesage est l'endroit où s'effectue la pesée des jockeys avant une course.

4. Bou-Maza était un chef arabe qui s'était rendu aux Français en avril 1847. Assigné à résidence à Paris, il fut bientôt de toutes les mondanités.

cordes ; dans l'ovale immense que décrivait cette allée, des marchands de coco [1] agitaient leur crécelle, d'autres vendaient le programme des courses, d'autres criaient des cigares, un vaste bourdonnement s'élevait ; les gardes municipaux passaient et repassaient ; une cloche, suspendue à un poteau couvert de chiffres, tinta. Cinq chevaux parurent, et on rentra dans les tribunes.

Cependant, de gros nuages effleuraient de leurs volutes la cime des ormes, en face. Rosanette avait peur de la pluie.

– « J'ai des riflards [2] », dit Frédéric, « et tout ce qu'il faut pour se distraire », ajouta-t-il en soulevant le coffre, où il y avait des provisions de bouche dans un panier.

– « Bravo ! nous nous comprenons ! »

– « Et on se comprendra encore mieux, n'est-ce pas ? »

– « Cela se pourrait ! » fit-elle en rougissant.

Les jockeys, en casaque de soie, tâchaient d'aligner leurs chevaux et les retenaient à deux mains. Quelqu'un abaissa un drapeau rouge. Alors, tous les cinq, se penchant sur les crinières, partirent. Ils restèrent d'abord serrés en une seule masse ; bientôt elle s'allongea, se coupa ; celui qui portait la casaque jaune, au milieu du premier tour, faillit tomber ; longtemps il y eut de l'incertitude entre Filly et Tibi ; puis Tom-Pouce parut en tête ; mais Clubstick, en arrière depuis le départ, les rejoignit et arriva premier, battant Sir-Charles de deux longueurs ; ce fut une surprise ; on criait ; les baraques de planches vibraient sous les trépignements.

– « Nous nous amusons ! » dit la Maréchale. « Je t'aime, mon chéri ! »

Frédéric ne douta plus de son bonheur ; ce dernier mot de Rosanette le confirmait.

À cent pas de lui, dans un cabriolet milord [3], une dame parut. Elle se penchait en dehors de la portière, puis se renfonçait vivement ; cela recommença plusieurs fois, Frédéric

---

1. Le coco était une boisson faite avec de l'eau, du citron et de la poudre de réglisse.
2. Le terme « riflard », désignant un grand parapluie, viendrait d'un personnage d'une comédie de Picard, nommé Riflard et apparaissant sur scène muni d'un énorme parapluie.
3. Un cabriolet milord est une voiture légère à quatre roues et à siège surélevé pour le conducteur.

ne pouvait distinguer sa figure. Un soupçon le saisit, il lui
sembla que c'était Mme Arnoux. Impossible, cependant !
Pourquoi serait-elle venue ?

Il descendit de voiture, sous prétexte de flâner au pesage [1].

– « Vous n'êtes guère galant ! » dit Rosanette.

Il n'écouta rien et s'avança. Le milord, tournant bride, se
mit au trot.

Frédéric, au même moment, fut happé par Cisy.

– « Bonjour, cher ! comment allez-vous ? Hussonnet est
là-bas ! Écoutez donc ! »

Frédéric tâchait de se dégager pour rejoindre le milord.
La Maréchale lui faisait signe de retourner près d'elle. Cisy
l'aperçut, et voulait obstinément lui dire bonjour.

Depuis que le deuil de sa grand-mère était fini, il réalisait
son idéal, parvenait *à avoir du cachet*. Gilet écossais, habit
court, larges bouffettes [2] sur l'escarpin et carte d'entrée dans
la ganse du chapeau, rien ne manquait effectivement à ce
qu'il appelait lui-même son « chic », un chic anglomane [3] et
mousquetaire. Il commença par se plaindre du Champ de
Mars, turf exécrable, parla ensuite des courses de Chantilly
et des farces qu'on y faisait, jura qu'il pouvait boire douze
verres de vin de Champagne pendant les douze coups de
minuit, proposa à la Maréchale de parier, caressait doucement ses deux bichons ; et de l'autre coude s'appuyant sur
la portière, il continuait à débiter des sottises, le pommeau
de son stick [4] dans la bouche, les jambes écartées, les reins
tendus. Frédéric, à côté de lui, fumait, tout en cherchant à
découvrir ce que le milord était devenu.

La cloche ayant tinté, Cisy s'en alla, au grand plaisir de
Rosanette, qu'il ennuyait beaucoup, disait-elle.

La seconde épreuve n'eut rien de particulier, la troisième
non plus, sauf un homme qu'on emporta sur un brancard.
La quatrième, où huit chevaux disputèrent le prix de la Ville,
fut plus intéressante.

---

1. Voir la note 3, p. 287.
2. Une bouffette est un nœud bouffant de ruban, employé comme
ornement.
3. Est anglomane une personne qui imite et admire sans discernement les
Anglais et leurs usages.
4. Un stick est une canne mince et souple.

Les spectateurs des tribunes avaient grimpé sur les bancs. Les autres, debout dans les voitures, suivaient avec des lorgnettes à la main l'évolution des jockeys ; on les voyait filer comme des taches rouges, jaunes, blanches et bleues sur toute la longueur de la foule, qui bordait le tour de l'hippodrome. De loin, leur vitesse n'avait pas l'air excessive ; à l'autre bout du Champ de Mars, ils semblaient même se ralentir, et ne plus avancer que par une sorte de glissement, où les ventres des chevaux touchaient la terre sans que leurs jambes étendues pliassent. Mais, revenant bien vite, ils grandissaient ; leur passage coupait le vent, le sol tremblait, les cailloux volaient ; l'air, s'engouffrant dans les casaques des jockeys, les faisait palpiter comme des voiles ; à grands coups de cravache, ils fouaillaient[1] leurs bêtes pour atteindre le poteau, c'était le but. On enlevait les chiffres, un autre était hissé ; et, au milieu des applaudissements, le cheval victorieux se traînait jusqu'au pesage[2], tout couvert de sueur, les genoux raidis, l'encolure basse, tandis que son cavalier, comme agonisant sur sa selle, se tenait les côtes.

Une contestation retarda le dernier départ. La foule qui s'ennuyait se répandit. Des groupes d'hommes causaient au bas des tribunes. Les propos étaient libres ; des femmes du monde partirent, scandalisées par le voisinage des lorettes[3].

Il y avait aussi des illustrations de bals publics, des comédiennes du boulevard ; – et ce n'était pas les plus belles qui recevaient le plus d'hommages. La vieille Georgine Aubert, celle qu'un vaudevilliste appelait le Louis XI de la prostitution, horriblement maquillée et poussant de temps à autre une espèce de rire pareil à un grognement, restait tout étendue dans sa longue calèche, sous une palatine[4] de martre comme en plein hiver. Mme de Remoussot, mise à la mode par son procès, trônait sur le siège d'un break[5] en compagnie d'Américains ; et Thérèse Bachelu, avec son air de

---

1. Fouailler, c'est frapper de coups de fouet répétés.
2. Voir la note 3, p. 287.
3. Voir la note 1, p. 113.
4. Une palatine est une fourrure en forme de pèlerine, mise à la mode en 1676 par Anne de Gonzague, princesse palatine.
5. Un break est une voiture à quatre roues, ouverte, avec un siège de cocher élevé et deux banquettes longitudinales à l'arrière.

vierge gothique, emplissait de ses douze falbalas [1] l'intérieur d'un escargot [2] qui avait, à la place du tablier, une jardinière pleine de roses. La Maréchale fut jalouse de ces gloires ; pour qu'on la remarquât, elle se mit à faire de grands gestes et à parler très haut.

Des gentlemen la reconnurent, lui envoyèrent des saluts. Elle y répondait en disant leurs noms à Frédéric. C'étaient tous comtes, vicomtes, ducs et marquis ; et il se rengorgeait, car tous les yeux exprimaient un certain respect pour sa bonne fortune.

Cisy n'avait pas l'air moins heureux dans le cercle d'hommes mûrs qui l'entourait. Ils souriaient du haut de leurs cravates, comme se moquant de lui ; enfin il tapa dans la main du plus vieux et s'avança vers la Maréchale.

Elle mangeait avec une gloutonnerie affectée une tranche de foie gras ; Frédéric, par obéissance, l'imitait, en tenant une bouteille de vin sur ses genoux.

Le milord [3] reparut, c'était Mme Arnoux. Elle pâlit extraordinairement.

– « Donne-moi du champagne ! » dit Rosanette.

Et, levant le plus haut possible son verre rempli, elle s'écria :

– « Ohé là-bas ! les femmes honnêtes, l'épouse de mon protecteur, ohé ! »

Des rires éclatèrent autour d'elle, le milord disparut. Frédéric la tirait par sa robe, il allait s'emporter. Mais Cisy était là, dans la même attitude que tout à l'heure ; et, avec un surcroît d'aplomb, il invita Rosanette à dîner pour le soir même.

– « Impossible ! » répondit-elle. « Nous allons ensemble au café Anglais [4]. »

Frédéric, comme s'il n'eût rien entendu, demeura muet ; et Cisy quitta la Maréchale d'un air désappointé.

Tandis qu'il lui parlait, debout contre la portière de droite, Hussonnet était survenu du côté gauche, et, relevant ce mot de café Anglais :

1. Un falbala est une bande d'étoffe plissée qui sert d'ornement au bas d'une robe.
2. Un escargot est une voiture basse attelée à un seul cheval.
3. Voir la note 3, p. 288.
4. Voir la note 3, p. 175.

– « C'est un joli établissement ! Si l'on y cassait une croûte, hein ? »

– « Comme vous voudrez », dit Frédéric, qui, affaissé dans le coin de la berline [1], regardait à l'horizon le milord disparaître, sentant qu'une chose irréparable venait de se faire et qu'il avait perdu son grand amour. Et l'autre était là, près de lui, l'amour joyeux et facile ! Mais, lassé, plein de désirs contradictoires et ne sachant même plus ce qu'il voulait, il éprouvait une tristesse démesurée, une envie de mourir.

Un grand bruit de pas et de voix lui fit relever la tête ; les gamins, enjambant les cordes de la piste, venaient regarder les tribunes ; on s'en allait. Quelques gouttes de pluie tombèrent. L'embarras des voitures augmenta, Hussonnet était perdu.

– « Eh bien, tant mieux ! » dit Frédéric.

– « On préfère être seul ? » reprit la Maréchale, en posant la main sur la sienne.

Alors passa devant eux, avec des miroitements de cuivre et d'acier, un splendide landau [2] attelé de quatre chevaux, conduits à la Daumont [3] par deux jockeys en veste de velours, à crépines [4] d'or. Mme Dambreuse était près de son mari, Martinon sur l'autre banquette en face ; tous les trois avaient des figures étonnées.

– « Ils m'ont reconnu ! » se dit Frédéric.

Rosanette voulut qu'on arrêtât, pour mieux voir le défilé. Mme Arnoux pouvait reparaître. Il cria au postillon :

– « Va donc ! va donc ! en avant ! »

Et la berline se lança vers les Champs-Élysées au milieu des autres voitures, calèches, briskas [5], wursts [6], tandems [7],

---

1. Voir la note 5, p. 285.
2. Voir la note 2, p. 149.
3. Voir la note 3, p. 85.
4. Une crépine est une frange de passementerie ouvragée.
5. Un briska est une calèche de voyage, légère et découverte.
6. Un wurst était un caisson qui servait à transporter les chirurgiens militaires et les médicaments ; plus généralement, c'est une espèce de longue calèche découverte.
7. Un tandem est un cabriolet découvert, à deux chevaux en flèche.

tilburys [1], dog-carts [2], tapissières [3] à rideaux de cuir où
chantaient des ouvriers en goguette, demi-fortune [4] que dirigeaient avec prudence des pères de famille eux-mêmes. Dans
des victorias [5] bourrées de monde, quelque garçon, assis sur
les pieds des autres, laissait pendre en dehors ses deux
jambes. De grands coupés [6] à siège de drap promenaient
des douairières [7] qui sommeillaient ; ou bien un stepper [8]
magnifique passait, emportant une chaise [9], simple et
coquette comme l'habit noir d'un dandy. L'averse cependant
redoublait. On tirait les parapluies, les parasols, les mackin-
toshs [10] ; on se criait de loin : « Bonjour ! – Ça va bien ?
– Oui ! – Non ! – À tantôt ! » et les figures se succédaient
avec une vitesse d'ombres chinoises. Frédéric et Rosanette
ne se parlaient pas, éprouvant une sorte d'hébétude à voir
auprès d'eux continuellement, toutes ces roues tourner.

Par moments, les files de voitures, trop pressées, s'arrêtaient toutes à la fois sur plusieurs lignes. Alors, on restait
les uns près des autres, et l'on s'examinait. Du bord des
panneaux armoriés, des regards indifférents tombaient sur
la foule ; des yeux pleins d'envie brillaient au fond des
fiacres ; des sourires de dénigrement répondaient aux ports
de tête orgueilleux ; des bouches grandes ouvertes exprimaient des admirations imbéciles ; et, çà et là, quelque flâ-
neur, au milieu de la voie, se rejetait en arrière d'un bond
pour éviter un cavalier qui galopait entre les voitures et parvenait à en sortir. Puis tout se remettait en mouvement ; les
cochers lâchaient les rênes, abaissaient leurs longs fouets ;
les chevaux, animés, secouant leur gourmette [11], jetaient de

1. Voir la note 1, p. 160.
2. Un dog-cart est une voiture légère à deux roues très élevées, équipée
de deux sièges placés dos à dos.
3. Voir la note 2, p. 158.
4. Une demi-fortune est une voiture à quatre roues, attelée d'un seul
cheval.
5. Une victoria est une voiture découverte à quatre roues.
6. Voir la note 3, p. 66.
7. Voir la note 1, p. 200.
8. Un stepper est un cheval de trot à l'allure vive.
9. Une chaise est une voiture légère, ordinairement à deux roues, et utilisée par une ou deux personnes pour les voyages.
10. Un mackintosh est un manteau de pluie.
11. Voir la note 2, p. 70.

l'écume autour d'eux ; et les croupes et les harnais humides fumaient, dans la vapeur d'eau que le soleil couchant traversait. Passant sous l'Arc de Triomphe, il allongeait à hauteur d'homme une lumière roussâtre, qui faisait étinceler les moyeux [1] des roues, les poignées des portières, le bout des timons [2], les anneaux des sellettes ; et, sur les deux côtés de la grande avenue – pareille à un fleuve où ondulaient des crinières, des vêtements, des têtes humaines –, les arbres tout reluisants de pluie se dressaient, comme deux murailles vertes. Le bleu du ciel, au-dessus, reparaissant à de certaines places, avait des douceurs de satin.

Alors, Frédéric se rappela les jours déjà loin où il enviait l'inexprimable bonheur de se trouver dans une de ces voitures, à côté d'une de ces femmes. Il le possédait, ce bonheur-là, et n'en était pas plus joyeux.

La pluie avait fini de tomber. Les passants, réfugiés entre les colonnes du Garde-Meuble [3], s'en allaient. Des promeneurs, dans la rue Royale, remontaient vers le boulevard. Devant l'hôtel des Affaires étrangères, une file de badauds stationnait sur les marches.

À la hauteur des Bains chinois [4], comme il y avait des trous dans le pavé, la berline se ralentit. Un homme en paletot noisette marchait au bord du trottoir. Une éclaboussure, jaillissant de dessous les ressorts, s'étala dans son dos. L'homme se retourna, furieux. Frédéric devint pâle ; il avait reconnu Deslauriers.

À la porte du café Anglais, il renvoya la voiture. Rosanette était montée devant lui, pendant qu'il payait le postillon [5].

Il la retrouva dans l'escalier, causant avec un monsieur. Frédéric prit son bras. Mais, au milieu du corridor, un deuxième seigneur l'arrêta.

– « Va toujours ! » dit-elle, « je suis à toi ! »

---

1. Le moyeu est la partie centrale de la roue que traverse l'axe, ou essieu, autour duquel elle tourne.

2. Voir la note 1, p. 197.

3. Voir la note 1, p. 146.

4. Les Bains chinois se trouvaient sur le boulevard des Italiens, à la hauteur de la rue de la Michodière (actuel IIe arrondisssement).

5. Voir la note 2, p. 165.

Et il entra seul dans le cabinet[1]. Par les deux fenêtres ouvertes, on apercevait du monde aux croisées des autres maisons, vis-à-vis. De larges moires[2] frissonnaient sur l'asphalte qui séchait, et un magnolia posé au bord du balcon embaumait l'appartement. Ce parfum et cette fraîcheur détendirent ses nerfs ; il s'affaissa sur le divan rouge, au-dessous de la glace.

La Maréchale revint ; et, le baisant au front :

– « On a des chagrins, pauvre mimi ? »

– « Peut-être ! » répliqua-t-il.

– « Tu n'es pas le seul, va ! » ce qui voulait dire : « Oublions chacun les nôtres dans une félicité commune ! »

Puis elle posa un pétale de fleur entre ses lèvres, et le lui tendit à becqueter. Ce mouvement, d'une grâce et presque d'une mansuétude[3] lascive, attendrit Frédéric.

– « Pourquoi me fais-tu de la peine ? » dit-il, en songeant à Mme Arnoux.

– « Moi, de la peine ? »

Et, debout devant lui, elle le regardait, les cils rapprochés et les deux mains sur les épaules.

Toute sa vertu, toute sa rancune sombra dans une lâcheté sans fond.

Il reprit :

– « Puisque tu ne veux pas m'aimer ! » en l'attirant sur ses genoux.

Elle se laissait faire ; il lui entourait la taille à deux bras ; le pétillement de sa robe de soie l'enflammait.

– « Où sont-ils ? » dit la voix d'Hussonnet dans le corridor.

La Maréchale se leva brusquement, et alla se mettre à l'autre bout du cabinet, tournant le dos à la porte.

Elle demanda des huîtres ; et ils s'attablèrent.

Hussonnet ne fut pas drôle. À force d'écrire quotidiennement sur toutes sortes de sujets, de lire beaucoup de journaux, d'entendre beaucoup de discussions et d'émettre des

---

1. Voir la note 1, p. 137.
2. Voir la note 1, p. 71.
3. La mansuétude est la disposition à pardonner généreusement, l'indulgence.

paradoxes pour éblouir, il avait fini par perdre la notion exacte des choses, s'aveuglant lui-même avec ses faibles pétards. Les embarras d'une vie légère autrefois, mais à présent difficile, l'entretenaient dans une agitation perpétuelle ; et son impuissance, qu'il ne voulait pas s'avouer, le rendait hargneux, sarcastique. À propos d'*Ozaï*[1], un ballet nouveau, il fit une sortie à fond contre la danse, et, à propos de la danse, contre l'Opéra ; puis, à propos de l'Opéra, contre les Italiens, remplacés, maintenant, par une troupe d'acteurs espagnols, « comme si l'on n'était pas rassasié des Castilles ! ». Frédéric fut choqué dans son amour romantique de l'Espagne ; et, afin de rompre la conversation, il s'informa du Collège de France, d'où l'on venait d'exclure Edgar Quinet et Mickiewicz[2]. Mais Hussonnet, admirateur de M. de Maistre[3], se déclara pour l'autorité et le spiritualisme. Il doutait, cependant, des faits les mieux prouvés, niait l'histoire, et contestait les choses les plus positives, jusqu'à s'écrier au mot géométrie : « Quelle blague que la géométrie ! », le tout entremêlé d'imitations d'acteurs. Sainville[4] était particulièrement son modèle.

Ces calembredaines assommaient Frédéric. Dans un mouvement d'impatience, il attrapa, avec sa botte, un des bichons sous la table.

Tous deux se mirent à aboyer d'une façon odieuse.

– « Vous devriez les faire reconduire ! » dit-il brusquement.

Rosanette n'avait confiance en personne.

Alors, il se tourna vers le bohème[5].

– « Voyons, Hussonnet, dévouez-vous ! »

1. *Ozaï ou les Sauvages* est un ballet de Casimir Gide, créé à l'Opéra le 26 avril 1847.

2. Au début de l'année 1847, en raison de ses opinions libérales, Edgar Quinet (1803-1875) vit suspendre son cours au Collège de France où il occupait la chaire de littérature méridionale. Le patriote polonais Adam Mickiewicz (1798-1855) avait perdu sa chaire de littérature slave en 1845 sous prétexte d'illuminisme.

3. Homme politique légitimiste, philosophe et écrivain catholique, Joseph de Maistre (1753-1821) est le théoricien de la contre-révolution.

4. Morel, dit Sainville, né au début du siècle et mort en 1854, tenait les rôles comiques au Palais-Royal depuis 1831.

5. Voir la note 2, p. 82.

– « Oh ! oui, mon petit ! Ce serait bien aimable ! »

Hussonnet s'en alla, sans se faire prier.

De quelle manière payait-on sa complaisance ? Frédéric n'y pensa pas. Il commençait même à se réjouir du tête-à-tête, lorsqu'un garçon entra.

– « Madame, quelqu'un vous demande ! »

– « Comment ! encore ? »

– « Il faut pourtant que je voie ! » dit Rosanette.

Il en avait soif, besoin. Cette disparition lui semblait une forfaiture [1], presque une grossièreté. Que voulait-elle donc ? N'était-ce pas assez d'avoir outragé Mme Arnoux ? Tant pis pour celle-là, du reste ! Maintenant, il haïssait toutes les femmes ; et des pleurs l'étouffaient, car son amour était méconnu et sa concupiscence [2] trompée.

La Maréchale rentra, et, lui présentant Cisy :

– « J'ai invité monsieur. J'ai bien fait, n'est-ce pas ? »

– « Comment donc ! certainement ! » Frédéric, avec un sourire de supplicié, fit signe au gentilhomme de s'asseoir.

La Maréchale se mit à parcourir la carte, en s'arrêtant aux noms bizarres.

– « Si nous mangions, je suppose, un turban de lapins à la Richelieu et un pudding à la d'Orléans ? »

– « Oh ! pas d'Orléans ! » s'écria Cisy, lequel était légitimiste et crut faire un mot.

– « Aimez-vous mieux un turbot à la Chambord ? » reprit-elle.

Cette politesse choqua Frédéric.

La Maréchale se décida pour un simple tournedos [3], des écrevisses, des truffes, une salade d'ananas, des sorbets à la vanille.

– « Nous verrons ensuite. Allez toujours. Ah ! j'oubliais ! Apportez-moi un saucisson ! pas à l'ail ! »

Et elle appelait le garçon « jeune homme », frappait son verre avec son couteau, jetait au plafond la mie de son pain. Elle voulut boire tout de suite du vin de Bourgogne.

---

1. En droit, la forfaiture est le crime dont se rend coupable un fonctionnaire public en commettant certaines graves infractions dans l'exercice de ses fonctions. Plus généralement, c'est un manque de loyauté.

2. La concupiscence est un vif désir, le plus souvent de nature sexuelle.

3. Un tournedos est une tranche de filet de bœuf, bardée et poêlée.

– « On n'en prend pas dès le commencement », dit Frédéric.

Cela se faisait quelquefois, suivant le vicomte.

– « Eh non ! jamais ! »

– « Si fait, je vous assure ! »

– « Ah ! tu vois ! »

Le regard dont elle accompagna cette phrase signifiait : « C'est un homme riche, celui-là, écoute-le ! »

Cependant, la porte s'ouvrait à chaque minute, les garçons glapissaient, et, sur un infernal piano, dans le cabinet à côté, quelqu'un tapait une valse. Puis les courses amenèrent à parler d'équitation et des deux systèmes rivaux. Cisy défendait Baucher, Frédéric le comte d'Aure [1], quand Rosanette haussa les épaules.

– « Assez, mon Dieu ! il s'y connaît mieux que toi, va ! »

Elle mordait dans une grenade, le coude posé sur la table ; les bougies du candélabre devant elle tremblaient au vent ; cette lumière blanche pénétrait sa peau de tons nacrés, mettait du rose à ses paupières, faisait briller les globes de ses yeux ; la rougeur du fruit se confondait avec la pourpre de ses lèvres, ses narines minces battaient ; et toute sa personne avait quelque chose d'insolent, d'ivre et de noyé qui exaspérait Frédéric, et pourtant lui jetait au cœur des désirs fous.

Puis elle demanda, d'une voix calme, à qui appartenait ce grand landau [2] avec une livrée marron.

– « À la comtesse Dambreuse », répliqua Cisy.

– « Ils sont très riches, n'est-ce pas ? »

– « Oh ! très riches ! bien que Mme Dambreuse, qui est, tout simplement, une demoiselle Boutron, la fille d'un préfet, ait une fortune médiocre. »

Son mari, au contraire, devait recueillir plusieurs héritages, Cisy les énuméra ; fréquentant les Dambreuse, il savait leur histoire.

Frédéric, pour lui être désagréable, s'entêta à le contredire. Il soutint que Mme Dambreuse s'appelait de Boutron, certifiait sa noblesse.

---

1. Baucher était le tenant des traditions équestres de l'Ancien Régime ; le comte d'Aure voulait introduire les nouvelles méthodes anglaises.

2. Voir la note 2, p. 149.

– « N'importe ! je voudrais bien avoir son équipage ! » dit la Maréchale, en se renversant sur le fauteuil.

Et la manche de sa robe, glissant un peu, découvrit, à son poignet gauche, un bracelet orné de trois opales.

Frédéric l'aperçut.

– « Tiens ! mais… »

Ils se considérèrent tous les trois, et rougirent.

La porte s'entrebâilla discrètement, le bord d'un chapeau parut, puis le profil d'Hussonnet.

– « Excusez, si je vous dérange, les amoureux ! »

Mais il s'arrêta, étonné de voir Cisy et de ce que Cisy avait pris sa place.

On apporta un autre couvert ; et, comme il avait grand-faim, il empoignait au hasard, parmi les restes du dîner, de la viande dans un plat, un fruit dans une corbeille, buvait d'une main, se servait de l'autre, tout en racontant sa mission. Les deux toutous étaient reconduits. Rien de neuf au domicile. Il avait trouvé la cuisinière avec un soldat, histoire fausse, uniquement inventée pour produire de l'effet.

La Maréchale décrocha de la patère sa capote. Frédéric se précipita sur la sonnette en criant de loin au garçon :

– « Une voiture ! »

– « J'ai la mienne », dit le vicomte.

– « Mais, monsieur ! »

– « Cependant, monsieur ! »

Et ils se regardaient dans les prunelles, pâles tous les deux et les mains tremblantes.

Enfin, la Maréchale prit le bras de Cisy, et, en montrant le bohème [1] attablé :

– « Soignez-le donc ! il s'étouffe. Je ne voudrais pas que son dévouement pour mes roquets le fît mourir ! »

La porte retomba.

– « Eh bien ? » dit Hussonnet.

– « Eh bien, quoi ? »

– « Je croyais… »

– « Qu'est-ce que vous croyiez ? »

– « Est-ce que vous ne… ? »

Il compléta sa phrase par un geste.

1. Voir la note 2, p. 82.

– « Eh non ! jamais de la vie ! »

Hussonnet n'insista pas davantage.

Il avait eu un but en s'invitant à dîner. Son journal, qui ne s'appelait plus *L'Art*, mais *Le Flambard*, avec cette épigraphe [1] : « Canonniers, à vos pièces ! » ne prospérant nullement, il avait envie de le transformer en une revue hebdomadaire, seul, sans le secours de Deslauriers. Il reparla de l'ancien projet, et exposa son plan nouveau.

Frédéric, ne comprenant pas sans doute, répondit par des choses vagues. Hussonnet empoigna plusieurs cigares sur la table, dit : « Adieu, mon bon », et disparut.

Frédéric demanda la note. Elle était longue ; et le garçon, la serviette sous le bras, attendait son argent, quand un autre, un individu blafard qui ressemblait à Martinon, vint lui dire :

– « Faites excuse, on a oublié au comptoir de porter le fiacre. »

– « Quel fiacre ? »

– « Celui que ce monsieur a pris tantôt, pour les petits chiens. »

Et la figure du garçon s'allongea, comme s'il eût plaint le pauvre jeune homme. Frédéric eut envie de le gifler. Il donna de pourboire les vingt francs qu'on lui rendait.

– « Merci, Monseigneur ! » dit l'homme à la serviette, avec un grand salut.

Frédéric passa la journée du lendemain à ruminer sa colère et son humiliation. Il se reprochait de n'avoir pas souffleté Cisy. Quant à la Maréchale, il se jura de ne plus la revoir ; d'autres aussi belles ne manquaient pas ; et, puisqu'il fallait de l'argent pour posséder ces femmes-là, il jouerait à la Bourse le prix de sa ferme, il serait riche, il écraserait de son luxe la Maréchale et tout le monde. Le soir venu, il s'étonna de n'avoir pas songé à Mme Arnoux.

– « Tant mieux ! à quoi bon ? »

Le surlendemain, dès huit heures, Pellerin vint lui faire visite. Il commença par des admirations sur le mobilier, des cajoleries. Puis, brusquement :

---

1. L'épigraphe est la courte citation que l'on met en tête d'un livre ou d'un chapitre pour en indiquer l'esprit.

– « Vous étiez aux courses, dimanche ? »

– « Oui, hélas ! »

Alors, le peintre déclama contre l'anatomie des chevaux anglais, vanta les chevaux de Géricault, les chevaux du Parthénon. « Rosanette était avec vous ? » Et il entama son éloge, adroitement.

La froideur de Frédéric le décontenança. Il ne savait comment en venir au portrait.

Sa première intention avait été de faire un Titien. Mais, peu à peu, la coloration variée de son modèle l'avait séduit ; et il avait travaillé franchement, accumulant pâte sur pâte et lumière sur lumière. Rosanette fut enchantée d'abord ; ses rendez-vous avec Delmar avaient interrompu les séances et laissé à Pellerin tout le temps de s'éblouir. Puis, l'admiration s'apaisant, il s'était demandé si sa peinture ne manquait point de grandeur. Il avait été revoir les Titien, avait compris la distance, reconnu sa faute ; et il s'était mis à repasser ses contours simplement. Ensuite il avait cherché, en les rongeant, à y perdre, à y mêler les tons de la tête et ceux des fonds ; et la figure avait pris de la consistance, les ombres de la vigueur ; tout paraissait plus ferme. Enfin la Maréchale était revenue. Elle s'était même permis des objections ; l'artiste, naturellement, avait persévéré. Après de grandes fureurs contre sa sottise, il s'était dit qu'elle pouvait avoir raison. Alors avait commencé l'ère des doutes, tiraillements de la pensée qui provoquent les crampes d'estomac, les insomnies, la fièvre, le dégoût de soi-même ; il avait eu le courage de faire des retouches, mais sans cœur et sentant que sa besogne était mauvaise.

Il se plaignit seulement d'avoir été refusé au Salon, puis reprocha à Frédéric de ne pas être venu voir le portrait de la Maréchale.

– « Je me moque bien de la Maréchale ! »

Une déclaration pareille l'enhardit.

– « Croiriez-vous que cette bête-là n'en veut plus, maintenant ? »

Ce qu'il ne disait point, c'est qu'il avait réclamé d'elle mille écus. Or, la Maréchale s'était peu souciée de savoir qui payerait, et, préférant tirer d'Arnoux des choses plus urgentes, ne lui en avait même pas parlé.

– « Eh bien, et Arnoux ? » dit Frédéric.

Elle l'avait relancé vers lui. L'ancien marchand de tableaux n'avait que faire du portrait.

– « Il soutient que ça appartient à Rosanette. »

– « En effet, c'est à elle. »

– « Comment ! c'est elle qui m'envoie vers vous ! » répliqua Pellerin.

S'il eût cru à l'excellence de son œuvre, il n'eût pas songé, peut-être, à l'exploiter. Mais une somme (et une somme considérable) serait un démenti à la critique, un raffermissement pour lui-même. Frédéric, afin de s'en délivrer, s'enquit de ses conditions, courtoisement.

L'extravagance du chiffre le révolta, il répondit :

– « Non, ah ! non ! »

– « Vous êtes pourtant son amant, c'est vous qui m'avez fait la commande ! »

– « J'ai été l'intermédiaire, permettez ! »

– « Mais je ne peux pas rester avec ça sur les bras ! »

L'artiste s'emportait.

– « Ah ! je ne vous croyais pas si cupide[1]. »

– « Ni vous si avare ! Serviteur ! »

Il venait de partir que Sénécal se présenta.

Frédéric, troublé, eut un mouvement d'inquiétude.

– « Qu'y a-t-il ? »

Sénécal conta son histoire.

– « Samedi, vers neuf heures, Mme Arnoux a reçu une lettre qui l'appelait à Paris ; comme personne, par hasard, ne se trouvait là pour aller à Creil chercher une voiture, elle avait envie de m'y faire aller moi-même. J'ai refusé, car ça ne rentre pas dans mes fonctions. Elle est partie, et revenue dimanche soir. Hier matin, Arnoux tombe à la fabrique. La Bordelaise s'est plainte. Je ne sais pas ce qui se passe entre eux, mais il a levé son amende devant tout le monde. Nous avons échangé des paroles vives. Bref, il m'a donné mon compte, et me voilà ! »

Puis, détachant ses paroles :

– « Au reste, je ne me repens pas, j'ai fait mon devoir. N'importe, c'est à cause de vous. »

---

1. Voir la note 5, p. 254.

– « Comment ? » s'écria Frédéric, ayant peur que Sénécal ne l'eût deviné.

Sénécal n'avait rien deviné, car il reprit :

– « C'est-à-dire que, sans vous, j'aurais peut-être trouvé mieux. »

Frédéric fut saisi d'une espèce de remords.

– « En quoi puis-je vous servir, maintenant ? »

Sénécal demandait un emploi quelconque, une place.

– « Cela vous est facile. Vous connaissez tant de monde, M. Dambreuse entre autres, à ce que m'a dit Deslauriers. »

Ce rappel de Deslauriers fut désagréable à son ami. Il ne se souciait guère de retourner chez les Dambreuse depuis la rencontre du Champ de Mars.

– « Je ne suis pas suffisamment intime dans la maison pour recommander quelqu'un. »

Le démocrate essuya ce refus stoïquement, et, après une minute de silence :

– « Tout cela, j'en suis sûr, vient de la Bordelaise et aussi de votre Mme Arnoux. »

Ce *votre* ôta du cœur de Frédéric le peu de bon vouloir qu'il gardait. Par délicatesse, cependant, il atteignit la clef de son secrétaire.

Sénécal le prévint.

– « Merci ! »

Puis, oubliant ses misères, il parla des choses de la patrie, les croix d'honneur prodiguées à la fête du roi [1], un changement de cabinet, les affaires Drouillard et Bénier, scandales de l'époque [2], déclama contre les bourgeois et prédit une révolution.

Un crid [3] japonais suspendu contre le mur arrêta ses yeux. Il le prit, en essaya le manche, puis le rejeta sur le canapé, avec un air de dégoût.

---

1. L'opposition reprochait à Louis-Philippe d'avoir trop largement distribué les décorations.
2. En février 1847, le banquier Drouillard fut condamné dans une affaire de corruption électorale. L'année précédente, on avait découvert que Bénier, directeur de la Manutention générale des vivres, s'était rendu coupable d'importantes malversations dans son service. L'opposition s'était emparée de ces deux affaires.
3. Un crid (ou un criss, forme qui a prévalu) est une sorte de poignard malais, dont la lame atteint une quarantaine de centimètres.

– « Allons, adieu ! Il faut que j'aille à Notre-Dame de Lorette. »

– « Tiens ! pourquoi ? »

– « C'est aujourd'hui le service anniversaire de Godefroy Cavaignac [1]. Il est mort à l'œuvre, celui-là ! Mais tout n'est pas fini !... Qui sait ? »

Et Sénécal tendit sa main, gravement.

– « Nous ne nous reverrons peut-être jamais ! Adieu ! »

Cet adieu, répété deux fois, son froncement de sourcils en contemplant le poignard, sa résignation et son air solennel, surtout, firent rêver Frédéric, qui bientôt n'y pensa plus.

Dans la même semaine, son notaire du Havre lui envoya le prix de sa ferme, cent soixante-quatorze mille francs. Il en fit deux parts, plaça la première sur l'État, et alla porter la seconde chez un agent de change pour la risquer à la Bourse.

Il mangeait dans les cabarets à la mode, fréquentait les théâtres et tâchait de se distraire, quand Hussonnet lui adressa une lettre, où il narrait gaiement que la Maréchale, dès le lendemain des courses, avait congédié Cisy. Frédéric en fut heureux, sans chercher pourquoi le bohème [2] lui apprenait cette aventure.

Le hasard voulut qu'il rencontrât Cisy, trois jours après. Le gentilhomme fit bonne contenance, et l'invita même à dîner pour le mercredi suivant.

Frédéric, le matin de ce jour-là, reçut une notification d'huissier, où M. Charles-Jean-Baptiste Oudry lui apprenait qu'aux termes d'un jugement du tribunal, il s'était rendu acquéreur d'une propriété sise à Belleville appartenant au sieur Jacques Arnoux, et qu'il était prêt à payer les deux cent vingt-trois mille francs montant du prix de la vente. Mais il résultait du même acte que, la somme des hypothèques dont l'immeuble était grevé dépassant le prix de l'acquisition, la créance de Frédéric se trouvait complètement perdue.

---

1. Frère de Jean-Baptiste (le général, voir la note 3, p. 445), Godefroy Cavaignac (1801-1845) fut un chef républicain très aimé. Il fut arrêté plusieurs fois sous la monarchie de Juillet pour ses activités politiques. Son convoi mortuaire fut suivi par six mille personnes.

2. Voir la note 2, p. 82.

Tout le mal venait de n'avoir pas renouvelé en temps utile une inscription hypothécaire. Arnoux s'était chargé de cette démarche, et l'avait ensuite oubliée. Frédéric s'emporta contre lui, et, quand sa colère fut passée :

– « Eh bien après…, quoi ? si cela peut le sauver, tant mieux ! je n'en mourrai pas ! n'y pensons plus ! »

Mais, en remuant ses paperasses sur sa table, il rencontra la lettre d'Hussonnet, et aperçut le post-scriptum, qu'il n'avait point remarqué la première fois. Le bohème demandait cinq mille francs, tout juste, pour mettre l'affaire du journal en train.

– « Ah ! celui-là m'embête ! »

Et il le refusa brutalement dans un billet laconique[1]. Après quoi, il s'habilla pour se rendre à la Maison d'or[2].

Cisy présenta ses convives, en commençant par le plus respectable, un gros monsieur à cheveux blancs :

– « Le marquis Gilbert des Aulnays, mon parrain. M. Anselme de Forchambeaux », dit-il ensuite (c'était un jeune homme blond et fluet, déjà chauve) ; puis, désignant un quadragénaire d'allures simples : « Joseph Boffreu, mon cousin ; et voici mon ancien professeur M. Vezou », personnage moitié charretier, moitié séminariste, avec de gros favoris et une longue redingote boutonnée dans le bas par un seul bouton, de manière à faire châle sur la poitrine.

Cisy attendait encore quelqu'un, le baron de Comaing, « qui peut-être viendra, ce n'est pas sûr ». Il sortait à chaque minute, paraissait inquiet ; enfin, à huit heures, on passa dans une salle éclairée magnifiquement et trop spacieuse pour le nombre des convives. Cisy l'avait choisie par pompe, tout exprès.

Un surtout[3] de vermeil, chargé de fleurs et de fruits, occupait le milieu de la table, couverte de plats d'argent, suivant la vieille mode française ; des raviers, pleins de sàlaisons et d'épices, formaient bordure tout autour ; des cruches de vin rosat frappé de glace se dressaient de distance en

---

1. Est laconique ce qui est dit en peu de mots.
2. Voir la note 1, p. 252.
3. Un surtout est une pièce de vaisselle ou d'orfèvrerie décorative qu'on place sur une table.

distance ; cinq verres de hauteur différente étaient alignés devant chaque assiette avec des choses dont on ne savait pas l'usage, mille ustensiles de bouche ingénieux ; – et il y avait, rien que pour le premier service : une hure [1] d'esturgeon mouillée de Champagne, un jambon d'York au tokay [2], des grives au gratin, des cailles rôties, un vol-au-vent béchamel, un sauté de perdrix rouges, et, aux deux bouts de tout cela, des effilés de pommes de terre qui étaient mêlés à des truffes. Un lustre et des girandoles [3] illuminaient l'appartement, tendu de damas [4] rouge. Quatre domestiques en habit noir se tenaient derrière les fauteuils de maroquin. À ce spectacle, les convives se récrièrent, le précepteur surtout.

– « Notre amphitryon [5], ma parole, a fait de véritables folies ! C'est trop beau ! »

– « Ça ? » dit le vicomte de Cisy, « allons donc ! » Et, dès la première cuillerée :

– « Eh bien ! mon vieux des Aulnays, avez-vous été au Palais-Royal, voir *Père et Portier* [6] ? »

– « Tu sais bien que je n'ai pas le temps ! » répliqua le marquis.

Ses matinées étaient prises par un cours d'arboriculture, ses soirées par le cercle agricole, et toutes ses après-midi par des études dans les fabriques d'instruments aratoires. Habitant la Saintonge [7] les trois quarts de l'année, il profitait de ses voyages dans la capitale pour s'instruire ; et son chapeau à larges bords, posé sur une console, était plein de brochures.

Mais Cisy, s'apercevant que M. de Forchambeaux refusait du vin :

---

1. La hure est la tête du sanglier et, par extension, de certaines bêtes fauves et de certains poissons à tête allongée, comme l'esturgeon.

2. Voir la note 3, p. 100.

3. Voir la note 2, p. 143.

4. Voir la note 5, p. 71.

5. L'amphitryon est l'hôte qui offre à dîner (le nom vient de la mythologie par le relais de la pièce de Molière).

6. *Père et Portier* est une comédie-vaudeville en deux actes par Bayard et Varner, créée le 8 mai 1847 au Palais-Royal.

7. La Saintonge est le pays qui entoure la ville de Saintes, s'étend sur une grande partie du département de la Charente-Maritime et empiète sur celui de la Charente.

– « Buvez donc, saprelotte ! Vous n'êtes pas crâne pour votre dernier repas de garçon ! »

À ce mot, tous s'inclinèrent, on le congratulait.

– « Et la jeune personne », dit le précepteur, « est charmante, j'en suis sûr ? »

– « Parbleu ! » s'écria Cisy. « N'importe, il a tort ; c'est si bête, le mariage ! »

– « Tu parles légèrement, mon ami ! » répliqua M. des Aulnays, tandis qu'une larme roulait dans ses yeux, au souvenir de sa défunte.

Et Forchambeaux répéta plusieurs fois de suite, en ricanant :

– « Vous y viendrez vous-même, vous y viendrez ! »

Cisy protesta. Il aimait mieux se divertir, « être Régence ». Il voulait apprendre la savate [1], pour visiter les tapis-francs [2] de la Cité, comme le prince Rodolphe des *Mystères de Paris* [3], tira de sa poche un brûle-gueule, rudoyait les domestiques, buvait extrêmement ; et, afin de donner de lui bonne opinion, dénigrait tous les plats. Il renvoya même les truffes, et le précepteur, qui s'en délectait, dit par bassesse :

– « Cela ne vaut pas les œufs à la neige de madame votre grand-mère ! »

Puis il se remit à causer avec son voisin l'agronome, lequel trouvait au séjour de la campagne beaucoup d'avantages, ne serait-ce que de pouvoir élever ses filles dans des goûts simples. Le précepteur applaudissait à ses idées et le flagornait, lui supposant de l'influence sur son élève, dont il désirait secrètement être l'homme d'affaires.

Frédéric était venu plein d'humeur contre Cisy ; sa sottise l'avait désarmé. Mais ses gestes, sa figure, toute sa personne lui rappelant le dîner du café Anglais, l'agaçait de plus en plus ; et il écoutait les remarques désobligeantes que faisait à demi-voix le cousin Joseph, un brave garçon sans fortune,

---

1. La savate est un sport de combat où l'on porte des coups de pied à l'adversaire (une sorte de boxe française).
2. En argot, un tapis-franc est un cabaret mal famé.
3. Le célèbre roman d'Eugène Sue, *Les Mystères de Paris*, parut en feuilleton en 1842-1843. Le prince Rodolphe en est l'un des héros.

amateur de chasse, et boursier. Cisy, par manière de rire, l'appela « voleur » plusieurs fois ; puis, tout à coup :

– « Ah ! le baron ! »

Alors entra un gaillard de trente ans, qui avait quelque chose de rude dans la physionomie, de souple dans les membres, le chapeau sur l'oreille, et une fleur à la boutonnière. C'était l'idéal du vicomte. Il fut ravi de le posséder ; et, sa présence l'excitant, il tenta même un calembour, car il dit, comme on passait un coq de bruyère :

– « Voilà le meilleur des caractères de La Bruyère [1] ! »

Ensuite, il adressa à M. de Comaing une foule de questions sur des personnes inconnues à la société ; puis, comme saisi d'une idée :

– « Dites donc ! avez-vous pensé à moi ? »

L'autre haussa les épaules.

– « Vous n'avez pas l'âge, mon petiot ! Impossible ! »

Cisy l'avait prié de le faire admettre à son club. Mais le baron, ayant sans doute pitié de son amour-propre :

– « Ah ! j'oubliais ! Mille félicitations pour votre pari, mon cher ! »

– « Quel pari ? »

– « Celui que vous avez fait, aux courses, d'aller le soir même chez cette dame. »

Frédéric éprouva comme la sensation d'un coup de fouet. Il fut calmé tout de suite, par la figure décontenancée de Cisy.

En effet, la Maréchale, dès le lendemain, en était aux regrets, quand Arnoux, son premier amant, son homme, s'était présenté ce jour-là même. Tous deux avaient fait comprendre au vicomte qu'il « gênait », et on l'avait flanqué dehors, avec peu de cérémonie.

Il eut l'air de ne pas entendre. Le baron ajouta :

– « Que devient-elle, cette brave Rose ?... A-t-elle toujours d'aussi jolies jambes ? » prouvant par ce mot qu'il la connaissait intimement.

Frédéric fut contrarié de la découverte.

---

1. L'écrivain Jean de La Bruyère (1645-1696) est l'auteur de maximes et de portraits célèbres, rassemblés sous le titre *Les Caractères* (1688).

– « Il n'y à pas de quoi rougir », reprit le baron ; « c'est une bonne affaire ! »

Cisy claqua de la langue.

– « Peuh ! pas si bonne ! »

– « Ah ! »

– « Mon Dieu, oui ! D'abord, moi, je ne lui trouve rien d'extraordinaire, et puis on en récolte de pareilles tant qu'on veut, car enfin… elle est à vendre ! »

– « Pas pour tout le monde ! » reprit aigrement Frédéric.

– « Il se croit différent des autres ! » répliqua Cisy, « quelle farce ! »

Et un rire parcourut la table.

Frédéric sentait les battements de son cœur l'étouffer. Il avala deux verres d'eau, coup sur coup.

Mais le baron avait gardé bon souvenir de Rosanette.

– « Est-ce qu'elle est toujours avec un certain Arnoux ? »

– « Je n'en sais rien », dit Cisy. « Je ne connais pas ce monsieur ! »

Il avança, néanmoins, que c'était une manière d'escroc.

– « Un moment ! » s'écria Frédéric.

– « Cependant, la chose est certaine ! Il a même eu un procès. »

– « Ce n'est pas vrai ! »

Frédéric se mit à défendre Arnoux. Il garantissait sa probité, finissait par y croire, inventait des chiffres, des preuves. Le vicomte, plein de rancune, et qui était gris d'ailleurs, s'entêta dans ses assertions, si bien que Frédéric lui dit gravement :

– « Est-ce pour m'offenser, monsieur ? »

Et il le regardait, avec des prunelles ardentes comme son cigare.

– « Oh ! pas du tout ! je vous accorde même qu'il a quelque chose de très bien : sa femme. »

– « Vous la connaissez ? »

– « Parbleu ! Sophie [1] Arnoux, tout le monde connaît ça ! »

– « Vous dites ? »

---

1. Mme Arnoux se prénomme Marie (I, 1 ; p. 52) ou Angèle (I, 5 ; p. 137). Sophie Arnould (1744-1803) était une cantatrice aux mœurs légères, dont les frères Goncourt ont écrit la biographie en 1857.

Cisy, qui s'était levé, répéta en balbutiant :

– « Tout le monde connaît ça ! »

– « Taisez-vous ! Ce ne sont pas celles-là que vous fréquentez ! »

– « Je m'en flatte ! »

Frédéric lui lança son assiette au visage.

Elle passa comme un éclair par-dessus la table, renversa deux bouteilles, démolit un compotier, et, se brisant contre le surtout [1] en trois morceaux, frappa le ventre du vicomte.

Tous se levèrent pour le retenir. Il se débattait, en criant, pris d'une sorte de frénésie ; M. des Aulnays répétait :

– « Calmez-vous ! voyons ! cher enfant ! »

– « Mais c'est épouvantable ! » vociférait le précepteur.

Forchambeaux, livide [2] comme les prunes, tremblait ; Joseph riait aux éclats ; les garçons épongeaient le vin, ramassaient par terre les débris ; et le baron alla fermer la fenêtre, car le tapage, malgré le bruit des voitures, aurait pu s'entendre du boulevard.

Comme tout le monde, au moment où l'assiette avait été lancée, parlait à la fois, il fut impossible de découvrir la raison de cette offense, si c'était à cause d'Arnoux, de Mme Arnoux, de Rosanette ou d'un autre. Ce qu'il y avait de certain, c'était la brutalité inqualifiable de Frédéric ; il se refusa positivement à en témoigner le moindre regret.

M. des Aulnays tâcha de l'adoucir, le cousin Joseph, le précepteur, Forchambeaux lui-même. Le baron pendant ce temps-là, réconfortait Cisy, qui, cédant à une faiblesse nerveuse, versait des larmes. Frédéric, au contraire, s'irritait de plus en plus ; et l'on serait resté là jusqu'au jour si le baron n'avait dit pour en finir :

– « Le vicomte, monsieur, enverra demain chez vous ses témoins. »

– « Votre heure ? »

– « À midi, s'il vous plaît. »

– « Parfaitement, monsieur. »

Frédéric, une fois dehors, respira à pleins poumons. Depuis trop longtemps, il contenait son cœur. Il venait de

---

1. Voir la note 3, p. 305.
2. Au sens premier, est livide ce qui est de couleur plombée, bleuâtre.

le satisfaire enfin ; il éprouvait comme un orgueil de virilité, une surabondance de forces intimes qui l'enivraient. Il avait besoin de deux témoins. Le premier auquel il songea fut Regimbart ; et il se dirigea tout de suite vers un estaminet [1] de la rue Saint-Denis. La devanture était close. Mais de la lumière brillait à un carreau, au-dessus de la porte. Elle s'ouvrit, et il entra, en se courbant très bas sous l'auvent.

Une chandelle, au bord du comptoir, éclairait la salle déserte. Tous les tabourets, les pieds en l'air, étaient posés sur les tables. Le maître et la maîtresse avec leur garçon soupaient dans l'angle près de la cuisine ; – et Regimbart, le chapeau sur la tête, partageait leur repas, et même gênait le garçon, qui était contraint à chaque bouchée de se tourner de côté, quelque peu. Frédéric, lui ayant conté la chose brièvement, réclama son assistance. Le Citoyen commença par ne rien répondre ; il roulait des yeux, avait l'air de réfléchir, fit plusieurs tours dans la salle, et dit enfin :

– « Oui, volontiers ! »

Et un sourire homicide le dérida, en apprenant que l'adversaire était un noble.

– « Nous le ferons marcher tambour battant, soyez tranquille ! D'abord…, avec l'épée… »

– « Mais peut-être », objecta Frédéric, « que je n'ai pas le droit… »

– « Je vous dis qu'il faut prendre l'épée ! » répliqua brutalement le Citoyen. « Savez-vous tirer ? »

– « Un peu ! »

– « Ah ! un peu ! voilà comme ils sont tous ! Et ils ont la rage de faire assaut ! Qu'est-ce que ça prouve, la salle d'armes ! Écoutez-moi : tenez-vous bien à distance en vous enfermant toujours dans des cercles, et rompez [2] ! rompez ! C'est permis. Fatiguez-le ! Puis fendez-vous dessus, franchement ! Et surtout pas de malice, pas de coups à la La Fougère [3] ! non ! de simples une-deux, des dégagements. Tenez, voyez-vous ? en tournant le poignet comme pour ouvrir une

1. Voir la note 2, p. 91.
2. En escrime, rompre, c'est reculer
3. La Fougère, dans son *Traité de l'art de faire des armes* (1825), préconisait des coups particulièrement compliqués.

serrure. – Père Vauthier, donnez-moi votre canne ! Ah ! cela suffit. »

Il empoigna la baguette qui servait à allumer le gaz, arrondit le bras gauche, plia le droit, et se mit à pousser des bottes [1] contre la cloison. Il frappait du pied, s'animait, feignait même de rencontrer des difficultés, tout en criant : « Y es-tu, là ? y es-tu ? » et sa silhouette énorme se projetait sur la muraille, avec son chapeau qui semblait toucher au plafond. Le limonadier disait de temps en temps : « Bravo ! très bien ! » Son épouse également l'admirait, quoique émue ; et Théodore, un ancien soldat, en restait cloué d'ébahissement, étant, du reste, fanatique de M. Regimbart.

Le lendemain, de bonne heure, Frédéric courut au magasin de Dussardier. Après une suite de pièces, toutes remplies d'étoffes garnissant des rayons, ou étendues en travers sur des tables, tandis que, çà et là, des champignons de bois supportaient des châles, il l'aperçut dans une espèce de cage grillée, au milieu de registres, et écrivant debout sur un pupitre. Le brave garçon lâcha immédiatement sa besogne.

Les témoins arrivèrent avant midi. Frédéric, par bon goût, crut devoir ne pas assister à la conférence.

Le baron et M. Joseph déclarèrent qu'ils se contenteraient des excuses les plus simples. Mais Regimbart, ayant pour principe de ne céder jamais, et qui tenait à défendre l'honneur d'Arnoux (Frédéric ne lui avait point parlé d'autre chose), demanda que le vicomte fît des excuses. M. de Comaing fut révolté de l'outrecuidance. Le Citoyen n'en voulut pas démordre. Toute conciliation devenant impossible, on se battrait.

D'autres difficultés surgirent ; car le choix des armes légalement, appartenait à Cisy, l'offensé. Mais Regimbart soutint que, par l'envoi du cartel [2], il se constituait l'offenseur. Ses témoins se récrièrent qu'un soufflet, cependant, était la plus cruelle des offenses. Le Citoyen épilogua sur les mots, un coup n'étant pas un soufflet. Enfin, on décida qu'on s'en

---

1. En escrime, une botte est un coup porté à l'adversaire.
2. Le cartel est le papier par lequel on provoque quelqu'un en duel.

rapporterait à des militaires ; et les quatre témoins sortirent, pour aller consulter des officiers dans une caserne quelconque.

Ils s'arrêtèrent à celle du quai d'Orsay. M. de Comaing, ayant abordé deux capitaines, leur exposa la contestation.

Les capitaines n'y comprirent goutte, embrouillée qu'elle fut par les phrases incidentes du Citoyen. Bref, ils conseillèrent à ces messieurs d'écrire un procès-verbal ; après quoi, ils décideraient. Alors, on se transporta dans un café ; et même, pour faire les choses plus discrètement, on désigna Cisy par H et Frédéric par un K.

Puis on retourna à la caserne. Les officiers étaient sortis. Ils reparurent, et déclarèrent qu'évidemment le choix des armes appartenait à M. H. Tous s'en revinrent chez Cisy. Regimbart et Dussardier restèrent sur le trottoir.

Le vicomte, en apprenant la solution, fut pris d'un si grand trouble, qu'il se la fit répéter plusieurs fois ; et, quand M. de Comaing en vint aux prétentions de Regimbart, il murmura « cependant », n'étant pas loin, en lui-même, d'y obtempérer. Puis il se laissa choir dans un fauteuil, et déclara qu'il ne se battrait pas.

– « Hein ? comment ? » dit le baron.

Alors, Cisy s'abandonna à un flux labial désordonné. Il voulait se battre au tromblon [1], à bout portant, avec un seul pistolet.

– « Ou bien on mettra de l'arsenic dans un verre, qui sera tiré au sort. Ça se fait quelquefois ; je l'ai lu ! »

Le baron, peu endurant naturellement, le rudoya.

– « Ces messieurs attendent votre réponse. C'est indécent, à la fin ! Que prenez-vous ? voyons ! Est-ce l'épée ? »

Le vicomte répliqua « oui », par un signe de tête ; et le rendez-vous fut fixé pour le lendemain, à la porte Maillot, à sept heures juste.

Dussardier étant contraint de s'en retourner à ses affaires, Regimbart alla prévenir Frédéric.

On l'avait laissé toute la journée sans nouvelles ; son impatience était devenue intolérable.

---

1. Le tromblon est une ancienne arme à feu portative dont le canon évasé en entonnoir pouvait recevoir une charge de plusieurs balles.

– « Tant mieux ! » s'écria-t-il.

Le Citoyen fut satisfait de sa contenance.

– « On réclamait de nous des excuses, croiriez-vous ? Ce n'était rien, un simple mot ! Mais je les ai envoyés joliment bouler ! Comme je le devais, n'est-ce pas ? »

– « Sans doute », dit Frédéric tout en songeant qu'il eût mieux fait de choisir un autre témoin.

Puis, quand il fut seul, il se répéta tout haut, plusieurs fois :

– « Je vais me battre. Tiens, je vais me battre ! C'est drôle ! »

Et, comme il marchait dans sa chambre, en passant devant sa glace, il s'aperçut qu'il était pâle.

– « Est-ce que j'aurais peur ? »

Une angoisse abominable le saisit à l'idée d'avoir peur sur le terrain.

– « Si j'étais tué, cependant ? Mon père est mort de la même façon. Oui, je serai tué ! »

Et, tout à coup, il aperçut sa mère, en robe noire ; des images incohérentes se déroulèrent dans sa tête. Sa propre lâcheté l'exaspéra. Il fut pris d'un paroxysme de bravoure, d'une soif carnassière. Un bataillon ne l'eût pas fait reculer. Cette fièvre calmée, il se sentit, avec joie, inébranlable. Pour se distraire, il se rendit à l'Opéra, où l'on donnait un ballet. Il écouta la musique, lorgna les danseuses, et but un verre de punch, pendant l'entracte. Mais, en rentrant chez lui, la vue de son cabinet, de ses meubles, où il se retrouvait peut-être pour la dernière fois, lui causa une faiblesse.

Il descendit dans son jardin. Les étoiles brillaient ; il les contempla. L'idée de se battre pour une femme le grandissait à ses yeux, l'ennoblissait. Puis il alla se coucher tranquillement.

Il n'en fut pas de même de Cisy. Après le départ du baron, Joseph avait tâché de remonter son moral, et, comme le vicomte demeurait froid :

– « Pourtant, mon brave, si tu préfères en rester là, j'irai le dire. »

Cisy n'osa répondre « certainement », mais il en voulut à son cousin de ne pas lui rendre ce service sans en parler.

Il souhaita que Frédéric, pendant la nuit, mourût d'une attaque d'apoplexie, ou qu'une émeute survenant, il y eût le lendemain assez de barricades pour fermer tous les abords du bois de Boulogne, ou qu'un événement empêchât un des témoins de s'y rendre ; car le duel faute de témoins manquerait. Il avait envie de se sauver par un train express n'importe où. Il regretta de ne pas savoir la médecine pour prendre quelque chose qui, sans exposer ses jours, ferait croire à sa mort. Il arriva jusqu'à désirer être malade, gravement.

Afin d'avoir un conseil, un secours, il envoya chercher M. des Aulnays. L'excellent homme était retourné en Saintonge [1], sur une dépêche lui apprenant l'indisposition d'une de ses filles. Cela parut de mauvais augure à Cisy. Heureusement que M. Vezou, son précepteur, vint le voir. Alors il s'épancha.

– « Comment faire, mon Dieu ! comment faire ? »

– « Moi, à votre place, monsieur le comte, je payerais un fort de la halle pour lui flanquer une raclée. »

– « Il saurait toujours de qui ça vient ! » reprit Cisy.

Et, de temps à autre, il poussait un gémissement ; puis :

– « Mais est-ce qu'on a le droit de se battre en duel ? »

– « C'est un reste de barbarie ! Que voulez-vous ! »

Par complaisance, le pédagogue s'invita lui-même à dîner. Son élève ne mangea rien, et, après le repas, sentit le besoin de faire un tour.

Il dit en passant devant une église :

– « Si nous entrions un peu... pour voir ? »

M. Vezou ne demanda pas mieux, et même lui présenta de l'eau bénite.

C'était le mois de Marie, des fleurs couvraient l'autel, des voix chantaient, l'orgue résonnait. Mais il lui fut impossible de prier, les pompes de la religion lui inspirant des idées de funérailles ; il entendait comme des bourdonnements de *De profundis* [2].

---

1. Voir la note 7, p. 306.
2. C'est par ces mots en latin (*Des profondeurs*) que commence un psaume de pénitence, chanté pour le salut de l'âme des défunts.

– « Allons-nous-en ! Je ne me sens pas bien ! »

Ils employèrent toute la nuit à jouer aux cartes. Le vicomte s'efforça de perdre, afin de conjurer la mauvaise chance, ce dont M. Vezou profita. Enfin, au petit jour, Cisy, qui n'en pouvait plus, s'affaissa sur le tapis vert, et eut un sommeil plein de songes désagréables.

Si le courage, pourtant, consiste à vouloir dominer sa faiblesse, le vicomte fut courageux, car, à la vue de ses témoins qui venaient le chercher, il se roidit de toutes ses forces, la vanité lui faisant comprendre qu'une reculade le perdrait. M. de Comaing le complimenta sur sa bonne mine.

Mais, en route, le bercement du fiacre et la chaleur du soleil matinal l'énervèrent[1]. Son énergie était retombée. Il ne distinguait même plus où l'on était.

Le baron se divertit à augmenter sa frayeur, en parlant du « cadavre » et de la manière de le rentrer en ville, clandestinement. Joseph donnait la réplique ; tous deux, jugeant l'affaire ridicule, étaient persuadés qu'elle s'arrangerait.

Cisy gardait sa tête sur sa poitrine ; il la releva doucement et fit observer qu'on n'avait pas pris de médecin.

– « C'est inutile », dit le baron.

– « Il n'y a pas de danger, alors ? »

Joseph répliqua d'un ton grave :

– « Espérons-le ! »

Et personne dans la voiture ne parla plus.

À sept heures dix minutes, on arriva devant la porte Maillot. Frédéric et ses témoins s'y trouvaient, habillés de noir tous les trois. Regimbart, au lieu de cravate, avait un col de crin comme un troupier ; et il portait une espèce de longue boîte à violon, spéciale pour ce genre d'aventures. On échangea froidement un salut. Puis tous s'enfoncèrent dans le bois de Boulogne, par la route de Madrid, afin d'y trouver une place convenable.

Regimbart dit à Frédéric, qui marchait entre lui et Dussardier :

– « Eh bien, et cette venette[2], qu'en fait-on ? Si vous avez besoin de quelque chose, ne vous gênez pas, je connais ça ! La crainte est naturelle à l'homme. »

---

1. Voir la note 1, p. 125.
2. La venette signifie la crainte, la peur.

Puis, à voix basse :

– « Ne fumez plus, ça amollit ! »

Frédéric jeta son cigare qui le gênait, et continua d'un pied ferme. Le vicomte avançait par-derrière, appuyé sur le bras de ses deux témoins.

De rares passants les croisaient. Le ciel était bleu, et on entendait, par moments, des lapins bondir. Au détour d'un sentier, une femme en madras [1] causait avec un homme en blouse, et, dans la grande avenue sous les marronniers, des domestiques en veste de toile promenaient leurs chevaux. Cisy se rappelait les jours heureux où, monté sur son alezan [2] et le lorgnon dans l'œil, il chevauchait à la portière des calèches ; ces souvenirs renforçaient son angoisse ; une soif intolérable le brûlait ; la susurration des mouches se confondait avec le battement de ses artères ; ses pieds enfonçaient dans le sable ; il lui semblait qu'il était en train de marcher depuis un temps infini.

Les témoins, sans s'arrêter, fouillaient de l'œil les deux bords de la route. On délibéra si l'on irait à la croix Catelan ou sous les murs de Bagatelle. Enfin, on prit à droite ; et on s'arrêta dans une espèce de quinconce [3], entre des pins.

L'endroit fut choisi de manière à répartir également le niveau du terrain. On marqua les deux places où les adversaires devaient se poser. Puis Regimbart ouvrit sa boîte. Elle contenait, sur un capitonnage de basane [4] rouge, quatre épées charmantes, creuses au milieu, avec des poignées garnies de filigrane. Un rayon lumineux, traversant les feuilles, tomba dessus ; et elles parurent à Cisy briller comme des vipères d'argent sur une mare de sang.

Le Citoyen fit voir qu'elles étaient de longueur pareille ; il prit la troisième pour lui-même, afin de séparer les combattants, en cas de besoin. M. de Comaing tenait une canne. Il y eut un silence. On se regarda. Toutes les figures avaient quelque chose d'effaré ou de cruel.

---

1. Voir la note 1, p. 280.
2. Un alezan est un cheval dont la robe est de couleur brun rougeâtre.
3. Un quinconce est une esplanade dont les arbres disposés aux quatre angles et au centre forment des allées régulières.
4. Voir la note 2, p. 256.

Frédéric avait mis bas sa redingote et son gilet. Joseph aida Cisy à faire de même ; sa cravate étant retirée, on aperçut à son cou une médaille bénite. Cela fit sourire de pitié Regimbart.

Alors, M. de Comaing (pour laisser à Frédéric encore un moment de réflexion) tâcha d'élever des chicanes. Il réclama le droit de mettre un gant, celui de saisir l'épée de son adversaire avec la main gauche ; Regimbart, qui était pressé, ne s'y refusa pas. Enfin le baron, s'adressant à Frédéric :

– « Tout dépend de vous, monsieur ! Il n'y a jamais de déshonneur à reconnaître ses fautes. »

Dussardier l'approuvait du geste. Le Citoyen s'indigna.

– « Croyez-vous que nous sommes ici pour plumer les canards, fichtre ?… En garde ! »

Les adversaires étaient l'un devant l'autre, leurs témoins de chaque côté. Il cria le signal :

– « Allons ! »

Cisy devint effroyablement pâle. Sa lame tremblait par le bout, comme une cravache. Sa tête se renversait, ses bras s'écartèrent, il tomba sur le dos, évanoui. Joseph le releva ; et, tout en lui poussant sous les narines un flacon, il le secouait fortement. Le vicomte rouvrit les yeux, puis tout à coup, bondit comme un furieux sur son épée. Frédéric avait gardé la sienne ; et il l'attendait, l'œil fixe, la main haute.

– « Arrêtez, arrêtez ! » cria une voix qui venait de la route, en même temps que le bruit d'un cheval au galop ; et la capote d'un cabriolet cassait les branches ! Un homme penché en dehors agitait un mouchoir, et criait toujours : « Arrêtez, arrêtez ! »

M. de Comaing, croyant à une intervention de la police, leva sa canne.

– « Finissez donc ! Le vicomte saigne ! »

– « Moi ? » dit Cisy.

En effet, il s'était, dans sa chute, écorché le pouce de la main gauche.

– « Mais c'est en tombant », ajouta le Citoyen.

Le baron feignit de ne pas entendre.

Arnoux avait sauté du cabriolet.

– « J'arrive trop tard ! Non ! Dieu soit loué ! »

Il tenait Frédéric à pleins bras, le palpait, lui couvrait le visage de baisers.

– « Je sais le motif ; vous avez voulu défendre votre vieil ami ! C'est bien, cela, c'est bien ! Jamais je ne l'oublierai ! Comme vous êtes bon ! Ah ! cher enfant ! »

Il le contemplait et versait des larmes, tout en ricanant de bonheur. Le baron se tourna vers Joseph.

– « Je crois que nous sommes de trop dans cette petite fête de famille. C'est fini, n'est-ce pas, messieurs ? – Vicomte, mettez votre bras en écharpe ; tenez, voilà mon foulard. » Puis, avec un geste impérieux : « Allons ! pas de rancune ! Cela se doit ! »

Les deux combattants se serrèrent la main, mollement. Le vicomte, M. de Comaing et Joseph disparurent d'un côté, et Frédéric s'en alla de l'autre avec ses amis.

Comme le restaurant de Madrid n'était pas loin, Arnoux proposa de s'y rendre pour boire un verre de bière.

– « On pourrait même déjeuner », dit Regimbart.

Mais, Dussardier n'en ayant pas le loisir, ils se bornèrent à un rafraîchissement, dans le jardin. Tous éprouvaient cette béatitude qui suit les dénouements heureux. Le Citoyen, cependant, était fâché qu'on eût interrompu le duel au bon moment.

Arnoux en avait eu connaissance par un nommé Compain, ami de Regimbart ; et dans un élan de cœur, il était accouru pour l'empêcher, croyant, du reste, en être la cause. Il pria Frédéric de lui fournir là-dessus quelques détails. Frédéric, ému par les preuves de sa tendresse, se fit scrupule d'augmenter son illusion :

– « De grâce, n'en parlons plus ! »

Arnoux trouva cette réserve fort délicate. Puis, avec sa légèreté ordinaire, passant à une autre idée :

– « Quoi de neuf, Citoyen ? »

Et ils se mirent à causer traites, échéances. Afin d'être plus commodément, ils allèrent même chuchoter à l'écart sur une autre table.

Frédéric distingua ces mots : « Vous allez me souscrire.
– Oui ! mais, vous, bien entendu… – Je l'ai négocié enfin
pour trois cents ! – Jolie commission, ma foi ! » Bref, il était
clair qu'Arnoux tripotait avec le Citoyen beaucoup de
choses.

Frédéric songea à lui rappeler ses quinze mille francs.
Mais sa démarche récente interdisait les reproches, même
les plus doux. D'ailleurs, il se sentait fatigué. L'endroit
n'était pas convenable. Il remit cela à un autre jour.

Arnoux, assis à l'ombre d'un troène, fumait d'un air
hilare. Il leva les yeux vers les portes des cabinets [1] donnant
toutes sur le jardin, et dit qu'il était venu là, autrefois, bien
souvent.

– « Pas seul, sans doute ? » répliqua le Citoyen.

– « Parbleu ! »

– « Quel polisson vous faites ! un homme marié ! »

– « Eh bien, et vous donc ! » reprit Arnoux ; et, avec un
sourire indulgent : « Je suis même sûr que ce gredin-là possède quelque part, une chambre, où il reçoit des petites
filles ! »

Le Citoyen confessa que c'était vrai, par un simple haussement de sourcils. Alors, ces deux messieurs exposèrent
leurs goûts : Arnoux préférait maintenant la jeunesse, les
ouvrières ; Regimbart détestait « les mijaurées [2] » et tenait
avant tout au positif. La conclusion, fournie par le marchand de faïence, fut qu'on ne devait pas traiter les
femmes sérieusement.

– « Cependant, il aime la sienne ! » songeait Frédéric, en
s'en retournant ; et il le trouvait un malhonnête homme. Il
lui en voulait de ce duel, comme si c'eût été pour lui qu'il
avait, tout à l'heure, risqué sa vie.

Mais il était reconnaissant à Dussardier de son dévouement ; le commis, sur ses instances, arriva bientôt à lui faire
une visite tous les jours.

---

1. Voir la note 1, p. 137.
2. Une mijaurée est une femme aux manières affectées, prétentieuses et
ridicules.

Frédéric lui prêtait des livres : Thiers[1], Dulaure[2], Barante[3], les *Girondins* de Lamartine[4]. Le brave garçon l'écoutait avec recueillement et acceptait ses opinions comme celles d'un maître.

Il arriva un soir tout effaré.

Le matin, sur le boulevard, un homme qui courait à perdre haleine s'était heurté contre lui ; et, l'ayant reconnu pour un ami de Sénécal, lui avait dit :

– « On vient de le prendre, je me sauve ! »

Rien de plus vrai. Dussardier avait passé la journée aux informations. Sénécal était sous les verrous, comme prévenu d'attentat politique.

Fils d'un contremaître, né à Lyon et ayant eu pour professeur un ancien disciple de Chalier[5], dès son arrivée à Paris, il s'était fait recevoir de la Société des Familles[6] ; ses habitudes étaient connues ; la police le surveillait. Il s'était battu dans l'affaire de mai 1839[7], et, depuis lors se tenait à l'ombre, mais s'exaltant de plus en plus, fanatique d'Alibaud[8], mêlant ses griefs contre la société à ceux du peuple contre la monarchie, et s'éveillant chaque matin avec l'espoir d'une révolution qui, en quinze jours ou un mois, changerait le monde. Enfin, écœuré par la mollesse de ses

---

1. L'*Histoire du Consulat et de l'Empire* a commencé à paraître en 1845. Mais Thiers a aussi écrit une *Histoire de la Révolution française*, en dix volumes (1823-1827).

2. Membre de la Convention et du Conseil des Cinq-Cents, Dulaure (1755-1835) publia par la suite, en 1823, *Les Causes secrètes des excès de la Révolution* et *Esquisses historiques des principaux événements de la Révolution française.*

3. Le libéral Barante (1782-1866) fut préfet sous l'Empire, pair de France sous la Restauration et ambassadeur sous la monarchie de Juillet. Il écrivit une *Histoire des ducs de Bourgogne* (1826).

4. Lamartine a publié l'*Histoire des Girondins* en 1847. L'ouvrage eut beaucoup de succès et contribua à hâter la chute de la monarchie de Juillet.

5. Marie Joseph Chalier (1747-1793) était le chef des jacobins lyonnais. Il finit sur l'échafaud.

6. La Société des Familles était une société secrète (voir la note 4, p. 77) dont les chefs étaient Barbès et Blanqui. Elle fut démantelée en 1836.

7. Le 12 mai 1839, la Société des Saisons (qui avait succédé à la Société des Familles) organisa une insurrection qui tourna court. C'est à la suite de cette action que Barbès et Blanqui furent condamnés à mort (voir la note 1, p. 213).

8. Louis Alibaud fut exécuté en 1836 pour avoir attenté aux jours de Louis-Philippe à l'aide d'un fusil-canne.

frères, furieux des retards qu'on opposait à ses rêves et désespérant de la patrie, il était entré comme chimiste dans le
complot des bombes incendiaires [1] ; et on l'avait surpris portant de la poudre qu'il allait essayer à Montmartre [2], tentative suprême pour établir la république.

Dussardier ne la chérissait pas moins, car elle signifiait,
croyait-il, affranchissement et bonheur universel. Un jour,
– à quinze ans, – dans la rue Transnonain [3], devant la boutique d'un épicier, il avait vu des soldats la baïonnette rouge
de sang, avec des cheveux collés à la crosse de leur fusil ;
depuis ce temps-là, le Gouvernement l'exaspérait comme
l'incarnation même de l'Injustice. Il confondait un peu les
assassins et les gendarmes ; un mouchard valait à ses yeux
un parricide. Tout le mal répandu sur la terre, il l'attribuait
naïvement au Pouvoir ; et il le haïssait d'une haine essentielle, permanente, qui lui tenait tout le cœur et raffinait sa
sensibilité. Les déclamations de Sénécal l'avaient ébloui.
Qu'il fût coupable ou non, et sa tentative odieuse, peu
importait ! Du moment qu'il était la victime de l'Autorité,
on devait le servir.

– « Les pairs le condamneront, certainement ! Puis il sera
emmené dans une voiture cellulaire, comme un galérien, et
on l'enfermera au Mont-Saint-Michel [4], où le Gouvernement les fait mourir ! Austen est devenu fou ! Steuben [5] s'est
tué ! Pour transférer Barbès [6] dans un cachot, on l'a tiré par
les jambes, par les cheveux ! On lui piétinait le corps, et sa

1. En octobre 1847, vingt et une personnes furent accusées d'avoir
fomenté un complot et fabriqué divers projectiles et objets explosifs.
2. La colline gypseuse de Montmartre a été longtemps exploitée sous
forme de carrières.
3. Le massacre de la rue Transnonain (actuelle rue Beaubourg, dans le
quartier des Halles ; voir le dossier, p. 583) eut lieu le 14 avril 1834 : répri-
mant une émeute, des soldats massacrèrent tous les habitants d'une maison
de cette rue. Cet épisode (sujet d'une célèbre lithographie de Daumier) est
resté profondément ancré dans la mémoire collective républicaine.
4. Le Mont-Saint-Michel fut utilisé comme prison d'État dès le
XVIIe siècle, en particulier pour les prisonniers politiques (Blanqui,
Barbès...), jusqu'en 1863.
5. Austen et Steuben avaient été condamnés en même temps que Barbès
pour l'attentat du 12 mai 1839 (voir la note 7, p. 321).
6. Voir la note 1, p. 213.

tête rebondissait à chaque marche tout le long de l'escalier. Quelle abomination ! les misérables ! »

Des sanglots de colère l'étouffaient, et il tournait dans la chambre, comme pris d'une grande angoisse.

– « Il faudrait faire quelque chose, cependant ! Voyons ! moi, je ne sais pas ! Si nous tâchions de le délivrer, hein ? Pendant qu'on le mènera au Luxembourg, on peut se jeter sur l'escorte dans le couloir ! Une douzaine d'hommes déterminés, ça passe partout. »

Il y avait tant de flamme dans ses yeux, que Frédéric en tressaillit.

Sénécal lui apparut plus grand qu'il ne croyait. Il se rappela ses souffrances, sa vie austère ; sans avoir pour lui l'enthousiasme de Dussardier, il éprouvait néanmoins cette admiration qu'inspire tout homme se sacrifiant à une idée. Il se disait que, s'il l'eût secouru, Sénécal n'en serait pas là ; et les deux amis cherchèrent laborieusement quelque combinaison pour le sauver.

Il leur fut impossible de parvenir jusqu'à lui.

Frédéric s'enquérait de son sort dans les journaux, et pendant trois semaines fréquenta les cabinets de lecture.

Un jour, plusieurs numéros du *Flambard* lui tombèrent sous la main. L'article de fond, invariablement, était consacré à démolir un homme illustre. Venaient ensuite les nouvelles du monde, les cancans. Puis, on blaguait l'Odéon, Carpentras [1], la pisciculture, et les condamnés à mort quand il y en avait. La disparition d'un paquebot fournit matière à plaisanteries pendant un an. Dans la troisième colonne, un courrier des arts donnait, sous forme d'anecdote ou de conseil, des réclames de tailleurs, avec des comptes rendus de soirées, des annonces de ventes, des analyses d'ouvrages, traitant de la même encre un volume de vers et une paire de bottes. La seule partie sérieuse était la critique des petits théâtres, où l'on s'acharnait sur deux ou trois directeurs ; et

---

1. Au XIXe siècle, pour des raisons obscures, Carpentras partageait avec d'autres villes la réputation guère enviable d'être peuplée de gens fort peu dégourdis…

les intérêts de l'art étaient invoqués à propos des décors des Funambules ou d'une amoureuse des Délassements [1].

Frédéric allait rejeter tout cela quand ses yeux rencontrèrent un article intitulé : *Une poulette entre trois cocos.* C'était l'histoire de son duel, narrée en style sémillant [2], gaulois. Il se reconnut sans peine, car il était désigné par cette plaisanterie, laquelle revenait souvent : « Un jeune homme du collège de Sens et qui *en* manque. » On le représentait même comme un pauvre diable de provincial, un obscur nigaud tâchant de frayer avec les grands seigneurs. Quant au vicomte, il avait le beau rôle, d'abord dans le souper, où il s'introduisait de force, ensuite dans le pari, puisqu'il emmenait la demoiselle, et finalement sur le terrain, où il se comportait en gentilhomme. La bravoure de Frédéric n'était pas niée, précisément, mais on faisait comprendre qu'un intermédiaire, le *protecteur* lui-même, était survenu juste à temps. Le tout se terminait par cette phrase, grosse peut-être de perfidies :

« D'où vient leur tendresse ? Problème ! et, comme dit Bazile [3], qui diable est-ce qu'on trompe ici ? »

C'était, sans le moindre doute, une vengeance d'Hussonnet contre Frédéric, pour son refus des cinq mille francs.

Que faire ? S'il lui en demandait raison, le bohème [4] protesterait de son innocence, et il n'y gagnerait rien. Le mieux était d'avaler la chose silencieusement. Personne, après tout, ne lisait *Le Flambard.*

En sortant du cabinet de lecture, il aperçut du monde devant la boutique d'un marchand de tableaux. On regardait un portrait de femme, avec cette ligne écrite au bas en lettres noires : « Mlle Rose-Annette Bron, appartenant à M. Frédéric Moreau, de Nogent. »

C'était bien elle, – ou à peu près, – vue de face, les seins découverts, les cheveux dénoués, et tenant dans ses mains

---

1. Les Funambules et les Délassements-Comiques étaient deux théâtres situés sur le boulevard du Temple (entre la place du Chateau-d'Eau et la place de la Bastille ; voir le dossier, p. 583).
2. Est sémillant ce qui est d'une vivacité plaisante, agréable.
3. Bazile est un personnage du *Barbier de Séville*, pièce de Beaumarchais. Il prononce cette célèbre réplique à la scène XI de l'acte III.
4. Voir la note 2, p. 82.

une bourse de velours rouge, tandis que, par-derrière, un paon avançait son bec sur son épaule, en couvrant la muraille de ses grandes plumes en éventail.

Pellerin avait fait cette exhibition pour contraindre Frédéric au payement, persuadé qu'il était célèbre et que tout Paris, s'animant en sa faveur, allait s'occuper de cette misère.

Était-ce une conjuration ? Le peintre et le journaliste avaient-ils monté leur coup ensemble ?

Son duel n'avait rien empêché. Il devenait ridicule, tout le monde se moquait de lui.

Trois jours après, à la fin de juin, les actions du Nord ayant fait quinze francs de hausse, comme il en avait acheté deux mille l'autre mois, il se trouva gagner trente mille francs. Cette caresse de la fortune lui redonna confiance. Il se dit qu'il n'avait besoin de personne, que tous ses embarras venaient de sa timidité, de ses hésitations. Il aurait dû commencer avec la Maréchale brutalement, refuser Hussonnet dès le premier jour, ne pas se compromettre avec Pellerin ; et, pour montrer que rien ne le gênait, il se rendit chez Mme Dambreuse, à une de ses soirées ordinaires.

Au milieu de l'antichambre, Martinon, qui arrivait en même temps que lui, se retourna.

– « Comment, tu viens ici, toi ? » avec l'air surpris et même contrarié de le voir.

– « Pourquoi pas ? »

Et, tout en cherchant la cause d'un tel abord, Frédéric s'avança dans le salon.

La lumière était faible, malgré les lampes posées dans les coins ; car les trois fenêtres, grandes ouvertes, dressaient parallèlement trois larges carrés d'ombre noire. Des jardinières, sous les tableaux, occupaient jusqu'à hauteur d'homme les intervalles de la muraille ; et une théière d'argent avec un samovar[1] se mirait au fond, dans une glace. Un murmure de voix discrètes s'élevait. On entendait des escarpins craquer sur le tapis.

Il distingua des habits noirs, puis une table ronde éclairée par un grand abat-jour, sept ou huit femmes en toilettes d'été, et, un peu plus loin, Mme Dambreuse dans un fauteuil à

---

1. Voir la note 2, p. 220.

bascule. Sa robe de taffetas lilas avait des manches à crevés[1], d'où s'échappaient des bouillons de mousseline, le ton doux de l'étoffe se mariant à la nuance de ses cheveux ; et elle se tenait quelque peu renversée en arrière, avec le bout de son pied sur un coussin, – tranquille comme une œuvre d'art pleine de délicatesse, une fleur de haute culture.

M. Dambreuse et un vieillard à chevelure blanche se promenaient dans toute la longueur du salon. Quelques-uns s'entretenaient au bord des petits divans, çà et là ; les autres, debout, formaient un cercle au milieu.

Ils causaient de votes, d'amendements, de sous-amendements, du discours de M. Grandin[2], de la réplique de M. Benoist[3]. Le tiers parti[4] décidément allait trop loin ! Le centre gauche aurait dû se souvenir un peu mieux de ses origines ! Le ministère avait reçu de graves atteintes ! Ce qui devait rassurer pourtant, c'est qu'on ne lui voyait point de successeur. Bref, la situation était complètement analogue à celle de 1834.

Comme ces choses ennuyaient Frédéric, il se rapprocha des femmes. Martinon était près d'elles, debout, le chapeau sous le bras, la figure de trois quarts, et si convenable, qu'il ressemblait à de la porcelaine de Sèvres. Il prit une *Revue des Deux Mondes*[5] traînant sur la table, entre une *Imitation*[6] et un *Annuaire de Gotha*[7], et jugea de haut un poète illustre, dit qu'il allait aux conférences de Saint-François, se plaignit de son larynx, avalait de temps à autre une boule de gomme ; et cependant, parlait musique, faisait le léger.

---

1. Le crevé est une fente du tissu qui laisse apercevoir la doublure.

2. Député de la Seine-Inférieure, Victor Grandin (1797-1849) vota contre l'indemnité Pritchard (voir la note 3, p. 78).

3. Le comte Denis Benoist d'Azy (1796-1880) siégeait parmi les légitimistes.

4. Le tiers parti était la troisième composante de la majorité à la Chambre, située entre le centre droit de Guizot et le centre gauche de Thiers.

5. Voir la note 1, p. 73.

6. L'*Imitation de Jésus-Christ* est un ouvrage anonyme du XVᵉ siècle, écrit en latin et attribué à Thomas a Kempis. Ce traité de mystique chrétienne connut de nombreuses traductions et eut une grande influence.

7. L'*Annuaire de Gotha* était une publication annuelle paraissant en deux éditions, l'une française, l'autre allemande. Édité à Gotha depuis 1764, il donnait la généalogie des familles princières et toutes sortes de renseignements.

Mlle Cécile, la nièce de M. Dambreuse, qui se brodait une paire de manchettes, le regardait, en dessous, avec ses prunelles d'un bleu pâle ; et miss John, l'institutrice à nez camus [1], en avait lâché sa tapisserie ; toutes deux paraissaient s'écrier intérieurement :

– « Qu'il est beau ! »

Mme Dambreuse se tourna vers lui :

– « Donnez-moi donc mon éventail, qui est sur cette console, là-bas. Vous vous trompez ! l'autre ! »

Elle se leva ; et, comme il revenait, ils se rencontrèrent au milieu du salon, face à face ; elle lui adressa quelques mots, vivement, des reproches sans doute, à en juger par l'expression altière de sa figure ; Martinon tâchait de sourire ; puis il alla se mêler au conciliabule des hommes sérieux. Mme Dambreuse reprit sa place, et, se penchant sur le bras de son fauteuil, elle dit à Frédéric :

– « J'ai vu quelqu'un, avant-hier, qui m'a parlé de vous, M. de Cisy ; vous le connaissez, n'est-ce pas ? »

– « Oui… un peu. »

Tout à coup Mme Dambreuse s'écria :

– « Duchesse, ah ! quel bonheur ! »

Et elle s'avança jusqu'à la porte, au-devant d'une vieille petite dame, qui avait une robe de taffetas carmélite [2] et un bonnet de guipure [3], à longues pattes. Fille d'un compagnon d'exil du comte d'Artois [4] et veuve d'un maréchal de l'Empire créé pair de France en 1830, elle tenait à l'ancienne cour comme à la nouvelle et pouvait obtenir beaucoup de choses. Ceux qui causaient debout s'écartèrent, puis reprirent leur discussion.

Maintenant, elle roulait sur le paupérisme [5], dont toutes les peintures, d'après ces messieurs, étaient fort exagérées.

– « Cependant », objecta Martinon, « la misère existe, avouons-le ! Mais le remède ne dépend ni de la Science ni

---

1. Un nez est dit camus lorsqu'il est court et plat.
2. Est carmélite ce qui a la couleur de l'habit de l'ordre religieux des Carmélites (marron).
3. Voir la note 1, p. 203.
4. Frère de Louis XVI et futur Charles X, le comte d'Artois (1757-1836) fut l'un des premiers à donner le signal de l'émigration en juillet 1789.
5. Le paupérisme est l'état de très grande pauvreté d'une population.

du Pouvoir. C'est une question purement individuelle. Quand les basses classes voudront se débarrasser de leurs vices, elles s'affranchiront de leurs besoins. Que le peuple soit plus moral, et il sera moins pauvre ! »

Suivant M. Dambreuse, on n'arriverait à rien de bien sans une surabondance du capital. Donc, le seul moyen possible était de confier, « comme le voulaient, du reste, les saint-simoniens [1] (mon Dieu, ils avaient du bon ! soyons justes envers tout le monde), de confier, dis-je, la cause du progrès à ceux qui peuvent accroître la fortune publique ». Insensiblement on aborda les grandes exploitations industrielles, les chemins de fer, la houille. Et M. Dambreuse, s'adressant à Frédéric, lui dit tout bas :

– « Vous n'êtes pas venu pour notre affaire. »

Frédéric allégua une maladie ; mais sentant que l'excuse était trop bête :

– « D'ailleurs, j'ai eu besoin de mes fonds. »

– « Pour acheter une voiture ? » reprit Mme Dambreuse, qui passait près de lui, une tasse de thé à la main ; et elle le considéra pendant une minute, la tête un peu tournée sur son épaule.

Elle le croyait l'amant de Rosanette ; l'allusion était claire. Il sembla même à Frédéric que toutes les dames le regardaient de loin, en chuchotant. Pour mieux voir ce qu'elles pensaient, il se rapprocha d'elles, encore une fois.

De l'autre côté de la table, Martinon, auprès de Mlle Cécile, feuilletait un album. C'étaient des lithographies représentant des costumes espagnols. Il lisait tout haut les légendes : « Femme de Séville, – Jardinier de Valence, – Picador [2] andalou » ; et, descendant une fois jusqu'au bas de la page, il continua d'une haleine :

– « Jacques Arnoux, éditeur. – Un de tes amis, hein ? »

– « C'est vrai », dit Frédéric, blessé par son air. Mme Dambreuse reprit :

– « En effet, vous êtes venu, un matin... pour... une maison, je crois ? oui, une maison appartenant à sa femme. » (Cela signifiait : « C'est votre maîtresse. »)

---

1. Voir la note 6, p. 207.
2. Le picador est le cavalier qui, dans les corridas, fatigue le taureau avec une pique.

Il rougit jusqu'aux oreilles ; et M. Dambreuse, qui arrivait au même moment, ajouta :

– « Vous paraissiez même vous intéresser beaucoup à eux. »

Ces derniers mots achevèrent de décontenancer Frédéric. Son trouble, que l'on voyait, pensait-il, allait confirmer les soupçons quand M. Dambreuse lui dit de plus près, d'un ton grave :

– « Vous ne faites pas d'affaires ensemble, je suppose ? »

Il protesta par des secousses de tête multipliées, sans comprendre l'intention du capitaliste, qui voulait lui donner un conseil.

Il avait envie de partir. La peur de sembler lâche le retint. Un domestique enlevait les tasses de thé ; Mme Dambreuse causait avec un diplomate en habit bleu ; deux jeunes filles, rapprochant leurs fronts, se faisaient voir une bague ; les autres, assises en demi-cercle sur des fauteuils, remuaient doucement leurs blancs visages, bordés de chevelures noires ou blondes ; personne enfin ne s'occupait de lui. Frédéric tourna les talons ; et, par une suite de longs zigzags, il avait presque gagné la porte, quand, passant près d'une console, il remarqua dessus, entre un vase de Chine et la boiserie, un journal plié en deux. Il le tira quelque peu, et lut ces mots : *Le Flambard.*

Qui l'avait apporté ? Cisy ! Pas un autre évidemment. Qu'importait, du reste ! Ils allaient croire, tous déjà croyaient peut-être à l'article. Pourquoi cet acharnement ? Une ironie silencieuse l'enveloppait. Il se sentait comme perdu dans un désert. Mais la voix de Martinon s'éleva :

– « À propos d'Arnoux, j'ai lu parmi les prévenus des bombes incendiaires [1], le nom d'un de ses employés, Sénécal. Est-ce le nôtre ? »

– « Lui-même », dit Frédéric.

Martinon répéta, en criant très haut :

– « Comment, notre Sénécal ! notre Sénécal ! »

Alors, on le questionna sur le complot ; sa place d'attaché au parquet [2] devait lui fournir des renseignements.

---

1. Voir la note 1, p. 322.
2. Voir la note 4, p. 234.

Il confessa n'en pas avoir. Du reste, il connaissait fort peu le personnage, l'ayant vu deux ou trois fois seulement, et le tenait en définitive pour un assez mauvais drôle. Frédéric, indigné, s'écria :

– « Pas du tout ! c'est un très honnête garçon ! »

– « Cependant, monsieur », dit un propriétaire, « on n'est pas honnête quand on conspire ! »

La plupart des hommes qui étaient là avaient servi, au moins, quatre gouvernements ; et ils auraient vendu la France ou le genre humain, pour garantir leur fortune, s'épargner un malaise, un embarras, ou même par simple bassesse, adoration instinctive de la force. Tous déclarèrent les crimes politiques inexcusables. Il fallait plutôt pardonner à ceux qui provenaient du besoin ! Et on ne manqua pas de mettre en avant l'éternel exemple du père de famille, volant l'éternel morceau de pain chez l'éternel boulanger.

Un administrateur s'écria même :

– « Moi, monsieur, si j'apprenais que mon frère conspire, je le dénoncerais ! »

Frédéric invoqua le droit de résistance ; et, se rappelant quelques phrases que lui avait dites Deslauriers, il cita Desolmes [1], Blackstone [2], le Bill des droits en Angleterre [3], et l'article 2 de la Constitution de 91 [4]. C'était même en vertu de ce droit-là qu'on avait proclamé la déchéance de Napoléon ; il avait été reconnu en 1830, inscrit en tête de la Charte.

– « D'ailleurs, quand le souverain manque au contrat, la justice veut qu'on le renverse. »

– « Mais c'est abominable ! » exclama la femme d'un préfet.

---

1. Un certain André Desolmes écrivit en 1650 un traité intitulé *La Connaissance du vice de propriété, tirée du droit canonique et des docteurs en droit* ; peut-être est-ce à lui que Frédéric fait allusion…

2. Le célèbre professeur de droit d'Oxford, William Blackstone (1723-1780), était l'auteur de *Commentaires sur les lois d'Angleterre*.

3. Le Bill des droits (1689) définit et limite l'étendue du pouvoir royal en Angleterre.

4. L'article 2 de la Constitution de 1791 définissait les droits naturels et imprescriptibles de l'homme : la liberté, la propriété, la sûreté et la résistance à l'oppression.

Toutes les autres se taisaient, vaguement épouvantées, comme si elles eussent entendu le bruit des balles. Mme Dambreuse se balançait dans son fauteuil, et l'écoutait parler en souriant.

Un industriel, ancien carbonaro [1], tâcha de lui démontrer que les d'Orléans étaient une belle famille ; sans doute, il y avait des abus...

– « Eh bien, alors ? »

– « Mais on ne doit pas les dire, cher monsieur ! Si vous saviez comme toutes ces criailleries de l'Opposition nuisent aux affaires ! »

– « Je me moque des affaires ! » reprit Frédéric.

La pourriture de ces vieux l'exaspérait ; et, emporté par la bravoure qui saisit quelquefois les plus timides, il attaqua les financiers, les députés, le Gouvernement, le roi, prit la défense des Arabes, débitait beaucoup de sottises. Quelques-uns l'encourageaient ironiquement : « Allez donc ! continuez ! » tandis que d'autres murmuraient : « Diable ! quelle exaltation ! » Enfin, il jugea convenable de se retirer ; et, comme il s'en allait, M. Dambreuse lui dit, faisant allusion à la place de secrétaire :

– « Rien n'est terminé encore ! Mais dépêchez-vous ! »

Et Mme Dambreuse :

– « À bientôt, n'est-ce pas ? »

Frédéric jugea leur adieu une dernière moquerie. Il était déterminé à ne jamais revenir dans cette maison, à ne plus fréquenter tous ces gens-là. Il croyait les avoir blessés, ne sachant pas quel large fonds d'indifférence le monde possède ! Ces femmes surtout l'indignaient. Pas une qui l'eût soutenu, même du regard. Il leur en voulait de ne pas les avoir émues. Quant à Mme Dambreuse, il lui trouvait quelque chose à la fois de langoureux et de sec, qui empêchait de la définir par une formule. Avait-elle un amant ? Quel amant ? Était-ce le diplomate ou un autre ? Martinon, peut-être ? Impossible ! Cependant, il éprouvait une espèce

---

1. En France, la charbonnerie fut absorbée par les sociétés républicaines. Mais de nombreux *carbonari*, qui avaient conspiré contre la monarchie sous la Restauration, se rallièrent à Louis-Philippe.

de jalousie contre lui, et envers elle une malveillance inexplicable.

Dussardier, venu ce soir-là comme d'habitude, l'attendait. Frédéric avait le cœur gonflé ; il le dégorgea, et ses griefs, bien que vagues et difficiles à comprendre, attristèrent le brave commis ; il se plaignait même de son isolement. Dussardier, en hésitant un peu, proposa de se rendre chez Deslauriers.

Frédéric, au nom de l'avocat, fut pris par un besoin extrême de le revoir. Sa solitude intellectuelle était profonde, et la compagnie de Dussardier insuffisante. Il lui répondit d'arranger les choses comme il voudrait.

Deslauriers, également, sentait depuis leur brouille une privation dans sa vie. Il céda sans peine à des avances cordiales.

Tous deux s'embrassèrent, puis se mirent à causer de choses indifférentes.

La réserve de Deslauriers attendrit Frédéric ; et, pour lui faire une sorte de réparation, il lui conta le lendemain sa perte de quinze mille francs, sans dire que ces quinze mille francs lui étaient primitivement destinés. L'avocat n'en douta pas, néanmoins. Cette mésaventure, qui lui donnait raison dans ses préjugés contre Arnoux, désarma tout à fait sa rancune ; et il ne parla point de l'ancienne promesse.

Frédéric, trompé par son silence, crut qu'il l'avait oubliée. Quelques jours après, il lui demanda s'il n'existait pas de moyens de rentrer dans ses fonds.

On pouvait discuter les hypothèques précédentes, attaquer Arnoux comme stellionataire [1], faire des poursuites au domicile contre la femme.

– « Non ! non ! pas contre elle ! » s'écria Frédéric ; et, cédant aux questions de l'ancien clerc, il avoua la vérité. Deslauriers fut convaincu qu'il ne la disait pas complètement, par délicatesse sans doute. Ce défaut de confiance le blessa.

---

1. Le stellionataire est celui qui commet une fraude, le stellionat, qui consiste à présenter comme libres des biens hypothéqués ou à déclarer des hypothèques moins fortes que celles dont les biens sont chargés.

Ils étaient, cependant, aussi liés qu'autrefois, et même ils avaient tant de plaisir à se trouver ensemble, que la présence de Dussardier les gênait. Sous prétexte de rendez-vous, ils arrivèrent à s'en débarrasser peu à peu. Il y a des hommes n'ayant pour mission parmi les autres que de servir d'intermédiaires ; on les franchit comme des ponts, et l'on va plus loin.

Frédéric ne cachait rien à son ancien ami. Il lui dit l'affaire des houilles, avec la proposition de M. Dambreuse. L'avocat devint rêveur.

– « C'est drôle ! Il faudrait pour cette place quelqu'un d'assez fort en droit ! »

– « Mais tu pourras m'aider », reprit Frédéric.

– « Oui…, tiens…, parbleu ! certainement. »

Dans la même semaine, il lui montra une lettre de sa mère.

Mme Moreau s'accusait d'avoir mal jugé M. Roque, lequel avait donné de sa conduite des explications satisfaisantes. Puis elle parlait de sa fortune, et de la possibilité, pour plus tard, d'un mariage avec Louise.

– « Ce ne serait peut-être pas bête ! » dit Deslauriers.

Frédéric s'en rejeta loin ; le père Roque, d'ailleurs, était un vieux filou. Cela n'y faisait rien, selon l'avocat.

À la fin de juillet, une baisse inexplicable fit tomber les actions du Nord. Frédéric n'avait pas vendu les siennes ; il perdit d'un seul coup soixante mille francs. Ses revenus se trouvaient sensiblement diminués. Il devait ou restreindre sa dépense, ou prendre un état, ou faire un beau mariage.

Alors, Deslauriers lui parla de Mlle Roque. Rien ne l'empêchait d'aller voir un peu les choses par lui-même. Frédéric était un peu fatigué ; la province et la maison maternelle le délasseraient. Il partit.

L'aspect des rues de Nogent, qu'il monta sous le clair de la lune, le reporta dans de vieux souvenirs ; et il éprouvait une sorte d'angoisse, comme ceux qui reviennent après de longs voyages.

Il y avait chez sa mère tous les habitués d'autrefois : MM. Gamblin, Heudras et Chambrion, la famille Lebrun, « ces demoiselles Auger » ; de plus, le père Roque, et, en face de Mme Moreau, devant une table de jeu, Mlle Louise.

C'était une femme, à présent. Elle se leva, en poussant un cri. Tous s'agitèrent. Elle était restée immobile, debout ; et les quatre flambeaux d'argent posés sur la table augmentaient sa pâleur. Quand elle se remit à jouer, sa main tremblait. Cette émotion flatta démesurément Frédéric, dont l'orgueil était malade ; il se dit : « Tu m'aimeras, toi ! » et, prenant sa revanche des déboires qu'il avait essuyés là-bas, il se mit à faire le Parisien, le lion [1], donna des nouvelles des théâtres, rapporta des anecdotes du monde, puisées dans les petits journaux, enfin éblouit ses compatriotes.

Le lendemain, Mme Moreau s'étendit sur les qualités de Louise ; puis énuméra les bois, les fermes qu'elle posséderait. La fortune de M. Roque était considérable.

Il l'avait acquise en faisant des placements pour M. Dambreuse ; car il prêtait à des personnes pouvant offrir de bonnes garanties hypothécaires, ce qui lui permettait de demander des suppléments ou des commissions. Le capital, grâce à une surveillance active, ne risquait rien. D'ailleurs, le père Roque n'hésitait jamais devant une saisie ; puis il rachetait à bas prix les biens hypothéqués, et M. Dambreuse, voyant ainsi rentrer ses fonds, trouvait ses affaires très bien faites.

Mais cette manipulation extra-légale le compromettait vis-à-vis de son régisseur. Il n'avait rien à lui refuser. C'était sur ses instances qu'il avait si bien accueilli Frédéric.

En effet, le père Roque couvait au fond de son âme une ambition. Il voulait que sa fille fût comtesse ; et, pour y parvenir, sans mettre en jeu le bonheur de son enfant, il ne connaissait pas d'autre jeune homme que celui-là.

Par la protection de M. Dambreuse, on lui ferait avoir le titre de son aïeul, Mme Moreau étant la fille d'un comte de Fouvens, apparentée, d'ailleurs, aux plus vieilles familles champenoises, les Lavernade, les d'Étrigny. Quant aux Moreau, une inscription gothique, près des moulins de Villeneuve-l'Archevêque, parlait d'un Jacob Moreau qui les avait réédifiés en 1596 ; et la tombe de son fils, Pierre

---

1. Entre 1830 et 1860, on appelait « lions » les jeunes gens à la mode, libres dans leurs mœurs et affectant une certaine originalité vestimentaire.

Moreau, premier écuyer du roi sous Louis XIV, se voyait dans la chapelle Saint-Nicolas.

Tant d'honorabilité fascinait M. Roque, fils d'un ancien domestique. Si la couronne comtale ne venait pas, il s'en consolerait sur autre chose ; car Frédéric pouvait parvenir à la députation quand M. Dambreuse serait élevé à la pairie, et alors l'aider dans ses affaires, lui obtenir des fournitures, des concessions. Le jeune homme lui plaisait, personnelle-ment. Enfin il le voulait pour gendre, parce que, depuis longtemps, il s'était féru de cette idée, qui ne faisait que s'accroître.

Maintenant, il fréquentait l'église ; – et il avait séduit Mme Moreau par l'espoir du titre, surtout. Elle s'était gardée cependant de faire une réponse décisive.

Donc, huit jours après, sans qu'aucun engagement eût été pris, Frédéric passait pour « le futur » de Mlle Louise ; et le père Roque, peu scrupuleux, les laissait ensemble quelquefois.

V

Deslauriers avait emporté de chez Frédéric la copie de l'acte de subrogation [1], avec une procuration en bonne forme lui conférant de pleins pouvoirs ; mais, quand il eut remonté ses cinq étages, et qu'il fut seul, au milieu de son triste cabinet, dans son fauteuil de basane [2], la vue du papier timbré l'écœura.

Il était las de ces choses, et des restaurants à trente-deux sous, des voyages en omnibus, de sa misère, de ses efforts. Il reprit les paperasses ; d'autres se trouvaient à côté ; c'étaient les prospectus de la compagnie houillère avec la liste des mines et le détail de leur contenance, Frédéric lui ayant laissé tout cela pour avoir dessus son opinion.

Une idée lui vint : celle de se présenter chez M. Dambreuse et de demander la place de secrétaire. Cette place, bien sûr, n'allait pas sans l'achat d'un certain nombre d'actions. Il reconnut la folie de son projet et se dit :

– « Oh non ! ce serait mal. »

Alors, il chercha comment s'y prendre pour recouvrer les quinze mille francs. Une pareille somme n'était rien pour Frédéric ! Mais, s'il l'avait eue, lui, quel levier ! Et l'ancien clerc s'indigna que la fortune de l'autre fût grande.

– « Il en fait un usage pitoyable. C'est un égoïste. Eh ! je me moque bien de ses quinze mille francs ! »

Pourquoi les avait-il prêtés ? Pour les beaux yeux de Mme Arnoux. Elle était sa maîtresse ! Deslauriers n'en doutait pas. « Voilà une chose de plus à quoi sert l'argent ! » Des pensées haineuses l'envahirent.

---

1. La subrogation est la transmission par le créancier de tous ses droits à un tiers qui a payé pour le débiteur.
2. Voir la note 2, p. 256.

Puis, il songea à la personne même de Frédéric. Elle avait toujours exercé sur lui un charme presque féminin ; et il arriva bientôt à l'admirer pour un succès dont il se reconnaissait incapable.

Cependant, est-ce que la volonté n'était pas l'élément capital des entreprises ? et, puisque avec elle on triomphe de tout…

– « Ah ! ce serait drôle ! »

Mais il eut honte de cette perfidie, et, une minute après :

– « Bah ! est-ce que j'ai peur ? »

Mme Arnoux (à force d'en entendre parler) avait fini par se peindre dans son imagination extraordinairement. La persistance de cet amour l'irritait comme un problème. Son austérité un peu théâtrale l'ennuyait maintenant. D'ailleurs, la femme du monde (ou ce qu'il jugeait telle) éblouissait l'avocat comme le symbole et le résumé de mille plaisirs inconnus. Pauvre, il convoitait le luxe sous sa forme la plus claire.

– « Après tout, quand il se fâcherait, tant pis ! Il s'est trop mal comporté envers moi, pour que je me gêne ! Rien ne m'assure qu'elle est sa maîtresse ! Il me l'a nié. Donc, je suis libre ! »

Le désir de cette démarche ne le quitta plus. C'était une épreuve de ses forces qu'il voulait faire ; – si bien qu'un jour, tout à coup, il vernit lui-même ses bottes, acheta des gants blancs, et se mit en route, se substituant à Frédéric et s'imaginant presque être lui, par une singulière évolution intellectuelle où il y avait à la fois de la vengeance et de la sympathie, de l'imitation et de l'audace.

Il fit annoncer « le docteur Deslauriers ».

Mme Arnoux fut surprise, n'ayant réclamé aucun médecin.

– « Ah ! mille excuses ! c'est docteur en droit. Je viens pour les intérêts de M. Moreau. »

Ce nom parut la troubler.

– « Tant mieux ! » pensa l'ancien clerc ; « puisqu'elle a bien voulu de lui, elle voudra de moi ! » s'encourageant par l'idée reçue qu'il est plus facile de supplanter un amant qu'un mari.

Il avait eu le plaisir de la rencontrer, une fois, au Palais [1] ; il cita même la date. Tant de mémoire étonna Mme Arnoux. Il reprit d'un ton doucereux :

– « Vous aviez déjà... quelques embarras... dans vos affaires ! »

Elle ne répondit rien ; donc, c'était vrai.

Il se mit à causer de choses et d'autres, de son logement, de la fabrique ; puis, apercevant, aux bords de la glace, des médaillons :

– « Ah ! des portraits de famille, sans doute ? »

Il remarqua celui d'une vieille femme, la mère de Mme Arnoux.

– « Elle a l'air d'une excellente personne, un type méridional. »

Et, sur l'objection qu'elle était de Chartres :

– « Chartres ! jolie ville. »

Il en vanta la cathédrale et les pâtés ; puis, revenant au portrait, y trouva des ressemblances avec Mme Arnoux, et lui lançait des flatteries indirectement. Elle n'en fut pas choquée. Il prit confiance et dit qu'il connaissait Arnoux depuis longtemps.

– « C'est un brave garçon ! mais qui se compromet ! Pour cette hypothèque, par exemple, on n'imagine pas une étourderie... »

– « Oui ! je sais », dit-elle, en haussant les épaules.

Ce témoignage involontaire de mépris engagea Deslauriers à poursuivre.

– « Son histoire de kaolin [2], vous l'ignorez peut-être, a failli tourner très mal, et même sa réputation... »

Un froncement de sourcils l'arrêta.

Alors se rabattant sur les généralités, il plaignit les pauvres femmes dont les époux gaspillent la fortune...

– « Mais elle est à lui, monsieur ; moi, je n'ai rien ! »

N'importe ! On ne savait pas... Une personne d'expérience pouvait servir. Il fit des offres de dévouement, exalta ses propres mérites ; et il la regardait en face, à travers ses lunettes qui miroitaient.

---

1. Voir la note 1, p. 116.
2. Voir la note 3, p. 91.

Une torpeur vague la prenait ; mais, tout à coup :

– « Voyons l'affaire, je vous prie ! »

Il exhiba le dossier.

– « Ceci est la procuration de Frédéric. Avec un titre pareil aux mains d'un huissier qui fera un commandement [1], rien n'est plus simple : dans les vingt-quatre heures… » (Elle restait impassible, il changea de manœuvre.) « Moi, du reste, je ne comprends pas ce qui le pousse à réclamer cette somme ; car enfin il n'en a aucun besoin ! »

– « Comment ! M. Moreau s'est montré assez bon… »

– « Oh ! d'accord ! »

Et Deslauriers entama son éloge, puis vint à le dénigrer, tout doucement, le donnant pour oublieux, personnel, avare.

– « Je le croyais votre ami, monsieur ? »

– « Cela ne m'empêche pas de voir ses défauts. Ainsi, il reconnaît bien peu… comment dirais-je ? la sympathie… »

Mme Arnoux tournait les feuilles du gros cahier. Elle l'interrompit, pour avoir l'explication d'un mot.

Il se pencha sur son épaule, et si près d'elle, qu'il effleura sa joue. Elle rougit ; cette rougeur enflamma Deslauriers ; il lui baisa la main voracement.

– « Que faites-vous, monsieur ! »

Et, debout contre la muraille, elle le maintenait immobile, sous ses grands yeux noirs irrités.

– « Écoutez-moi ! Je vous aime ! »

Elle partit d'un éclat de rire, un rire aigu, désespérant, atroce. Deslauriers sentit une colère à l'étrangler. Il se contint ; et, avec la mine d'un vaincu, demandant grâce :

– « Ah ! vous avez tort ! Moi, je n'irais pas comme lui… »

– « De qui donc parlez-vous ? »

– « De Frédéric ! »

– « Eh ! M. Moreau m'inquiète peu, je vous l'ai dit ! »

– « Oh ! pardon !… pardon ! »

Puis, d'une voix mordante, et faisant traîner ses phrases :

– « Je croyais même que vous vous intéressiez suffisamment à sa personne pour apprendre avec plaisir… »

Elle devint toute pâle. L'ancien clerc ajouta :

---

1. Voir la note 2, p. 261.

– « Il va se marier. »

– « Lui ! »

– « Dans un mois, au plus tard, avec Mlle Roque, la fille du régisseur de M. Dambreuse. Il est même parti pour Nogent, rien que pour cela. »

Elle porta la main sur son cœur, comme au choc d'un grand coup ; mais tout de suite elle tira la sonnette. Deslauriers n'attendit pas qu'on le mît dehors. Quand elle se retourna, il avait disparu.

Mme Arnoux suffoquait un peu. Elle s'approcha de la fenêtre pour respirer.

De l'autre côté de la rue, sur le trottoir, un emballeur en manches de chemise clouait une caisse. Des fiacres passaient. Elle ferma la croisée et vint se rasseoir. Les hautes maisons voisines interceptant le soleil, un jour froid tombait dans l'appartement. Ses enfants étaient sortis, rien ne bougeait autour d'elle. C'était comme une désertion immense.

– « Il va se marier ! est-ce possible ! »

Et un tremblement nerveux la saisit.

– « Pourquoi cela ? est-ce que je l'aime ? »

Puis, tout à coup :

– « Mais oui, je l'aime !… je l'aime ! »

Il lui semblait descendre dans quelque chose de profond, qui n'en finissait plus. La pendule sonna trois heures. Elle écouta les vibrations du timbre mourir. Et elle restait au bord de son fauteuil, les prunelles fixes, et souriant toujours.

La même après-midi, au même moment, Frédéric et Mlle Louise se promenaient dans le jardin que M. Roque possédait au bout de l'île. La vieille Catherine les surveillait, de loin ; ils marchaient côte à côte, et Frédéric disait :

– « Vous souvenez-vous quand je vous emmenais dans la campagne ? »

– « Comme vous étiez bon pour moi ! » répondit-elle, « Vous m'aidiez à faire des gâteaux avec du sable, à remplir mon arrosoir, à me balancer sur l'escarpolette [1] ! »

– « Toutes vos poupées, qui avaient des noms de reines ou de marquises, que sont-elles devenues ? »

– « Ma foi, je n'en sais rien ! »

---

1. Voir la note 1, p. 156.

– « Et votre roquet Moricaud ! »

– « Il s'est noyé, le pauvre chéri ! »

— « Et le *Don Quichotte* [1], dont nous coloriions ensemble les gravures ? »

– « Je l'ai encore ! »

Il lui rappela le jour de sa première communion, et comme elle était gentille aux vêpres, avec son voile blanc et son grand cierge, pendant qu'elles défilaient toutes autour du chœur, et que la cloche tintait.

Ces souvenirs, sans doute, avaient peu de charme pour Mlle Roque ; elle ne trouva rien à répondre ; et, une minute après :

– « Méchant ! qui ne m'a pas donné une seule fois de ses nouvelles ! »

Frédéric objecta ses nombreux travaux.

– « Qu'est-ce donc que vous faites ? »

Il fut embarrassé de la question, puis dit qu'il étudiait la politique.

– « Ah ! »

Et, sans en demander davantage :

– « Cela vous occupe, mais moi !... »

Alors, elle lui conta l'aridité de son existence, n'ayant personne à voir, pas le moindre plaisir, la moindre distraction ! Elle désirait monter à cheval.

– « Le vicaire [2] prétend que c'est inconvenant pour une jeune fille ; est-ce bête, les convenances ! Autrefois, on me laissait faire tout ce que je voulais ; à présent, rien ! »

– « Votre père vous aime, pourtant ! »

– « Oui ; mais... »

Elle poussa un soupir, qui signifiait : « Cela ne suffit pas à mon bonheur. »

Puis, il y eut un silence. Ils n'entendaient que le craquement du sable sous leurs pieds avec le murmure de la chute d'eau ; car la Seine, au-dessus de Nogent, est coupée en deux bras. Celui qui fait tourner les moulins dégorge en cet endroit la surabondance de ses ondes, pour rejoindre plus

---

1. *Don Quichotte* (1605-1615) est un célèbre roman de l'écrivain espagnol Cervantès.

2. Le vicaire est le prêtre qui seconde le curé d'une paroisse.

bas le cours naturel du fleuve ; et, lorsqu'on vient des ponts, on aperçoit, à droite sur l'autre berge, un talus de gazon que domine une maison blanche. À gauche, dans la prairie, des peupliers s'étendent, et l'horizon, en face, est borné par une courbe de la rivière ; elle était plate comme un miroir ; de grands insectes patinaient sur l'eau tranquille. Des touffes de roseaux et des joncs la bordent inégalement ; toutes sortes de plantes venues là s'épanouissaient en boutons d'or, laissaient pendre des grappes jaunes, dressaient des quenouilles de fleurs amarante [1], faisaient au hasard des fusées vertes. Dans une anse du rivage, des nymphéas s'étalaient ; et un rang de vieux saules cachant des pièges à loup était, de ce côté de l'île, toute la défense du jardin.

En deçà, dans l'intérieur, quatre murs à chaperon d'ardoises enfermaient le potager, où les carrés de terre, labourés nouvellement, formaient des plaques brunes. Les cloches des melons brillaient à la file sur leur couche étroite ; les artichauts, les haricots, les épinards, les carottes et les tomates alternaient jusqu'à un plant d'asperges, qui semblait un petit bois de plumes.

Tout ce terrain avait été, sous le Directoire, ce qu'on appelait *une folie*. Les arbres, depuis lors, avaient démesurément grandi. De la clématite [2] embarrassait les charmilles [3], les allées étaient couvertes de mousse, partout les ronces foisonnaient. Des tronçons de statue émiettaient leur plâtre sous les herbes. On se prenait en marchant dans quelques débris d'ouvrage en fil de fer. Il ne restait plus du pavillon que deux chambres au rez-de-chaussée avec des lambeaux de papier bleu. Devant la façade s'allongeait une treille à l'italienne, où, sur des piliers en brique, un grillage de bâtons supportait une vigne.

Ils vinrent là-dessous tous les deux, et, comme la lumière tombait par les trous inégaux de la verdure, Frédéric, en parlant à Louise de côté, observait l'ombre des feuilles sur son visage.

---

1. Est amarante ce qui est de couleur rouge pourpre, comme la fleur de la plante ornementale qui porte ce nom.
2. Voir la note 2, p. 140.
3. Voir la note 1, p. 51.

Elle avait dans ses cheveux rouges, à son chignon, une aiguille terminée par une boule de verre imitant l'émeraude ; et elle portait, malgré son deuil (tant son mauvais goût était naïf), des pantoufles en paille garnies de satin rose, curiosité vulgaire, achetées sans doute dans quelque foire.

Il s'en aperçut, et l'en complimenta ironiquement.

– « Ne vous moquez pas de moi ! » reprit-elle.

Puis, le considérant tout entier, depuis son chapeau de feutre gris jusqu'à ses chaussettes de soie :

– « Comme vous êtes coquet ! »

Ensuite, elle le pria de lui indiquer des ouvrages à lire. Il en nomma plusieurs ; et elle dit :

– « Oh ! comme vous êtes savant ! »

Toute petite, elle s'était prise d'un de ces amours d'enfant qui ont à la fois la pureté d'une religion et la violence d'un besoin. Il avait été son camarade, son frère, son maître, avait amusé son esprit, fait battre son cœur et versé involontairement jusqu'au fond d'elle-même une ivresse latente et continue. Puis il l'avait quittée en pleine crise tragique, sa mère à peine morte, les deux désespoirs se confondant. L'absence l'avait idéalisé dans son souvenir ; il revenait avec une sorte d'auréole, et elle se livrait ingénument au bonheur de le voir.

Pour la première fois de sa vie, Frédéric se sentait aimé ; et ce plaisir nouveau, qui n'excédait pas l'ordre des sentiments agréables, lui causait comme un gonflement intime ; si bien qu'il écarta les deux bras, en se renversant la tête.

Un gros nuage passait alors sur le ciel.

– « Il va du côté de Paris », dit Louise ; « vous voudriez le suivre, n'est-ce pas ? »

– « Moi ! pourquoi ? »

– « Qui sait ? »

Et, le fouillant d'un regard aigu :

– « Peut-être que vous avez là-bas… (elle chercha le mot), quelque affection. »

– « Eh ! je n'ai pas d'affection ! »

– « Bien sûr ? »

– « Mais oui, mademoiselle, bien sûr ! »

En moins d'un an, il s'était fait dans la jeune fille une transformation extraordinaire qui étonnait Frédéric. Après une minute de silence, il ajouta :

– « Nous devrions nous tutoyer, comme autrefois ; voulez-vous ? »

– « Non. »

– « Pourquoi ? »

– « Parce que ! »

Il insistait. Elle répondit, en baissant la tête :

– « Je n'ose pas ! »

Ils étaient arrivés au bout du jardin, sur la grève du Livon. Frédéric, par gaminerie, se mit à faire des ricochets avec un caillou. Elle lui ordonna de s'asseoir. Il obéit ; puis, en regardant la chute d'eau :

– « C'est comme le Niagara ! »

Il vint à parler des contrées lointaines et de grands voyages. L'idée d'en faire la charmait. Elle n'aurait eu peur de rien, ni des tempêtes, ni des lions.

Assis, l'un près de l'autre, ils ramassaient devant eux des poignées de sable, puis les faisaient couler de leurs mains tout en causant ; – et le vent chaud qui arrivait des plaines leur apportait par bouffées des senteurs de lavande, avec le parfum du goudron s'échappant d'une barque, derrière l'écluse. Le soleil frappait la cascade ; les blocs verdâtres du petit mur où l'eau coulait apparaissaient comme sous une gaze d'argent se déroulant toujours. Une longue barre d'écume rejaillissait au pied, en cadence. Cela formait ensuite des bouillonnements, des tourbillons, mille courants opposés, et qui finissaient par se confondre en une seule nappe limpide.

Louise murmura qu'elle enviait l'existence des poissons.

– « Ça doit être si doux de se rouler là-dedans, à son aise, de se sentir caressé partout. »

Et elle frémissait, avec des mouvements d'une câlinerie sensuelle.

Mais une voix cria :

– « Où es-tu ? »

– « Votre bonne vous appelle », dit Frédéric.

– « Bien ! bien ! »

Louise ne se dérangeait pas.

– « Elle va se fâcher », reprit-il.

– « Cela m'est égal ! et d'ailleurs... », Mlle Roque faisant comprendre, par un geste, qu'elle la tenait à sa discrétion.

Elle se leva pourtant, puis se plaignit de mal de tête. Et, comme ils passaient devant un vaste hangar qui contenait des bourrées [1] :

– « Si nous nous mettions dessous, à *l'égaud* [2] ? »

Il feignit de ne pas comprendre ce mot de patois, et même la taquina sur son accent. Peu à peu, les coins de sa bouche se pincèrent, elle mordait ses lèvres ; elle s'écarta pour bouder.

Frédéric la rejoignit, jura qu'il n'avait pas voulu lui faire de mal et qu'il l'aimait beaucoup.

– « Est-ce vrai ? » s'écria-t-elle, en le regardant avec un sourire qui éclairait tout son visage, un peu semé de taches de son.

Il ne résista pas à cette bravoure de sentiment, à la fraîcheur de sa jeunesse, et il reprit :

– « Pourquoi te mentirais-je ?... tu en doutes... hein ? » en lui passant le bras gauche autour de la taille.

Un cri, suave comme un roucoulement, jaillit de sa gorge ; sa tête se renversa, elle défaillait, il la soutint. Et les scrupules de sa probité furent inutiles ; devant cette vierge qui s'offrait, une peur l'avait saisi. Il l'aida ensuite à faire quelques pas, doucement. Ses caresses de langage avaient cessé, et ne voulant plus dire que des choses insignifiantes, il lui parlait des personnes de la société nogentaise.

Tout à coup elle le repoussa, et, d'un ton amer :

– « Tu n'aurais pas le courage de m'emmener ! »

Il resta immobile avec un grand air d'ébahissement. Elle éclata en sanglots, et s'enfonçant la tête dans sa poitrine :

– « Est-ce que je peux vivre sans toi ! »

Il tâchait de la calmer. Elle lui mit ses deux mains sur les épaules pour le mieux voir en face, et, dardant contre les siennes ses prunelles vertes, d'une humidité presque féroce :

– « Veux-tu être mon mari ? »

– « Mais... », répliqua Frédéric, cherchant quelque réponse. « Sans doute... Je ne demande pas mieux. »

---

1. Une bourrée est un fagot de branches.
2. « À l'égaud » est une expression du patois nogentais signifiant : « à l'abri ».

À ce moment la casquette de M. Roque apparut derrière un lilas.

Il emmena son « jeune ami » pendant deux jours faire un petit voyage aux environs, dans ses propriétés ; et Frédéric, lorsqu'il revint, trouva chez sa mère trois lettres.

La première était un billet de M. Dambreuse l'invitant à dîner pour le mardi précédent. À propos de quoi cette politesse ? On lui avait donc pardonné son incartade ?

La seconde était de Rosanette. Elle le remerciait d'avoir risqué sa vie pour elle ; Frédéric ne comprit pas d'abord ce qu'elle voulait dire ; enfin, après beaucoup d'ambages, elle implorait de lui, en invoquant son amitié, se fiant à sa délicatesse, à deux genoux, disait-elle, vu la nécessité pressante, et comme on demande du pain, un petit secours de cinq cents francs. Il se décida tout de suite à les fournir.

La troisième lettre, venant de Deslauriers, parlait de la subrogation [1], et était longue, obscure. L'avocat n'avait pris encore aucun parti. Il l'engageait à ne pas se déranger : « C'est inutile que tu reviennes ! » appuyant même là-dessus avec une insistance bizarre.

Frédéric se perdit dans toutes sortes de conjectures, et il eut envie de s'en retourner là-bas ; cette prétention au gouvernement de sa conduite le révoltait.

D'ailleurs, la nostalgie du boulevard commençait à le prendre ; et puis sa mère le pressait tellement, M. Roque tournait si bien autour de lui et Mlle Louise l'aimait si fort, qu'il ne pouvait rester plus longtemps sans se déclarer. Il avait besoin de réfléchir, il jugerait mieux les choses dans l'éloignement.

Pour motiver son voyage, Frédéric inventa une histoire ; et il partit, en disant à tout le monde et croyant lui-même qu'il reviendrait bientôt.

---

1. Voir la note 1, p. 336.

VI

Son retour à Paris ne lui causa point de plaisir ; c'était le soir, à la fin du mois d'août, le boulevard semblait vide, les passants se succédaient avec des mines renfrognées, çà et là une chaudière d'asphalte fumait, beaucoup de maisons avaient leurs persiennes entièrement closes ; il arriva chez lui ; de la poussière couvrait les tentures ; et, en dînant tout seul, Frédéric fut pris par un étrange sentiment d'abandon ; alors il songea à Mlle Roque.

L'idée de se marier ne lui paraissait plus exorbitante. Ils voyageraient, ils iraient en Italie, en Orient ! Et il l'apercevait debout sur un monticule, contemplant un paysage, ou bien appuyée à son bras dans une galerie florentine, s'arrêtant devant les tableaux. Quelle joie ce serait que de voir ce bon petit être s'épanouir aux splendeurs de l'Art et de la Nature ! Sortie de son milieu, en peu de temps, elle ferait une compagne charmante. La fortune de M. Roque le tentait, d'ailleurs. Cependant, une pareille détermination lui répugnait comme une faiblesse, un avilissement.

Mais il était bien résolu (quoi qu'il dût faire) à changer d'existence, c'est-à-dire à ne plus perdre son cœur dans des passions infructueuses, et même il hésitait à remplir la commission dont Louise l'avait chargé. C'était d'acheter pour elle, chez Jacques Arnoux, deux grandes statuettes polychromes [1] représentant des nègres, comme ceux qui étaient à la préfecture de Troyes. Elle connaissait le chiffre [2] du fabricant, n'en voulait pas d'un autre. Frédéric avait peur, s'il retournait *chez eux*, de tomber encore une fois dans son vieil amour.

---

1. Voir la note 1, p. 175.
2. Le chiffre est la marque qui identifie l'origine d'un objet.

Ces réflexions l'occupèrent toute la soirée ; et il allait se coucher quand une femme entra.

– « C'est moi », dit en riant Mlle Vatnaz. « Je viens de la part de Rosanette. »

Elles s'étaient donc réconciliées ?

– « Mon Dieu, oui ! Je ne suis pas méchante, vous savez bien. Au surplus, la pauvre fille… Ce serait trop long à vous conter. »

Bref, la Maréchale désirait le voir, elle attendait une réponse, sa lettre s'étant promenée de Paris à Nogent ; Mlle Vatnaz ne savait point ce qu'elle contenait. Alors, Frédéric s'informa de la Maréchale.

Elle était, maintenant, *avec* un homme très riche, un Russe, le prince Tzernoukoff, qui l'avait vue aux courses du Champ de Mars, l'été dernier.

– « On a trois voitures, cheval de selle, livrée, groom dans le chic anglais, maison de campagne, loge aux Italiens, un tas de choses encore. Voilà, mon cher. »

Et la Vatnaz, comme si elle eût profité à ce changement de fortune, paraissait plus gaie, tout heureuse. Elle retira ses gants et examina dans la chambre les meubles et les bibelots. Elle les cotait à leur prix juste, comme un brocanteur. Il aurait dû la consulter pour les obtenir à meilleur compte ; et elle le félicitait de son bon goût :

– « Ah ! c'est mignon, extrêmement bien ! Il n'y a que vous pour ces idées. »

Puis, apercevant au chevet de l'alcôve une porte :

– « C'est par là qu'on fait sortir les petites femmes, hein ? »

Et, amicalement, elle lui prit le menton. Il tressaillit au contact de ses longues mains, tout à la fois maigres et douces. Elle avait autour des poignets une bordure de dentelle et, sur le corsage de sa robe verte, des passementeries, comme un hussard. Son chapeau de tulle noir, à bords descendants, lui cachait un peu le front ; ses yeux brillaient là-dessous ; une odeur de patchouli s'échappait de ses bandeaux [1] ; la carcel [2] posée sur un guéridon, en l'éclairant

---

1. Voir la note 3, p. 47.
2. Voir la note 1, p. 245.

d'en bas comme une rampe de théâtre, faisait saillir sa mâchoire ; – et tout à coup, devant cette femme laide qui avait dans la taille des ondulations de panthère, Frédéric sentit une convoitise énorme, un désir de volupté bestiale.

Elle lui dit d'une voix onctueuse, en tirant de son porte-monnaie trois carrés de papier :

– « Vous allez me prendre ça ! »

C'était trois places pour une représentation au bénéfice de Delmar.

– « Comment ! lui ? »

– « Certainement ! »

Mlle Vatnaz, sans s'expliquer davantage, ajouta qu'elle l'adorait plus que jamais. Le comédien, à l'en croire, se classait définitivement parmi « les sommités de l'époque ». Et ce n'était pas tel ou tel personnage qu'il représentait, mais le génie même de la France, le Peuple ! Il avait « l'âme humanitaire ; il comprenait le sacerdoce de l'Art » ! Frédéric, pour se délivrer de ces éloges, lui donna l'argent des trois places.

– « Inutile que vous en parliez là-bas ! – Comme il est tard, mon Dieu ! Il faut que je vous quitte. Ah ! j'oubliais l'adresse : c'est rue Grange-Batelière, 14. »

Et, sur le seuil :

– « Adieu, homme aimé ! »

– « Aimé de qui ? » se demanda Frédéric. « Quelle singulière personne ! »

Et il se ressouvint que Dussardier lui avait dit un jour, à propos d'elle : « Oh ! ce n'est pas grand-chose ! » comme faisant allusion à des histoires peu honorables.

Le lendemain, il se rendit chez la Maréchale. Elle habitait une maison neuve, dont les stores avançaient sur la rue. Il y avait à chaque palier une glace contre le mur, une jardinière rustique devant les fenêtres, tout le long des marches un tapis de toile ; et, quand on arrivait du dehors, la fraîcheur de l'escalier délassait.

Ce fut un domestique mâle qui vint ouvrir, un valet en gilet rouge. Dans l'antichambre, sur la banquette, une femme et deux hommes, des fournisseurs sans doute, attendaient, comme dans un vestibule de ministre. À gauche, la porte de la salle à manger, entrebâillée, laissait apercevoir des bouteilles vides sur les buffets, des serviettes au dos des chaises ; et parallèlement s'étendait une galerie, où des bâtons couleur d'or soutenaient un espalier de roses. En bas, dans la cour, deux garçons, les bras nus, frottaient un landau [1]. Leur voix montait jusque-là, avec le bruit intermittent d'une étrille [2] que l'on heurtait contre une pierre.

Le domestique revint. « Madame allait recevoir Monsieur » ; et il lui fit traverser une deuxième antichambre, puis un grand salon, tendu de brocatelle [3] jaune, avec des torsades dans les coins qui se rejoignaient sur le plafond et semblaient continuées par les rinceaux [4] du lustre ayant la forme de câbles. On avait sans doute festoyé la nuit dernière. De la cendre de cigare était restée sur les consoles.

Enfin, il entra dans une espèce de boudoir qu'éclairaient confusément des vitraux de couleur. Des trèfles en bois découpé ornaient le dessus des portes ; derrière une balustrade, trois matelas de pourpre formaient divan, et le tuyau d'un narghilé [5] de platine traînait dessus. La cheminée, au lieu de miroir, avait une étagère pyramidale, offrant sur ses gradins toute une collection de curiosités : de vieilles montres d'argent, des cornets de Bohême, des agrafes en pierreries, des boutons de jade, des émaux, des magots [6], une petite vierge byzantine à chape de vermeil ; et tout cela se fondait dans un crépuscule doré, avec la couleur bleuâtre du tapis, le reflet de nacre des tabourets, le ton fauve des murs couverts de cuir marron. Aux angles, sur des piédouches [7], des vases de bronze contenaient des touffes de fleurs qui alourdissaient l'atmosphère.

Rosanette parut, habillée d'une veste de satin rose, avec un pantalon de cachemire blanc, un collier de piastres, et une calotte rouge entourée d'une branche de jasmin.

---

1. Voir la note 2, p. 149.
2. Une étrille est un instrument utilisé pour nettoyer la robe des chevaux.
3. La brocatelle est un tissu imitant le brocart (voir la note 8, p. 126).
4. Un rinceau est une arabesque végétale sculptée ou peinte, servant d'ornement en architecture et dans différents arts décoratifs.
5. Un narghilé est une pipe orientale à long tuyau communiquant avec un flacon d'eau aromatisée que la fumée traverse avant d'arriver à la bouche du fumeur.
6. Un magot est une figurine trapue de l'Extrême-Orient, en porcelaine, en pierre ou en jade.
7. Un piédouche est un petit piédestal, à base circulaire ou carrée.

Frédéric fit un mouvement de surprise ; puis dit qu'il apportait « la chose en question », en lui présentant le billet de banque.

Elle le regarda fort ébahie ; et, comme il avait toujours le billet à la main, sans savoir où le poser :

– « Prenez-le donc ! »

Elle le saisit ; puis, l'ayant jeté sur le divan :

– « Vous êtes bien aimable. »

C'était pour solder un terrain à Bellevue, qu'elle payait ainsi par annuités. Un tel sans-façon blessa Frédéric. Du reste, tant mieux ! cela le vengeait du passé.

– « Asseyez-vous ! » dit-elle, « là, plus près. » Et, d'un ton grave : « D'abord, j'ai à vous remercier, mon cher, d'avoir risqué votre vie. »

– « Oh ! ce n'est rien ! »

– « Comment, mais c'est très beau ! »

Et la Maréchale lui témoigna une gratitude embarrassante ; car elle devait penser qu'il s'était battu exclusivement pour Arnoux, celui-ci, qui se l'imaginait, ayant dû céder au besoin de le dire.

– « Elle se moque de moi, peut-être », songeait Frédéric.

Il n'avait plus rien à faire, et, alléguant un rendez-vous, il se leva.

– « Eh non ! restez ! »

Il se rassit et la complimenta sur son costume. Elle répondit, avec un air d'accablement :

– « C'est le prince qui m'aime comme ça ! Et il faut fumer des machines pareilles », ajouta Rosanette, en montrant le narghilé. « Si nous en goûtions ? Voulez-vous ? »

On apporta du feu ; le tombac [1] s'allumant difficilement, elle se mit à trépigner d'impatience. Puis une langueur la saisit ; et elle restait immobile sur le divan, un coussin sous l'aisselle, le corps un peu tordu, un genou plié, l'autre jambe toute droite. Le long serpent de maroquin rouge, qui formait des anneaux par terre, s'enroulait à son bras. Elle en appuyait le bec d'ambre sur ses lèvres et regardait Frédéric, en clignant les yeux, à travers la fumée dont les volutes

---

1. Le tombac est un tabac très fort, mélangé à d'autres composants.

l'enveloppaient. L'aspiration de sa poitrine faisait gargouiller l'eau, et elle murmurait de temps à autre :

– « Ce pauvre mignon ! ce pauvre chéri ! »

Il tâchait de trouver un sujet de conversation agréable ; l'idée de la Vatnaz lui revint.

Il dit qu'elle lui avait semblé fort élégante.

– « Parbleu ! » reprit la Maréchale. « Elle est bien heureuse de m'avoir, celle-là ! » sans ajouter un mot de plus, tant il y avait de restriction dans leurs propos.

Tous les deux sentaient une contrainte, un obstacle. En effet, le duel dont Rosanette se croyait la cause avait flatté son amour-propre. Puis elle s'était fort étonnée qu'il n'accourût pas se prévaloir de son action ; et, pour le contraindre à revenir, elle avait imaginé ce besoin de cinq cents francs. Comment se faisait-il que Frédéric ne demandait pas en retour un peu de tendresse ! C'était un raffinement qui l'émerveillait, et, dans un élan de cœur, elle lui dit :

– « Voulez-vous venir avec nous aux bains de mer ? »

– « Qui cela, *nous* ? »

– « Moi et mon oiseau ; je vous ferai passer pour mon cousin, comme dans les vieilles comédies. »

– « Mille grâces ! »

– « Eh bien, alors, vous prendrez un logement près du nôtre. »

L'idée de se cacher d'un homme riche l'humiliait.

– « Non ! cela est impossible. »

– « À votre aise ! »

Rosanette se détourna, ayant une larme aux paupières. Frédéric l'aperçut ; et, pour lui marquer de l'intérêt, il se dit heureux de la voir, enfin, dans une excellente position.

Elle fit un haussement d'épaules. Qui donc l'affligeait ? Était-ce, par hasard, qu'on ne l'aimait pas ?

– « Oh ! moi, on m'aime toujours ! »

Elle ajouta :

– « Reste à savoir de quelle manière. »

Se plaignant « d'étouffer de chaleur », la Maréchale défit sa veste ; et, sans autre vêtement autour des reins que sa chemise de soie, elle inclinait la tête sur son épaule, avec un air d'esclave plein de provocations.

Un homme d'un égoïsme moins réfléchi n'eût pas songé que le vicomte, M. de Comaing ou un autre pouvait survenir. Mais Frédéric avait été trop de fois la dupe de ces mêmes regards pour se compromettre dans une humiliation nouvelle.

Elle voulut connaître ses relations, ses amusements ; elle arriva même à s'informer de ses affaires, et à offrir de lui prêter de l'argent, s'il en avait besoin. Frédéric, n'y tenant plus, prit son chapeau.

– « Allons, ma chère, bien du plaisir là-bas ; au revoir ! »

Elle écarquilla les yeux ; puis, d'un ton sec :

– « Au revoir ! »

Il repassa par le salon jaune et par la seconde antichambre. Il y avait sur la table, entre un vase plein de cartes de visite et une écritoire, un coffret d'argent ciselé. C'était celui de Mme Arnoux ! Alors, il éprouva un attendrissement, et en même temps comme le scandale d'une profanation. Il avait envie d'y porter les mains, de l'ouvrir. Il eut peur d'être aperçu, et s'en alla.

Frédéric fut vertueux. Il ne retourna point chez Arnoux.

Il envoya son domestique acheter les deux nègres, lui ayant fait toutes les recommandations indispensables ; et la caisse partit, le soir même, pour Nogent. Le lendemain, comme il se rendait chez Deslauriers, au détour de la rue Vivienne et du boulevard, Mme Arnoux se montra devant lui, face à face.

Leur premier mouvement fut de reculer ; puis, le même sourire leur vint aux lèvres, et ils s'abordèrent. Pendant une minute, aucun des deux ne parla.

Le soleil l'entourait ; – et sa figure ovale, ses longs sourcils, son châle de dentelle noire, moulant la forme de ses épaules, sa robe de soie gorge-de-pigeon, le bouquet de violettes au coin de sa capote, tout lui parut d'une splendeur extraordinaire. Une suavité infinie s'épanchait de ses beaux yeux ; et, balbutiant, au hasard, les premières paroles venues :

– « Comment se porte Arnoux ? » dit Frédéric.

– « Je vous remercie. »

– « Et vos enfants ? »

– « Ils vont très bien ! »

– « Ah !... ah ! – Quel beau temps nous avons, n'est-ce pas ? »

– « Magnifique, c'est vrai ! »

– « Vous faites des courses ? »

– « Oui. »

Et avec une lente inclination de tête :

– « Adieu ! »

Elle ne lui avait pas tendu la main, n'avait pas dit un seul mot affectueux, ne l'avait même pas invité à venir chez elle, n'importe ! il n'eût point donné cette rencontre pour la plus belle des aventures ; et il en ruminait la douceur tout en continuant sa route.

Deslauriers, surpris de le voir, dissimula son dépit, – car il conservait par obstination quelque espérance encore du côté de Mme Arnoux ; et il avait écrit à Frédéric de rester là-bas, pour être plus libre dans ses manœuvres.

Il dit cependant qu'il s'était présenté chez elle, afin de savoir si leur contrat stipulait la communauté ; alors, on aurait pu recourir contre la femme ; « et elle a fait une drôle de mine quand je lui ai appris ton mariage ».

– « Tiens ! quelle invention ! »

– « Il le fallait, pour montrer que tu avais besoin de tes capitaux ! Une personne indifférente n'aurait pas eu l'espèce de syncope qui l'a prise. »

– « Vraiment ? » s'écria Frédéric.

– « Ah ! mon gaillard, tu te trahis ! Sois franc, voyons ! »

Une lâcheté immense envahit l'amoureux de Mme Arnoux.

– « Mais non !... je t'assure !... ma parole d'honneur ! »

Ces molles dénégations achevèrent de convaincre Deslauriers. Il lui fit des compliments. Il lui demanda « des détails ». Frédéric n'en donna pas, et même résista à l'envie d'en inventer.

Quant à l'hypothèque, il lui dit de ne rien faire, d'attendre. Deslauriers trouva qu'il avait tort, et même fut brutal dans ses remontrances.

Il était d'ailleurs plus sombre, malveillant et irascible que jamais. Dans un an, si la fortune ne changeait pas, il s'embarquerait pour l'Amérique ou se ferait sauter la cervelle. Enfin il paraissait si furieux contre tout et d'un radicalisme tellement absolu que Frédéric ne put s'empêcher de lui dire :

– « Te voilà comme Sénécal. »

Deslauriers, à ce propos, lui apprit qu'il était sorti de Sainte-Pélagie [1], l'instruction n'ayant point fourni assez de preuves, sans doute, pour le mettre en jugement.

Dans la joie de cette délivrance, Dussardier voulut « offrir un punch », et pria Frédéric « d'en être », en l'avertissant toutefois qu'il se trouverait avec Hussonnet, lequel s'était montré excellent pour Sénécal.

En effet, *Le Flambard* venait de s'adjoindre un cabinet d'affaires, portant sur ses prospectus : « Comptoir des vignobles. – Office de publicité. – Bureau de recouvrements et renseignements, etc. » Mais le bohème [2] craignait que son industrie ne fît du tort à sa considération littéraire, et il avait pris le mathématicien pour tenir les comptes. Bien que la place fût médiocre, Sénécal, sans elle, serait mort de faim. Frédéric ne voulant point affliger le brave commis, accepta son invitation.

Dussardier, trois jours d'avance, avait ciré lui-même les pavés rouges de sa mansarde, battu le fauteuil et épousseté la cheminée, où l'on voyait sous un globe une pendule d'albâtre entre une stalactite et un coco. Comme ses deux chandeliers et son bougeoir n'étaient pas suffisants, il avait emprunté au concierge deux flambeaux ; et ces cinq luminaires brillaient sur la commode, que recouvraient trois serviettes, afin de supporter plus décemment des macarons, des biscuits, une brioche et douze bouteilles de bière. En face, contre la muraille tendue d'un papier jaune, une petite bibliothèque en acajou contenait les *Fables* de Lachambeaudie [3], *Les Mystères de Paris* [4], le *Napoléon*, de Norvins [5],

---

1. Sainte-Pélagie était une prison sise rue du Puits-de-l'Ermite (actuel V[e] arrondissement). Elle fut démolie en 1895.

2. Voir la note 2, p. 82.

3. Fabuliste et chansonnier, disciple de Blanqui, Pierre Lachambeaudie (1807-1872) donna en 1839 un recueil de *Fables* qui devinrent vite très populaires.

4. Voir la note 3, p. 307.

5. Le baron de Norvins (1769-1854) consacra sa vie à servir la mémoire de Napoléon et fit paraître, de 1825 à 1828, une *Histoire de Napoléon*, très souvent réimprimée.

– et, au milieu de l'alcôve, souriait, dans un cadre de palissandre [1], le visage de Béranger [2] !

Les convives étaient (outre Deslauriers et Sénécal) un pharmacien nouvellement reçu, mais qui n'avait pas les fonds nécessaires pour s'établir ; un jeune homme de *sa* maison, un placeur de vins, un architecte et un monsieur employé dans les assurances. Regimbart n'avait pu venir. On le regretta.

Ils accueillirent Frédéric avec de grandes marques de sympathie, tous connaissant par Dussardier son langage chez M. Dambreuse. Sénécal se contenta de lui offrir la main, d'un air digne.

Il se tenait debout contre la cheminée. Les autres, assis et la pipe aux lèvres, l'écoutaient discourir sur le suffrage universel [3], d'où devait résulter le triomphe de la Démocratie, l'application des principes de l'Évangile. Du reste, le moment approchait ; les banquets réformistes [4] se multipliaient dans les provinces ; le Piémont, Naples, la Toscane [5]...

– « C'est vrai », dit Deslauriers, lui coupant net la parole, « ça ne peut pas durer plus longtemps ! »

Et il se mit à faire un tableau de la situation.

Nous avions sacrifié la Hollande [6] pour obtenir de l'Angleterre la reconnaissance de Louis-Philippe ; et cette fameuse alliance anglaise, elle était perdue, grâce aux mariages espagnols [7] ! En Suisse, M. Guizot, à la remorque de l'Autrichien, soutenait les traités de 1815 [8]. La Prusse

---

1. Le palissandre est un bois exotique dur, odorant, d'une couleur violacée, veiné de noir et de jaune.

2. Voir la note 5, p. 78.

3. Le suffrage universel était l'une des principales revendications républicaines.

4. Pendant la seconde partie de l'année 1847, des banquets réclamant « la réforme » (voir la note 1, p. 76) furent organisés par l'opposition républicaine.

5. En 1847, d'importants troubles politiques agitaient les États italiens auxquels leurs princes durent accorder des réformes libérales dans l'espoir d'éviter de nouvelles insurrections.

6. En 1830, la Belgique prit son indépendance à l'égard de la Hollande, avec le soutien de l'Angleterre et de la France qui, à cette occasion, aligna sa politique sur Londres.

7. Voir la note 1, p. 211.

8. En 1847, la France de Guizot (voir la note 5, p. 54) et l'Autriche de Metternich exercèrent des pressions diplomatiques sur la Suisse pour garantir l'indépendance des cantons catholiques à l'égard du pouvoir central. En

avec son Zollverein [1] nous préparait des embarras. La question d'Orient [2] restait pendante.

– « Ce n'est pas une raison parce que le grand-duc Constantin envoie des présents à M. d'Aumale [3] pour se fier à la Russie. Quant à l'intérieur, jamais on n'a vu tant d'aveuglement, de bêtise ! Leur majorité même ne se tient plus ! Partout, enfin, c'est, selon le mot connu [4], rien ! rien ! rien ! Et, devant tant de hontes », poursuivit l'avocat en mettant ses poings sur ses hanches, « ils se déclarent satisfaits ! »

Cette allusion à un vote célèbre [5] provoqua des applaudissements. Dussardier déboucha une bouteille de bière ; la mousse éclaboussa les rideaux, il n'y prit garde ; il chargeait les pipes, coupait la brioche, en offrait, était descendu plusieurs fois pour voir si le punch allait venir ; et on ne tarda pas à s'exalter, tous ayant contre le Pouvoir la même exaspération. Elle était violente, sans autre cause que la haine de l'injustice ; et ils mêlaient aux griefs légitimes les reproches les plus bêtes.

Le pharmacien gémit sur l'état pitoyable de notre flotte. Le courtier d'assurances ne tolérait pas les deux sentinelles du maréchal Soult [6]. Deslauriers dénonça les jésuites, qui

----

effet, les radicaux protestants tentaient de renforcer ce dernier en violation du Pacte fédéral de 1815, qui affirmait la complète souveraineté de chaque canton.

1. L'union douanière allemande (*Zollverein* ; voir la note 3, p. 77) se développait autour de la Prusse depuis 1818. En 1847, cet État jouissait d'une puissance qui commençait à inquiéter ses voisins.

2. Pendant toute la monarchie de Juillet, les divergences d'intérêts en Méditerranée de la France (proche de l'Égypte) et de l'Angleterre (qui soutenait l'Empire ottoman) contrarièrent constamment leurs tentatives de rapprochement diplomatique.

3. Le duc d'Aumale (1822-1897) était le quatrième fils de Louis-Philippe. Après la chute de la monarchie, il se retira en Angleterre.

4. Dans un discours parlementaire du 27 avril 1847, le conservateur progressiste Desmousseaux de Givré s'était écrié en attaquant Guizot : « Qu'a-t-on fait depuis sept ans ? *Rien ! rien ! rien !* »

5. Deslauriers fait ici allusion aux explications que donna Guizot en réponse aux accusations de corruption qu'Émile de Girardin (voir la note 1, p. 419) avait portées contre lui. La Chambre se déclara en effet « satisfaite » de ces explications pas toujours convaincantes.

6. Le maréchal Soult, président du Conseil et ministre de la Guerre, faisait garder son domicile par deux sentinelles.

venaient de s'installer à Lille, publiquement [1]. Sénécal exécrait bien plus M. Cousin ; car l'éclectisme [2], enseignant à
tirer la certitude de la raison, développait l'égoïsme, détrui-
sait la solidarité ; le placeur de vins, comprenant peu ces
matières, remarqua tout haut qu'il oubliait bien des
infamies :

– « Le wagon royal de la ligne du Nord doit coûter
quatre-vingt mille francs ! Qui le payera ? »

– « Oui, qui le payera ? » reprit l'employé de commerce,
furieux comme si on eût puisé cet argent dans sa poche.

Il s'ensuivit des récriminations contre les loups-cerviers [3]
de la Bourse et la corruption des fonctionnaires. On devait
remonter plus haut, selon Sénécal, et accuser, tout d'abord,
les princes, qui ressuscitaient les mœurs de la Régence.

– « N'avez-vous pas vu, dernièrement, les amis du duc
de Montpensier revenir de Vincennes, ivres sans doute, et
troubler par leurs chansons les ouvriers du faubourg
Saint-Antoine ? »

– « On a même crié : À bas les voleurs ! » dit le pharmacien. « J'y étais, j'ai crié ! »

– « Tant mieux ! le Peuple enfin se réveille depuis le
procès Teste-Cubières [4]. »

– « Moi, ce procès-là m'a fait de la peine », dit Dussardier, « parce que ça déshonore un vieux soldat ! »

– « Savez-vous », continua Sénécal, « qu'on a découvert
chez la duchesse de Praslin [5]... ? »

---

1. Officiellement, les jésuites (prêtres appartenant à la Société de Jésus)
avaient été expulsés de France en 1845. Mais la mesure ne fut pas appliquée
avec rigueur.
2. L'éclectisme, système philosophique de Victor Cousin (1792-1867),
développait une philosophie du juste milieu qui apparaissait comme une
justification du régime de Juillet.
3. Un loup-cervier est un lynx des régions boréales d'Eurasie. L'emploi
est ici métaphorique pour désigner ceux qui s'enrichissent au détriment des
petits dans la fièvre nouvelle de l'agiotage.
4. En juillet 1847, le général de Cubières, ancien ministre de la Guerre,
et Jean-Baptiste Teste, ministre des Travaux publics, furent condamnés à la
dégradation civique et à de fortes amendes pour corruption.
5. La duchesse de Choiseul-Praslin fut assassinée dans la nuit du 17 août
1847. Son mari se suicida sans avoir avoué. L'opposition vit dans ce fait
divers une nouvelle preuve de la corruption des classes élevées. Sénécal fait
allusion à un ouvrage qu'on aurait trouvé sous le coussin de la duchesse,
intitulé : *Les Gens comme il faut*.

Mais un coup de pied ouvrit la porte. Hussonnet entra.

– « Salut, messeigneurs ! » dit-il en s'asseyant sur le lit.

Aucune allusion ne fut faite à son article, qu'il regrettait, du reste, la Maréchale l'en ayant tancé vertement.

Il venait de voir, au théâtre de Dumas, *Le Chevalier de Maison-Rouge* [1], et « trouvait ça embêtant ».

Un jugement pareil étonna les démocrates, – ce drame, par ses tendances, ses décors plutôt, caressant leurs passions. Ils protestèrent. Sénécal, pour en finir, demanda si la pièce servait la Démocratie.

– « Oui…, peut-être ; mais c'est d'un style… »

– « Eh bien, elle est bonne, alors ; qu'est-ce que le style ? c'est l'idée ! »

Et, sans permettre à Frédéric de parler :

– « J'avançais donc que, dans l'affaire Praslin… »

Hussonnet l'interrompit.

– « Ah ! voilà encore une rengaine, celle-là ! M'embête-t-elle ! »

– « Et d'autres que vous ! » répliqua Deslauriers. « Elle a fait saisir rien que cinq journaux ! Écoutez-moi cette note. »

Et, ayant tiré son calepin, il lut :

– « Nous avons subi, depuis l'établissement de la meilleure des républiques, douze cent vingt-neuf procès de presse, d'où il est résulté pour les écrivains : trois mille cent quarante et un ans de prison, avec la légère somme de sept millions cent dix mille cinq cents francs d'amende.

– C'est coquet, hein ? »

Tous ricanèrent amèrement. Frédéric, animé comme les autres, reprit :

– « *La Démocratie pacifique* a un procès pour son feuilleton, un roman intitulé *La Part des femmes* [2]. »

– « Allons ! bon ! » dit Hussonnet. « Si on nous défend notre part des femmes ! »

---

1. *Le Chevalier de Maison-Rouge* est un drame tiré du roman de Dumas. Créé le 3 août 1847, il dut une partie de sa popularité à ses tableaux et chants révolutionnaires (voir la note 2, p. 380).
2. Le journal fouriériste *La Démocratie pacifique* fut condamné en juillet 1847 pour avoir publié le roman-feuilleton *La Part des femmes* d'Antony Méray.

– « Mais qu'est-ce qui n'est pas défendu ? » s'écria Deslauriers. « Il est défendu de fumer dans le Luxembourg, défendu de chanter l'hymne à Pie IX[1] ! »

– « Et on interdit le banquet des typographes[2] ! » articula une voix sourde.

C'était celle de l'architecte, caché par l'ombre de l'alcôve, et silencieux jusqu'à présent. Il ajouta que, la semaine dernière, on avait condamné pour outrages au roi, un nommé Rouget.

– « Rouget est frit ! » dit Hussonnet.

Cette plaisanterie parut tellement inconvenante à Sénécal, qu'il lui reprocha de défendre « le jongleur de l'Hôtel de Ville[3], l'ami du traître Dumouriez[4] ».

– « Moi ? au contraire ! »

Il trouvait Louis-Philippe poncif, garde national, tout ce qu'il y avait de plus épicier et bonnet de coton ! Et, mettant la main sur son cœur, le bohème[5] débita les phrases sacramentelles : « C'est toujours avec un nouveau plaisir... – La nationalité polonaise ne périra pas... – Nos grands travaux seront poursuivis... – Donnez-moi de l'argent pour ma petite famille... » Tous riaient beaucoup, le proclamant un gaillard délicieux, plein d'esprit ; la joie redoubla à la vue du bol de punch qu'un limonadier apporta.

Les flammes de l'alcool et celles des bougies échauffèrent vite l'appartement ; et la lumière de la mansarde, traversant la cour, éclairait en face le bord d'un toit, avec le tuyau d'une cheminée qui se dressait en noir sur la nuit. Ils parlaient très haut, tous à la fois ; ils avaient retiré leurs redingotes ; ils heurtaient les meubles, ils choquaient les verres.

---

1. Jusqu'au début de 1848, le pape Pie IX (élu en juin 1846) jouissait d'une grande popularité en raison des réformes libérales qu'il avait accordées dans les États pontificaux.

2. Le banquet réformiste des typographes, prévu pour le 10 septembre 1847, fut interdit.

3. Une célèbre caricature de l'époque représentait Louis-Philippe (qui avait été proclamé roi à l'Hôtel de Ville) en prestidigitateur escamotant les acquis de la révolution de Juillet.

4. Le futur Louis-Philippe avait servi en 1793 sous les ordres du général Dumouriez qui, par la suite, fut accusé de trahison par les révolutionnaires et passa du côté des Autrichiens.

5. Voir la note 2, p. 82.

Hussonnet s'écria :

– « Faites monter des grandes dames, pour que ce soit plus *Tour de Nesle* [1], couleur locale, et rembranesque, palsambleu ! »

Et le pharmacien, qui tournait le punch indéfiniment, entonna à pleine poitrine :

> J'ai deux grands bœufs dans mon étable,
> Deux grands bœufs blancs [2]...

Sénécal lui mit la main sur la bouche, il n'aimait pas le désordre ; et les locataires apparaissaient à leurs carreaux, surpris du tapage insolite qui se faisait dans le logement de Dussardier.

Le brave garçon était heureux, et dit que ça lui rappelait leurs petites séances d'autrefois, au quai Napoléon ; plusieurs manquaient cependant, « ainsi Pellerin... ».

– « On peut s'en passer », reprit Frédéric.

Et Deslauriers s'informa de Martinon.

– « Que devient-il, cet intéressant monsieur ? »

Aussitôt Frédéric, épanchant le mauvais vouloir qu'il lui portait, attaqua son esprit, son caractère, sa fausse élégance, l'homme tout entier. C'était bien un spécimen de paysan parvenu ! L'aristocratie nouvelle, la bourgeoisie, ne valait pas l'ancienne, la noblesse. Il soutenait cela ; et les démocrates approuvaient, – comme s'il avait fait partie de l'une et qu'ils eussent fréquenté l'autre. On fut enchanté de lui. Le pharmacien le compara même à M. d'Alton-Shée [3], qui, bien que pair de France, défendait la cause du peuple.

L'heure de s'en aller était venue. Tous se séparèrent avec de grandes poignées de main ; Dussardier, par tendresse, reconduisit Frédéric et Deslauriers. Dès qu'ils furent dans la rue, l'avocat eut l'air de réfléchir, et, après un moment de silence :

---

1. *La Tour de Nesle* (1832) est un drame historique de Dumas et Gaillardet, modèle du drame historique à grand effet et de ce qu'on a appelé la littérature dramatique échevelée. Une réplique connue de Buridan était ponctuée par la reprise de : « Ce sont de grandes dames. »
2. C'est le refrain de la chanson « Les Bœufs » (1845) du poète-ouvrier Pierre Dupont (1821-1870).
3. En 1847, à la Chambre des pairs, le comte d'Alton-Shée (1810-1874) passa progressivement du parti conservateur à l'opposition libérale.

– « Tu lui en veux donc beaucoup, à Pellerin ? »

Frédéric ne cacha pas sa rancune.

Le peintre, cependant, avait retiré de la montre[1] le fameux tableau. On ne devait pas se brouiller pour des vétilles ! À quoi bon se faire un ennemi ?

– « Il a cédé à un mouvement d'humeur, excusable dans un homme qui n'a pas le sou. Tu ne peux pas comprendre ça, toi ! »

Et, Deslauriers remonté chez lui, le commis ne lâcha point Frédéric ; il l'engagea même à acheter le portrait. En effet, Pellerin, désespérant de l'intimider, les avait circonvenus pour que, grâce à eux, il prît la chose.

Deslauriers en reparla, insista. Les prétentions de l'artiste étaient raisonnables.

– « Je suis sûr que, moyennant, peut-être, cinq cents francs… »

– « Ah ! donne-les ! tiens, les voici », dit Frédéric.

Le soir même, le tableau fut apporté. Il lui parut plus abominable encore que la première fois. Les demi-teintes et les ombres s'étaient plombées sous les retouches trop nombreuses, et elles semblaient obscurcies par rapport aux lumières, qui, demeurées brillantes çà et là, détonnaient dans l'ensemble.

Frédéric se vengea de l'avoir payé, en le dénigrant amèrement. Deslauriers le crut sur parole et approuva sa conduite, car il ambitionnait toujours de constituer une phalange dont il serait le chef ; certains hommes se réjouissent de faire faire à leurs amis des choses qui leur sont désagréables.

Cependant, Frédéric n'était pas retourné chez les Dambreuse. Les capitaux lui manquaient. Ce seraient des explications à n'en plus finir ; il balançait à se décider. Peut-être avait-il raison ? Rien n'était sûr, maintenant, l'affaire des houilles pas plus qu'une autre ; il fallait abandonner un pareil monde ; enfin, Deslauriers le détourna de l'entreprise. À force de haine il devenait vertueux ; et puis il aimait mieux Frédéric dans la médiocrité. De cette manière, il restait son égal, et en communion plus intime avec lui.

---

1. Voir la note 2, p. 73.

La commission de Mlle Roque avait été fort mal exécutée. Son père l'écrivit, en fournissant les explications les plus précises, et terminait sa lettre par cette badinerie : « Au risque de vous donner un mal de nègre. »

Frédéric ne pouvait faire autrement que de retourner chez Arnoux. Il monta dans le magasin, et ne vit personne. La maison de commerce croulant, les employés imitaient l'incurie [1] de leur patron.

Il côtoya la longue étagère, chargée de faïences, qui occupait d'un bout à l'autre le milieu de l'appartement ; puis, arrivé au fond, devant le comptoir, il marcha plus fort pour se faire entendre.

La portière se relevant, Mme Arnoux parut.

– « Comment, vous ici ! vous ! »

– « Oui », balbutia-t-elle, un peu troublée. « Je cherchais... »

Il aperçut son mouchoir près du pupitre, et devina qu'elle était descendue chez son mari pour se rendre compte, éclaircir sans doute une inquiétude.

– « Mais... vous avez peut-être besoin de quelque chose ? » dit-elle.

– « Un rien, madame. »

– « Ces commis sont intolérables ! Ils s'absentent toujours. »

On ne devait pas les blâmer. Au contraire, il se félicitait de la circonstance.

Elle le regarda ironiquement.

– « Eh bien, et ce mariage ? »

– « Quel mariage ? »

– « Le vôtre ! »

– « Moi ? Jamais de la vie ! »

Elle fit un geste de dénégation.

– « Quand cela serait, après tout ? On se réfugie dans le médiocre, par désespoir du beau qu'on a rêvé ! »

– « Tous vos rêves, pourtant, n'étaient pas si... candides ! »

– « Que voulez-vous dire ? »

---

1. L'incurie est le manque de soin, le laisser-aller.

– « Quand vous vous promenez aux courses avec... des personnes ! »

Il maudit la Maréchale. Un souvenir lui revint.

– « Mais c'est vous-même, autrefois, qui m'avez prié de la voir, dans l'intérêt d'Arnoux ! »

Elle répliqua en hochant la tête :

– « Et vous en profitez pour vous distraire. »

– « Mon Dieu ! oublions toutes ces sottises ! »

– « C'est juste, puisque vous allez vous marier. »

Et elle retenait son soupir, en mordant ses lèvres.

Alors, il s'écria :

– « Mais je vous répète que non ! Pouvez-vous croire que, moi, avec mes besoins d'intelligence, mes habitudes, j'aille m'enfouir en province pour jouer aux cartes, surveiller des maçons, et me promener en sabots ! Dans quel but, alors ? On vous a conté qu'elle était riche, n'est-ce pas ? Ah ! je me moque bien de l'argent ! Est-ce qu'après avoir désiré tout ce qu'il y a de plus beau, de plus tendre, de plus enchanteur, une sorte de paradis sous forme humaine, et quand je l'ai trouvé enfin, cet idéal, quand cette vision me cache toutes les autres... »

Et, lui prenant la tête à deux mains, il se mit à la baiser sur les paupières, en répétant :

– « Non ! non ! non ! jamais je ne me marierai ! jamais ! jamais ! »

Elle acceptait ces caresses, figée par la surprise et par le ravissement.

La porte du magasin sur l'escalier retomba. Elle fit un bond ; et elle restait la main étendue, comme pour lui commander le silence. Des pas se rapprochèrent. Puis quelqu'un dit au-dehors :

– « Madame est-elle là ? »

– « Entrez ! »

Mme Arnoux avait le coude sur le comptoir et roulait une plume entre ses doigts, tranquillement, quand le teneur de livres ouvrit la portière.

Frédéric se leva.

– « Madame, j'ai bien l'honneur de vous saluer. Le service, n'est-ce pas, sera prêt ? Je puis compter dessus ? »

Elle ne répondit rien. Mais cette complicité silencieuse enflamma son visage de toutes les rougeurs de l'adultère.

Le lendemain, il retourna chez elle, on le reçut ; et, afin de poursuivre ses avantages, immédiatement, sans préambule, Frédéric commença par se justifier de la rencontre au Champ de Mars. Le hasard seul l'avait fait se trouver avec cette femme. En admettant qu'elle fût jolie (ce qui n'était pas vrai), comment pourrait-elle arrêter sa pensée, même une minute, puisqu'il en aimait une autre !

— « Vous le savez bien, je vous l'ai dit. »

Mme Arnoux baissa la tête.

— « Je suis fâchée que vous me l'ayez dit. »

— « Pourquoi ? »

— « Les convenances les plus simples exigent maintenant que je ne vous revoie plus ! »

Il protesta de l'innocence de son amour. Le passé devait lui répondre de l'avenir ; il s'était promis à lui-même de ne pas troubler son existence, de ne pas l'étourdir de ses plaintes.

— « Mais, hier, mon cœur débordait. »

— « Nous ne devons plus songer à ce moment-là, mon ami ! »

Cependant, où serait le mal quand deux pauvres êtres confondraient leur tristesse ?

— « Car vous n'êtes pas heureuse non plus ! Oh ! je vous connais, vous n'avez personne qui réponde à vos besoins d'affection, de dévouement ; je ferai tout ce que vous voudrez ! Je ne vous offenserai pas !… je vous le jure. »

Et il se laissa tomber sur les genoux, malgré lui, s'affaissant sous un poids intérieur trop lourd.

— « Levez-vous ! » dit-elle, « je le veux ! »

Et elle lui déclara impérieusement que, s'il n'obéissait pas, il ne la reverrait jamais.

— « Ah ! je vous en défie bien ! » reprit Frédéric. « Qu'est-ce que j'ai à faire dans le monde ? Les autres s'évertuent pour la richesse, la célébrité, le pouvoir ! Moi, je n'ai pas d'état, vous êtes mon occupation exclusive, toute ma fortune, le but, le centre de mon existence, de mes pensées. Je ne peux pas plus vivre sans vous que sans l'air du ciel ! Est-ce que vous ne sentez pas l'aspiration de mon âme monter vers la vôtre, et qu'elles doivent se confondre, et que j'en meurs ? »

Mme Arnoux se mit à trembler de tous ses membres.

– « Oh ! allez-vous-en ! je vous en prie ! »

L'expression bouleversée de sa figure l'arrêta. Puis il fit un pas. Mais elle se reculait, en joignant les deux mains.

– « Laissez-moi ! au nom du ciel ! de grâce ! »

Et Frédéric l'aimait tellement, qu'il sortit.

Bientôt, il fut pris de colère contre lui-même, se déclara un imbécile, et, vingt-quatre heures après, il revint.

Madame n'y était pas. Il resta sur le palier, étourdi de fureur et d'indignation. Arnoux parut, et lui apprit que sa femme, le matin même, était partie s'installer dans une petite maison de campagne qu'ils louaient à Auteuil[1], ne possédant plus celle de Saint-Cloud.

– « C'est encore une de ses lubies ! Enfin, puisque ça l'arrange ! et moi aussi du reste ; tant mieux ! Dînons-nous ensemble ce soir ? »

Frédéric allégua une affaire urgente, puis courut à Auteuil.

Mme Arnoux laissa échapper un cri de joie. Alors, toute sa rancune s'évanouit.

Il ne parla point de son amour. Pour lui inspirer plus de confiance, il exagéra même sa réserve ; et, lorsqu'il demanda s'il pouvait revenir, elle répondit : « Mais sans doute », en offrant sa main, qu'elle retira presque aussitôt.

Frédéric, dès lors, multiplia ses visites. Il promettait au cocher de gros pourboires. Mais souvent, la lenteur du cheval l'impatientant, il descendait ; puis, hors d'haleine, grimpait dans un omnibus ; et comme il examinait dédaigneusement les figures des gens assis devant lui, et qui n'allaient pas chez elle !

Il reconnaissait de loin sa maison, à un chèvrefeuille énorme couvrant, d'un seul côté, les planches du toit ; c'était une manière de chalet suisse peint en rouge, avec un balcon extérieur. Il y avait dans le jardin trois vieux marronniers, et au milieu, sur un tertre, un parasol en chaume que soutenait un tronc d'arbre. Sous l'ardoise des murs, une

---

1. Voir le dossier, p. 583.

grosse vigne mal attachée pendait de place en place, comme un câble pourri. La sonnette de la grille, un peu rude à tirer, prolongeait son carillon, et on était toujours longtemps avant de venir. Chaque fois, il éprouvait une angoisse, une peur indéterminée.

Puis il entendait claquer, sur le sable, les pantoufles de la bonne ; ou bien Mme Arnoux elle-même se présentait. Il arriva, un jour, derrière son dos, comme elle était accroupie, devant le gazon, à chercher de la violette.

L'humeur de sa fille l'avait forcée de la mettre au couvent. Son gamin passait l'après-midi dans une école, Arnoux faisait de longs déjeuners au Palais-Royal, avec Regimbart et l'ami Compain. Aucun fâcheux ne pouvait les surprendre.

Il était bien entendu qu'ils ne devaient pas s'appartenir. Cette convention qui les garantissait du péril, facilitait leurs épanchements.

Elle lui dit son existence d'autrefois, à Chartres, chez sa mère ; sa dévotion vers douze ans ; puis sa fureur de musique, lorsqu'elle chantait jusqu'à la nuit, dans sa petite chambre, d'où l'on découvrait les remparts. Il lui conta ses mélancolies au collège, et comment dans son ciel poétique resplendissait un visage de femme, si bien qu'en la voyant pour la première fois, il l'avait reconnue.

Ces discours n'embrassaient, d'habitude, que les années de leur fréquentation. Il lui rappelait d'insignifiants détails, la couleur de sa robe à telle époque, quelle personne un jour était survenue, ce qu'elle avait dit une autre fois ; et elle répondait tout émerveillée :

– « Oui, je me rappelle ! »

Leurs goûts, leurs jugements étaient les mêmes. Souvent celui des deux qui écoutait l'autre s'écriait :

– « Moi aussi ! »

Et l'autre à son tour reprenait :

– « Moi aussi ! »

Puis c'étaient d'interminables plaintes sur la Providence :

– « Pourquoi le ciel ne l'a-t-il pas voulu ! Si nous nous étions rencontrés !... »

– « Ah ! si j'avais été plus jeune ! » soupirait-elle.

– « Non ! moi, un peu plus vieux. »

Et ils s'imaginaient une vie exclusivement amoureuse, assez féconde pour remplir les plus vastes solitudes, excédant toutes joies, défiant toutes les misères, où les heures auraient disparu dans un continuel épanchement d'eux-mêmes, et qui aurait fait quelque chose de resplendissant et d'élevé comme la palpitation des étoiles.

Presque toujours, ils se tenaient en plein air au haut de l'escalier ; des cimes d'arbres jaunies par l'automne se mamelonnaient devant eux, inégalement jusqu'au bord du ciel pâle ; ou bien ils allaient au bout de l'avenue, dans un pavillon ayant pour tout meuble un canapé de toile grise. Des points noirs tachaient la glace ; les murailles exhalaient une odeur de moisi ; – et ils restaient là, causant d'eux-mêmes, des autres, de n'importe quoi, avec ravissement. Quelquefois, les rayons du soleil, traversant la jalousie [1], tendaient depuis le plafond jusque sur les dalles comme les cordes d'une lyre, des brins de poussière tourbillonnaient dans ces barres lumineuses. Elle s'amusait à les fendre, avec sa main ; – Frédéric la saisissait, doucement ; et il contemplait l'entrelacs de ses veines, les grains de sa peau, la forme de ses doigts. Chacun de ses doigts était, pour lui, plus qu'une chose, presque une personne.

Elle lui donna ses gants, la semaine d'après son mouchoir. Elle l'appelait « Frédéric », il l'appelait « Marie », adorant ce nom-là, fait exprès, disait-il, pour être soupiré dans l'extase, et qui semblait contenir des nuages d'encens, des jonchées [2] de roses.

Ils arrivèrent à fixer d'avance le jour de ses visites ; et sortant comme par hasard, elle allait au-devant de lui, sur la route.

Elle ne faisait rien pour exciter son amour, perdue dans cette insouciance qui caractérise les grands bonheurs. Pendant toute la saison, elle porta une robe de chambre en soie brune, bordée de velours pareil, vêtement large convenant à la mollesse de ses attitudes et à sa physionomie sérieuse.

---

1. Voir la note 1, p. 118.
2. Une jonchée est un amas de branchages, de fleurs, dont on parsème le sol dans les rues, les églises, pour quelque solennité. Par extension, c'est une grande quantité de quelque chose.

D'ailleurs, elle touchait au mois d'août des femmes, époque tout à la fois de réflexion et de tendresse, où la maturité qui commence colore le regard d'une flamme plus profonde, quand la force du cœur se mêle à l'expérience de la vie, et que, sur la fin de ses épanouissements, l'être complet déborde de richesses dans l'harmonie de sa beauté. Jamais elle n'avait eu plus de douceur, d'indulgence. Sûre de ne pas faillir, elle s'abandonnait à un sentiment qui lui semblait un droit conquis par ses chagrins. Cela était si bon, du reste, et si nouveau ! Quel abîme entre la grossièreté d'Arnoux et les adorations de Frédéric !

Il tremblait de perdre par un mot tout ce qu'il croyait avoir gagné, se disant qu'on peut ressaisir une occasion et qu'on ne rattrape jamais une sottise. Il voulait qu'elle se donnât, et non la prendre. L'assurance de son amour le délectait comme un avant-goût de la possession, et puis le charme de sa personne lui troublait le cœur plus que les sens. C'était une béatitude indéfinie, un tel enivrement, qu'il en oubliait jusqu'à la possibilité d'un bonheur absolu. Loin d'elle, des convoitises furieuses le dévoraient.

Bientôt il y eut dans leurs dialogues de grands intervalles de silence. Quelquefois, une sorte de pudeur sexuelle les faisait rougir l'un devant l'autre. Toutes les précautions pour cacher leur amour le dévoilaient ; plus il devenait fort, plus leurs manières étaient contenues. Par l'exercice d'un tel mensonge, leur sensibilité s'exaspéra. Ils jouissaient délicieusement de la senteur des feuilles humides, ils souffraient du vent d'est, ils avaient des irritations sans cause, des pressentiments funèbres ; un bruit de pas, le craquement d'une boiserie leur causaient des épouvantes comme s'ils avaient été coupables ; ils se sentaient poussés vers un abîme ; une atmosphère orageuse les enveloppait ; et, quand des doléances échappaient à Frédéric, elle s'accusait elle-même.

– « Oui ! je fais mal ! J'ai l'air d'une coquette ! Ne venez donc plus ! »

Alors, il répétait les mêmes serments, – qu'elle écoutait chaque fois avec plaisir.

Son retour à Paris et les embarras du jour de l'an suspendirent un peu leurs entrevues. Quand il revint, il avait, dans les allures, quelque chose de plus hardi. Elle sortait à chaque minute pour donner des ordres, et recevait, malgré ses prières, tous les bourgeois qui venaient la voir. On se livrait alors, à des conversations sur Léotade[1], M. Guizot[2], le Pape[3], l'insurrection de Palerme[4] et le banquet du XIIᵉ arrondissement[5], lequel inspirait des inquiétudes. Frédéric se soulageait en déblatérant contre le Pouvoir ; car il souhaitait, comme Deslauriers, un bouleversement universel, tant il était maintenant aigri. Mme Arnoux, de son côté, devenait sombre.

Son mari, prodiguant les extravagances, entretenait une ouvrière de la manufacture, celle qu'on appelait la Bordelaise. Mme Arnoux l'apprit elle-même à Frédéric. Il voulait tirer de là un argument « puisqu'on la trahissait. »

– « Oh ! je ne m'en trouble guère ! » dit-elle.

Cette déclaration lui parut affirmer complètement leur intimité. Arnoux s'en méfiait-il ?

– « Non ! pas maintenant ! »

Elle lui conta qu'un soir, il les avait laissés en tête à tête, puis était revenu, avait écouté derrière la porte, et, comme tous deux parlaient de choses indifférentes, il vivait, depuis ce temps-là, dans une entière sécurité :

– « Avec raison, n'est-ce pas ? » dit amèrement Frédéric.

– « Oui, sans doute ! »

Elle aurait fait mieux de ne pas risquer un pareil mot.

Un jour, elle ne se trouva point chez elle, à l'heure où il avait coutume d'y venir. Ce fut, pour lui, comme une trahison.

Il se fâcha ensuite de voir les fleurs qu'il apportait toujours plantées dans un verre d'eau.

– « Où voulez-vous donc qu'elles soient ? »

– « Oh ! pas là ! Du reste, elles y sont moins froidement que sur votre cœur. »

---

1. En 1847, le frère Léotade fut accusé d'avoir tué une jeune pensionnaire de l'école toulousaine où il était économe. Bien qu'il n'eût jamais avoué, il fut condamné aux travaux forcés à perpétuité.

2. Voir la note 5, p. 54.

3. Voir la note 1, p. 360.

4. En janvier 1848, dans la capitale sicilienne, un soulèvement populaire réclama l'autonomie et la réforme de la Constitution.

5. Le gouvernement refusa son autorisation au banquet réformiste du XIIᵉ arrondissement (actuel Vᵉ), prévu pour le 13 janvier 1848.

Quelque temps après, il lui reprocha d'avoir été la veille aux Italiens, sans le prévenir. D'autres l'avaient vue, admirée, aimée peut-être ; Frédéric s'attachait à ses soupçons uniquement pour la quereller, la tourmenter ; car il commençait à la haïr, et c'était bien le moins qu'elle eût une part de ses souffrances !

Une après-midi (vers le milieu de février), il la surprit fort émue. Eugène se plaignait de mal à la gorge. Le docteur avait dit pourtant que ce n'était rien, un gros rhume, la grippe. Frédéric fut étonné par l'air ivre de l'enfant. Il rassura sa mère néanmoins, cita en exemple plusieurs bambins de son âge qui venaient d'avoir des affections semblables et s'étaient vite guéris.

– « Vraiment ? »

– « Mais oui, bien sûr ! »

– « Oh ! comme vous êtes bon ! »

Et elle lui prit la main. Il l'étreignit dans la sienne.

– « Oh ! laissez-la. »

– « Qu'est-ce que cela fait, puisque c'est au consolateur que vous l'offrez !… Vous me croyez bien pour ces choses, et vous doutez de moi… quand je vous parle de mon amour ! »

– « Je n'en doute pas, mon pauvre ami ! »

– « Pourquoi cette défiance, comme si j'étais un misérable capable d'abuser !… »

– « Oh ! non !… »

– « Si j'avais seulement une preuve !… »

– « Quelle preuve ? »

– « Celle qu'on donnerait au premier venu, celle que vous m'avez accordée à moi-même. »

Et il lui rappela qu'une fois ils étaient sortis ensemble, par un crépuscule d'hiver, un temps de brouillard. Tout cela était bien loin, maintenant ! Qui donc l'empêchait de se montrer à son bras, devant tout le monde, sans crainte de sa part, sans arrière-pensée de la sienne, n'ayant personne autour d'eux pour les importuner ?

– « Soit ! » dit-elle, avec une bravoure de décision qui stupéfia d'abord Frédéric.

Mais il reprit vivement :

– « Voulez-vous que je vous attende au coin de la rue Tronchet et de la rue de la Ferme [1] ? »

– « Mon Dieu ! mon ami… », balbutiait Mme Arnoux.

Sans lui donner le temps de réfléchir, il ajouta :

– « Mardi prochain, je suppose ? »

– « Mardi ? »

– « Oui, entre deux et trois heures. »

– « J'y serai ! »

Et elle détourna son visage, par un mouvement de honte. Frédéric lui posa ses lèvres sur la nuque.

– « Oh ! ce n'est pas bien », dit-elle. « Vous me feriez repentir. »

Il s'écarta, redoutant la mobilité ordinaire des femmes. Puis, sur le seuil, murmura, doucement, comme une chose bien convenue :

– « À mardi ! »

Elle baissa ses beaux yeux d'une façon discrète et résignée.

Frédéric avait un plan.

Il espérait que, grâce à la pluie ou au soleil, il pourrait la faire s'arrêter sous une porte, et qu'une fois sous la porte, elle entrerait dans la maison. Le difficile était d'en découvrir une convenable.

Il se mit donc en recherche, et, vers le milieu de la rue Tronchet, il lut de loin, sur une enseigne : *Appartements meublés*.

Le garçon, comprenant son intention, lui montra tout de suite, à l'entresol, une chambre et un cabinet avec deux sorties. Frédéric la retint pour un mois et paya d'avance.

Puis il alla dans trois magasins acheter la parfumerie la plus rare ; il se procura un morceau de fausse guipure [2] pour remplacer l'affreux couvre-pieds de coton rouge, il choisit une paire de pantoufles en satin bleu ; la crainte seule de paraître grossier le modéra dans ses emplettes ; il revint avec elles ; – et plus dévotement que ceux qui font des reposoirs, il changea

---

1. La rue de la Ferme est l'actuelle rue Vignon qui fait la limite entre le VIIIe et le IXe arrondissement, à proximité de la place de la Madeleine (voir le dossier, p. 583).

2. Voir la note 1, p. 203.

les meubles de place, drapa lui-même les rideaux, mit des bruyères sur la cheminée, des violettes sur la commode ; il aurait voulu paver la chambre tout en or. « C'est demain », se disait-il, « oui, demain ! je ne rêve pas. » Et il sentait battre son cœur à grands coups sous le délire de son espérance ; puis, quand tout fut prêt, il emporta la clef dans sa poche, comme si le bonheur, qui dormait là, avait pu s'en envoler.

Une lettre de sa mère l'attendait chez lui.

« Pourquoi une si longue absence ? Ta conduite commence à paraître ridicule. Je comprends que, dans une certaine mesure, tu aies d'abord hésité devant cette union ; cependant, réfléchis ! »

Et elle précisait les choses : quarante-cinq mille livres de rente. Du reste, « on en causait » ; et M. Roque attendait une réponse définitive. Quant à la jeune personne, sa position véritablement était embarrassante. « Elle t'aime beaucoup. »

Frédéric rejeta la lettre sans la finir, et en ouvrit une autre, un billet de Deslauriers.

« Mon vieux,

La *poire* est mûre [1]. Selon ta promesse, nous comptons sur toi. On se réunit demain au petit jour, place du Panthéon. Entre au café Soufflot. Il faut que je te parle avant la manifestation. »

– « Oh ! je les connais, leurs manifestations. Mille grâces ! j'ai un rendez-vous plus agréable. »

Et, le lendemain, dès onze heures, Frédéric était sorti. Il voulait donner un dernier coup d'œil aux préparatifs ; puis, qui sait, elle pouvait, par un hasard quelconque, être en avance ? En débouchant de la rue Tronchet, il entendit derrière la Madeleine une grande clameur ; il s'avança ; et il aperçut au fond de la place, à gauche, des gens en blouse et des bourgeois.

En effet, un manifeste publié dans les journaux avait convoqué à cet endroit tous les souscripteurs du banquet réformiste. Le ministère, presque immédiatement, avait

---

1. De nombreuses caricatures représentaient la tête de Louis-Philippe sous la forme d'une poire. L'expression évoque donc l'imminence de la chute du régime qu'incarne le roi.

affiché une proclamation l'interdisant. La veille au soir, l'opposition parlementaire y avait renoncé ; mais les patriotes, qui ignoraient cette résolution des chefs, étaient venus au rendez-vous, suivis par un grand nombre de curieux. Une députation des écoles s'était portée tout à l'heure chez Odilon Barrot[1]. Elle était maintenant aux Affaires étrangères ; et on ne savait pas si le banquet aurait lieu, si le Gouvernement exécuterait sa menace, si les gardes nationaux se présenteraient. On en voulait aux députés comme au Pouvoir. La foule augmentait de plus en plus, quand tout à coup vibra dans les airs le refrain de *La Marseillaise*[2].

C'était la colonne des étudiants qui arrivait. Ils marchaient au pas, sur deux files, en bon ordre, l'aspect irrité, les mains nues, et tous criant par intervalles :

– « Vive la réforme[3] ! à bas Guizot[4] ! »

Les amis de Frédéric étaient là, bien sûr. Ils allaient l'apercevoir et l'entraîner. Il se réfugia vivement dans la rue de l'Arcade.

Quand les étudiants eurent fait deux fois le tour de la Madeleine, ils descendirent vers la place de la Concorde. Elle était remplie de monde ; et la foule tassée semblait, de loin, un champ d'épis noirs qui oscillaient.

Au même moment, des soldats de la ligne se rangèrent en bataille, à gauche de l'église.

Les groupes stationnaient, cependant. Pour en finir, des agents de police en bourgeois saisissaient les plus mutins et les emmenaient au poste, brutalement. Frédéric, malgré son indignation, resta muet ; on aurait pu le prendre avec les autres, et il aurait manqué Mme Arnoux.

Peu de temps après, parurent les casques des municipaux. Ils frappaient autour d'eux, à coups de plat de sabre. Un cheval s'abattit ; on courut lui porter secours ; et, dès que le cavalier fut en selle, tous s'enfuirent.

---

1. Avocat et adversaire monarchiste de Louis-Philippe, Odilon Barrot (1791-1873) fut l'un des organisateurs de la campagne des banquets réformistes, et en particulier de celui du XIIᵉ arrondissement (voir la note 5, p. 370). En février 1848, il fut dépassé par les forces démocratiques et fut, malgré lui, l'un des artisans de la chute de la royauté.
2. Voir la note 4, p. 78.
3. Voir la note 1, p. 76.
4. Voir la note 5, p. 54.

Alors, il y eut un grand silence. La pluie fine, qui avait mouillé l'asphalte, ne tombait plus. Des nuages s'en allaient, balayés mollement par le vent d'ouest.

Frédéric se mit à parcourir la rue Tronchet, en regardant devant lui et derrière lui.

Deux heures enfin sonnèrent.

« Ah ! c'est maintenant ! » se dit-il, « elle sort de sa maison, elle approche » ; et, une minute après : « Elle aurait eu le temps de venir. » Jusqu'à trois heures, il tâcha de se calmer. « Non, elle n'est pas en retard ; un peu de patience ! »

Et, par désœuvrement, il examinait les rares boutiques : un libraire, un sellier, un magasin de deuil. Bientôt il connut tous les noms des ouvrages, tous les harnais, toutes les étoffes. Les marchands, à force de le voir passer et repasser continuellement, furent étonnés d'abord, puis effrayés, et ils fermèrent leur devanture.

Sans doute, elle avait un empêchement, et elle en souffrait aussi. Mais quelle joie tout à l'heure ! – Car elle allait venir, cela était certain ! « Elle me l'a bien promis ! » Cependant, une angoisse intolérable le gagnait.

Par un mouvement absurde, il rentra dans l'hôtel, comme si elle avait pu s'y trouver. À l'instant même, elle arrivait peut-être dans la rue. Il s'y jeta. Personne ! Et il se remit à battre le trottoir.

Il considérait les fentes des pavés, la gueule des gouttières, les candélabres, les numéros au-dessus des portes. Les objets les plus minimes devenaient pour lui des compagnons, ou plutôt des spectateurs ironiques ; et les façades régulières des maisons lui semblaient impitoyables. Il souffrait du froid aux pieds. Il se sentait dissoudre d'accablement. La répercussion de ses pas lui secouait la cervelle.

Quand il vit quatre heures à sa montre, il éprouva comme un vertige, une épouvante. Il tâcha de se répéter des vers, de calculer n'importe quoi, d'inventer une histoire. Impossible ! l'image de Mme Arnoux l'obsédait. Il avait envie de courir à sa rencontre. Mais quelle route prendre pour ne pas se croiser ?

Il aborda un commissionnaire, lui mit dans la main cinq francs, et le chargea d'aller rue Paradis, chez Jacques

Arnoux, pour s'enquérir près du portier « si madame était chez elle ». Puis il se planta au coin de la rue de la Ferme et de la rue Tronchet, de manière à voir simultanément dans toutes les deux. Au fond de la perspective, sur le boulevard, des masses confuses glissaient. Il distinguait parfois l'aigrette d'un dragon, un chapeau de femme ; et il tendait ses prunelles pour la reconnaître. Un enfant déguenillé qui montrait une marmotte, dans une boîte, lui demanda l'aumône, en souriant.

L'homme à la veste de velours reparut. « Le portier ne l'avait pas vue sortir. » Qui la retenait ? Si elle était malade, on l'aurait dit ! Était-ce une visite ? Rien de plus facile que de ne pas recevoir. Il se frappa le front.

« Ah ! je suis bête ! C'est l'émeute ! » Cette explication naturelle le soulagea. Puis, tout à coup : « Mais son quartier est tranquille. » Et un doute abominable l'assaillit. « Si elle allait ne pas venir ? si sa promesse n'était qu'une parole pour m'évincer ? Non ! non ! » Ce qui l'empêchait sans doute, c'était un hasard extraordinaire, un de ces événements qui déjouent toute prévoyance. Dans ce cas-là, elle aurait écrit. Et il envoya le garçon d'hôtel à son domicile, rue Rumford [1], pour savoir s'il n'y avait point de lettre ?

On n'avait apporté aucune lettre. Cette absence de nouvelles le rassura.

Du nombre des pièces de monnaie prises au hasard dans sa main, de la physionomie des passants, de la couleur des chevaux, il tirait des présages ; et, quand l'augure était contraire, il s'efforçait de ne pas y croire. Dans ses accès de fureur contre Mme Arnoux, il l'injuriait à demi-voix. Puis c'étaient des faiblesses à s'évanouir, et tout à coup des rebondissements d'espérance. Elle allait paraître. Elle était là, derrière son dos. Il se retournait : rien ! Une fois, il aperçut, à trente pas environ, une femme de même taille, avec la même robe. Il la rejoignit ; ce n'était pas elle ! Cinq heures arrivèrent ! cinq heures et demie ! six heures ! Le gaz s'allumait. Mme Arnoux n'était pas venue.

Elle avait rêvé, la nuit précédente, qu'elle était sur le trottoir de la rue Tronchet depuis longtemps. Elle y attendait

---

1. Voir la note 1, p. 198.

quelque chose d'indéterminé, de considérable néanmoins, et, sans savoir pourquoi, elle avait peur d'être aperçue. Mais un maudit petit chien, acharné contre elle, mordillait le bas de sa robe. Il revenait obstinément et aboyait toujours plus fort. Mme Arnoux se réveilla. L'aboiement du chien continuait. Elle tendit l'oreille. Cela partait de la chambre de son fils. Elle s'y précipita pieds nus. C'était l'enfant lui-même qui toussait. Il avait les mains brûlantes, la face rouge et la voix singulièrement rauque. L'embarras de sa respiration augmentait de minute en minute. Elle resta jusqu'au jour, penchée sur sa couverture, à l'observer [1].

À huit heures, le tambour de la garde nationale vint prévenir M. Arnoux que ses camarades l'attendaient. Il s'habilla vivement et s'en alla, en promettant de passer tout de suite chez leur médecin, M. Colot. À dix heures, M. Colot n'étant pas venu, Mme Arnoux expédia sa femme de chambre. Le docteur était en voyage, à la campagne, et le jeune homme qui le remplaçait faisait des courses.

Eugène tenait sa tête de côté, sur le traversin, en fronçant toujours ses sourcils, en dilatant ses narines ; sa pauvre petite figure devenait plus blême que ses draps ; et il s'échappait de son larynx un sifflement produit par chaque inspiration, de plus en plus courte, sèche, et comme métallique. Sa toux ressemblait au bruit de ces mécaniques barbares qui font japper les chiens de carton.

Mme Arnoux fut saisie d'épouvante. Elle se jeta sur les sonnettes, en appelant au secours, en criant :

– « Un médecin ! un médecin ! »

Dix minutes après, arriva un vieux monsieur en cravate blanche et à favoris gris, bien taillés. Il fit beaucoup de questions sur les habitudes, l'âge et le tempérament du jeune malade, puis examina sa gorge, s'appliqua la tête dans son dos et écrivit une ordonnance. L'air tranquille de ce bonhomme était odieux. Il sentait l'embaumement. Elle aurait voulu le battre. Il dit qu'il reviendrait dans la soirée.

---

1. La maladie dont souffre le petit Eugène est le croup, forme d'angine diphtérique qui voit se former des pseudo-membranes sur les muqueuses du larynx.

Bientôt les horribles quintes recommencèrent. Quelquefois, l'enfant se dressait tout à coup. Des mouvements convulsifs lui secouaient les muscles de la poitrine, et, dans ses aspirations, son ventre se creusait comme s'il eût suffoqué d'avoir couru. Puis il retombait la tête en arrière et la bouche grande ouverte. Avec des précautions infinies, Mme Arnoux tâchait de lui faire avaler le contenu des fioles, du sirop d'ipécacuana [1], une potion kermétisée [2]. Mais il repoussait la cuiller, en gémissant d'une voix faible. On aurait dit qu'il soufflait ses paroles.

De temps à autre, elle relisait l'ordonnance. Les observations du formulaire l'effrayaient ; peut-être que le pharmacien s'était trompé ! Son impuissance la désespérait. L'élève de M. Colot arriva.

C'était un jeune homme d'allures modestes, neuf dans le métier, et qui ne cacha point son impression. Il resta d'abord indécis, par peur de se compromettre, et enfin prescrivit l'application de morceaux de glace. On fut longtemps à trouver de la glace. La vessie qui contenait les morceaux creva. Il fallut changer la chemise. Tout ce dérangement provoqua un nouvel accès plus terrible.

L'enfant se mit à arracher les linges de son cou, comme s'il avait voulu retirer l'obstacle qui l'étouffait, et il égratignait le mur, saisissait les rideaux de sa couchette, cherchant un point d'appui pour respirer. Son visage était bleuâtre maintenant, et tout son corps, trempé d'une sueur froide, paraissait maigrir. Ses yeux hagards s'attachaient sur sa mère avec terreur. Il lui jetait les bras autour du cou, s'y suspendait d'une façon désespérée ; et, en repoussant ses sanglots, elle balbutiait des paroles tendres.

– « Oui, mon amour, mon ange, mon trésor ! »

Puis, des moments de calme survenaient.

Elle alla chercher des joujoux, un polichinelle, une collection d'images, et les étala sur son lit, pour le distraire. Elle essaya même de chanter.

---

1. L'ipécacuana (ou ipéca) est utilisé en pharmacie pour ses vertus vomitives.
2. Les potions kermétisées ont des propriétés expectorantes.

Elle commença une chanson qu'elle lui disait autrefois, quand elle le berçait en l'emmaillotant sur cette même petite chaise de tapisserie. Mais il frissonna dans la longueur entière de son corps, comme une onde sous un coup de vent ; les globes de ses yeux saillissaient : elle crut qu'il allait mourir, et se détourna pour ne pas le voir.

Un instant après, elle eut la force de le regarder. Il vivait encore. Les heures se succédèrent, lourdes, mornes, interminables, désespérantes ; et elle n'en comptait plus les minutes qu'à la progression de cette agonie. Les secousses de sa poitrine le jetaient en avant comme pour le briser ; à la fin, il vomit quelque chose d'étrange, qui ressemblait à un tube de parchemin. Qu'était-ce ? Elle s'imagina qu'il avait rendu un bout de ses entrailles. Mais il respirait largement, régulièrement. Cette apparence de bien-être l'effraya plus que tout le reste ; elle se tenait comme pétrifiée, les bras pendants, les yeux fixes, quand M. Colot survint. L'enfant, selon lui, était sauvé.

Elle ne comprit pas d'abord, et se fit répéter la phrase. N'était-ce pas une de ces consolations propres aux médecins ? Le docteur s'en alla d'un air tranquille. Alors, ce fut pour elle comme si les cordes qui serraient son cœur se fussent dénouées.

– « Sauvé ! Est-ce possible ! »

Tout à coup l'idée de Frédéric lui apparut d'une façon nette et inexorable. C'était un avertissement de la Providence. Mais le Seigneur, dans sa miséricorde, n'avait pas voulu la punir tout à fait ! Quelle expiation, plus tard, si elle persévérait dans cet amour ! Sans doute, on insulterait son fils à cause d'elle ; et Mme Arnoux l'aperçut jeune homme, blessé dans une rencontre, rapporté sur un brancard, mourant. D'un bond, elle se précipita sur la petite chaise ; et de toutes ses forces, lançant son âme dans les hauteurs, elle offrit à Dieu, comme un holocauste [1], le sacrifice de sa première passion, de sa seule faiblesse.

Frédéric était revenu chez lui. Il restait dans son fauteuil, sans même avoir la force de la maudire. Une espèce de som-

---

1. Dans la Bible, un holocauste est un sacrifice religieux où la victime est entièrement consumée par le feu. C'est donc un sacrifice complet.

meil le gagna ; et, à travers son cauchemar, il entendait la pluie tomber, en croyant toujours qu'il était là-bas, sur le trottoir.

Le lendemain, par une dernière lâcheté, il envoya encore un commissionnaire chez Mme Arnoux.

Soit que le Savoyard ne fît pas la commission, ou qu'elle eût trop de choses à dire pour s'expliquer d'un mot, la même réponse fut rapportée. L'insolence était trop forte ! Une colère d'orgueil le saisit. Il se jura de n'avoir plus même un désir ; et, comme un feuillage emporté par un ouragan, son amour disparut. Il en ressentit un soulagement, une joie stoïque, puis un besoin d'actions violentes ; et il s'en alla au hasard, par les rues.

Des hommes des faubourgs passaient, armés de fusils, de vieux sabres, quelques-uns portant des bonnets rouges, et tous chantant *La Marseillaise*[1] ou *Les Girondins*[2]. Çà et là, un garde national se hâtait pour rejoindre sa mairie. Des tambours, au loin, résonnaient. On se battait à la porte Saint-Martin. Il y avait dans l'air quelque chose de gaillard et de belliqueux. Frédéric marchait toujours. L'agitation de la grande ville le rendait gai.

À la hauteur de Frascati[3], il aperçut les fenêtres de la Maréchale ; une idée folle lui vint, une réaction de jeunesse. Il traversa le boulevard.

On fermait la porte cochère ; et Delphine, la femme de chambre, en train d'écrire dessus avec un charbon : « Armes données », lui dit vivement :

– « Ah ! Madame est dans un bel état ! Elle a renvoyé ce matin son groom qui l'insultait. Elle croit qu'on va piller partout ! Elle crève de peur ! d'autant plus que Monsieur est parti ! »

---

1. Voir la note 4, p. 78.
2. Le chant des *Girondins* est un hymne patriotique composé en 1847 par Varney pour *Le Chevalier de Maison-Rouge* de Dumas (voir la note 1, p. 359). Deux vers du refrain (« Mourir pour la Patrie/ C'est le sort le plus beau, le plus digne d'envie ») sont empruntés à un chant de Rouget de Lisle, datant de 1792. Il fut souvent chanté pendant la révolution de 1848.
3. Frascati était le nom d'une maison de jeu sise à l'angle du boulevard des Italiens et de la rue de Richelieu (voir le dossier, p. 583). Elle fut démolie en 1837, mais l'immeuble qui la remplaça continua d'être appelé ainsi.

– « Quel monsieur ? »

– « Le prince ! »

Frédéric entra dans le boudoir. La Maréchale parut, en jupon, les cheveux sur le dos, bouleversée.

– « Ah ! merci ! tu viens me sauver ! C'est la seconde fois ! Tu n'en demandes jamais le prix, toi ! »

– « Mille pardons ! » dit Frédéric, en lui saisissant la taille dans les deux mains.

– « Comment ? que fais-tu ? » balbutia la Maréchale, à la fois surprise et égayée par ces manières.

Il répondit :

– « Je suis la mode, je me réforme. »

Elle se laissa renverser sur le divan, et continuait à rire sous ses baisers.

Ils passèrent l'après-midi à regarder, de leur fenêtre, le peuple dans la rue. Puis il l'emmena dîner aux Trois-Frères-Provençaux [1]. Le repas fut long, délicat. Ils s'en revinrent à pied, faute de voiture.

À la nouvelle d'un changement de ministère [2], Paris avait changé. Tout le monde était en joie ; des promeneurs circulaient, et des lampions [3] à chaque étage faisaient une clarté comme en plein jour. Les soldats regagnaient lentement leurs casernes, harassés, l'air triste. On les saluait, en criant : « Vive la ligne ! » Ils continuaient sans répondre. Dans la garde nationale, au contraire, les officiers, rouges d'enthousiasme, brandissaient leur sabre en vociférant : « Vive la réforme [4] ! » et ce mot-là, chaque fois, faisait rire les deux amants. Frédéric blaguait, était très gai.

Par la rue Duphot, ils atteignirent les boulevards. Des lanternes vénitiennes, suspendues aux maisons, formaient des guirlandes de feux. Un fourmillement confus s'agitait en dessous ; au milieu de cette ombre, par endroits, brillaient des blancheurs de baïonnettes. Un grand brouhaha s'élevait. La foule était trop compacte, le retour direct

---

1. Voir la note 1, p. 123.
2. Le 23 février 1848, Louis-Philippe demanda sa démission à Guizot et nomma Molé à sa place. Cette nouvelle apaisa les esprits quelques heures.
3. Lors des manifestations parisiennes, la foule exigeait qu'on illuminât, en signe de solidarité, les fenêtres sous lesquelles elle passait.
4. Voir la note 1, p. 76.

impossible ; et ils entraient dans la rue Caumartin, quand, tout à coup, éclata derrière eux un bruit, pareil au craquement d'une immense pièce de soie que l'on déchire. C'était la fusillade du boulevard des Capucines [1].

– « Ah ! on casse quelques bourgeois », dit Frédéric tranquillement, car il y a des situations où l'homme le moins cruel est si détaché des autres, qu'il verrait périr le genre humain sans un battement de cœur.

La Maréchale, cramponnée à son bras, claquait des dents. Elle se déclara incapable de faire vingt pas de plus. Alors, par un raffinement de haine, pour mieux outrager en son âme Mme Arnoux, il l'emmena jusqu'à l'hôtel de la rue Tronchet, dans le logement préparé pour l'autre.

Les fleurs n'étaient pas flétries. La guipure [2] s'étalait sur le lit. Il tira de l'armoire les petites pantoufles. Rosanette trouva ces prévenances fort délicates.

Vers une heure, elle fut réveillée par des roulements lointains ; et elle le vit qui sanglotait, la tête enfoncée dans l'oreiller.

– « Qu'as-tu donc, cher amour ? »

– « C'est excès de bonheur », dit Frédéric. « Il y avait trop longtemps que je te désirais ! »

---

1. Le 23 février 1848, vers neuf heures et demie du soir, un détachement de soldats ouvrit le feu sur la foule, boulevard des Capucines, faisant plus de cent victimes. C'est l'événement qui transforma l'émeute en révolution.
2. Voir la note 1, p. 203.

Troisième partie

I

Le bruit d'une fusillade le tira brusquement de son sommeil ; et, malgré les instances de Rosanette, Frédéric, à toute force, voulut aller voir ce qui se passait. Il descendait vers les Champs-Élysées, d'où les coups de feu étaient partis. À l'angle de la rue Saint-Honoré, des hommes en blouse le croisèrent en criant :

– « Non ! pas par là ! au Palais-Royal ! »

Frédéric les suivit. On avait arraché les grilles de l'Assomption [1]. Plus loin, il remarqua trois pavés au milieu de la voie, le commencement d'une barricade, sans doute, puis des tessons de bouteilles, et des paquets de fil de fer pour embarrasser la cavalerie ; quand tout à coup s'élança d'une ruelle un grand jeune homme pâle, dont les cheveux noirs flottaient sur les épaules, prises dans une espèce de maillot à pois de couleur. Il tenait un long fusil de soldat, et courait sur la pointe de ses pantoufles, avec l'air d'un somnambule et leste comme un tigre. On entendait, par intervalles, une détonation.

La veille au soir, le spectacle du chariot contenant cinq cadavres recueillis parmi ceux du boulevard des Capucines [2] avait changé les dispositions du peuple ; et, pendant qu'aux Tuileries les aides de camp se succédaient, et que M. Molé [3], en train de faire un cabinet nouveau, ne revenait pas, et

---

1. La chapelle de l'ancien couvent des Dames de l'Assomption se trouve au croisement de la rue Saint-Honoré et de la rue de Cambon (à peu près à mi-chemin entre la place de la Madeleine et la place de la Concorde ; voir le dossier, p. 583).

2. Voir la note 1, p. 382. Après la fusillade, la foule, à la lumière de torches, promena toute la nuit des cadavres dans Paris.

3. Le 23 février 1848, Molé nomma le général Bugeaud commandant en chef de l'armée et de la garde nationale, puis démissionna. Le roi appela Thiers pour lui succéder, mais il était trop tard pour contenir l'insurrection.

que M. Thiers tâchait d'en composer un autre, et que le roi chicanait, hésitait, puis donnait à Bugeaud le commandement général pour l'empêcher de s'en servir, l'insurrection, comme dirigée par un seul bras, s'organisait formidablement. Des hommes d'une éloquence frénétique haranguaient la foule au coin des rues ; d'autres dans les églises sonnaient le tocsin à pleine volée ; on coulait du plomb, on roulait des cartouches ; les arbres des boulevards, les vespasiennes [1], les bancs, les grilles, les becs de gaz, tout fut arraché, renversé ; Paris, le matin, était couvert de barricades. La résistance ne dura pas ; partout la garde nationale s'interposait ; – si bien qu'à huit heures, le peuple, de bon gré ou de force, possédait cinq casernes, presque toutes les mairies, les points stratégiques les plus sûrs. D'elle-même, sans secousses, la monarchie se fondait dans une dissolution rapide ; et on attaquait maintenant le poste du Château-d'Eau [2], pour délivrer cinquante prisonniers, qui n'y étaient pas.

Frédéric s'arrêta forcément à l'entrée de la place. Des groupes en armes l'emplissaient. Des compagnies de la ligne occupaient les rues Saint-Thomas et Fromanteau [3]. Une barricade énorme bouchait la rue de Valois. La fumée qui se balançait à sa crête s'entrouvrit, des hommes couraient dessus en faisant de grands gestes, ils disparurent ; puis la fusillade recommença. Le poste y répondit, sans qu'on vît personne à l'intérieur ; ses fenêtres, défendues par des volets de chêne, étaient percées de meurtrières ; et le monument avec ses deux étages, ses deux ailes, sa fontaine au premier et sa petite porte au milieu, commençait à se moucheter de taches blanches sous le heurt des balles. Son perron de trois marches restait vide.

---

1. Une vespasienne est un urinoir public pour hommes (du nom de l'empereur Vespasien à qui l'on attribue la création de telles commodités à Rome).

2. Le poste du Château-d'Eau se trouvait place du Palais-Royal (voir le dossier, p. 583).

3. Ces deux rues, perpendiculaires à la rue Saint-Honoré, faisaient partie d'un enchevêtrement de rues qui ont disparu, entre l'actuelle place du Carrousel et la Cour carrée du Louvre, lors de la construction du nouveau Louvre sous Napoléon III.

À côté de Frédéric, un homme en bonnet grec et portant une giberne [1] par-dessus sa veste de tricot se disputait avec une femme coiffée d'un madras [2]. Elle lui disait :

– « Mais reviens donc ! reviens donc ! »

– « Laisse-moi tranquille ! » répondait le mari. « Tu peux bien surveiller la loge toute seule. Citoyen, je vous le demande, est-ce juste ? J'ai fait mon devoir partout, en 1830, en 32, en 34, en 39 [3] ! Aujourd'hui, on se bat ! Il faut que je me batte ! – Va-t'en ! »

Et la portière finit par céder à ses remontrances et à celles d'un garde national près d'eux, quadragénaire dont la figure bonasse [4] était ornée d'un collier de barbe blonde. Il chargeait son arme et tirait, tout en conversant avec Frédéric, aussi tranquille au milieu de l'émeute qu'un horticulteur dans son jardin. Un jeune garçon en serpillière [5] le cajolait pour obtenir des capsules, afin d'utiliser son fusil, une belle carabine de chasse que lui avait donnée « un monsieur ».

– « Empoigne dans mon dos », dit le bourgeois, « et efface-toi ! Tu vas te faire tuer ! »

Les tambours battaient la charge. Des cris aigus, des hourras de triomphe s'élevaient. Un remous continuel faisait osciller la multitude. Frédéric, pris entre deux masses profondes, ne bougeait pas, fasciné d'ailleurs et s'amusant extrêmement. Les blessés qui tombaient, les morts étendus n'avaient pas l'air de vrais blessés, de vrais morts. Il lui semblait assister à un spectacle.

Au milieu de la houle, par-dessus des têtes, on aperçut un vieillard en habit noir sur un cheval blanc, à selle de velours. D'une main, il tenait un rameau vert, de l'autre un papier, et

---

1. Une giberne est une boîte recouverte de cuir, portée à la ceinture ou en bandoulière, où les soldats mettaient leurs cartouches.

2. Voir la note 1, p. 280.

3. 1830 renvoie aux Trois Glorieuses, les journées révolutionnaires de Juillet qui ont renversé les Bourbons ; 1832 à l'insurrection qui suivit les funérailles du général Lamarque, écrasée au cloître Saint-Merry ; 1834 aux troubles qui aboutirent au massacre de la rue Transnonain (voir la note 3, p. 322) ; et 1839 à l'émeute du 12 mai (voir la note 7, p. 321).

4. Est bonasse ce qui montre une bonté excessive.

5. Une serpillière est un morceau de grosse toile qu'on met devant soi en guise de tablier.

les secouait avec obstination. Enfin, désespérant de se faire entendre, il se retira [1].

La troupe de ligne avait disparu et les municipaux restaient seuls à défendre le poste. Un flot d'intrépides se rua sur le perron ; ils s'abattirent, d'autres survinrent ; et la porte, ébranlée sous des coups de barre de fer, retentissait ; les municipaux ne cédaient pas. Mais une calèche bourrée de foin, et qui brûlait comme une torche géante, fut traînée contre les murs. On apporta vite des fagots, de la paille, un baril d'esprit-de-vin. Le feu monta le long des pierres ; l'édifice se mit à fumer partout comme un solfatare [2] ; et de larges flammes, au sommet, entre les balustres [3] de la terrasse, s'échappaient avec un bruit strident. Le premier étage du Palais-Royal s'était peuplé de gardes nationaux. De toutes les fenêtres de la place, on tirait ; les balles sifflaient ; l'eau de la fontaine crevée se mêlait avec le sang, faisait des flaques par terre ; on glissait dans la boue sur des vêtements, des shakos [4], des armes ; Frédéric sentit sous son pied quelque chose de mou ; c'était la main d'un sergent en capote grise, couché la face dans le ruisseau. Des bandes nouvelles de peuple arrivaient toujours, poussant les combattants sur le poste. La fusillade devenait plus pressée. Les marchands de vin étaient ouverts ; on allait de temps à autre y fumer une pipe, boire une chope, puis on retournait se battre. Un chien perdu hurlait. Cela faisait rire.

Frédéric fut ébranlé par le choc d'un homme qui, une balle dans les reins, tomba sur son épaule, en râlant. À ce coup, dirigé peut-être contre lui, il se sentit furieux ; et il se jetait en avant quand un garde national l'arrêta.

– « C'est inutile ! le roi vient de partir. Ah ! si vous ne me croyez pas, allez-y voir ! »

Une pareille assertion calma Frédéric. La place du Carrousel avait un aspect tranquille. L'hôtel de Nantes s'y dressait toujours solitairement ; et les maisons par-derrière, le

---

1. Il s'agit du maréchal Gérard, chargé de parlementer avec les insurgés.
2. Un solfatare est un terrain volcanique qui dégage des émanations de vapeur saturée d'hydrogène sulfuré qui, au contact de l'air, constitue des dépôts de soufre.
3. Voir la note 2, p. 225.
4. Un shako est une coiffure militaire rigide, à visière.

dôme du Louvre en face, la longue galerie de bois à droite et le vague terrain qui ondulait jusqu'aux baraques des étalagistes, étaient comme noyés dans la couleur grise de l'air, où de lointains murmures semblaient se confondre avec la brume, – tandis qu'à l'autre bout de la place, un jour cru, tombant par un écartement des nuages sur la façade des Tuileries, découpait en blancheur toutes ses fenêtres. Il y avait près de l'Arc de triomphe un cheval mort, étendu. Derrière les grilles, des groupes de cinq à six personnes causaient. Les portes du château étaient ouvertes ; les domestiques sur le seuil laissaient entrer.

En bas, dans une petite salle, des bols de café au lait étaient servis. Quelques-uns des curieux s'attablèrent en plaisantant ; les autres restaient debout, et, parmi ceux-là, un cocher de fiacre. Il saisit à deux mains un bocal plein de sucre en poudre, jeta un regard inquiet de droite et de gauche, puis se mit à manger voracement, son nez plongeant dans le goulot. Au bas du grand escalier, un homme écrivait son nom sur un registre. Frédéric le reconnut par-derrière.

– « Tiens, Hussonnet ! »

– « Mais oui », répondit le bohème [1]. « Je m'introduis à la cour. Voilà une bonne farce, hein ? »

– « Si nous montions ? »

Et ils arrivèrent dans la salle des Maréchaux. Les portraits de ces illustres, sauf celui de Bugeaud [2] percé au ventre, étaient tous intacts. Ils se trouvaient appuyés sur leur sabre, un affût de canon derrière eux, et dans des attitudes formidables jurant avec la circonstance. Une grosse pendule marquait une heure vingt minutes.

Tout à coup *La Marseillaise* [3] retentit. Hussonnet et Frédéric se penchèrent sur la rampe. C'était le peuple. Il se précipita dans l'escalier, en secouant à flots vertigineux des têtes nues, des casques, des bonnets rouges, des baïonnettes et des épaules, si impétueusement, que des gens disparaissaient dans

---

1. Voir la note 2, p. 82.
2. Le maréchal Bugeaud (1784-1849) s'était illustré dans la conquête et l'administration de l'Algérie. Mais il avait aussi organisé la répression de l'insurrection d'avril 1834 (voir la note 3, p. 322), ce qui le rendit très impopulaire.
3. Voir la note 4, p. 78.

cette masse grouillante qui montait toujours, comme un fleuve refoulé par une marée d'équinoxe, avec un long mugissement, sous une impulsion irrésistible. En haut, elle se répandit, et le chant tomba.

On n'entendait plus que les piétinements de tous les souliers, avec le clapotement des voix. La foule inoffensive se contentait de regarder. Mais, de temps à autre, un coude trop à l'étroit enfonçait une vitre ; ou bien un vase, une statuette déroulait d'une console, par terre. Les boiseries pressées craquaient. Tous les visages étaient rouges, la sueur en coulait à larges gouttes ; Hussonnet fit cette remarque :

– « Les héros ne sentent pas bon ! »

– « Ah ! vous êtes agaçant », reprit Frédéric.

Et poussés malgré eux, ils entrèrent dans un appartement où s'étendait, au plafond, un dais [1] de velours rouge. Sur le trône, en dessous, était assis un prolétaire à barbe noire, la chemise entrouverte, l'air hilare et stupide comme un magot [2]. D'autres gravissaient l'estrade pour s'asseoir à sa place.

– « Quel mythe ! » dit Hussonnet. « Voilà le peuple souverain ! »

Le fauteuil fut enlevé à bout de bras, et traversa toute la salle en se balançant.

– « Saprelotte ! comme il chaloupe ! Le vaisseau de l'État est ballotté sur une mer orageuse ! Cancane [3]-t-il ! cancane-t-il ! »

On l'avait approché d'une fenêtre, et, au milieu des sifflets, on le lança.

– « Pauvre vieux ! » dit Hussonnet en le voyant tomber dans le jardin, où il fut repris vivement pour être promené ensuite jusqu'à la Bastille, et brûlé.

Alors, une joie frénétique éclata, comme si, à la place du trône, un avenir de bonheur illimité avait paru ; et le peuple, moins par vengeance que pour affirmer sa possession, brisa, lacéra les glaces et les rideaux, les lustres, les flambeaux, les

---

1. Voir la note 5, p. 52.
2. Voir la note 6, p. 350. « Magot » désigne aussi un homme très laid.
3. Ici, cancaner signifie danser le cancan, comme chalouper évoque une danse appelée « chaloupe orageuse ».

tables, les chaises, les tabourets, tous les meubles, jusqu'à des albums de dessins, jusqu'à des corbeilles de tapisserie. Puisqu'on était victorieux, ne fallait-il pas s'amuser ! La canaille s'affubla ironiquement de dentelles et de cachemires. Des crépines [1] d'or s'enroulèrent aux manches des blouses, des chapeaux à plumes d'autruche ornaient la tête des forgerons, des rubans de la Légion d'honneur firent des ceintures aux prostituées. Chacun satisfaisait son caprice ; les uns dansaient, d'autres buvaient. Dans la chambre de la reine, une femme lustrait ses bandeaux [2] avec de la pommade ; derrière un paravent, deux amateurs jouaient aux cartes ; Hussonnet montra à Frédéric un individu qui fumait son brûle-gueule accoudé sur un balcon ; et le délire redoublait au tintamarre continu des porcelaines brisées et des morceaux de cristal qui sonnaient, en rebondissant, comme des lames d'harmonica.

Puis la fureur s'assombrit. Une curiosité obscène fit fouiller tous les cabinets, tous les recoins, ouvrir tous les tiroirs. Des galériens enfoncèrent leurs bras dans la couche des princesses, et se roulaient dessus par consolation de ne pouvoir les violer. D'autres, à figures plus sinistres, erraient silencieusement, cherchant à voler quelque chose ; mais la multitude était trop nombreuse. Par les baies des portes, on n'apercevait dans l'enfilade des appartements que la sombre masse du peuple entre les dorures, sous un nuage de poussière. Toutes les poitrines haletaient ; la chaleur de plus en plus devenait suffocante ; les deux amis, craignant d'être étouffés, sortirent.

Dans l'antichambre, debout sur un tas de vêtements, se tenait une fille publique, en statue de la Liberté, – immobile, les yeux grands ouverts, effrayante.

Ils avaient fait trois pas dehors, quand un peloton de gardes municipaux en capotes s'avança vers eux, et qui, retirant leurs bonnets de police, et découvrant à la fois leurs crânes un peu chauves, saluèrent le peuple très bas. À ce témoignage de respect, les vainqueurs déguenillés se

---

1. Voir la note 4, p. 292.
2. Voir la note 3, p. 47.

rengorgèrent. Hussonnet et Frédéric ne furent pas, non plus, sans en éprouver un certain plaisir.

Une ardeur les animait. Ils s'en retournèrent au Palais-Royal. Devant la rue Fromanteau [1], des cadavres de soldats étaient entassés sur de la paille. Ils passèrent auprès impassiblement, étant même fiers de sentir qu'ils faisaient bonne contenance.

Le palais regorgeait de monde. Dans la cour intérieure, sept bûchers flambaient. On lançait par les fenêtres des pianos, des commodes et des pendules. Des pompes à incendie crachaient de l'eau jusqu'aux toits. Des chenapans tâchaient de couper des tuyaux avec leurs sabres. Frédéric engagea un polytechnicien à s'interposer. Le polytechnicien ne comprit pas, semblait imbécile, d'ailleurs. Tout autour, dans les deux galeries, la populace, maîtresse des caves, se livrait à une horrible godaille [2]. Le vin coulait en ruisseaux, mouillait les pieds, les voyous buvaient dans des culs de bouteille, et vociféraient en titubant.

– « Sortons de là », dit Hussonnet, « ce peuple me dégoûte. »

Tout le long de la galerie d'Orléans, des blessés gisaient par terre sur des matelas, ayant pour couvertures des rideaux de pourpre ; et de petites bourgeoises du quartier leur apportaient des bouillons, du linge.

– « N'importe ! » dit Frédéric, « moi, je trouve le peuple sublime. »

Le grand vestibule était rempli par un tourbillon de gens furieux, des hommes voulaient monter aux étages supérieurs pour achever de détruire tout ; des gardes nationaux sur les marches s'efforçaient de les retenir. Le plus intrépide était un chasseur, nu-tête, la chevelure hérissée, les buffleteries [3] en pièces. Sa chemise faisait un bourrelet entre son pantalon et son habit, et il se débattait au milieu des autres avec acharnement. Hussonnet, qui avait la vue perçante, reconnut de loin Arnoux.

---

1. Voir la note 3, p. 386.
2. La godaille est l'excès de boisson, la débauche de table.
3. La buffleterie est la partie en cuir de l'équipement militaire, ce qui soutient les armes.

Puis ils gagnèrent le jardin des Tuileries, pour respirer plus à l'aise. Ils s'assirent sur un banc ; et ils restèrent pendant quelques minutes les paupières closes, tellement étourdis, qu'ils n'avaient pas la force de parler. Les passants autour d'eux, s'abordaient. La duchesse d'Orléans était nommée régente [1] ; tout était fini ; et on éprouvait cette sorte de bien-être qui suit les dénouements rapides, quand à chacune des mansardes du château parurent des domestiques déchirant leurs habits de livrée. Ils les jetaient dans le jardin, en signe d'abjuration. Le peuple les hua. Ils se retirèrent.

L'attention de Frédéric et d'Hussonnet fut distraite par un grand gaillard qui marchait vivement entre les arbres, avec un fusil sur l'épaule. Une cartouchière lui serrait à la taille sa vareuse rouge, un mouchoir s'enroulait à son front sous sa casquette. Il tourna la tête. C'était Dussardier ; et, se jetant dans leurs bras :

– « Ah ! quel bonheur, mes pauvres vieux ! » sans pouvoir dire autre chose, tant il haletait de joie et de fatigue.

Depuis quarante-huit heures, il était debout. Il avait travaillé aux barricades du Quartier latin, s'était battu rue Rambuteau, avait sauvé trois dragons [2], était entré aux Tuileries avec la colonne Dunoyer, s'était porté ensuite à la Chambre, puis à l'Hôtel de Ville.

– « J'en arrive ! tout va bien ! le peuple triomphe ! les ouvriers et les bourgeois s'embrassent ! Ah ! si vous saviez ce que j'ai vu ! quels braves gens ! comme c'est beau ! »

Et, sans s'apercevoir qu'ils n'avaient pas d'armes :

– « J'étais bien sûr de vous trouver là ! Ç'a été rude un moment, n'importe ! »

Une goutte de sang lui coulait sur la joue, et, aux questions des deux autres :

– « Oh ! rien ! l'éraflure d'une baïonnette ! »

– « Il faudrait vous soigner, pourtant. »

---

1. Louis-Philippe abdiqua en faveur de son petit-fils, le comte de Paris, âgé de dix ans ; la mère de celui-ci, la duchesse d'Orléans, était proposée comme régente. Elle se rendit aussitôt à la Chambre avec ses deux fils, mais la foule fit irruption avant que les députés aient pu se prononcer.

2. Voir la note 2, p. 181.

– « Bah ! je suis solide ! qu'est-ce que ça fait ? La République est proclamée ! on sera heureux maintenant ! Des journalistes qui causaient tout à l'heure devant moi, disaient qu'on va affranchir la Pologne et l'Italie ! Plus de rois ! comprenez-vous ! Toute la terre libre ! toute la terre libre ! »

Et, embrassant l'horizon d'un seul regard, il écarta les bras dans une attitude triomphante. Mais une longue file d'hommes couraient sur la terrasse, au bord de l'eau.

– « Ah ! saprelotte ! j'oubliais ! Les forts sont occupés. Il faut que j'y aille ! adieu ! »

Il se retourna pour leur crier, tout en brandissant son fusil :

– « Vive la République ! »

Des cheminées du château, il s'échappait d'énormes tourbillons de fumée noire, qui emportaient des étincelles. La sonnerie des cloches faisait, au loin, comme des bêlements effarés. De droite et de gauche, partout, les vainqueurs déchargeaient leurs armes. Frédéric, bien qu'il ne fût pas guerrier, sentit bondir son sang gaulois. Le magnétisme des foules enthousiastes l'avait pris. Il humait voluptueusement l'air orageux, plein des senteurs de la poudre ; et cependant il frissonnait sous les effluves d'un immense amour, d'un attendrissement suprême et universel, comme si le cœur de l'humanité tout entière avait battu dans sa poitrine.

Hussonnet dit, en bâillant :

– « Il serait temps, peut-être, d'aller instruire les populations ! »

Frédéric le suivit à son bureau de correspondance, place de la Bourse ; et il se mit à composer pour le journal de Troyes un compte rendu des événements en style lyrique, un véritable morceau, – qu'il signa. Puis ils dînèrent ensemble dans une taverne. Hussonnet était pensif ; les excentricités de la révolution dépassaient les siennes.

Après le café, quand ils se rendirent à l'Hôtel de Ville, pour savoir du nouveau, son naturel gamin avait repris le dessus. Il escaladait les barricades, comme un chamois, et répondait aux sentinelles des gaudrioles patriotiques.

Ils entendirent, à la lueur des torches, proclamer le Gouvernement provisoire. Enfin, à minuit, Frédéric, brisé de fatigue, regagna sa maison.

– « Eh bien », dit-il à son domestique en train de le déshabiller, « es-tu content ? »

– « Oui, sans doute, Monsieur ! Mais ce que je n'aime pas, c'est ce peuple en cadence ! »

Le lendemain, à son réveil, Frédéric pensa à Deslauriers. Il courut chez lui. L'avocat venait de partir, étant nommé commissaire en province[1]. Dans la soirée de la veille, il était parvenu jusqu'à Ledru-Rollin[2], et, l'obsédant au nom des Écoles, en avait arraché une place, une mission. Du reste, disait le portier, il devait écrire la semaine prochaine, pour donner son adresse.

Après quoi, Frédéric s'en alla voir la Maréchale. Elle le reçut aigrement, car elle lui en voulait de son abandon. Sa rancune s'évanouit sous des assurances de paix réitérées. Tout était tranquille, maintenant, aucune raison d'avoir peur ; il l'embrassait ; et elle se déclara pour la République, – comme avait déjà fait Mgr l'archevêque de Paris[3], et comme devaient faire avec une prestesse de zèle merveilleuse : la magistrature, le Conseil d'État, l'Institut, les maréchaux de France, Changarnier[4], M. de Falloux[5], tous les bonapartistes, tous les légitimistes, et un nombre considérable d'orléanistes.

La chute de la monarchie avait été si prompte, que, la première stupéfaction passée, il y eut chez les bourgeois comme un étonnement de vivre encore. L'exécution sommaire de quelques voleurs, fusillés sans jugements, parut une

---

1. Les commissaires du gouvernement en province étaient chargés de remplacer rapidement les préfets et sous-préfets mis en place par le régime précédent.

2. Dans le gouvernement provisoire proclamé la veille, Ledru-Rollin (1807-1874) avait été nommé ministre de l'Intérieur. Il fut exclu du pouvoir après l'insurrection de juin 1848.

3. Archevêque de Paris, Mgr Affre (1793-1848) fut mortellement blessé le 25 juin alors qu'il essayait de raisonner les insurgés du faubourg Saint-Antoine.

4. Le général Changarnier (1793-1877) s'était distingué lors de la conquête de l'Algérie dont il fut gouverneur. Il fut élu à l'Assemblée constituante. En janvier 1851, il fut relevé de ses fonctions comme orléaniste par Louis Napoléon Bonaparte, et fut proscrit au 2 décembre.

5. Député royaliste en 1846, le comte de Falloux (1811-1886) fut élu à la Constituante en 1848. Rapporteur de la commission d'enquête sur les ateliers nationaux, il conclut à leur dissolution qui fut votée le 30 mai.

chose très juste. On se redit, pendant un mois, la phrase de Lamartine sur le drapeau rouge, « qui n'avait fait que le tour du Champ de Mars, tandis que le drapeau tricolore », etc. [1] ; et tous se rangèrent sous son ombre, chaque parti ne voyant des trois couleurs que la sienne – et se promettant bien, dès qu'il serait le plus fort, d'arracher les deux autres.

Comme les affaires étaient suspendues, l'inquiétude et la badauderie [2] poussaient tout le monde hors de chez soi. Le négligé des costumes atténuait la différence des rangs sociaux, la haine se cachait, les espérances s'étalaient, la foule était pleine de douceur. L'orgueil d'un droit conquis éclatait sur les visages. On avait une gaieté de carnaval, des allures de bivac [3] ; rien ne fut amusant comme l'aspect de Paris, les premiers jours.

Frédéric prenait la Maréchale à son bras ; et ils flânaient ensemble dans les rues. Elle se divertissait des rosettes décorant toutes les boutonnières, des étendards suspendus à toutes les fenêtres, des affiches de toute couleur placardées contre les murailles, et jetait çà et là quelque monnaie dans le tronc pour les blessés, établi sur une chaise, au milieu de la voie. Puis elle s'arrêtait devant des caricatures qui représentaient Louis-Philippe en pâtissier, en saltimbanque, en chien, en sangsue. Mais les hommes de Caussidière [4], avec leur sabre et leur écharpe, l'effrayaient un peu. D'autres fois, c'était un arbre de la Liberté qu'on plantait. MM. les ecclésiastiques concouraient à la cérémonie, bénissant la république, escortés par des serviteurs à galons d'or ; et la multitude trouvait cela très bien. Le spectacle le plus

---

1. Le 25 février 1848, Lamartine (voir la note 1, p. 398), dans une péroraison restée célèbre, tint tête à des prolétaires qui sommaient le gouvernement provisoire d'arborer le drapeau rouge : « Le drapeau rouge que vous nous rapportez n'a jamais fait que le tour du Champ de Mars, traîné dans le sang du peuple, en 1791 et 1793, et le drapeau tricolore a fait le tour du monde avec le nom, la gloire et la liberté de la patrie ! »

2. La badauderie est l'attitude de celui qui s'attarde à regarder le spectacle de la rue.

3. On disait alors indifféremment « bivac » ou « bivouac ».

4. Après avoir été nommé à la Préfecture de police, Marc Caussidière, révolutionnaire notoire, constitua un corps de police qu'on appelait les Montagnards et qui était composé de ceux qui avaient participé aux complots, aux sociétés secrètes et aux insurrections sous Louis-Philippe.

fréquent était celui des députations de n'importe quoi, allant réclamer quelque chose à l'Hôtel de Ville, – car chaque métier, chaque industrie attendait du Gouvernement la fin radicale de sa misère. Quelques-uns, il est vrai, se rendaient près de lui pour le conseiller, ou le féliciter, ou tout simplement pour lui faire une petite visite, et voir fonctionner la machine.

Vers le milieu du mois de mars, un jour qu'il traversait le pont d'Arcole, ayant à faire une commission pour Rosanette dans le Quartier latin, Frédéric vit s'avancer une colonne d'individus à chapeaux bizarres, à longues barbes. En tête et battant du tambour marchait un nègre, un ancien modèle [1] d'atelier, et l'homme qui portait la bannière sur laquelle flottait au vent cette inscription : « Artistes peintres », n'était autre que Pellerin.

Il fit signe à Frédéric de l'attendre, puis reparut cinq minutes après, ayant du temps devant lui, car le Gouvernement recevait à ce moment-là les tailleurs de pierre. Il allait avec ses collègues réclamer la création d'un Forum de l'Art, une espèce de Bourse où l'on débattrait les intérêts de l'Esthétique ; des œuvres sublimes se produiraient puisque les travailleurs mettraient en commun leur génie. Paris, bientôt, serait couvert de monuments gigantesques ; il les décorerait ; il avait même commencé une figure de la République. Un de ses camarades vint le prendre, car ils étaient talonnés par la députation du commerce de la volaille.

– « Quelle bêtise ! » grommela une voix dans la foule. « Toujours des blagues ! Rien de fort ! »

C'était Regimbart. Il ne salua pas Frédéric, mais profita de l'occasion pour épandre son amertume.

Le Citoyen employait ses jours à vagabonder dans les rues, tirant sa moustache, roulant des yeux, acceptant et propageant des nouvelles lugubres ; et il n'avait que deux phrases : « Prenez garde, nous allons être débordés ! » ou bien : « Mais, sacrebleu ! on escamote la République ! » Il était mécontent de tout, et particulièrement de ce que nous n'avions pas repris nos frontières naturelles. Le nom seul de

---

1. Voir la note 2, p. 48.

Lamartine [1] lui faisait hausser les épaules. Il ne trouvait pas Ledru-Rollin [2] « suffisant pour le problème », traita Dupont (de l'Eure) [3] de vieille ganache [4] ; Albert [5], d'idiot ; Louis Blanc [6], d'utopiste ; Blanqui [7], d'homme extrêmement dangereux ; et, quand Frédéric lui demanda ce qu'il aurait fallu faire, il répondit en lui serrant le bras à le broyer :

– « Prendre le Rhin [8], je vous dis, prendre le Rhin ! fichtre ! »

Puis il accusa la réaction.

Elle se démasquait. Le sac des châteaux de Neuilly et de Suresnes [9], l'incendie des Batignolles, les troubles de Lyon [10], tous les excès, tous les griefs, on les exagérait à présent, en y ajoutant la circulaire de Ledru-Rollin [11], le cours forcé des billets de banque [12], la rente tombée à soixante francs, enfin, comme iniquité suprême, comme

1. Député depuis 1833, l'écrivain Alphonse de Lamartine (1790-1869) s'opposa vigoureusement à Louis-Philippe. Il était membre du gouvernement provisoire et ministre des Affaires étrangères depuis février 1848.

2. Voir la note 2, p. 395.

3. Un moment ministre de la Justice sous la monarchie de Juillet avant de passer à l'opposition, Dupont de l'Eure (1767-1855) devint membre du gouvernement provisoire et le présida même quelque temps. C'était un modéré.

4. Au théâtre, le rôle de la ganache est celui du vieillard imbécile et crédule.

5. Alexandre Martin, dit Albert (1815-1895), ouvrier mécanicien et ami de Louis Blanc, représentait les ouvriers au sein du gouvernement provisoire.

6. Voir la note 3, p. 105.

7. Blanqui (1805-1881) fut un important théoricien du socialisme et un révolutionnaire actif (voir la note 6, p. 321).

8. Voir la note 5, p. 114.

9. Le château de Neuilly, résidence de Louis-Philippe, et celui de Suresnes, appartenant aux Rothschild, furent mis à sac le 25 février 1848.

10. Lorsque arriva la nouvelle de la révolution, les ouvriers lyonnais commirent des déprédations sur les machines qu'on venait d'introduire dans les usines et qui supprimaient des emplois. Leur ton autoritaire inquiéta les modérés.

11. Au nombre de trois, ces circulaires du mois de mars 1848 émanaient du ministre de l'Intérieur Ledru-Rollin et visaient à établir fermement l'ordre républicain.

12. Craignant que la Banque de France ne fût amenée à suspendre ses paiements, tant les retraits d'argent étaient massifs, le gouvernement décréta le cours forcé des valeurs en papier émises par lui ou les banques. Cela revenait à obliger les particuliers à recevoir ces billets en paiement pour leur valeur nominale, et à dispenser ceux qui les avaient émis de les rembourser en espèces à présentation.

dernier coup, comme surcroît d'horreur, l'impôt des quarante-cinq centimes [1] ! – Et, par-dessus tout cela, il y avait encore le socialisme ! Bien que ces théories, aussi neuves que le jeu d'oie, eussent été depuis quarante ans suffisamment débattues pour emplir des bibliothèques, elles épouvantèrent les bourgeois, comme une grêle d'aérolithes [2] ; et on fut indigné, en vertu de cette haine que provoque l'avènement de toute idée parce que c'est une idée, exécration dont elle tire plus tard sa gloire, et qui fait que ses ennemis sont toujours au-dessous d'elle, si médiocre qu'elle puisse être.

Alors, la Propriété monta dans les respects au niveau de la Religion et se confondit avec Dieu. Les attaques qu'on lui portait parurent du sacrilège, presque de l'anthropophagie [3]. Malgré la législation la plus humaine qui fut jamais, le spectre de 93 reparut, et le couperet de la guillotine vibra dans toutes les syllabes du mot République ; – ce qui n'empêchait pas qu'on la méprisait pour sa faiblesse. La France, ne sentant plus de maître, se mit à crier d'effarement, comme un aveugle sans bâton, comme un marmot qui a perdu sa bonne.

De tous les Français, celui qui tremblait le plus fort était M. Dambreuse. L'état nouveau des choses menaçait sa fortune, mais surtout dupait son expérience. Un système si bon, un roi si sage ! était-ce possible ! La terre allait crouler ! Dès le lendemain, il congédia trois domestiques, vendit ses chevaux, s'acheta, pour sortir dans les rues, un chapeau mou, pensa même à laisser croître sa barbe ; et il restait chez lui, prostré, se repaissant amèrement des journaux les plus hostiles à ses idées, et devenu tellement sombre, que les plaisanteries sur la pipe de Flocon [4] n'avaient pas même la force de le faire sourire.

Comme soutien du dernier règne, il redoutait les vengeances du peuple sur ses propriétés de la Champagne,

---

1. Le 18 mars 1848, pour pallier un énorme déficit, le gouvernement provisoire décida d'imposer un supplément de 45 centimes pour chaque franc de contributions directes.
2. Un aérolithe est un type de météorite.
3. Voir la note 2, p. 212.
4. Le journaliste Ferdinand Flocon (1800-1866) fut d'abord l'un des secrétaires du gouvernement provisoire, puis ministre de l'Agriculture et du Commerce. Il était célèbre pour sa pipe qu'il ne quittait jamais.

quand l'élucubration de Frédéric [1] lui tomba dans les mains. Alors il s'imagina que son jeune ami était un personnage très influent et qu'il pourrait sinon le servir, du moins le défendre ; de sorte qu'un matin, M. Dambreuse se présenta chez lui, accompagné de Martinon.

Cette visite n'avait pour but, dit-il, que de le voir un peu et de causer. Somme toute, il se réjouissait des événements, et il adoptait de grand cœur « notre sublime devise : *Liberté, Égalité, Fraternité*, ayant toujours été républicain, au fond ». S'il votait, sous l'autre régime, avec le ministère, c'était simplement pour accélérer une chute inévitable. Il s'emporta même contre M. Guizot, « qui nous a mis dans un joli pétrin, convenons-en ! ». En revanche, il admirait beaucoup Lamartine, lequel s'était montré « magnifique, ma parole d'honneur, quand, à propos du drapeau rouge [2]... »

– « Oui ! je sais », dit Frédéric.

Après quoi, il déclara sa sympathie pour les ouvriers.

– « Car enfin, plus ou moins, nous sommes tous ouvriers ! » Et il poussait l'impartialité jusqu'à reconnaître que Proudhon [3] avait de la logique. « Oh ! beaucoup de logique ! diable ! » Puis, avec le détachement d'une intelligence supérieure, il causa de l'exposition de peinture, où il avait vu le tableau de Pellerin. Il trouvait cela original, bien touché.

Martinon appuyait tous ses mots par des remarques approbatives ; lui aussi pensait qu'il fallait « se rallier franchement à la République », et il parla de son père laboureur, faisait le paysan, l'homme du peuple. On arriva bientôt aux élections pour l'Assemblée nationale [4], et aux candidats dans l'arrondissement de la Fortelle. Celui de l'opposition n'avait pas de chances.

– « Vous devriez prendre sa place ! » dit M. Dambreuse. Frédéric se récria.

---

1. Il s'agit de l'article envoyé au *Journal de Troyes* (voir p. 394).
2. Voir la note 1, p. 396.
3. Théoricien socialiste, rédacteur du *Peuple*, Joseph Proudhon (1809-1865) est à l'origine de la célèbre formule : « La propriété, c'est le vol. »
4. L'élection de l'Assemblée nationale constituante eut lieu le 23 avril 1848.

– « Eh ! pourquoi donc ? » car il obtiendrait les suffrages des ultras [1], vu ses opinions personnelles, celui des conservateurs, à cause de sa famille. « Et peut-être aussi », ajouta le banquier en souriant, « grâce un peu à mon influence. »

Frédéric objecta qu'il ne saurait comment s'y prendre. Rien de plus facile, en se faisant recommander aux patriotes de l'Aube par un club de la capitale. Il s'agissait de lire, non une profession de foi comme on en voyait quotidiennement, mais une exposition de principes sérieuse.

– « Apportez-moi cela ; je sais ce qui convient dans la localité ! Et vous pourriez, je vous le répète, rendre de grands services au pays, à nous tous, à moi-même. »

Par des temps pareils, on devait s'entraider, et, si Frédéric avait besoin de quelque chose, lui, ou ses amis…

– « Oh ! mille grâces, cher monsieur ! »

– « À charge de revanche, bien entendu ! »

Le banquier était un brave homme, décidément.

Frédéric ne put s'empêcher de réfléchir à son conseil ; et bientôt, une sorte de vertige l'éblouit.

Les grandes figures de la Convention passèrent devant ses yeux. Il lui sembla qu'une aurore magnifique allait se lever. Rome, Vienne, Berlin, étaient en insurrection, les Autrichiens chassés de Venise ; toute l'Europe s'agitait. C'était l'heure de se précipiter dans le mouvement, de l'accélérer peut-être ; et puis il était séduit par le costume que les députés, disait-on, porteraient. Déjà, il se voyait en gilet à revers avec une ceinture tricolore ; et ce prurit [2], cette hallucination devint si forte, qu'il s'en ouvrit à Dussardier.

L'enthousiasme du brave garçon ne faiblissait pas.

– « Certainement, bien sûr ! Présentez-vous ! »

Frédéric, néanmoins, consulta Deslauriers. L'opposition idiote qui entravait le commissaire dans sa province avait augmenté son libéralisme. Il lui envoya immédiatement des exhortations violentes.

---

1. Les ultras (royalistes) étaient les partisans absolus du principe de la légitimité.

2. Au sens premier, un prurit est une démangeaison de la peau ; de là dérive le sens de désir violent, irrépressible.

Cependant, Frédéric avait besoin d'être approuvé par un plus grand nombre ; et il confia la chose à Rosanette, un jour que Mlle Vatnaz se trouvait là.

Elle était une de ces célibataires parisiennes qui, chaque soir, quand elles ont donné leurs leçons, ou tâché de vendre de petits dessins, de placer de pauvres manuscrits, rentrent chez elles avec de la crotte à leurs jupons, font leur dîner, le mangent toutes seules, puis, les pieds sur une chaufferette, à la lueur d'une lampe malpropre, rêvent un amour, une famille, un foyer, la fortune, tout ce qui leur manque. Aussi, comme beaucoup d'autres, avait-elle salué dans la révolution l'avènement de la vengeance ; – et elle se livrait à une propagande socialiste effrénée.

L'affranchissement du prolétaire, selon la Vatnaz, n'était possible que par l'affranchissement de la femme. Elle voulait son admissibilité à tous les emplois, la recherche de la paternité, un autre code, l'abolition, ou tout au moins « une réglementation du mariage plus intelligente ». Alors, chaque Française serait tenue d'épouser un Français ou d'adopter un vieillard. Il fallait que les nourrices et les accoucheuses fussent des fonctionnaires salariés par l'État ; qu'il y eût un jury pour examiner les œuvres de femmes, des éditeurs spéciaux pour les femmes, une École polytechnique pour les femmes, une garde nationale pour les femmes, tout pour les femmes ! Et, puisque le Gouvernement méconnaissait leurs droits, elles devaient vaincre la force par la force. Dix mille citoyennes, avec de bons fusils, pouvaient faire trembler l'Hôtel de Ville !

La candidature de Frédéric lui parut favorable à ses idées. Elle l'encouragea, en lui montrant la gloire à l'horizon. Rosanette se réjouit d'avoir un homme qui parlerait à la Chambre.

– « Et puis on te donnera, peut-être, une bonne place. »

Frédéric, homme de toutes les faiblesses, fut gagné par la démence universelle. Il écrivit un discours, et alla le faire voir à M. Dambreuse.

Au bruit de la grande porte qui retombait, un rideau s'entrouvrit derrière une croisée ; une femme y parut. Il n'eut pas le temps de la reconnaître ; mais, dans l'antichambre, un tableau l'arrêta, le tableau de Pellerin, posé sur une chaise, provisoirement sans doute.

Cela représentait la République, ou le Progrès, ou la Civilisation, sous la figure de Jésus-Christ conduisant une locomotive, laquelle traversait une forêt vierge. Frédéric, après une minute de contemplation, s'écria :

– « Quelle turpitude ! »

– « N'est-ce pas, hein ? » dit M. Dambreuse, survenu sur cette parole et s'imaginant qu'elle concernait non la peinture, mais la doctrine glorifiée par le tableau. Martinon arriva au même moment. Ils passèrent dans le cabinet ; et Frédéric tirait un papier de sa poche, quand Mlle Cécile, entrant tout à coup, articula d'un air ingénu :

– « Ma tante est-elle ici ? »

– « Tu sais bien que non », répliqua le banquier. « N'importe ! faites comme chez vous, mademoiselle. »

– « Oh ! merci ! je m'en vais. »

À peine sortie, Martinon eut l'air de chercher son mouchoir.

– « Je l'ai oublié dans mon paletot, excusez-moi ! »

– « Bien ! » dit M. Dambreuse.

Évidemment, il n'était pas dupe de cette manœuvre, et même semblait la favoriser. Pourquoi ? Mais bientôt Martinon reparut, et Frédéric entama son discours. Dès la seconde page, qui signalait comme une honte la prépondérance des intérêts pécuniaires [1], le banquier fit la grimace. Puis, abordant les réformes, Frédéric demandait la liberté du commerce.

– « Comment… ? mais permettez ! »

L'autre n'entendait pas, et continua. Il réclamait l'impôt sur la rente, l'impôt progressif, une fédération européenne, et l'instruction du peuple, des encouragements aux beaux-arts les plus larges.

– « Quand le pays fournirait à des hommes comme Delacroix ou Hugo cent mille francs de rente, où serait le mal ? »

Le tout finissait par des conseils aux classes supérieures.

– « N'épargnez rien, ô riches ! donnez ! donnez ! »

---

1. Voir la note 4, p. 72.

Il s'arrêta, et resta debout. Ses deux auditeurs assis ne parlaient pas ; Martinon écarquillait les yeux, M. Dambreuse était tout pâle. Enfin dissimulant son émotion sous un aigre sourire :

– « C'est parfait, votre discours ! » Et il en vanta beaucoup la forme, pour n'avoir pas à s'exprimer sur le fond.

Cette virulence de la part d'un jeune homme inoffensif l'effrayait, surtout comme symptôme. Martinon tâcha de le rassurer. Le parti conservateur, d'ici peu, prendrait sa revanche, certainement ; dans plusieurs villes on avait chassé les commissaires du Gouvernement provisoire : les élections n'étaient fixées qu'au 23 avril, on avait du temps ; bref, il fallait que M. Dambreuse, lui-même, se présentât dans l'Aube ; et, dès lors, Martinon ne le quitta plus, devint son secrétaire et l'entoura de soins filiaux.

Frédéric arriva fort content de sa personne chez Rosanette. Delmar y était, et lui apprit que « définitivement » il se portait comme candidat aux élections de la Seine. Dans une affiche adressée « au Peuple » et où il le tutoyait, l'acteur se vantait de le comprendre, « lui », et de s'être fait, pour son salut, « crucifier par l'Art », si bien qu'il était son incarnation, son idéal ; – croyant effectivement avoir sur les masses une influence énorme, jusqu'à proposer plus tard dans un bureau de ministère de réduire une émeute à lui seul ; et, quant aux moyens qu'il emploierait, il fit cette réponse :

– « N'ayez pas peur ! Je leur montrerai ma tête ! »

Frédéric, pour le mortifier, lui notifia sa propre candidature. Le cabotin[1], du moment que son futur collègue visait la province, se déclara son serviteur et offrit de le piloter dans les clubs.

Ils les visitèrent tous, ou presque tous, les rouges et les bleus, les furibonds et les tranquilles, les puritains, les débraillés, les mystiques et les pochards[2], ceux où l'on décrétait la mort des rois, ceux où l'on dénonçait les fraudes de l'épicerie ; et, partout, les locataires maudissaient les

---

1. Voir la note 1, p. 190.
2. Un pochard est un ivrogne misérable, sans tenue.

propriétaires, la blouse s'en prenait à l'habit [1], et les riches conspiraient contre les pauvres. Plusieurs voulaient des indemnités comme anciens martyrs de la police, d'autres imploraient de l'argent pour mettre en jeu des inventions, ou bien c'étaient des plans de phalanstères [2], des projets de bazars cantonaux, des systèmes de félicité publique ; – puis, çà et là, un éclair d'esprit dans ces nuages de sottise, des apostrophes, soudaines comme des éclaboussures, le droit formulé par un juron, et des fleurs d'éloquence aux lèvres d'un goujat, portant à cru le baudrier d'un sabre sur sa poitrine sans chemise. Quelquefois aussi, figurait un monsieur, aristocrate humble d'allures, disant des choses plébéiennes, et qui ne s'était pas lavé les mains pour les faire paraître calleuses. Un patriote le reconnaissait, les plus vertueux le houspillaient ; et il sortait la rage dans l'âme. On devait, par affectation de bon sens, dénigrer toujours les avocats, et servir le plus souvent possible ces locutions : « apporter sa pierre à l'édifice, – problème social, – atelier ».

Delmar ne ratait pas les occasions d'empoigner la parole ; et, quand il ne trouvait plus rien à dire, sa ressource était de se camper le poing sur la hanche, l'autre bras dans le gilet, en se tournant de profil, brusquement, de manière à bien montrer sa tête. Alors, des applaudissements éclataient, ceux de Mlle Vatnaz au fond de la salle.

Frédéric, malgré la faiblesse des orateurs, n'osait se risquer. Tous ces gens lui semblaient trop incultes ou trop hostiles.

Mais Dussardier se mit en recherche, et lui annonça qu'il existait, rue Saint-Jacques, un club intitulé le *Club de l'Intelligence*. Un nom pareil donnait bon espoir. D'ailleurs, il amènerait des amis.

Il amena ceux qu'il avait invités à son punch : le teneur de livres, le placeur de vins, l'architecte ; Pellerin même était venu, peut-être qu'Hussonnet allait venir ; et sur le trottoir, devant la porte, stationnait Regimbart avec deux individus, dont le premier était son fidèle Compain, homme un peu courtaud, marqué de petite vérole, les yeux rouges ; et le

---

1. Voir la note 1, p. 114.
2. Voir la note 5, p. 207.

second, une espèce de singe-nègre, extrêmement chevelu, et qu'il connaissait seulement pour être « un patriote de Barcelone ».

Ils passèrent par une allée, puis furent introduits dans une grande pièce, à usage de menuisier sans doute, et dont les murs encore neufs sentaient le plâtre. Quatre quinquets[1] accrochés parallèlement y faisaient une lumière désagréable. Sur une estrade, au fond, il y avait un bureau avec une sonnette, en dessous une table figurant la tribune, et de chaque côté deux autres plus basses, pour les secrétaires. L'auditoire qui garnissait les bancs était composé de vieux rapins[2], de pions, d'hommes de lettres inédits. Sur ces lignes de paletots à collets gras, on voyait de place en place le bonnet d'une femme ou le bourgeron[3] d'un ouvrier. Le fond de la salle était même plein d'ouvriers, venus là sans doute par désœuvrement, ou qu'avaient introduits des orateurs pour se faire applaudir.

Frédéric eut soin de se mettre entre Dussardier et Regimbart, qui, à peine assis, posa ses deux mains sur sa canne, son menton sur ses deux mains et ferma les paupières, tandis qu'à l'autre extrémité de la salle, Delmar, debout, dominait l'assemblée.

Au bureau du président, Sénécal parut.

Cette surprise, avait pensé le bon commis, plairait à Frédéric. Elle le contraria.

La foule témoignait à son président une grande déférence. Il était de ceux qui, le 25 février, avaient voulu l'organisation immédiate du travail[4] ; le lendemain, au Prado[5], il s'était prononcé pour qu'on attaquât l'Hôtel de Ville ; et, comme chaque personnage se réglait alors sur un modèle, l'un

---

1. Voir la note 4, p. 71.
2. Voir la note 2, p. 92.
3. Voir la note 2, p. 182.
4. Le 25 février 1848, il y eut une manifestation tumultueuse devant l'Hôtel de Ville, à la suite de laquelle le gouvernement provisoire s'engagea à garantir l'existence de l'ouvrier par le travail. C'était reconnaître le « droit au travail ».
5. Le Prado était une salle de bal public où, le 26 février, Blanqui organisa une réunion pour exiger le drapeau rouge (voir la note 1, p. 396) et pour protester contre l'« escamotage » de la république ouvrière.

copiant Saint-Just[1], l'autre Danton, l'autre Marat, lui, il
tâchait de ressembler à Blanqui[2], lequel imitait Robespierre.
Ses gants noirs et ses cheveux en brosse lui donnaient un
aspect rigide, extrêmement convenable.

Il ouvrit la séance par la Déclaration des droits de
l'homme et du citoyen, acte de foi habituel. Puis une voix
vigoureuse entonna *Les Souvenirs du peuple* de Béranger[3].

D'autres voix s'élevèrent :

– « Non ! non ! pas ça ! »

– « *La Casquette*[4] ! » se mirent à hurler, au fond, les
patriotes.

Et ils chantèrent en chœur la poésie du jour :

> Chapeau bas devant ma casquette,
> À genoux devant l'ouvrier !

Sur un mot du président, l'auditoire se tut. Un des secrétaires procéda au dépouillement des lettres.

– « Des jeunes gens annoncent qu'ils brûlent chaque soir
devant le Panthéon un numéro de *L'Assemblée nationale*[5],
et ils engagent tous les patriotes à suivre leur exemple. »

– « Bravo ! adopté ! » répondit la foule.

– « Le citoyen Jean-Jacques Langreneux, typographe, rue
Dauphine, voudrait qu'on élevât un monument à la
mémoire des martyrs de Thermidor. »

– « Michel-Évariste-Népomucène Vincent, ex-professeur,
émet le vœu que la Démocratie européenne adopte l'unité
de langage. On pourrait se servir d'une langue morte,
comme par exemple du latin perfectionné. »

– « Non ! pas de latin ! » s'écria l'architecte.

– « Pourquoi ? » reprit un maître d'études.

Et ces deux messieurs engagèrent une discussion, où
d'autres se mêlèrent, chacun jetant son mot pour éblouir, et

---

1. Voir la note 3, p. 72.
2. Voir la note 7, p. 398.
3. Cette chanson de Béranger (voir la note 5, p. 78) a pour refrain :
« Parlez-nous de lui, grand-mère », et évoque l'épopée napoléonienne.
4. Voir la note 1, p. 114.
5. *L'Assemblée nationale* était un journal rédigé par d'anciens fonctionnaires de la monarchie de Juillet qui combattaient le gouvernement provisoire. Fondé le 29 février 1848, il fut suspendu en juin et reprit sa publication
en août.

qui ne tarda pas à devenir tellement fastidieuse [1], que beaucoup s'en allaient.

Mais un petit vieillard, portant au bas de son front prodigieusement haut des lunettes vertes, réclama la parole pour une communication urgente.

C'était un mémoire sur la répartition des impôts. Les chiffres découlaient, cela n'en finissait plus ! L'impatience éclata d'abord en murmures, en conversations ; rien ne le troublait. Puis on se mit à siffler, on appelait « Azor [2] » ; Sénécal gourmanda le public ; l'orateur continuait comme une machine. Il fallut, pour l'arrêter, le prendre par le coude. Le bonhomme eut l'air de sortir d'un songe, et, levant tranquillement ses lunettes :

– « Pardon ! citoyens ! pardon ! Je me retire ! mille excuses ! »

L'insuccès de cette lecture déconcerta Frédéric. Il avait son discours dans sa poche, mais une improvisation eût mieux valu.

Enfin, le président annonça qu'ils allaient passer à l'affaire importante, la question électorale. On ne discuterait pas les grandes listes républicaines. Cependant, le *Club de l'Intelligence* avait bien le droit, comme un autre, d'en former une, « n'en déplaise à MM. les pachas de l'Hôtel de Ville », et les citoyens qui briguaient le mandat populaire pouvaient exposer leurs titres.

– « Allez-y donc ! » dit Dussardier.

Un homme en soutane, crépu, et de physionomie pétulante [3], avait déjà levé la main. Il déclara, en bredouillant, s'appeler Ducretot, prêtre et agronome, auteur d'un ouvrage intitulé *Des engrais*. On le renvoya vers un cercle horticole.

Puis un patriote en blouse gravit la tribune. Celui-là était un plébéien, large d'épaules, une grosse figure très douce et de longs cheveux noirs. Il parcourut l'assemblée d'un regard presque voluptueux, se renversa la tête, et enfin, écartant les bras :

---

1. Est fastidieux ce qui rebute en provoquant l'ennui, la lassitude.
2. Dans l'argot des théâtres, appeler Azor, c'est siffler.
3. Est pétulant ce qui manifeste une ardeur exubérante.

– « Vous avez repoussé Ducretot, ô mes frères ! et vous avez bien fait, mais ce n'est pas par irréligion, car nous sommes tous religieux. »

Plusieurs écoutaient la bouche ouverte, avec des airs de catéchumènes [1], des poses extatiques.

– « Ce n'est pas, non plus, parce qu'il est prêtre, car, nous aussi, nous sommes prêtres ! L'ouvrier est prêtre, comme l'était le fondateur du socialisme, notre Maître à tous, Jésus-Christ ! »

Le moment était venu d'inaugurer le règne de Dieu ! L'Évangile conduisait tout droit à 89 ! Après l'abolition de l'esclavage, l'abolition du prolétariat. On avait eu l'âge de haine, allait commencer l'âge d'amour.

– « Le christianisme est la clef de voûte et le fondement de l'édifice nouveau... »

– « Vous fichez-vous de nous ? » s'écria le placeur d'alcools. « Qu'est-ce qui m'a donné un calotin [2] pareil ! »

Cette interruption causa un grand scandale. Presque tous montèrent sur les bancs, et, le poing tendu, vociféraient : « Athée ! aristocrate ! canaille ! » pendant que la sonnette du président tintait sans discontinuer et que les cris « À l'ordre ! à l'ordre ! » redoublaient. Mais, intrépide, et soutenu d'ailleurs par « trois cafés » pris avant de venir, il se débattait au milieu des autres.

– « Comment, moi ! un aristocrate ? allons donc ! »

Admis enfin à s'expliquer, il déclara qu'on ne serait jamais tranquille avec les prêtres, et, puisqu'on avait parlé tout à l'heure d'économies, c'en serait une fameuse que de supprimer les églises, les saints ciboires [3], et finalement tous les cultes.

Quelqu'un lui objecta qu'il allait loin.

– « Oui ! je vais loin ! Mais, quand un vaisseau est surpris par la tempête... »

Sans attendre la fin de la comparaison, un autre lui répondit :

---

1. Un catéchumène est un adulte que l'on instruit dans la foi chrétienne, pour le disposer à recevoir le baptême.
2. Voir la note 4, p. 212.
3. Un ciboire est un vase sacré en forme de coupe, dans lequel sont conservées les hosties consacrées.

– « D'accord ! mais c'est démolir d'un seul coup, comme un maçon sans discernement… »

– « Vous insultez les maçons ! » hurla un citoyen couvert de plâtre ; et, s'obstinant à croire qu'on l'avait provoqué, il vomit des injures, voulait se battre, se cramponnait à son banc. Trois hommes ne furent pas de trop pour le mettre dehors.

Cependant, l'ouvrier se tenait toujours à la tribune. Les deux secrétaires l'avertirent d'en descendre. Il protesta contre le passe-droit qu'on lui faisait.

– « Vous ne m'empêcherez pas de crier : amour éternel à notre chère France ! amour éternel aussi à la République ! »

– « Citoyens ! » dit alors Compain, « citoyens ! »

Et, à force de répéter : « Citoyens », ayant obtenu un peu de silence, il appuya sur la tribune ses deux mains rouges, pareilles à des moignons, se porta le corps en avant, et, clignant des yeux :

– « Je crois qu'il faudrait donner une plus large extension à la tête de veau [1]. »

Tous se taisaient, croyant avoir mal entendu.

– « Oui ! la tête de veau ! »

Trois cents rires éclatèrent d'un seul coup. Le plafond trembla. Devant toutes ces faces bouleversées par la joie, Compain se reculait. Il reprit d'un ton furieux :

– « Comment ! vous ne connaissez pas la tête de veau ! »

Ce fut un paroxysme, un délire. On se pressait les côtes. Quelques-uns même tombaient par terre, sous les bancs. Compain, n'y tenant plus, se réfugia près de Regimbart et il voulait l'entraîner.

– « Non ! je reste jusqu'au bout ! » dit le Citoyen.

Cette réponse détermina Frédéric ; et, comme il cherchait de droite et de gauche ses amis pour le soutenir, il aperçut, devant lui, Pellerin à la tribune. L'artiste le prit de haut avec la foule.

– « Je voudrais savoir un peu où est le candidat de l'Art dans tout cela ? Moi, j'ai fait un tableau… »

---

1. Pour l'explication de « la tête de veau », voir le dernier chapitre de la troisième partie (p. 548).

– « Nous n'avons que faire des tableaux ! » dit brusquement un homme maigre, ayant des plaques rouges aux pommettes.

Pellerin se récria qu'on l'interrompait.

Mais l'autre, d'un ton tragique :

– « Est-ce que le Gouvernement n'aurait pas dû déjà abolir, par un décret, la prostitution et la misère ? »

Et, cette parole lui ayant livré tout de suite la faveur du peuple, il tonna contre la corruption des grandes villes.

– « Honte et infamie ! On devrait happer les bourgeois au sortir de la Maison d'or [1] et leur cracher à la figure ! Au moins, si le Gouvernement ne favorisait pas la débauche ! Mais les employés de l'octroi [2] sont envers nos filles et nos sœurs d'une indécence... »

Une voix proféra de loin :

– « C'est rigolo ! »

– « À la porte ! »

– « On tire de nous des contributions pour solder le libertinage ! Ainsi, les forts appointements d'acteur... »

– « À moi ! » s'écria Delmar.

Il bondit à la tribune, écarta tout le monde, prit sa pose ; et, déclarant qu'il méprisait d'aussi plates accusations, s'étendit sur la mission civilisatrice du comédien. Puisque le théâtre était le foyer de l'instruction nationale, il votait pour la réforme du théâtre ; et, d'abord, plus de directions, plus de privilèges !

– « Oui ! d'aucune sorte ! »

Le jeu de l'acteur échauffait la multitude, et des motions [3] subversives se croisaient.

– « Plus d'académies ! plus d'Institut ! »

– « Plus de missions ! »

– « Plus de baccalauréat ! »

– « À bas les grades universitaires ! »

– « Conservons-les », dit Sénécal, « mais qu'ils soient conférés par le suffrage universel, par le Peuple, seul vrai juge ! »

---

1. Voir la note 1, p. 252.
2. Voir la note 6, p. 167.
3. Une motion est une proposition faite dans une assemblée délibérante par un de ses membres.

Le plus utile, d'ailleurs, n'était pas cela. Il fallait d'abord passer le niveau sur la tête des riches ! Et il les représenta se gorgeant de crimes sous leurs plafonds dorés, tandis que les pauvres, se tordant de faim dans leurs galetas [1], cultivaient toutes les vertus. Les applaudissements devinrent si forts, qu'il s'interrompit. Pendant quelques minutes, il resta les paupières closes, la tête renversée et comme se berçant sur cette colère qu'il soulevait.

Puis, il se remit à parler d'une façon dogmatique, en phrases impérieuses comme des lois. L'État devait s'emparer de la banque et des assurances. Les héritages seraient abolis. On établirait un fonds social pour les travailleurs. Bien d'autres mesures étaient bonnes dans l'avenir. Celles-là, pour le moment, suffisaient ; et, revenant aux élections :

– « Il nous faut des citoyens purs, des hommes entièrement neufs ! Quelqu'un se présente-t-il ? »

Frédéric se leva. Il y eut un bourdonnement d'approbation causé par ses amis. Mais Sénécal, prenant une figure à la Fouquier-Tinville [2], se mit à l'interroger sur ses nom, prénoms, antécédents, vie et mœurs.

Frédéric lui répondait sommairement et se mordait les lèvres. Sénécal demanda si quelqu'un voyait un empêchement à cette candidature.

– « Non ! non ! »

Mais lui, il en voyait. Tous se penchèrent et tendirent les oreilles. Le citoyen postulant n'avait pas livré une certaine somme promise pour une fondation démocratique, un journal. De plus, le 22 février, bien que suffisamment averti, il avait manqué au rendez-vous, place du Panthéon.

– « Je jure qu'il était aux Tuileries ! » s'écria Dussardier.

– « Pouvez-vous jurer l'avoir vu au Panthéon ? »

Dussardier baissa la tête. Frédéric se taisait ; ses amis scandalisés le regardaient avec inquiétude.

– « Au moins », reprit Sénécal, « connaissez-vous un patriote qui nous réponde de vos principes ? »

---

1. Un galetas est un logement misérable et sordide.
2. Magistrat acquis aux idées révolutionnaires, Fouquier-Tinville (1746-1795) fut nommé accusateur public au Tribunal révolutionnaire, où il devint le symbole de la rigueur impitoyable et de la cruauté terroriste.

– « Moi ! » dit Dussardier.

– « Oh ! cela ne suffit pas ! un autre ! »

Frédéric se tourna vers Pellerin. L'artiste lui répondit par une abondance de gestes qui signifiait :

– « Ah ! mon cher, ils m'ont repoussé ! Diable ! que voulez-vous ! »

Alors, Frédéric poussa du coude Regimbart.

– « Oui ! c'est vrai ! il est temps ! j'y vais ! »

Et Regimbart enjamba l'estrade ; puis, montrant l'Espagnol qui l'avait suivi :

– « Permettez-moi, citoyens, de vous présenter un patriote de Barcelone ! »

Le patriote fit un grand salut, roula comme un automate ses yeux d'argent, et, la main sur le cœur :

– « Ciudadanos ! mucho aprecio el honor que me dispensáis, y si grande es vuestra bondad mayor es vuestra atención [1]. »

– « Je réclame la parole ! » cria Frédéric.

– « Desde que se proclamó la constitución de Cadiz, ese pacto fundamental de las libertades españolas, hasta la última revolución, nuestra patria cuenta numerosos y heróicos mártires [2]. »

Frédéric encore une fois voulut se faire entendre :

– « Mais citoyens !… »

L'Espagnol continuait :

– « El martes próximo tendrá lugar en la iglesia de la Magdalena un servicio fúnebre [3]. »

– « C'est absurde à la fin ! personne ne comprend ! »

Cette observation exaspéra la foule.

– « À la porte ! à la porte ! »

– « Qui ? moi ? » demanda Frédéric.

– « Vous-même ! » dit majestueusement Sénécal. « Sortez ! »

Il se leva pour sortir ; et la voix de l'Ibérien le poursuivait :

---

1. « Citoyens ! j'apprécie beaucoup l'honneur que vous me faites, et si votre bonté est grande, plus grande encore est votre attention. »

2. « Depuis qu'a été proclamée la constitution de Cadix, ce pacte fondamental des libertés espagnoles, jusqu'à la dernière révolution, notre patrie a compté de nombreux et héroïques martyrs. »

3. « Mardi prochain sera célébré en l'église de la Madeleine un service funèbre. »

– « Y todos los Españoles desearían ver allí reunidas las deputaciones de los clubs y de la milicia nacional. Una oración fúnebre en honor de la libertad española y del mundo entero, será pronunciada por un miembro del clero de Paris en la sala Bonne-Nouvelle. Honor al pueblo francés, que llamaria yo el primero pueblo del mundo, si no fuese ciudadano de otra nación [1] ! »

– « Aristo ! » glapit un voyou, en montrant le poing à Frédéric, qui s'élançait dans la cour, indigné.

Il se reprocha son dévouement, sans réfléchir que les accusations portées contre lui étaient justes, après tout. Quelle fatale idée que cette candidature ! Mais quels ânes, quels crétins ! Il se comparait à ces hommes, et soulageait avec leur sottise la blessure de son orgueil.

Puis il éprouva le besoin de voir Rosanette. Après tant de laideurs et d'emphase, sa gentille personne serait un délassement. Elle savait qu'il avait dû, le soir, se présenter dans un club. Cependant, lorsqu'il entra, elle ne lui fit pas même une question.

Elle se tenait près du feu, décousant la doublure d'une robe. Un pareil ouvrage le surprit.

– « Tiens ? qu'est-ce que tu fais ? »

– « Tu le vois », dit-elle sèchement. « Je raccommode mes hardes [2] ! C'est ta République. »

– « Pourquoi ma République ? »

– « C'est la mienne, peut-être ? »

Et elle se mit à lui reprocher tout ce qui se passait en France depuis deux mois, l'accusant d'avoir fait la révolution, d'être cause qu'on était ruiné, que les gens riches abandonnaient Paris, et qu'elle mourrait plus tard à l'hôpital.

– « Tu en parles à ton aise, toi, avec tes rentes ! Du reste, au train dont ça va, tu ne les auras pas longtemps, tes rentes. »

---

1. « Et tous les Espagnols désirent y voir réunies les députations des clubs et de la garde nationale. Une oraison funèbre en l'honneur de la liberté espagnole et du monde entier sera prononcée par un membre du clergé de Paris en la salle Bonne-Nouvelle. Honneur au peuple français que j'appellerais le premier peuple du monde, si je n'étais pas citoyen d'une autre nation ! »

2. Les hardes sont des vêtements pauvres et usagés.

– « Cela se peut », dit Frédéric, « les plus dévoués sont toujours méconnus ; et, si l'on n'avait pour soi sa conscience, les brutes avec qui l'on se compromet vous dégoûteraient de l'abnégation [1] ! »

Rosanette le regarda, les cils rapprochés.

– « Hein ? Quoi ? Quelle abnégation ? Monsieur n'a pas réussi, à ce qu'il paraît ? Tant mieux ! ça t'apprendra à faire des dons patriotiques. Oh ! ne mens pas ! Je sais que tu leur as donné trois cents francs, car elle se fait entretenir, ta République ! Eh bien, amuse-toi avec elle, mon bonhomme ! »

Sous cette avalanche de sottises, Frédéric passait de son autre désappointement à une déception plus lourde.

Il s'était retiré au fond de la chambre. Elle vint à lui.

– « Voyons ! raisonne un peu ! Dans un pays comme dans une maison, il faut un maître ; autrement, chacun fait danser l'anse du panier. D'abord, tout le monde sait que Ledru-Rollin [2] est couvert de dettes ! Quant à Lamartine, comment veux-tu qu'un poète s'entende à la politique ? Ah ! tu as beau hocher la tête et te croire plus d'esprit que les autres, c'est pourtant vrai ! Mais tu ergotes toujours ; on ne peut pas placer un mot avec toi ! Voilà par exemple Fournier-Fontaine, des magasins de Saint-Roch : sais-tu de combien il manque ? De huit cent mille francs ! Et Gomer, l'emballeur d'en face, un autre républicain celui-là, il cassait les pincettes sur la tête de sa femme, et il a bu tant d'absinthe, qu'on va le mettre dans une maison de santé. C'est comme ça qu'ils sont tous, les républicains ! Une République à vingt-cinq pour cent ! Ah oui ! vante-toi ! »

Frédéric s'en alla. L'ineptie de cette fille, se dévoilant tout à coup dans un langage populacier, le dégoûtait. Il se sentit même un peu redevenu patriote.

La mauvaise humeur de Rosanette ne fit que s'accroître. Mlle Vatnaz l'irritait par son enthousiasme. Se croyant une mission, elle avait la rage de pérorer, de catéchiser, et, plus forte que son amie dans ces matières, l'accablait d'arguments.

---

1. L'abnégation est le sacrifice volontaire de soi-même, de ses intérêts propres.
2. Voir la note 2, p. 395.

Un jour, elle arriva tout indignée contre Hussonnet, qui venait de se permettre des polissonneries, au Club des femmes. Rosanette approuva cette conduite, déclarant même qu'elle prendrait des habits d'homme pour aller « leur dire leur fait, à toutes, et les fouetter ». Frédéric entrait au même moment.

– « Tu m'accompagneras, n'est-ce pas ? »

Et, malgré sa présence, elles se chamaillèrent, l'une faisant la bourgeoise, l'autre la philosophe.

Les femmes, selon Rosanette, étaient nées exclusivement pour l'amour ou pour élever des enfants, pour tenir un ménage.

D'après Mlle Vatnaz, la femme devait avoir sa place dans l'État. Autrefois, les Gauloises légiféraient, les Anglo-Saxonnes aussi, les épouses des Hurons faisaient partie du conseil. L'œuvre civilisatrice était commune. Il fallait toutes y concourir, et substituer enfin à l'égoïsme la fraternité, à l'individualisme l'association, au morcellement la grande culture.

– « Allons, bon ! tu te connais en culture, à présent ! »

– « Pourquoi pas ? D'ailleurs, il s'agit de l'humanité, de son avenir ! »

– « Mêle-toi du tien ! »

– « Ça me regarde ! »

Elles se fâchaient. Frédéric s'interposa. La Vatnaz s'échauffait, et arriva même à soutenir le communisme.

– « Quelle bêtise ! » dit Rosanette. « Est-ce que jamais ça pourra se faire ? »

L'autre cita en preuve les Esséniens [1], les Frères moraves [2], les jésuites du Paraguay [3], la famille des Pingons [4], près de

---

1. Les Esséniens étaient les membres d'une secte juive du temps du Christ, qui menaient une vie ascétique de type monacal.

2. Les Frères moraves étaient une secte radicale issue au XVIe siècle de l'enseignement de Jean Hus. Elle fut restaurée par le comte de Zinzendorf au XVIIIe siècle, sous la forme d'une communauté organisée de façon théocratique et patriarcale.

3. Évangélisant le Paraguay à la fin du XVIe siècle, les jésuites tentèrent une expérience originale, celle des « réductions » (de l'espagnol *reducciones*, « adoucir », « civiliser »), communautés indigènes autonomes, peu ouvertes sur l'extérieur et solidement organisées.

4. L'ancienne coutume d'Auvergne autorisait les communautés de famille. Aux environs de Thiers, la famille des Pingons subsista pendant plus de six siècles en vertu d'un pacte ordonné par un père de quatre frères qui leur prescrivit de mettre leurs biens et leur travail en commun.

Thiers en Auvergne ; et, comme elle gesticulait beaucoup, sa chaîne de montre se prit dans son paquet de breloques, à un petit mouton d'or suspendu.

Tout à coup, Rosanette pâlit extraordinairement.

Mlle Vatnaz continuait à dégager son bibelot.

– « Ne te donne pas tant de mal », dit Rosanette ; « maintenant, je connais tes opinions politiques. »

– « Quoi ? » reprit la Vatnaz, devenue rouge comme une vierge.

– « Oh ! oh ! tu me comprends ! »

Frédéric ne comprenait pas. Entre elles, évidemment, il était survenu quelque chose de plus capital et de plus intime que le socialisme.

– « Et quand cela serait », répliqua la Vatnaz, se redressant intrépidement. « C'est un emprunt, ma chère, dette pour dette ! »

– « Parbleu, je ne nie pas les miennes ! Pour quelques mille francs, belle histoire ! J'emprunte au moins ; je ne vole personne ! »

Mlle Vatnaz s'efforça de rire.

– « Oh ! j'en mettrais ma main au feu. »

– « Prends garde ! Elle est assez sèche pour brûler. »

La vieille fille lui présenta sa main droite, et, la gardant levée juste en face d'elle :

– « Mais il y a de tes amis qui la trouvent à leur convenance ! »

– « Des Andalous, alors ? comme castagnettes ! »

– « Gueuse ! »

La Maréchale fit un grand salut.

– « On n'est pas plus ravissante ! »

Mlle Vatnaz ne répondit rien. Des gouttes de sueur parurent à ses tempes. Ses yeux se fixaient sur le tapis. Elle haletait. Enfin, elle gagna la porte, et, la faisant claquer vigoureusement :

– « Bonsoir ! Vous aurez de mes nouvelles ! »

– « À l'avantage ! » dit Rosanette.

Sa contrainte l'avait brisée. Elle tomba sur le divan, toute tremblante, balbutiant des injures, versant des larmes. Était-ce cette menace de la Vatnaz qui la tourmentait ? Eh non ! elle s'en moquait bien ! À tout compter, l'autre lui devait de l'argent, peut-être ? C'était le mouton d'or, un cadeau ; et, au milieu de ses pleurs, le nom de Delmar lui échappa. Donc, elle aimait le cabotin [1] !

– « Alors, pourquoi m'a-t-elle pris ? » se demanda Frédéric. « D'où vient qu'il est revenu ? Qui la force à me garder ? Quel est le sens de tout cela ? »

Les petits sanglots de Rosanette continuaient. Elle était toujours au bord du divan, étendue de côté, la joue droite sur ses deux mains, – et semblait un être si délicat, inconscient et endolori, qu'il se rapprocha d'elle, et la baisa au front, doucement.

Alors, elle lui fit des assurances de tendresse ; le prince venait de partir, ils seraient libres. Mais elle se trouvait pour le moment…, gênée. « Tu l'as vu toi-même l'autre jour, quand j'utilisais mes vieilles doublures. » Plus d'équipages à présent ! Et ce n'était pas tout ; le tapissier menaçait de reprendre les meubles de la chambre et du grand salon. Elle ne savait que faire.

Frédéric eut envie de répondre : « Ne t'inquiète pas ! je payerai ! » Mais la dame pouvait mentir. L'expérience l'avait instruit. Il se borna simplement à des consolations.

Les craintes de Rosanette n'étaient pas vaines ; il fallut rendre les meubles et quitter le bel appartement de la rue Drouot. Elle en prit un autre, sur le boulevard Poissonnière, au quatrième. Les curiosités de son ancien boudoir furent suffisantes pour donner aux trois pièces un air coquet. On eut des stores chinois, une tente sur la terrasse, dans le salon un tapis de hasard encore tout neuf, avec des poufs de soie rose. Frédéric avait contribué largement à ces acquisitions ; il éprouvait la joie d'un nouveau marié qui possède enfin une maison à lui, une femme à lui ; et, se plaisant là beaucoup, il venait y coucher presque tous les soirs.

Un matin, comme il sortait de l'antichambre, il aperçut au troisième étage, dans l'escalier, le shako [2] d'un garde national qui montait. Où allait-il donc ? Frédéric attendit. L'homme montait toujours, la tête un peu baissée : il leva

---

1. Voir la note 1, p. 190.
2. Voir la note 4, p. 388.

les yeux. C'était le sieur Arnoux. La situation était claire. Ils rougirent en même temps, saisis par le même embarras.

Arnoux, le premier, trouva moyen d'en sortir.

– « Elle va mieux, n'est-il pas vrai ? » comme si, Rosanette étant malade, il se fût présenté pour avoir de ses nouvelles.

Frédéric profita de cette ouverture.

– « Oui, certainement ! Sa bonne me l'a dit, du moins », voulant faire entendre qu'on ne l'avait pas reçu.

Puis ils restèrent face à face, irrésolus l'un et l'autre, et s'observant. C'était à qui des deux ne s'en irait pas. Arnoux, encore une fois, trancha la question.

– « Ah ! bah ! je reviendrai plus tard ! Où vouliez-vous aller ? Je vous accompagne ! »

Et, quand ils furent dans la rue, il causa aussi naturellement que d'habitude. Sans doute, il n'avait point le caractère jaloux, ou bien il était trop bonhomme pour se fâcher.

D'ailleurs, la patrie le préoccupait. Maintenant il ne quittait plus l'uniforme. Le 29 mars, il avait défendu les bureaux de *La Presse*[1]. Quand on envahit la Chambre[2] il se signala par son courage, et il fut du banquet offert à la garde nationale d'Amiens[3].

Hussonnet, toujours de service avec lui, profitait, plus que personne, de sa gourde et de ses cigares ; mais, irrévérencieux par nature, il se plaisait à le contredire, dénigrant le style peu correct des décrets, les conférences du Luxembourg[4], les Vésuviennes[5], les Tyroliens[6], tout, jusqu'au

---

1. Dans son journal *La Presse*, Émile de Girardin avait demandé ce que ferait le gouvernement provisoire si les députés ne votaient pas la proclamation de la République. Le 29 mars, une bande de clubistes saccagea ses bureaux pour manifester son mécontentement.

2. Le 15 mai 1848, la foule envahit la Chambre et l'occupa pendant plusieurs heures avant d'être repoussée par la garde nationale. L'Assemblée, exaspérée par le viol de la représentation nationale, traita ce mouvement assez informe comme un attentat prémédité.

3. Un banquet de huit cents couverts fut offert à la garde nationale d'Amiens par la troisième légion de la garde nationale de Paris, parce qu'elle était venue prêter main-forte le 15 mai.

4. La Commission pour l'organisation du travail, présidée par Louis Blanc, siégeait au palais du Luxembourg. Elle fut supprimée le 16 mai.

5. Le nom de Vésuviennes servit d'abord à désigner une organisation communautaire de jeunes ouvrières. Il fut ensuite employé pour parler des féministes auxquelles on prêtait des mœurs assez lestes.

6. Les Tyroliens ou Montagnards (voir la note 4, p. 396).

char de l'Agriculture, traîné par des chevaux à la place de bœufs et escorté de jeunes filles laides. Arnoux, au contraire, défendait le Pouvoir et rêvait la fusion des partis. Cependant, ses affaires prenaient une tournure mauvaise. Il s'en inquiétait médiocrement.

Les relations de Frédéric et de la Maréchale ne l'avaient point attristé ; car cette découverte l'autorisa (dans sa conscience) à supprimer la pension qu'il lui refaisait depuis le départ du prince. Il allégua l'embarras des circonstances, gémit beaucoup, et Rosanette fut généreuse. Alors M. Arnoux se considéra comme l'amant de cœur, – ce qui le rehaussait dans son estime, et le rajeunit. Ne doutant pas que Frédéric ne payât la Maréchale, il s'imaginait « faire une bonne farce », arriva même à s'en cacher, et lui laissait le champ libre quand ils se rencontraient.

Ce partage blessait Frédéric ; et les politesses de son rival lui semblaient une gouaillerie trop prolongée. Mais, en se fâchant, il se fût ôté toute chance d'un retour vers l'autre, et puis c'était le seul moyen d'en entendre parler. Le marchand de faïences, suivant son usage, ou, par malice peut-être, la rappelait volontiers dans sa conversation, et lui demandait même pourquoi il ne venait plus la voir.

Frédéric, ayant épuisé tous les prétextes, assura qu'il avait été chez Mme Arnoux plusieurs fois, inutilement. Arnoux en demeura convaincu, car souvent il s'extasiait devant elle sur l'absence de leur ami ; et toujours elle répondait avoir manqué sa visite ; de sorte que ces deux mensonges, au lieu de se couper se corroboraient.

La douceur du jeune homme et la joie de l'avoir pour dupe faisaient qu'Arnoux le chérissait davantage. Il poussait la familiarité jusqu'aux dernières bornes, non par dédain, mais par confiance. Un jour, il lui écrivit qu'une affaire urgente l'attirait pour vingt-quatre heures en province ; il le priait de monter la garde à sa place. Frédéric n'osa le refuser, et se rendit au poste du Carrousel.

Il eut à subir la société des gardes nationaux ! et, sauf un épurateur, homme facétieux qui buvait d'une manière exorbitante, tous lui parurent plus bêtes que leur giberne [1].

_____

1. Voir la note 1, p. 387.

L'entretien capital fut sur le remplacement des buffleteries [1]
par le ceinturon. D'autres s'emportaient contre les ateliers
nationaux [2]. On disait : « Où allons-nous ? » Celui qui avait
reçu l'apostrophe répondait en ouvrant les yeux, comme au
bord d'un abîme : « Où allons-nous ? » Alors un plus hardi
s'écriait : « Ça ne peut pas durer ! il faut en finir ! » Et, les
mêmes discours se répétant jusqu'au soir, Frédéric
s'ennuya mortellement.

Sa surprise fut grande, quand, à onze heures, il vit
paraître Arnoux, lequel, tout de suite, dit qu'il accourait
pour le libérer, son affaire étant finie.

Il n'avait pas eu d'affaire. C'était une invention pour
passer vingt-quatre heures, seul, avec Rosanette. Mais le
brave Arnoux avait trop présumé de lui-même, si bien que,
dans sa lassitude, un remords l'avait pris. Il venait faire des
remerciements à Frédéric et lui offrir à souper.

– « Mille grâces ! je n'ai pas faim ! je ne demande que
mon lit ! »

– « Raison de plus pour déjeuner ensemble, tantôt ! Quel
mollasse vous êtes ! On ne rentre pas chez soi maintenant !
Il est trop tard ! Ce serait dangereux ! »

Frédéric, encore une fois, céda. Arnoux, qu'on ne s'attendait pas à voir, fut choyé de ses frères d'armes, principalement de l'épurateur. Tous l'aimaient ; et il était si bon
garçon, qu'il regretta la présence d'Hussonnet. Mais il avait
besoin de fermer l'œil une minute, pas davantage.

– « Mettez-vous près de moi », dit-il à Frédéric, tout en
s'allongeant sur le lit de camp, sans ôter ses buffleteries. Par
peur d'une alerte, en dépit du règlement, il garda même son
fusil ; puis balbutia quelques mots : « Ma chérie ! mon petit
ange ! » et ne tarda pas à s'endormir.

Ceux qui parlaient se turent ; et peu à peu il se fit dans le
poste un grand silence. Frédéric, tourmenté par les puces,
regardait autour de lui. La muraille, peinte en jaune, avait
à moitié de sa hauteur une longue planche où les sacs

---

1. Voir la note 3, p. 392.
2. Souhaités par Louis Blanc pour garantir le « droit au travail », mais
organisés par le républicain modéré Marie (ministre des Travaux publics),
les ateliers nationaux ne furent jamais que des ateliers de charité où les
ouvriers étaient plus occupés qu'employés.

formaient une suite de petites bosses, tandis qu'au-dessous, les fusils couleur de plomb étaient dressés les uns près des autres ; et il s'élevait des ronflements, produits par les gardes nationaux, dont les ventres se dessinaient d'une manière confuse, dans l'ombre. Une bouteille vide et des assiettes couvraient le poêle. Trois chaises de paille entouraient la table, où s'étalait un jeu de cartes. Un tambour, au milieu du banc, laissait pendre sa bricole [1]. Le vent chaud arrivant par la porte, faisait fumer le quinquet [2]. Arnoux dormait les deux bras ouverts ; et comme son fusil était posé la crosse en bas un peu obliquement, la gueule du canon lui arrivait sous l'aisselle. Frédéric le remarqua et fut effrayé.

– « Mais non ! j'ai tort ! il n'y a rien à craindre ! S'il mourait cependant... »

Et, tout de suite, des tableaux à n'en plus finir se déroulèrent. Il s'aperçut avec Elle, la nuit, dans une chaise de poste ; puis au bord d'un fleuve par un soir d'été, et sous le reflet d'une lampe, chez eux, dans leur maison. Il s'arrêtait même à des calculs de ménage, des dispositions domestiques, contemplant, palpant déjà son bonheur ; – et, pour le réaliser, il aurait fallu seulement que le chien du fusil se levât ! On pouvait le pousser du bout de l'orteil ; le coup partirait, ce serait un hasard, rien de plus !

Frédéric s'étendit sur cette idée, comme un dramaturge qui compose. Tout à coup, il lui sembla qu'elle n'était pas loin de se résoudre en action, et qu'il allait y contribuer, qu'il en avait envie ; alors, une grande peur le saisit. Au milieu de cette angoisse, il éprouvait un plaisir, et s'y enfonçait de plus en plus, sentant avec effroi ses scrupules disparaître ; dans la fureur de sa rêverie, le reste du monde s'effaçait ; et il n'avait conscience de lui-même que par un intolérable serrement à la poitrine.

– « Prenons-nous le vin blanc ? » dit l'épurateur qui s'éveillait.

Arnoux sauta par terre ; et le vin blanc étant pris, voulut monter la faction de Frédéric.

---

1. La bricole est ici la bretelle servant à tenir le tambour.
2. Voir la note 4, p. 71.

Puis il l'emmena déjeuner rue de Chartres, chez Parly ; et, comme il avait besoin de se refaire, il se commanda deux plats de viande, un homard, une omelette au rhum, une salade, etc., le tout arrosé d'un sauternes 1819, avec un romanée [1] 42, sans compter le champagne au dessert, et les liqueurs.

Frédéric ne le contraria nullement. Il était gêné, comme si l'autre avait pu découvrir, sur son visage, les traces de sa pensée.

Les deux coudes au bord de la table, et penché très bas, Arnoux, en le fatiguant de son regard, lui confiait ses imaginations.

Il avait envie de prendre à ferme [2] tous les remblais de la ligne du Nord pour y semer des pommes de terre, ou bien d'organiser sur les boulevards une cavalcade monstre, où les « célébrités de l'époque » figureraient. Il louerait toutes les fenêtres, ce qui, à raison de trois francs, en moyenne, produirait un joli bénéfice. Bref, il rêvait un grand coup de fortune par un accaparement. Il était moral, cependant, blâmait les excès, l'inconduite, parlait de son « pauvre père », et, tous les soirs, disait-il, faisait son examen de conscience, avant d'offrir son âme à Dieu.

– « Un peu de curaçao, hein ? »
– « Comme vous voudrez. »

Quant à la République, les choses s'arrangeraient ; enfin, il se trouvait l'homme le plus heureux de la terre ; et, s'oubliant, il vanta les qualités de Rosanette, la compara même à sa femme. C'était bien autre chose ! On n'imaginait pas d'aussi belles cuisses.

– « À votre santé ! »

Frédéric trinqua. Il avait, par complaisance, un peu trop bu ; d'ailleurs, le grand soleil l'éblouissait ; et, quand ils remontèrent ensemble la rue Vivienne, leurs épaulettes se touchaient fraternellement.

---

1. Le vignoble de Vosne-Romanée (en Bourgogne) produit des vins rouges de très grande renommée.
2. Prendre à ferme, c'est se faire abandonner par un propriétaire pour un temps déterminé la jouissance d'une terre agricole, moyennant une redevance.

Rentré chez lui, Frédéric dormit jusqu'à sept heures. Ensuite, il s'en alla chez la Maréchale. Elle était sortie avec quelqu'un. Avec Arnoux, peut-être ? Ne sachant que faire, il continua sa promenade sur le boulevard, mais ne put dépasser la porte Saint-Martin, tant il y avait de monde.

La misère abandonnait à eux-mêmes un nombre considérable d'ouvriers ; et ils venaient là, tous les soirs, se passer en revue sans doute, et attendre un signal. Malgré la loi contre les attroupements [1], ces *clubs du désespoir* augmentaient d'une manière effrayante ; et beaucoup de bourgeois s'y rendaient quotidiennement, par bravade, par mode.

Tout à coup, Frédéric aperçut, à trois pas de distance, M. Dambreuse avec Martinon ; il tourna la tête, car M. Dambreuse s'étant fait nommer représentant, il lui gardait rancune. Mais le capitaliste l'arrêta.

– « Un mot, cher monsieur ! J'ai des explications à vous fournir. »

– « Je n'en demande pas. »

– « De grâce ! écoutez-moi. »

Ce n'était nullement sa faute. On l'avait prié, contraint en quelque sorte. Martinon, tout de suite, appuya ses paroles : des Nogentais en députation s'étaient présentés chez lui.

– « D'ailleurs, j'ai cru être libre, du moment… »

Une poussée de monde sur le trottoir força M. Dambreuse à s'écarter. Une minute après, il reparut, en disant à Martinon :

– « C'est un vrai service, cela ! Vous n'aurez pas à vous repentir… »

Tous les trois s'adossèrent contre une boutique, afin de causer plus à l'aise.

On criait de temps en temps : « Vive Napoléon ! vive Barbès ! à bas Marie [2] ! » La foule innombrable parlait très

---

1. La loi contre les attroupements était une loi répressive, votée le 4 juin sur proposition du ministre Marie.
2. La popularité de Louis Napoléon Bonaparte croissait régulièrement depuis le 25 février 1848, date à laquelle le neveu de l'empereur défunt avait adressé une lettre au gouvernement provisoire, l'assurant de son dévouement à sa cause. Pour Barbès, voir la note 1, p. 213. Quant au ministre Marie, on lui reprochait, pour les uns, la loi contre les attroupements, et pour les autres la création des ateliers nationaux.

haut ; – et toutes ces voix, répercutées par les maisons, faisaient comme le bruit continuel des vagues dans un port. À de certains moments, elles se taisaient ; alors, *La Marseillaise*[1] s'élevait. Sous les portes cochères, des hommes d'allures mystérieuses proposaient des cannes à dard. Quelquefois, deux individus, passant l'un devant l'autre, clignaient de l'œil, et s'éloignaient prestement. Des groupes de badauds occupaient les trottoirs ; une multitude compacte s'agitait sur le pavé. Des bandes entières d'agents de police, sortant des ruelles, y disparaissaient à peine entrés. De petits drapeaux rouges, çà et là, semblaient des flammes ; les cochers, du haut de leur siège, faisaient de grands gestes, puis s'en retournaient. C'était un mouvement, un spectacle des plus drôles.

– « Comme tout cela », dit Martinon, « aurait amusé Mlle Cécile ! »

– « Ma femme, vous savez bien, n'aime pas que ma nièce vienne avec nous », reprit en souriant M. Dambreuse.

On ne l'aurait pas reconnu. Depuis trois mois il criait : « Vive la République ! » et même il avait voté le bannissement des d'Orléans[2]. Mais les concessions devaient finir. Il se montrait furieux jusqu'à porter un casse-tête dans sa poche.

Martinon, aussi, en avait un. La magistrature n'étant plus inamovible, il s'était retiré du parquet[3], si bien qu'il dépassait en violences M. Dambreuse.

Le banquier haïssait particulièrement Lamartine (pour avoir soutenu Ledru-Rollin[4]), et avec lui Pierre Leroux[5], Proudhon[6], Considérant[7], Lamennais[8], tous les cerveaux brûlés, tous les socialistes.

---

1. Voir la note 4, p. 78.
2. Le 26 mai 1848 fut votée la loi de bannissement de la famille d'Orléans, tandis qu'était abrogée celle qui touchait les Bonaparte.
3. Voir la note 4, p. 234.
4. Voir la note 2, p. 395.
5. Voir la note 4, p. 258.
6. Voir la note 2, p. 400.
7. Disciple de Fourier (voir la note 5, p. 207), Victor Considérant (1808-1893) prit part au mouvement du 13 juin, ce qui lui valut une condamnation par contumace à la déportation. Il tenta alors d'établir un phalanstère au Texas.
8. D'abord prêtre royaliste et ultramontain, Félicité de Lamennais (1782-1854) évolua vers un christianisme libéral et un humanitarisme démocra-

– « Car enfin, que veulent-ils ? On a supprimé l'octroi [1] sur la viande et la contrainte par corps ; maintenant, on étudie le projet d'une banque hypothécaire ; l'autre jour, c'était une banque nationale ! et voilà cinq millions au budget pour les ouvriers ! Mais heureusement c'est fini, grâce à M. de Falloux [2] ! Bon voyage ! qu'ils s'en aillent ! »

En effet, ne sachant comment nourrir les cent trente mille hommes des ateliers nationaux, le ministre des Travaux publics avait, ce jour-là même, signé un arrêté qui invitait tous les citoyens entre dix-huit et vingt ans à prendre du service comme soldats, ou bien à partir vers les provinces, pour y remuer la terre.

Cette alternative les indigna, persuadés qu'on voulait détruire la République. L'existence loin de la capitale les affligeait comme un exil ; ils se voyaient mourants par les fièvres, dans des régions farouches. Pour beaucoup, d'ailleurs, accoutumés à des travaux délicats, l'agriculture semblait un avilissement ; c'était un leurre enfin, une dérision, le déni formel de toutes les promesses. S'ils résistaient, on emploierait la force ; ils n'en doutaient pas et se disposaient à la prévenir.

Vers neuf heures, les attroupements formés à la Bastille et au Châtelet refluèrent sur le boulevard. De la porte Saint-Denis à la porte Saint-Martin, cela ne faisait plus qu'un grouillement énorme, une seule masse d'un bleu sombre, presque noir. Les hommes que l'on entrevoyait avaient tous les prunelles ardentes, le teint pâle, des figures amaigries par la faim, exaltées par l'injustice. Cependant, des nuages s'amoncelaient ; le ciel orageux chauffant l'électricité de la multitude, elle tourbillonnait sur elle-même, indécise, avec un large balancement de houle ; et l'on sentait dans ses profondeurs une force incalculable, et comme l'énergie d'un élément. Puis tous se mirent à chanter : « Des lampions ! des lampions [3] ! » Plusieurs fenêtres ne s'éclairaient pas ; des cailloux furent lancés dans leurs carreaux. M. Dambreuse

tique (*Le Livre du peuple*, 1838). En 1848, il fut élu à la Constituante et devint directeur du journal *Le Peuple constituant*.

1. Voir la note 6, p. 167.
2. Voir la note 5, p. 395.
3. Voir la note 3, p. 381.

jugea prudent de s'en aller. Les deux jeunes gens le reconduisirent.

Il prévoyait de grands désastres. Le peuple, encore une
fois, pouvait envahir la Chambre ; et, à ce propos, il raconta
comment il serait mort le 15 mai[1], sans le dévouement d'un
garde national.

– « Mais c'est votre ami, j'oubliais ! votre ami, le fabricant de faïences, Jacques Arnoux ! » Les gens de l'émeute
l'étouffaient ; ce brave citoyen l'avait pris dans ses bras et
déposé à l'écart. Aussi, depuis lors, une sorte de liaison
s'était faite. – « Il faudra un de ces jours dîner ensemble,
et, puisque vous le voyez souvent, assurez-le que je l'aime
beaucoup. C'est un excellent homme, calomnié, selon moi ;
et il a de l'esprit, le mâtin ! Mes compliments encore une
fois ! bien le bonsoir !... »

Frédéric, après avoir quitté M. Dambreuse, retourna chez
la Maréchale ; et, d'un air très sombre, dit qu'elle devait
opter entre lui et Arnoux. Elle répondit avec douceur qu'elle
ne comprenait goutte à des « ragots pareils », n'aimait pas
Arnoux, n'y tenait aucunement. Frédéric avait soif d'abandonner Paris. Elle ne repoussa pas cette fantaisie, et ils partirent pour Fontainebleau[2] dès le lendemain.

L'hôtel où ils logèrent se distinguait des autres par un jet
d'eau clapotant au milieu de sa cour. Les portes des
chambres s'ouvraient sur un corridor, comme dans les
monastères. Celle qu'on leur donna était grande, fournie de
bons meubles, tendue d'indienne[3], et silencieuse, vu la
rareté des voyageurs. Le long des maisons, des bourgeois
inoccupés passaient ; puis, sous leurs fenêtres, quand le jour
tomba, des enfants dans la rue firent une partie de barres[4] ;
– et cette tranquillité, succédant pour eux au tumulte de
Paris, leur causait une surprise, un apaisement.

Le matin de bonne heure, ils allèrent visiter le château.
Comme ils entraient par la grille, ils aperçurent sa façade
tout entière, avec les cinq pavillons à toits aigus et son

---

1. Voir la note 2, p. 419.
2. Voir le dossier, p. 585.
3. Voir la note 4, p. 68.
4. Voir la note 3, p. 58.

escalier en fer à cheval se déployant au fond de la cour, que bordent de droite et de gauche deux corps de bâtiments plus bas. Des lichens sur les pavés se mêlent de loin au ton fauve des briques ; et l'ensemble du palais, couleur de rouille comme une vieille armure, avait quelque chose de royalement impassible, une sorte de grandeur militaire et triste.

Enfin, un domestique, portant un trousseau de clefs, parut. Il leur montra d'abord les appartements des reines, l'oratoire du Pape, la galerie de François Ier, la petite table d'acajou sur laquelle l'Empereur signa son abdication, et, dans une des pièces qui divisaient l'ancienne galerie des Cerfs, l'endroit où Christine fit assassiner Monaldeschi[1]. Rosanette écouta cette histoire attentivement ; puis, se tournant vers Frédéric :

– « C'était par jalousie, sans doute ? Prends garde à toi ! »

Ensuite, ils traversèrent la salle du Conseil, la salle des Gardes, la salle du Trône, le salon de Louis XIII. Les hautes croisées, sans rideaux, épanchaient une lumière blanche ; de la poussière ternissait légèrement les poignées des espagnolettes, le pied de cuivre des consoles ; des nappes de grosses toiles cachaient partout les fauteuils ; on voyait au-dessus des portes des chasses Louis XV, et çà et là des tapisseries représentant les dieux de l'Olympe, Psyché ou les batailles d'Alexandre.

Quand elle passait devant les glaces, Rosanette s'arrêtait une minute pour lisser ses bandeaux[2].

Après la cour du donjon et la chapelle Saint-Saturnin, ils arrivèrent dans la salle des fêtes.

Ils furent éblouis par la splendeur du plafond, divisé en compartiments octogones, rehaussé d'or et d'argent, plus ciselé qu'un bijou, et par l'abondance des peintures qui couvrent les murailles depuis la gigantesque cheminée où des croissants et des carquois entourent les armes de France, jusqu'à la tribune pour les musiciens, construite à l'autre bout, dans la largeur de la salle. Les dix fenêtres en arcades

---

1. Écuyer et amant de la reine Christine de Suède, Monaldeschi fut assassiné sur son ordre à Fontainebleau en 1657.

2. Voir la note 3, p. 47.

étaient grandes ouvertes ; le soleil faisait briller les peintures, le ciel bleu continuait indéfiniment l'outremer des
cintres ; et, du fond des bois, dont les cimes vaporeuses
emplissaient l'horizon, il semblait venir un écho des halla-
lis [1] poussés dans les trompes d'ivoire, et des ballets mythologiques, assemblant sous le feuillage des princesses et des
seigneurs travestis en nymphes et en sylvains [2], – époque de
science ingénue, de passions violentes et d'art somptueux,
quand l'idéal était d'emporter le monde dans un rêve des
Hespérides [3], et que les maîtresses des rois se confondaient
avec les astres. La plus belle de ces fameuses s'était fait
peindre, à droite, sous la figure de Diane Chasseresse, et
même en Diane Infernale, sans doute pour marquer sa puissance jusque par-delà le tombeau. Tous ces symboles
confirment sa gloire ; et il reste là quelque chose d'elle, une
voix indistincte, un rayonnement qui se prolonge.

Frédéric fut pris par une concupiscence [4] rétrospective et
inexprimable. Afin de distraire son désir, il se mit à considérer tendrement Rosanette, en lui demandant si elle n'aurait
pas voulu être cette femme.

– « Quelle femme ? »
– « Diane de Poitiers ! »
Il répéta :
– « Diane de Poitiers, la maîtresse d'Henri II. »
Elle fit un petit : « Ah ! » Ce fut tout.

Son mutisme prouvait clairement qu'elle ne savait rien,
ne comprenait pas, si bien que par complaisance il lui dit :

– « Tu t'ennuies peut-être ? »
– « Non, non, au contraire ! »

Et, le menton levé, tout en promenant à l'entour un
regard des plus vagues, Rosanette lâcha ce mot :

– « Ça rappelle des souvenirs ! »

---

1. L'hallali est le cri de chasse qui annonce que la bête poursuivie est
aux abois.
2. Dans la mythologie latine, un Sylvain était une divinité des forêts.
3. Les Hespérides étaient le jardin des dieux, situé aux limites occiden-
tales de la Terre et où poussaient les arbres donnant les célèbres pommes
d'or.
4. Voir la note 2, p. 297.

Cependant, on apercevait sur sa mine un effort, une intention de respect ; et, comme cet air sérieux la rendait plus jolie, Frédéric l'excusa.

L'étang des carpes la divertit davantage. Pendant un quart d'heure, elle jeta des morceaux de pain dans l'eau, pour voir les poissons bondir.

Frédéric s'était assis près d'elle, sous les tilleuls. Il songeait à tous les personnages qui avaient hanté ces murs, Charles-Quint, les Valois, Henri IV, Pierre le Grand, Jean-Jacques Rousseau et « les belles pleureuses des premières loges [1] », Voltaire, Napoléon, Pie VII, Louis-Philippe ; il se sentait environné, coudoyé par ces morts tumultueux ; une telle confusion d'images l'étourdissait, bien qu'il y trouvât du charme pourtant.

Enfin ils descendirent dans le parterre.

C'est un vaste rectangle, laissant voir d'un seul coup d'œil ses larges allées jaunes, ses carrés de gazon, ses rubans de buis, ses ifs en pyramide, ses verdures basses et ses étroites plates-bandes, où des fleurs clairsemées font des taches sur la terre grise. Au bout du jardin, un parc se déploie, traversé dans toute son étendue par un long canal.

Les résidences royales ont en elles une mélancolie particulière, qui tient sans doute à leurs dimensions trop considérables pour le petit nombre de leurs hôtes, au silence qu'on est surpris d'y trouver après tant de fanfares, à leur luxe immobile prouvant par sa vieillesse la fugacité des dynasties, l'éternelle misère de tout ; – et cette exhalaison des siècles, engourdissante et funèbre comme un parfum de momie, se fait sentir même aux têtes naïves. Rosanette bâillait démesurément. Ils s'en retournèrent à l'hôtel.

Après leur déjeuner, on leur amena une voiture découverte. Ils sortirent de Fontainebleau par un large rond-point, puis montèrent au pas une route sablonneuse dans un bois de petits pins. Les arbres devinrent plus grands ; et le cocher, de temps à autre, disait : « Voici les Frères-Siamois, le

---

1. Cette expression est une allusion aux *Confessions* de Rousseau, lorsque l'écrivain évoque l'émotion suscitée par la première représentation du *Devin de village* à Fontainebleau, le 18 octobre 1752.

Pharamond, le Bouquet-du-Roi... », n'oubliant aucun des sites célèbres, parfois même s'arrêtant pour les faire admirer.

Ils entrèrent dans la futaie de Franchard. La voiture glissait comme un traîneau sur le gazon ; des pigeons qu'on ne voyait pas roucoulaient ; tout à coup, un garçon de café parut ; et ils descendirent devant la barrière d'un jardin où il y avait des tables rondes. Puis, laissant à gauche les murailles d'une abbaye en ruines, ils marchèrent sur de grosses roches, et atteignirent bientôt le fond de la gorge.

Elle est couverte, d'un côté, par un entremêlement de grès et de genévriers, tandis que, de l'autre, le terrain presque nu s'incline vers le creux du vallon, où, dans la couleur des bruyères, un sentier fait une ligne pâle ; et on aperçoit tout au loin un sommet en cône aplati, avec la tour d'un télégraphe par-derrière.

Une demi-heure après, ils mirent pied à terre encore une fois pour gravir les hauteurs d'Aspremont.

Le chemin fait des zigzags entre les pins trapus, sous des rochers à profils anguleux ; tout ce coin de la forêt a quelque chose d'étouffé, d'un peu sauvage et de recueilli. On pense aux ermites, compagnons des grands cerfs portant une croix de feu entre leurs cornes, et qui recevaient avec de paternels sourires les bons rois de France, agenouillés devant leur grotte. Une odeur résineuse emplissait l'air chaud, des racines à ras du sol s'entrecroisaient comme des veines. Rosanette trébuchait dessus, était désespérée, avait envie de pleurer.

Mais, tout au haut, la joie lui revint, en trouvant sous un toit de branchages une manière de cabaret, où l'on vend des bois sculptés. Elle but une bouteille de limonade, s'acheta un bâton de houx ; et, sans donner un coup d'œil au paysage que l'on découvre du plateau, elle entra dans la Caverne-des-Brigands, précédée d'un gamin portant une torche.

Leur voiture les attendait dans le Bas-Bréau.

Un peintre en blouse bleue travaillait au pied d'un chêne, avec sa boîte à couleurs sur les genoux. Il leva la tête et les regarda passer.

Au milieu de la côte de Chailly, un nuage, crevant tout à coup, leur fit rabattre la capote. Presque aussitôt la pluie s'arrêta ; et les pavés des rues brillaient sous le soleil quand ils rentrèrent dans la ville.

Des voyageurs, arrivés nouvellement, leur apprirent qu'une bataille épouvantable ensanglantait Paris [1]. Rosanette et son amant n'en furent pas surpris. Puis tout le monde s'en alla, l'hôtel redevint paisible, le gaz s'éteignit, et ils s'endormirent au murmure du jet d'eau dans la cour.

Le lendemain, ils allèrent voir la Gorge-au-Loup, la Mare-aux-Fées, le Long-Rocher, la Marlotte ; le surlendemain, ils recommencèrent au hasard, comme leur cocher voulait, sans demander où ils étaient, et souvent même négligeant les sites fameux.

Ils se trouvaient si bien dans leur vieux landau [2], bas comme un sofa et couvert d'une toile à raies déteintes ! Les fossés pleins de broussailles filaient sous leurs yeux, avec un mouvement doux et continu. Des rayons blancs traversaient comme des flèches les hautes fougères ; quelquefois, un chemin, qui ne servait plus, se présentait devant eux, en ligne droite ; et des herbes s'y dressaient çà et là, mollement. Au centre des carrefours, une croix étendait ses quatre bras ; ailleurs, des poteaux se penchaient comme des arbres morts, et de petits sentiers courbes, en se perdant sous les feuilles, donnaient envie de les suivre ; au même moment, le cheval tournait, ils y entraient, on enfonçait dans la boue ; plus loin, de la mousse avait poussé au bord des ornières profondes.

Ils se croyaient loin des autres, bien seuls. Mais tout à coup passait un garde-chasse avec son fusil, ou une bande de femmes en haillons, traînant sur leur dos de longues bourrées [3].

Quand la voiture s'arrêtait, il se faisait un silence universel ; seulement, on entendait le souffle du cheval dans les brancards, avec un cri d'oiseau très faible, répété.

La lumière, à de certaines places éclairant la lisière du bois, laissait les fonds dans l'ombre ; ou bien, atténuée sur

---

1. Lorsque la décision de supprimer les ateliers nationaux eut été prise, le peuple de Paris s'insurgea et l'armée reçut l'ordre d'attaquer le 23 juin. Les combats durèrent jusqu'au 26.

2. Voir la note 2, p. 149.

3. Voir la note 1, p. 345.

les premiers plans par une sorte de crépuscule, elle étalait dans les lointains des vapeurs violettes, une clarté blanche. Au milieu du jour, le soleil, tombant d'aplomb sur les larges verdures, les éclaboussait, suspendait des gouttes argentines à la pointe des branches, rayait le gazon de traînées d'émeraudes, jetait des taches d'or sur les couches de feuilles mortes ; en se renversant la tête, on apercevait le ciel, entre les cimes des arbres. Quelques-uns, d'une altitude démesurée, avaient des airs de patriarches et d'empereurs, ou se touchant par le bout, formaient avec leurs longs fûts comme des arcs de triomphe ; d'autres, poussés dès le bas obliquement, semblaient des colonnes près de tomber.

Cette foule de grosses lignes verticales s'entrouvrait. Alors, d'énormes flots verts se déroulaient en bosselages inégaux jusqu'à la surface des vallées où s'avançait la croupe d'autres collines dominant des plaines blondes, qui finissaient par se perdre dans une pâleur indécise.

Debout, l'un près de l'autre, sur quelque éminence du terrain, ils sentaient, tout en humant le vent, leur entrer dans l'âme comme l'orgueil d'une vie plus libre, avec une surabondance de forces, une joie sans cause.

La diversité des arbres faisait un spectacle changeant. Les hêtres, à l'écorce blanche et lisse, entremêlaient leurs couronnes ; des frênes courbaient mollement leurs glauques [1] ramures ; dans les cépées [2] de charmes, des houx pareils à du bronze se hérissaient ; puis venait une file de minces bouleaux, inclinés dans des attitudes élégiaques ; et les pins, symétriques comme des tuyaux d'orgue, en se balançant continuellement, semblaient chanter. Il y avait des chênes rugueux, énormes, qui se convulsaient, s'étiraient du sol, s'étreignaient les uns les autres, et, fermes sur leurs troncs, pareils à des torses, se lançaient avec leurs bras nus des appels de désespoir, des menaces furibondes, comme un groupe de Titans [3] immobilisés dans leur colère. Quelque chose de plus lourd, une langueur fiévreuse planait au-dessus des mares,

---

1. Voir la note 2, p. 66.
2. Une cépée est une touffe de jeunes tiges de bois, de rejets sortant d'une même souche.
3. Dans la mythologie grecque, les Titans étaient les fils d'Ouranos et de Gaïa. Vaincus par Zeus, ils furent précipités dans le Tartare.

découpant la nappe de leurs eaux entre des buissons d'épines ; les lichens, de leur berge, où les loups viennent boire, sont couleur de soufre, brûlés comme par le pas des sorcières, et le coassement ininterrompu des grenouilles répond au cri des corneilles qui tournoient. Ensuite, ils traversaient des clairières monotones, plantées d'un baliveau [1] çà et là. Un bruit de fer, des coups drus et nombreux sonnaient : c'était, au flanc d'une colline, une compagnie de carriers [2] battant les roches. Elles se multipliaient de plus en plus, et finissaient par emplir tout le paysage, cubiques comme des maisons, plates comme des dalles, s'étayant, se surplombant, se confondant, telles que les ruines méconnaissables et monstrueuses de quelque cité disparue. Mais la furie même de leur chaos fait plutôt rêver à des volcans, à des déluges, aux grands cataclysmes ignorés. Frédéric disait qu'ils étaient là depuis le commencement du monde et resteraient ainsi jusqu'à la fin ; Rosanette détournait la tête, en affirmant que « ça la rendrait folle », et s'en allait cueillir des bruyères. Leurs petites fleurs violettes, tassées les unes près des autres, formaient des plaques inégales, et la terre qui s'écroulait de dessous mettait comme des franges noires au bord des sables pailletés de mica [3].

Ils arrivèrent un jour à mi-hauteur d'une colline tout en sable. Sa surface, vierge de pas, était rayée en ondulations symétriques ; çà et là, telles que des promontoires sur le lit desséché d'un océan, se levaient des roches ayant de vagues formes d'animaux, tortues avançant la tête, phoques qui rampent, hippopotames et ours. Personne. Aucun bruit. Les sables, frappés par le soleil, éblouissaient ; – et tout à coup, dans cette vibration de la lumière, les bêtes parurent remuer. Ils s'en retournèrent vite, fuyant le vertige, presque effrayés.

Le sérieux de la forêt les gagnait ; et ils avaient des heures de silence où, se laissant aller au bercement des ressorts, ils demeuraient comme engourdis dans une ivresse tranquille. Le bras sous la taille, il l'écoutait parler pendant que les

---

1. Un baliveau est un jeune arbre non ébranché.
2. Le carrier est celui qui exploite une carrière comme entrepreneur ou comme ouvrier.
3. Le mica est un silicate constituant des roches volcaniques et métamorphiques. Il est brillant.

oiseaux gazouillaient, observait presque du même coup d'œil les raisins noirs de sa capote et les baies des genévriers, les draperies de son voile, les volutes des nuages ; et, quand il se penchait vers elle, la fraîcheur de sa peau se mêlait au grand parfum des bois. Ils s'amusaient de tout ; ils se montraient, comme une curiosité, des fils de la Vierge [1] suspendus aux buissons, des trous pleins d'eau au milieu des pierres, un écureuil sur les branches, le vol de deux papillons qui les suivaient ; ou bien, à vingt pas d'eux, sous les arbres, une biche marchait, tranquillement, d'un air noble et doux, avec son faon côte à côte. Rosanette aurait voulu courir après, pour l'embrasser.

Elle eut bien peur une fois, quand un homme, se présentant tout à coup, lui montra dans une boîte trois vipères. Elle se jeta vivement contre Frédéric ; – il fut heureux de ce qu'elle était faible et de se sentir assez fort pour la défendre.

Ce soir-là, ils dînèrent dans une auberge, au bord de la Seine. La table était près de la fenêtre, Rosanette en face de lui ; et il contemplait son petit nez fin et blanc, ses lèvres retroussées, ses yeux clairs, ses bandeaux [2] châtains qui bouffaient, sa jolie figure ovale. Sa robe de foulard écru collait à ses épaules un peu tombantes ; et, sortant de leurs manchettes tout unies, ses deux mains découpaient, versaient à boire, s'avançaient sur la nappe. On leur servit un poulet avec les quatre membres étendus, une matelote d'anguilles dans un compotier en terre de pipe, du vin râpeux, du pain trop dur, des couteaux ébréchés. Tout cela augmentait le plaisir, l'illusion. Ils se croyaient presque au milieu d'un voyage, en Italie, dans leur lune de miel.

Avant de repartir, ils allèrent se promener le long de la berge.

Le ciel d'un bleu tendre, arrondi comme un dôme, s'appuyait à l'horizon sur la dentelure des bois. En face, au bout de la prairie, il y avait un clocher dans un village ; et, plus loin, à gauche, le toit d'une maison faisait une tache

---

1. Les fils de la Vierge sont les fils sécrétés par certaines araignées qui ne font pas de nid, et que le vent emporte (par allusion poétique à des fils soyeux échappés du fuseau de la Vierge Marie).
2. Voir la note 3, p. 47.

rouge sur la rivière, qui semblait immobile dans toute la longueur de sa sinuosité. Des joncs se penchaient pourtant, et l'eau secouait légèrement des perches plantées au bord pour tenir des filets ; une nasse d'osier, deux ou trois vieilles chaloupes étaient là. Près de l'auberge, une fille en chapeau de paille tirait des seaux d'un puits ; – chaque fois qu'ils remontaient, Frédéric écoutait avec une jouissance inexprimable le grincement de la chaîne.

Il ne doutait pas qu'il ne fût heureux pour jusqu'à la fin de ses jours, tant son bonheur lui paraissait naturel, inhérent à sa vie et à la personne de cette femme. Un besoin le poussait à lui dire des tendresses. Elle y répondait par de gentilles paroles, de petites tapes sur l'épaule, des douceurs dont la surprise le charmait. Il lui découvrait enfin une beauté toute nouvelle, qui n'était peut-être que le reflet des choses ambiantes, à moins que leurs virtualités secrètes ne l'eussent fait s'épanouir.

Quand ils se reposaient au milieu de la campagne, il s'étendait la tête sur ses genoux, à l'abri de son ombrelle ; – ou bien couchés sur le ventre au milieu de l'herbe, ils restaient l'un en face de l'autre, à se regarder, plongeant dans leurs prunelles, altérés d'eux-mêmes, s'en assouvissant toujours, puis les paupières entre-fermées, ne parlant plus.

Quelquefois, ils entendaient tout au loin des roulements de tambour. C'était la générale [1] que l'on battait dans les villages, pour aller défendre Paris.

– « Ah ! tiens ! l'émeute ! » disait Frédéric avec une pitié dédaigneuse, toute cette agitation lui apparaissant misérable à côté de leur amour et de la nature éternelle.

Et ils causaient de n'importe quoi, de choses qu'ils savaient parfaitement, de personnes qui ne les intéressaient pas, de mille niaiseries. Elle l'entretenait de sa femme de chambre et de son coiffeur. Un jour, elle s'oublia à dire son âge : vingt-neuf ans ; elle devenait vieille.

En plusieurs fois, sans le vouloir, elle lui apprit des détails sur elle-même. Elle avait été « demoiselle dans un magasin », avait fait un voyage en Angleterre, commencé des études

---

1. La générale est la batterie de tambour qui sert à rassembler les troupes en cas de danger.

pour être actrice ; tout cela sans transitions, et il ne pouvait reconstruire un ensemble. Elle en conta plus long, un jour qu'ils étaient assis sous un platane, au revers d'un pré. En bas, sur le bord de la route, une petite fille nu-pieds dans la poussière, faisait paître une vache. Dès qu'elle les aperçut, elle vint leur demander l'aumône ; et, tenant d'une main son jupon en lambeaux, elle grattait de l'autre ses cheveux noirs qui entouraient, comme une perruque à la Louis XIV, toute sa tête brune, illuminée par des yeux splendides.

– « Elle sera bien jolie plus tard », dit Frédéric.

– « Quelle chance pour elle si elle n'a pas de mère ! » reprit Rosanette.

– « Hein ? comment ? »

– « Mais oui ; moi, sans la mienne… »

Elle soupira, et se mit à parler de son enfance. Ses parents étaient des canuts [1] de la Croix-Rousse. Elle servait son père comme apprentie. Le pauvre bonhomme avait beau s'exténuer, sa femme l'invectivait et vendait tout pour aller boire. Rosanette voyait leur chambre, avec les métiers rangés en longueur contre les fenêtres, la pot-bouille [2] sur le poêle, le lit peint en acajou, une armoire en face, et la soupente [3] obscure où elle avait couché jusqu'à quinze ans. Enfin un monsieur était venu, un homme gras, la figure couleur de buis, des façons de dévot, habillé de noir. Sa mère et lui eurent ensemble une conversation, si bien que, trois jours après… Rosanette s'arrêta, et, avec un regard plein d'impudeur et d'amertume :

– « C'était fait ! »

Puis, répondant au geste de Frédéric :

– « Comme il était marié (il aurait craint de se compromettre dans sa maison), on m'emmena dans un cabinet [4] de restaurateur, et on m'avait dit que je serais heureuse, que je recevrais un beau cadeau.

---

1. À Lyon, les canuts étaient des ouvriers qui travaillaient au tissage de la soie sur les pentes de la colline de la Croix-Rousse.

2. La pot-bouille est la cuisine ordinaire du ménage.

3. Une soupente est un réduit aménagé dans la hauteur d'une pièce ou sous un escalier, pour servir de grenier ou de logement sommaire.

4. Voir la note 1, p. 137.

« Dès la porte, la première chose qui m'a frappée, c'était un candélabre de vermeil, sur une table où il y avait deux couverts. Une glace au plafond les reflétait, et les tentures des murailles en soie bleue faisaient ressembler tout l'appartement à une alcôve. Une surprise m'a saisie. Tu comprends, un pauvre être qui n'a jamais rien vu ! Malgré mon éblouissement, j'avais peur. Je désirais m'en aller. Je suis restée pourtant.

« Le seul siège qu'il y eût était un divan contre la table. Il a cédé sous moi avec mollesse ; la bouche du calorifère[1] dans le tapis m'envoyait une haleine chaude, et je restai là sans rien prendre. Le garçon qui se tenait debout m'a engagée à manger. Il m'a versé tout de suite un grand verre de vin ; la tête me tournait, j'ai voulu ouvrir la fenêtre, il m'a dit : – "Non, mademoiselle, c'est défendu." Et il m'a quittée. La table était couverte d'un tas de choses que je ne connaissais pas. Rien ne m'a semblé bon. Alors je me suis rabattue sur un pot de confitures, et j'attendais toujours. Je ne sais quoi l'empêchait de venir. Il était très tard, minuit au moins, je n'en pouvais plus de fatigue ; en repoussant un des oreillers pour mieux m'étendre, je rencontre sous ma main une sorte d'album, un cahier ; c'étaient des images obscènes... Je dormais dessus, quand il est entré. »

Elle baissa la tête, et demeura pensive.

Les feuilles autour d'eux susurraient, dans un fouillis d'herbes une grande digitale se balançait, la lumière coulait comme une onde sur le gazon ; et le silence était coupé à intervalles rapides par le broutement de la vache qu'on ne voyait plus.

Rosanette considérait un point par terre, à trois pas d'elle, fixement, les narines battantes, absorbée. Frédéric lui prit la main.

– « Comme tu as souffert, pauvre chérie ! »

– « Oui », dit-elle, « plus que tu ne crois !... jusqu'à vouloir en finir ; on m'a repêchée. »

– « Comment ? »

– « Ah ! n'y pensons plus !... Je t'aime, je suis heureuse ! embrasse-moi. » Et elle ôta, une à une, les brindilles de chardons accrochées dans le bas de sa robe.

---

1. Voir la note 5, p. 65.

Frédéric songeait surtout à ce qu'elle n'avait pas dit. Par quels degrés avait-elle pu sortir de la misère ? À quel amant devait-elle son éducation ? Que s'était-il passé dans sa vie jusqu'au jour où il était venu chez elle pour la première fois ? Son dernier aveu interdisait les questions. Il lui demanda, seulement, comment elle avait fait la connaissance d'Arnoux.

– « Par la Vatnaz. »

– « N'était-ce pas toi que j'ai vue, une fois, au Palais-Royal, avec eux deux ? »

Il cita la date précise. Rosanette fit un effort.

– « Oui, c'est vrai !... Je n'étais pas gaie dans ce temps-là ! »

Mais Arnoux s'était montré excellent. Frédéric n'en doutait pas ; cependant, leur ami était un drôle d'homme, plein de défauts ; il eut soin de les rappeler. Elle en convenait.

– « N'importe !... On l'aime tout de même, ce chameau-là ! »

– « Encore, maintenant ? » dit Frédéric.

Elle se mit à rougir, moitié riante, moitié fâchée.

– « Eh ! non ! c'est de l'histoire ancienne. Je ne te cache rien. Quand même cela serait, lui, c'est différent ! D'ailleurs, je ne te trouve pas gentil pour ta victime. »

– « Ma victime ? »

Rosanette lui prit le menton.

– « Sans doute ! »

Et, zézayant à la manière des nourrices :

– « Avons pas toujours été bien sage ! Avons fait dodo avec sa femme ! »

– « Moi ! jamais de la vie ! »

Rosanette sourit. Il fut blessé de son sourire, preuve d'indifférence, crut-il. Mais elle reprit doucement, et avec un de ces regards qui implorent le mensonge :

– « Bien sûr ? »

– « Certainement ! »

Frédéric jura sa parole d'honneur qu'il n'avait jamais pensé à Mme Arnoux, étant trop amoureux d'une autre.

– « De qui donc ? »

– « Mais de vous, ma toute belle ! »

– « Ah ! ne te moque pas de moi ! Tu m'agaces ! »

Il jugea prudent d'inventer une histoire, une passion. Il trouva des détails circonstanciés. Cette personne du reste, l'avait rendu fort malheureux.

– « Décidément, tu n'as pas de chance ! » dit Rosanette.

– « Oh ! oh ! peut-être ! » voulant faire entendre par là plusieurs bonnes fortunes, afin de donner de lui meilleure opinion, de même que Rosanette n'avouait pas tous ses amants pour qu'il l'estimât davantage ; – car, au milieu des confidences les plus intimes, il y a toujours des restrictions, par fausse honte, délicatesse, pitié. On découvre chez l'autre ou dans soi-même des précipices ou des fanges qui empêchent de poursuivre ; on sent, d'ailleurs, que l'on ne serait pas compris ; il est difficile d'exprimer exactement quoi que ce soit ; aussi les unions complètes sont rares.

La pauvre Maréchale n'en avait jamais connu de meilleure. Souvent, quand elle considérait Frédéric, des larmes lui arrivaient aux paupières, puis elle levait les yeux, ou les projetait vers l'horizon, comme si elle avait aperçu quelque grande aurore, des perspectives de félicité sans bornes. Enfin, un jour, elle avoua qu'elle souhaitait faire dire une messe, « pour que ça porte bonheur à notre amour ».

D'où venait donc qu'elle lui avait résisté pendant si long-temps ? Elle n'en savait rien elle-même. Il renouvela plusieurs fois sa question ; et elle répondait en le serrant dans ses bras :

– « C'est que j'avais peur de t'aimer trop, mon chéri ! »

Le dimanche matin, Frédéric lut dans un journal, sur une liste de blessés, le nom de Dussardier. Il jeta un cri, et, montrant le papier à Rosanette, déclara qu'il allait partir immédiatement.

– « Pour quoi faire ? »

– « Mais pour le voir, le soigner ! »

– « Tu ne vas pas me laisser seule, j'imagine ? »

– « Viens avec moi. »

– « Ah ! que j'aille me fourrer dans une bagarre pareille ! Merci bien ! »

– « Cependant, je ne peux pas... »

– « Ta ta ta ! Comme si on manquait d'infirmiers dans les hôpitaux ! Et puis, qu'est-ce que ça le regardait encore, celui-là ? Chacun pour soi ! »

Il fut indigné de cet égoïsme ; et il se reprocha de n'être pas là-bas avec les autres. Tant d'indifférence aux malheurs de la patrie avait quelque chose de mesquin et de bourgeois. Son amour lui pesa tout à coup comme un crime. Ils se boudèrent pendant une heure.

Puis elle le supplia d'attendre, de ne pas s'exposer.

– « Si par hasard on te tue ! »

– « Eh ! je n'aurai fait que mon devoir ! »

Rosanette bondit. D'abord, son devoir était de l'aimer. C'est qu'il ne voulait plus d'elle, sans doute ! Ça n'avait pas le sens commun ! Quelle idée, mon Dieu !

Frédéric sonna pour avoir la note. Mais il n'était pas facile de s'en retourner à Paris. La voiture des messageries Leloir venait de partir, les berlines Lecomte ne partiraient pas, la diligence du Bourbonnais ne passerait que tard dans la nuit, et serait peut-être pleine ; on n'en savait rien. Quand il eut perdu beaucoup de temps à ces informations, l'idée lui vint de prendre la poste. Le maître de poste refusa de fournir des chevaux, Frédéric n'ayant point de passeport. Enfin, il loua une calèche (la même qui les avait promenés) et ils arrivèrent devant l'hôtel du Commerce, à Melun [1], vers cinq heures.

La place du Marché était couverte de faisceaux d'armes. Le préfet avait défendu aux gardes nationaux de se porter sur Paris [2]. Ceux qui n'étaient pas de son département voulaient continuer leur route. On criait. L'auberge était pleine de tumulte.

Rosanette, prise de peur, déclara qu'elle n'irait pas plus loin, et le supplia encore de rester. L'aubergiste et sa femme se joignirent à elle. Un brave homme qui dînait s'en mêla, affirmant que la bataille serait terminée d'ici à peu ; d'ailleurs, il fallait faire son devoir. Alors, la Maréchale redoubla de sanglots. Frédéric était exaspéré. Il lui donna sa bourse, l'embrassa vivement, et disparut.

---

1. Voir le dossier, p. 585.
2. Les journaux conservateurs de l'époque accusèrent certains préfets, entre autres celui de Seine-et-Marne, d'avoir empêché les gardes nationaux de se rendre à Paris pour participer aux combats.

Arrivé à Corbeil, dans la gare, on lui apprit que les insurgés avaient de distance en distance coupé les rails, et le cocher refusa de le conduire plus loin ; ses chevaux, disait-il, étaient « rendus ».

Par sa protection cependant, Frédéric obtint un mauvais cabriolet qui, pour la somme de soixante francs, sans compter le pourboire, consentit à le mener jusqu'à la barrière d'Italie. Mais, à cent pas de la barrière, son conducteur le fit descendre et s'en retourna. Frédéric marchait sur la route, quand tout à coup une sentinelle croisa la baïonnette. Quatre hommes l'empoignèrent en vociférant :

– « C'en est un ! Prenez garde ! Fouillez-le ! Brigand ! Canaille ! »

Et sa stupéfaction fut si profonde, qu'il se laissa entraîner au poste de la barrière, dans le rond-point même où convergent les boulevards des Gobelins et de l'Hôpital et les rues Godefroy et Mouffetard [1].

Quatre barricades formaient, au bout des quatre voies, d'énormes talus de pavés ; des torches çà et là grésillaient ; malgré la poussière qui s'élevait, il distingua des fantassins de la ligne et des gardes nationaux, tous le visage noir, débraillés, hagards. Ils venaient de prendre la place, avaient fusillé plusieurs hommes ; leur colère durait encore. Frédéric dit qu'il arrivait de Fontainebleau au secours d'un camarade blessé logeant rue Bellefond [2] ; personne d'abord ne voulut le croire ; on examina ses mains, on flaira même son oreille pour s'assurer qu'il ne sentait pas la poudre.

Cependant, à force de répéter la même chose, il finit par convaincre un capitaine, qui ordonna à deux fusiliers de le conduire au poste du Jardin des plantes.

Ils descendirent le boulevard de l'Hôpital. Une forte brise soufflait. Elle le ranima.

Ils tournèrent ensuite par la rue du Marché-aux-Chevaux. Le Jardin des plantes, à droite, faisait une grande masse

---

1. C'est là l'emplacement de l'actuelle place d'Italie (XIIIe arrondissement).
2. La rue Bellefond va de la rue Rochechouart à la rue du Faubourg-Poissonnière (actuel IXe arrondissement).

noire ; tandis qu'à gauche, la façade entière de la Pitié [1], éclairée à toutes ses fenêtres, flambait comme un incendie, et des ombres passaient rapidement sur les carreaux.

Les deux hommes de Frédéric s'en allèrent. Un autre l'accompagna jusqu'à l'École polytechnique [2].

La rue Saint-Victor était toute sombre, sans un bec de gaz ni une lumière aux maisons. De dix minutes en dix minutes, on entendait :

– « Sentinelles ! prenez garde à vous ! » Et ce cri, jeté au milieu du silence, se prolongeait comme la répercussion d'une pierre tombant dans un abîme.

Quelquefois, un battement de pas lourds s'approchait. C'était une patrouille de cent hommes au moins ; des chuchotements, de vagues cliquetis de fer s'échappaient de cette masse confuse ; et, s'éloignant avec un balancement rythmique, elle se fondait dans l'obscurité.

Il y avait au centre des carrefours un dragon [3] à cheval, immobile. De temps en temps, une estafette [4] passait au grand galop, puis le silence recommençait. Des canons en marche faisaient au loin sur le pavé un roulement sourd et formidable ; le cœur se serrait à ces bruits différant de tous les bruits ordinaires. Ils semblaient même élargir le silence, qui était profond, absolu, – un silence noir. Des hommes en blouse blanche abordaient les soldats, leur disaient un mot, et s'évanouissaient comme des fantômes.

Le poste de l'École polytechnique regorgeait de monde. Des femmes encombraient le seuil, demandant à voir leur fils ou leur mari. On les renvoyait au Panthéon transformé en dépôt de cadavres, – et on n'écoutait pas Frédéric. Il s'obstina, jurant que son ami Dussardier l'attendait, allait mourir. On lui donna enfin un caporal pour le mener au haut de la rue Saint-Jacques, à la mairie du XIIe arrondissement [5].

---

1. L'hôpital de la Pitié occupait alors le lieu où a été édifiée depuis la Mosquée de Paris (actuel Ve arrondissement).

2. L'École polytechnique occupait alors des locaux situés rue Descartes (à quelques pas du Panthéon ; voir le dossier, p. 583).

3. Voir la note 2, p. 181.

4. Une estafette est un courrier chargé d'une dépêche.

5. Il s'agit du Ve arrondissement actuel (voir le dossier, p. 584).

La place du Panthéon était pleine de soldats couchés sur de la paille. Le jour se levait. Les feux de bivac [1] s'éteignaient.

L'insurrection avait laissé dans ce quartier-là des traces formidables. Le sol des rues se trouvait, d'un bout à l'autre, inégalement bosselé. Sur les barricades en ruine, il restait des omnibus, des tuyaux de gaz, des roues de charrettes ; de petites flaques noires, en certains endroits, devaient être du sang. Les maisons étaient criblées de projectiles, et leur charpente se montrait sous les écaillures du plâtre. Des jalousies [2], tenant par un clou, pendaient comme des haillons. Les escaliers ayant croulé, des portes s'ouvraient sur le vide. On apercevait l'intérieur des chambres avec leurs papiers en lambeaux ; des choses délicates s'y étaient conservées, quelquefois. Frédéric observa une pendule, un bâton de perroquet, des gravures.

Quand il entra dans la mairie, les gardes nationaux bavardaient intarissablement sur les morts de Bréa et de Négrier, du représentant Charbonnel et de l'archevêque de Paris [3]. On disait que le duc d'Aumale [4] était débarqué à Boulogne, Barbès [5], enfui de Vincennes, que l'artillerie arrivait de Bourges et que les secours de la province affluaient. Vers trois heures, quelqu'un apporta de bonnes nouvelles ; des parlementaires de l'émeute étaient chez le président de l'Assemblée.

Alors, on se réjouit ; et, comme il avait encore douze francs, Frédéric fit venir douze bouteilles de vin, espérant par là hâter sa délivrance. Tout à coup, on crut entendre une fusillade. Les libations s'arrêtèrent ; on regarda l'inconnu avec des yeux méfiants ; ce pouvait être Henri V [6].

1. Voir la note 3, p. 396.
2. Voir la note 1, p. 118.
3. Le 25 juin, le général Bréa, qui était venu parlementer avec les insurgés, fut fait prisonnier puis exécuté ; le général de Négrier fut tué à l'entrée du faubourg Saint-Antoine, et le député Charbonnel, place de la Bastille. Pour l'archevêque de Paris, voir la note 3, p. 395.
4. Voir la note 3, p. 357.
5. Voir la note 1, p. 213.
6. Henri V (1820-1883) était le comte de Chambord, petit-fils de Charles X et prétendant légitimiste au trône.

Pour n'avoir aucune responsabilité, ils le transportèrent à la mairie du XI⁰ arrondissement [1], d'où on ne lui permit pas de sortir avant neuf heures du matin.

Il alla en courant jusqu'au quai Voltaire. À une fenêtre ouverte, un vieillard en manches de chemise, pleurait, les yeux levés. La Seine coulait paisiblement. Le ciel était tout bleu ; dans les arbres des Tuileries, des oiseaux chantaient.

Frédéric traversait le Carrousel quand une civière vint à passer. Le poste, tout de suite, présenta les armes, et l'officier dit en mettant la main à son shako [2] : « Honneur au courage malheureux ! » Cette parole était devenue presque obligatoire ; celui qui la prononçait paraissait toujours solennellement ému. Un groupe de gens furieux escortait la civière, en criant :

– « Nous vous vengerons ! nous vous vengerons ! »

Les voitures circulaient sur le boulevard, et des femmes devant les portes faisaient de la charpie. Cependant, l'émeute était vaincue, ou à peu près : une proclamation de Cavaignac [3], affichée tout à l'heure, l'annonçait. Au haut de la rue Vivienne, un peloton de mobiles [4] parut. Alors, les bourgeois poussèrent des cris d'enthousiasme ; ils levaient leurs chapeaux, applaudissaient, dansaient, voulaient les embrasser, leur offrir à boire, – et des fleurs jetées par des dames tombaient des balcons.

Enfin, à dix heures, au moment où le canon grondait pour prendre le faubourg Saint-Antoine, Frédéric arriva chez Dussardier. Il le trouva dans sa mansarde, étendu sur le dos et dormant. De la pièce voisine une femme sortit à pas muets, Mlle Vatnaz.

Elle emmena Frédéric à l'écart, et lui apprit comment Dussardier avait reçu sa blessure.

---

1. Il s'agit du VI⁰ arrondissement actuel (voir le dossier, p. 584). La mairie était alors rue Garancière.

2. Voir la note 4, p. 388.

3. Jusque-là ministre de la Guerre, le général Cavaignac avait été nommé chef du pouvoir exécutif le 24 juin, et réprima brutalement l'insurrection. Le 27, une proclamation adressée à l'armée et à la garde nationale affirmait : « La cause de la République a triomphé grâce aux efforts de tous ! »

4. La garde mobile était recrutée parmi les jeunes gens du peuple. En juin, on craignit sa réaction, mais elle resta fidèle au pouvoir en place.

Le samedi, au haut d'une barricade, dans la rue Lafayette, un gamin enveloppé d'un drapeau tricolore criait aux gardes nationaux : « Allez-vous tirer contre vos frères ! » Comme ils s'avançaient, Dussardier avait jeté bas son fusil, écarté les autres, bondi sur la barricade, et, d'un coup de savate, abattu l'insurgé en lui arrachant le drapeau. On l'avait retrouvé sous les décombres, la cuisse percée d'un lingot de cuivre. Il avait fallu débrider la plaie, extraire le projectile. Mlle Vatnaz était arrivée le soir même, et, depuis ce temps-là, ne le quittait plus.

Elle préparait avec intelligence tout ce qu'il fallait pour les pansements, l'aidait à boire, épiait ses moindres désirs, allait et venait plus légère qu'une mouche, et le contemplait avec des yeux tendres.

Frédéric, pendant deux semaines, ne manqua pas de revenir tous les matins ; un jour qu'il parlait du dévouement de la Vatnaz, Dussardier haussa les épaules.

– « Eh non ! c'est par intérêt ! »

– « Tu crois ? »

Il reprit : « J'en suis sûr ! » sans vouloir s'expliquer davantage.

Elle le comblait de prévenances, jusqu'à lui apporter les journaux où l'on exaltait sa belle action. Ces hommages paraissaient l'importuner. Il avoua même à Frédéric l'embarras de sa conscience.

Peut-être qu'il aurait dû se mettre de l'autre bord, avec les blouses [1] ; car enfin on leur avait promis un tas de choses qu'on n'avait pas tenues. Leurs vainqueurs détestaient la République ; et puis, on s'était montré bien dur pour eux ! Ils avaient tort, sans doute, pas tout à fait, cependant ; et le brave garçon était torturé par cette idée qu'il pouvait avoir combattu la justice.

Sénécal, enfermé aux Tuileries sous la terrasse du bord de l'eau [2], n'avait rien de ces angoisses.

Ils étaient là, neuf cents hommes, entassés dans l'ordure, pêle-mêle, noirs de poudre et de sang caillé, grelottant la

_____

1. Voir la note 1, p. 114.
2. Après les journées de Juin, les prisons étaient tellement pleines qu'on enferma les prisonniers sous la terrasse du bord de l'eau, aux Tuileries.

fièvre, criant de rage ; et on ne retirait pas ceux qui venaient à mourir parmi les autres. Quelquefois, au bruit soudain d'une détonation, ils croyaient qu'on allait tous les fusiller ; alors, ils se précipitaient contre les murs, puis retombaient à leur place, tellement hébétés par la douleur, qu'il leur semblait vivre dans un cauchemar, une hallucination funèbre. La lampe suspendue à la voûte avait l'air d'une tache de sang ; et de petites flammes vertes et jaunes voltigeaient, produites par les émanations du caveau. Dans la crainte des épidémies, une commission fut nommée. Dès les premières marches, le président se rejeta en arrière, épouvanté par l'odeur des excréments et des cadavres. Quand les prisonniers s'approchaient d'un soupirail, les gardes nationaux qui étaient de faction – pour les empêcher d'ébranler les grilles, fourraient des coups de baïonnette, au hasard, dans le tas.

Ils furent, généralement, impitoyables. Ceux qui ne s'étaient pas battus voulaient se signaler. C'était un débordement de peur. On se vengeait à la fois des journaux, des clubs, des attroupements, des doctrines, de tout ce qui exaspérait depuis trois mois ; et, en dépit de la victoire, l'égalité (comme pour le châtiment de ses défenseurs et la dérision de ses ennemis) se manifestait triomphalement, une égalité de bêtes brutes, un même niveau de turpitudes sanglantes ; car le fanatisme des intérêts équilibra les délires du besoin, l'aristocratie eut les fureurs de la crapule, et le bonnet de coton ne se montra pas moins hideux que le bonnet rouge. La raison publique était troublée comme après les grands bouleversements de la nature. Des gens d'esprit en restèrent idiots pour toute leur vie.

Le père Roque était devenu très brave, presque téméraire. Arrivé le 26 à Paris avec les Nogentais[1], au lieu de s'en retourner en même temps qu'eux, il avait été s'adjoindre à la garde nationale qui campait aux Tuileries ; et il fut très content d'être placé en sentinelle devant la terrasse du bord de l'eau. Au moins, là, il les avait sous lui, ces brigands ! Il

---

1. Dans la journée du 23 juin, Ledru-Rollin donna l'ordre aux préfets des départements limitrophes de la Seine de diriger sur la capitale toutes les troupes régulières et la garde nationale disponibles.

jouissait de leur défaite, de leur abjection, et ne pouvait se
retenir de les invectiver.

Un d'eux, un adolescent à longs cheveux blonds, mit sa
face aux barreaux en demandant du pain. M. Roque lui
ordonna de se taire. Mais le jeune homme répétait d'une
voix lamentable :

– « Du pain ! »

– « Est-ce que j'en ai, moi ! »

D'autres prisonniers apparurent dans le soupirail, avec
leurs barbes hérissées, leurs prunelles flamboyantes, tous se
poussant et hurlant :

– « Du pain ! »

Le père Roque fut indigné de voir son autorité méconnue.
Pour leur faire peur, il les mit en joue ; et, porté jusqu'à la
voûte par le flot qui l'étouffait, le jeune homme, la tête en
arrière, cria encore une fois :

– « Du pain ! »

– « Tiens ! en voilà ! » dit le père Roque, en lâchant son
coup de fusil.

Il y eut un énorme hurlement, puis, rien. Au bord du
baquet, quelque chose de blanc était resté.

Après quoi, M. Roque s'en retourna chez lui ; car il possédait, rue Saint-Martin, une maison où il s'était réservé
un pied-à-terre ; et les dommages causés par l'émeute à la
devanture de son immeuble, n'avaient pas contribué médiocrement à le rendre furieux. Il lui sembla, en la revoyant,
qu'il s'était exagéré le mal. Son action de tout à l'heure
l'apaisait, comme une indemnité.

Ce fut sa fille elle-même qui lui ouvrit la porte. Elle lui
dit, tout de suite, que son absence trop longue l'avait inquié-
tée ; elle avait craint un malheur, une blessure.

Cette preuve d'amour filial attendrit le père Roque. Il
s'étonna qu'elle se fût mise en route sans Catherine.

– « Je l'ai envoyée faire une commission », répondit
Louise.

Et elle s'informa de sa santé, de choses et d'autres ; puis,
d'un air indifférent, lui demanda si par hasard il n'avait pas
rencontré Frédéric.

– « Non ! pas le moins du monde ! »

C'était pour lui seul qu'elle avait fait le voyage.

Quelqu'un marcha dans le corridor.

– « Ah ! pardon… »

Et elle disparut.

Catherine n'avait point trouvé Frédéric. Il était absent depuis plusieurs jours, et son ami intime, M. Deslauriers, habitait maintenant la province.

Louise reparut toute tremblante, sans pouvoir parler. Elle s'appuyait contre les meubles.

– « Qu'as-tu ? qu'as-tu donc ? » s'écria son père.

Elle fit signe que ce n'était rien, et par un grand effort de volonté se remit.

Le traiteur d'en face apporta la soupe. Mais le père Roque avait subi une trop violente émotion. « Ça ne pouvait pas passer », et il eut au dessert une espèce de défaillance. On envoya chercher vivement un médecin, qui prescrivit une potion. Puis, quand il fut dans son lit, M. Roque exigea le plus de couvertures possible, pour se faire suer. Il soupirait, il geignait.

– « Merci, ma bonne Catherine ! – Baise ton pauvre père, ma poulette ! Ah ! ces révolutions ! »

Et, comme sa fille le grondait de s'être rendu malade en se tourmentant pour elle, il répliqua :

– « Oui ! tu as raison ! Mais c'est plus fort que moi ! Je suis trop sensible ! »

II

Mme Dambreuse, dans son boudoir, entre sa nièce et miss John, écoutait parler M. Roque, contant ses fatigues militaires.

Elle se mordait les lèvres, semblait souffrir.

– « Oh ! ce n'est rien ! ça se passera ! »

Et, d'un air gracieux :

– « Nous aurons à dîner une de vos connaissances, M. Moreau. »

Louise tressaillit.

– « Puis seulement quelques intimes, Alfred de Cisy, entre autres. »

Et elle vanta ses manières, sa figure, et principalement ses mœurs.

Mme Dambreuse mentait moins qu'elle ne croyait ; le vicomte rêvait le mariage. Il l'avait dit à Martinon, ajoutant qu'il était sûr de plaire à Mlle Cécile et que ses parents l'accepteraient.

Pour risquer une telle confidence, il devait avoir sur la dot des renseignements avantageux. Or, Martinon soupçonnait Cécile d'être la fille naturelle de M. Dambreuse ; et il eût été, probablement, très fort de demander sa main à tout hasard. Cette audace offrait des dangers ; aussi Martinon, jusqu'à présent, s'était conduit de manière à ne pas se compromettre ; d'ailleurs, il ne savait comment se débarrasser de la tante. Le mot de Cisy le détermina ; et il avait fait sa requête au banquier, lequel, n'y voyant pas d'obstacle, venait d'en prévenir Mme Dambreuse.

Cisy parut. Elle se leva, dit :

– « Vous nous oubliez... Cécile, shake hands ! »

Au même moment, Frédéric entrait.

– « Ah ! enfin ! on vous retrouve ! » s'écria le père Roque.
« J'ai été trois fois chez vous, avec Louise, cette semaine ! »

Frédéric les avait soigneusement évités. Il allégua qu'il
passait tous ses jours près d'un camarade blessé. Depuis
longtemps, du reste, un tas de choses l'avaient pris ; et il
cherchait des histoires. Heureusement, les convives arrivèrent : d'abord M. Paul de Grémonville le diplomate
entrevu au bal ; puis Fumichon, cet industriel dont le
dévouement conservateur l'avait un soir scandalisé ; la
vieille duchesse de Montreuil-Nantua les suivait.

Mais deux voix s'élevèrent dans l'antichambre.

– « J'en suis certaine », disait l'une.

– « Chère belle dame ! chère belle dame ! » répondait
l'autre, « de grâce, calmez-vous ! »

C'était M. de Nonancourt, un vieux beau, l'air momifié
dans un cold-cream [1], et Mme de Larsillois, l'épouse d'un
préfet de Louis-Philippe. Elle tremblait extrêmement, car
elle avait entendu, tout à l'heure, sur un orgue, une polka
qui était un signal entre les insurgés. Beaucoup de bourgeois
avaient des imaginations pareilles ; on croyait que des
hommes, dans les catacombes, allaient faire sauter le faubourg Saint-Germain ; des rumeurs s'échappaient des
caves ; il se passait aux fenêtres des choses suspectes.

Tout le monde s'évertua cependant à tranquilliser
Mme de Larsillois. L'ordre était rétabli. Plus rien à craindre.
« Cavaignac nous a sauvés ! » Comme si les horreurs de
l'insurrection n'eussent pas été suffisamment nombreuses,
on les exagérait. Il y avait eu vingt-trois mille forçats du côté
des socialistes, – pas moins ! On ne doutait nullement des
vivres empoisonnés, des mobiles sciés entre deux planches,
et des inscriptions des drapeaux qui réclamaient le pillage,
l'incendie.

– « Et quelque chose de plus ! » ajouta l'ex-préfète.

– « Ah ! chère ! » dit par pudeur Mme Dambreuse, en
désignant d'un coup d'œil les trois jeunes filles.

---

1. Le cold-cream est une crème pour la peau obtenue par émulsion d'eau
dans un mélange de blanc de baleine, cire d'abeille et huile d'amandes
douces.

M. Dambreuse sortit de son cabinet avec Martinon. Elle détourna la tête, et répondit aux saluts de Pellerin qui s'avançait. L'artiste considérait les murailles, d'une façon inquiète. Le banquier le prit à part, et lui fit comprendre qu'il avait dû, pour le moment, cacher sa toile révolutionnaire.

– « Sans doute ! » dit Pellerin, son échec au *Club de l'Intelligence* ayant modifié ses opinions.

M. Dambreuse glissa fort poliment qu'il lui commanderait d'autres travaux.

– « Mais pardon !... – Ah ! cher ami ! quel bonheur ! »

Arnoux et Mme Arnoux étaient devant Frédéric.

Il eut comme un vertige. Rosanette, avec son admiration pour les soldats, l'avait agacé toute l'après-midi ; et le vieil amour se réveilla.

Le maître d'hôtel vint annoncer que Madame était servie. D'un regard, elle ordonna au vicomte de prendre le bras de Cécile, dit tout bas à Martinon : « Misérable ! » et on passa dans la salle à manger.

Sous les feuilles vertes d'un ananas, au milieu de la nappe, une dorade s'allongeait, le museau tendu vers un quartier de chevreuil et touchant de sa queue un buisson d'écrevisses. Des figues, des cerises énormes, des poires et des raisins (primeurs de la culture parisienne) montaient en pyramides dans des corbeilles de vieux saxe [1] ; une touffe de fleurs, par intervalles, se mêlait aux claires argenteries ; les stores de soie blanche, abaissés devant les fenêtres, emplissaient l'appartement d'une lumière douce ; il était rafraîchi par deux fontaines où il y avait des morceaux de glace ; et de grands domestiques en culotte courte servaient. Tout cela semblait meilleur après l'émotion des jours passés. On rentrait dans la jouissance des choses que l'on avait eu peur de perdre ; et Nonancourt exprima le sentiment général en disant :

– « Ah ! espérons que MM. les républicains vont nous permettre de dîner ! »

– « Malgré leur fraternité ! » ajouta spirituellement le père Roque.

_____

1. Voir la note 2, p. 67.

Ces deux honorables étaient à la droite et à la gauche de Mme Dambreuse, ayant devant elle son mari, entre Mme de Larsillois, flanquée du diplomate et la vieille duchesse, que Fumichon coudoyait. Puis venaient le peintre, le marchand de faïences, Mlle Louise ; et grâce à Martinon, qui lui avait enlevé sa place pour se mettre auprès de Cécile, Frédéric se trouvait à côté de Mme Arnoux.

Elle portait une robe de barège [1] noir, un cercle d'or au poignet, et comme le premier jour où il avait dîné chez elle, quelque chose de rouge dans les cheveux, une branche de fuchsia entortillée à son chignon. Il ne put s'empêcher de lui dire :

– « Voilà longtemps que nous ne nous sommes vus ! »

– « Ah ! » répliqua-t-elle froidement.

Il reprit, avec une douceur dans la voix qui atténuait l'impertinence de sa question :

– « Avez-vous quelquefois pensé à moi ? »

– « Pourquoi y penserais-je ? »

Frédéric fut blessé par ce mot.

– « Vous avez peut-être raison, après tout. »

Mais, se repentant vite, il jura qu'il n'avait pas vécu un seul jour sans être ravagé par son souvenir.

– « Je n'en crois absolument rien, monsieur. »

– « Cependant, vous savez que je vous aime ! »

Mme Arnoux ne répondit pas.

– « Vous savez que je vous aime. »

Elle se taisait toujours.

– « Eh bien, va te promener ! » se dit Frédéric.

Et, levant les yeux, il aperçut, à l'autre bout de la table, Mlle Roque.

Elle avait cru coquet de s'habiller tout en vert, couleur qui jurait grossièrement avec le ton de ses cheveux rouges. Sa boucle de ceinture était trop haute, sa collerette l'engonçait ; ce peu d'élégance avait contribué sans doute au froid abord de Frédéric. Elle l'observait de loin, curieusement ; et Arnoux, près d'elle, avait beau prodiguer les galanteries, il n'en pouvait tirer trois paroles, si bien que, renonçant à

---

1. Le barège est une étoffe de laine légère, non croisée.

plaire, il écouta la conversation. Elle roulait maintenant sur les purées d'ananas du Luxembourg.

Louis Blanc, d'après Fumichon, possédait un hôtel rue Saint-Dominique et refusait de louer aux ouvriers.

– « Moi, ce que je trouve drôle », dit Nonancourt, « c'est Ledru-Rollin chassant dans les domaines de la Couronne ! »

– « Il doit vingt mille francs à un orfèvre ! » ajouta Cisy ; « et même on prétend [1]... »

Mme Dambreuse l'arrêta.

– « Ah ! que c'est vilain de s'échauffer pour la politique ! Un jeune homme, fi donc ! Occupez-vous plutôt de votre voisine ! »

Ensuite, les gens sérieux attaquèrent les journaux.

Arnoux prit leur défense ; Frédéric s'en mêla, les appelant des maisons de commerce pareilles aux autres. Leurs écrivains, généralement, étaient des imbéciles, ou des blagueurs ; il se donna pour les connaître, et combattait par des sarcasmes les sentiments généreux de son ami. Mme Arnoux ne voyait pas que c'était une vengeance contre elle.

Cependant, le vicomte se torturait l'intellect afin de conquérir Mlle Cécile. D'abord, il étala des goûts d'artiste, en blâmant la forme des carafons et la gravure des couteaux. Puis il parla de son écurie, de son tailleur et de son chemisier ; enfin, il aborda le chapitre de la religion et trouva moyen de faire entendre qu'il accomplissait tous ses devoirs.

Martinon s'y prenait mieux. D'un train monotone, et en la regardant continuellement, il vantait son profil d'oiseau, sa fade chevelure blonde, ses mains trop courtes. La laide jeune fille se délectait sous cette averse de douceurs.

On n'en pouvait rien entendre, tous parlant très haut. M. Roque voulait pour gouverner la France « un bras de fer ». Nonancourt regretta même que l'échafaud politique fût aboli. On aurait dû tuer en masse tous ces gredins-là !

– « Ce sont même des lâches », dit Fumichon. « Je ne vois pas de bravoure à se mettre derrière les barricades ! »

---

1. Le gouvernement provisoire comme les hommes du Luxembourg furent en butte à de nombreuses calomnies de ce type, colportées par les journaux, en particulier par *Le Lampion* du légitimiste Villemessant.

– « À propos, parlez-nous donc de Dussardier ! » dit M. Dambreuse en se tournant vers Frédéric.

Le brave commis était maintenant un héros, comme Sallesse, les frères Jeanson, la femme Péquillet [1], etc.

Frédéric, sans se faire prier, débita l'histoire de son ami ; il lui en revint une espèce d'auréole.

On arriva, tout naturellement, à relater différents traits de courage. Suivant le diplomate, il n'était pas difficile d'affronter la mort, témoin ceux qui se battent en duel.

– « On peut s'en rapporter au vicomte », dit Martinon.

Le vicomte devint très rouge.

Les convives le regardaient ; et Louise, plus étonnée que les autres, murmura :

– « Qu'est-ce donc ? »

– « Il a *calé* devant Frédéric », reprit tout bas Arnoux.

– « Vous savez quelque chose, mademoiselle ? » demanda aussitôt Nonancourt ; et il dit sa réponse à Mme Dambreuse, qui, se penchant un peu, se mit à regarder Frédéric.

Martinon n'attendit pas les questions de Cécile. Il lui apprit que cette affaire concernait une personne inqualifiable. La jeune fille se recula légèrement sur sa chaise, comme pour fuir le contact de ce libertin.

La conversation avait recommencé. Les grands vins de Bordeaux circulaient, on s'animait ; Pellerin en voulait à la révolution à cause du musée espagnol, définitivement perdu. C'était ce qui l'affligeait le plus, comme peintre. À ce mot, M. Roque l'interpella.

– « Ne seriez-vous pas l'auteur d'un tableau très remarquable ? »

– « Peut-être ! Lequel ? »

– « Cela représente une dame dans un costume… ma foi !… un peu… léger, avec une bourse et un paon derrière. »

Frédéric à son tour s'empourpra. Pellerin faisait semblant de ne pas entendre.

– « Cependant c'est bien de vous ! Car il y a votre nom écrit au bas, et une ligne sur le cadre constatant que c'est la propriété de M. Moreau. »

---

1. Toutes ces personnes se sont distinguées en combattant les insurgés : Sallesse était garde mobile, Eugène et Alfred de Jeanson gardes nationaux, et la femme Péquillet vivandière.

Un jour que le père Roque et sa fille l'attendaient chez lui, ils avaient vu le portrait de la Maréchale. Le bonhomme l'avait même pris pour « un tableau gothique ».

– « Non ! » dit Pellerin brutalement ; « c'est un portrait de femme. »

Martinon ajouta :

– « D'une femme très vivante ! N'est-ce pas, Cisy ? »

– « Eh ! je n'en sais rien. »

– « Je croyais que vous la connaissiez. Mais du moment que ça vous fait de la peine, mille excuses ! »

Cisy baissa les yeux, prouvant par son embarras qu'il avait dû jouer un rôle pitoyable à l'occasion de ce portrait. Quant à Frédéric, le modèle ne pouvait être que sa maîtresse. Ce fut une de ces convictions qui se forment tout de suite, et les figures de l'assemblée la manifestaient clairement.

– « Comme il me mentait ! » se dit Mme Arnoux.

– « C'est donc pour cela qu'il m'a quittée ! » pensa Louise.

Frédéric s'imaginait que ces deux histoires pouvaient le compromettre ; et quand on fut dans le jardin, il en fit des reproches à Martinon.

L'amoureux de Mlle Cécile lui éclata de rire au nez.

– « Eh ! pas du tout ! ça te servira ! Va de l'avant ! »

Que voulait-il dire ? D'ailleurs, pourquoi cette bienveillance si contraire à ses habitudes ? Sans rien expliquer, il s'en alla vers le fond, où les dames étaient assises. Les hommes se tenaient debout, et Pellerin, au milieu d'eux, émettait des idées. Ce qu'il y avait de plus favorable pour les arts, c'était une monarchie bien entendue. Les temps modernes le dégoûtaient, « quand ce ne serait qu'à cause de la garde nationale », il regrettait le Moyen Âge, Louis XIV ; M. Roque le félicita de ses opinions, avouant même qu'elles renversaient tous ses préjugés sur les artistes. Mais il s'éloigna presque aussitôt, attiré par la voix de Fumichon. Arnoux tâchait d'établir qu'il y a deux socialismes, un bon et un mauvais. L'industriel n'y voyait pas de différence, la tête lui tournant de colère au mot propriété.

– « C'est un droit écrit dans la nature ! Les enfants tiennent à leurs joujoux ; tous les peuples sont de mon avis, tous les animaux ; le lion même, s'il pouvait parler, se déclarerait propriétaire ! Ainsi, moi, messieurs, j'ai commencé avec quinze mille francs de capital ! Pendant trente ans, savez-vous, je me levais régulièrement à quatre heures du matin ! J'ai eu un mal des cinq cents diables à faire ma fortune ! Et on viendra me soutenir que je n'en suis pas le maître, que mon argent n'est pas mon argent, enfin, que la propriété, c'est le vol ! »

– « Mais Proudhon [1]... »

– « Laissez-moi tranquille, avec votre Proudhon ! S'il était là, je crois que je l'étranglerais ! »

Il l'aurait étranglé. Après les liqueurs surtout, Fumichon ne se connaissait plus ; et son visage apoplectique était près d'éclater comme un obus.

– « Bonjour, Arnoux », dit Hussonnet, qui passa lestement sur le gazon.

Il apportait à M. Dambreuse la première feuille d'une brochure intitulée *L'Hydre*, le bohème [2] défendant les intérêts d'un cercle réactionnaire, et le banquier le présenta comme tel à ses hôtes.

Hussonnet les divertit, en soutenant d'abord que les marchands de suif payaient trois cent quatre-vingt-douze gamins pour crier chaque soir : « Des lampions [3] ! » puis en blaguant les principes de 89, l'affranchissement des nègres [4], les orateurs de la gauche ; il se lança même jusqu'à faire *Prudhomme sur une barricade* [5], peut-être par l'effet d'une jalousie naïve contre ces bourgeois qui avaient bien dîné. La charge plut médiocrement. Leurs figures s'allongèrent.

Ce n'était pas le moment de plaisanter, du reste ; Nonancourt le dit, en rappelant la mort de Mgr Affre et celle du général de Bréa [6]. Elles étaient toujours rappelées ; on en

1. Voir la note 3, p. 400.
2. Voir la note 2, p. 82.
3. Voir la note 3, p. 381.
4. L'esclavage dans les colonies françaises fut aboli par un décret du 27 avril 1848.
5. Joseph Prudhomme est un personnage caricatural créé par Henri Monnier en 1830. Il est le symbole du conformisme bourgeois, qu'il résume en des formules d'une solennelle niaiserie.
6. Voir la note 3, p. 444.

faisait des arguments. M. Roque déclara le trépas de l'archevêque : « tout ce qu'il y avait de plus sublime » ; Fumichon
donnait la palme au militaire ; et, au lieu de déplorer simplement ces deux meurtres, on discuta pour savoir lequel devait
exciter la plus forte indignation. Un second parallèle vint
après, celui de Lamoricière et de Cavaignac [1], M. Dambreuse exaltant Cavaignac et Nonancourt Lamoricière. Personne de la compagnie, sauf Arnoux, n'avait pu les voir à
l'œuvre. Tous n'en formulèrent pas moins sur leurs opérations un jugement irrévocable. Frédéric s'était récusé,
confessant qu'il n'avait pas pris les armes. Le diplomate et
M. Dambreuse lui firent un signe de tête approbatif. En
effet, avoir combattu l'émeute, c'était avoir défendu la
République. Le résultat, bien que favorable, la consolidait ;
et, maintenant qu'on était débarrassé des vaincus, on souhaitait l'être des vainqueurs.

À peine dans le jardin, Mme Dambreuse, prenant Cisy,
l'avait gourmandé de sa maladresse ; à la vue de Martinon,
elle le congédia, puis voulut savoir de son futur neveu la
cause de ses plaisanteries sur le vicomte.

– « Il n'y en a pas. »

– « Et tout cela comme pour la gloire de M. Moreau !
Dans quel but ? »

– « Dans aucun. Frédéric est un charmant garçon. Je
l'aime beaucoup. »

– « Et moi aussi ! Qu'il vienne ! Allez le chercher ! »
Après deux ou trois phrases banales, elle commença par
déprécier légèrement ses convives, ce qui était le mettre au-
dessus d'eux. Il ne manqua pas de dénigrer un peu les autres
femmes, manière habile de lui adresser des compliments.
Mais elle le quittait de temps en temps, c'était soir de réception, des dames arrivaient ; puis elle revenait à sa place, et
la disposition toute fortuite des sièges leur permettait de
n'être pas entendus.

Elle se montra enjouée, sérieuse, mélancolique et raisonnable. Les préoccupations du jour l'intéressaient médiocre-

_____

1. En juin 1848, le général Juchault de Lamoricière (1806-1865) commanda un des trois groupes constitués sous les ordres de Cavaignac (voir la
note 3, p. 445).

ment ; il y avait tout un ordre de sentiments moins transitoires. Elle se plaignit des poètes qui dénaturent la vérité, puis elle leva les yeux vers le ciel, en lui demandant le nom d'une étoile.

On avait mis dans les arbres deux ou trois lanternes chinoises ; le vent les agitait, des rayons colorés tremblaient sur sa robe blanche. Elle se tenait, comme d'habitude, un peu en arrière dans son fauteuil, avec un tabouret devant elle ; on apercevait la pointe d'un soulier de satin noir ; et Mme Dambreuse, par intervalles, lançait une parole plus haute, quelquefois même un rire.

Ces coquetteries n'atteignaient pas Martinon, occupé de Cécile ; mais elles allaient frapper la petite Roque, qui causait avec Mme Arnoux. C'était la seule, parmi ces femmes, dont les manières ne lui semblaient pas dédaigneuses. Elle était venue s'asseoir à côté d'elle ; puis, cédant à un besoin d'épanchement :

– « N'est-ce pas qu'il parle bien, Frédéric Moreau ? »

– « Vous le connaissez ? »

– « Oh ! beaucoup ! Nous sommes voisins. Il m'a fait jouer toute petite. »

Mme Arnoux lui jeta un long regard qui signifiait : « Vous ne l'aimez pas, j'imagine ? »

Celui de la jeune fille répliqua sans trouble : « Si ! »

– « Vous le voyez souvent, alors ? »

– « Oh ! non ! seulement quand il vient chez sa mère. Voilà dix mois qu'il n'est venu ! Il avait promis cependant d'être plus exact. »

– « Il ne faut pas trop croire aux promesses des hommes, mon enfant. »

– « Mais il ne m'a pas trompée, moi ! »

– « Comme d'autres ! »

Louise frissonna : « Est-ce que, par hasard, il lui aurait aussi promis quelque chose, à elle ? » et sa figure était crispée de défiance et de haine.

Mme Arnoux en eut presque peur ; elle aurait voulu rattraper son mot. Puis, toutes deux se turent.

Comme Frédéric se trouvait en face, sur un pliant, elles le considéraient, l'une avec décence, du coin des paupières,

l'autre franchement, la bouche ouverte, si bien que
Mme Dambreuse lui dit :

– « Tournez-vous donc, pour qu'elle vous voie ! »

– « Qui cela ? »

– « Mais la fille de M. Roque ! »

Et elle le plaisanta sur l'amour de cette jeune provinciale.
Il s'en défendait, en tâchant de rire.

– « Est-ce croyable ! je vous le demande ! Une laideron
pareille ! »

Cependant, il éprouvait un plaisir de vanité immense. Il
se rappelait l'autre soirée, celle dont il était sorti, le cœur
plein d'humiliations ; et il respirait largement ; il se sentait
dans son vrai milieu, presque dans son domaine, comme si
tout cela, y compris l'hôtel Dambreuse, lui avait appartenu.
Les dames formaient un demi-cercle en l'écoutant ; et, afin
de briller, il se prononça pour le rétablissement du divorce [1]
qui devait être facile jusqu'à pouvoir se quitter et se
reprendre indéfiniment, tant qu'on voudrait. Elles se récrièrent ; d'autres chuchotaient ; il y avait de petits éclats de
voix dans l'ombre, au pied du mur couvert d'aristoloches [2].
C'était comme un caquetage de poules en gaieté ; et il développait sa théorie, avec cet aplomb que la conscience du
succès procure. Un domestique apporta dans la tonnelle un
plateau chargé de glaces. Les messieurs s'en rapprochèrent.
Ils causaient des arrestations.

Alors, Frédéric se vengea du vicomte en lui faisant
accroire qu'on allait peut-être le poursuivre comme légitimiste. L'autre objectait qu'il n'avait pas bougé de sa
chambre ; son adversaire accumula les chances mauvaises ;
MM. Dambreuse et de Grémonville eux-mêmes s'amusaient. Puis ils complimentèrent Frédéric, tout en regrettant
qu'il n'employât pas ses facultés à la défense de l'ordre ;
et leur poignée de main fut cordiale ; il pouvait désormais
compter sur eux. Enfin, comme tout le monde s'en allait, le
vicomte s'inclina très bas devant Cécile :

---

1. Le divorce, introduit en 1792, fut supprimé en 1816, et ne fut rétabli
qu'en 1884.

2. Les aristoloches sont des plantes grimpantes, aux feuilles en cœur et
aux fleurs jaunes.

– « Mademoiselle, j'ai bien l'honneur de vous souhaiter le bonsoir. »

Elle répondit d'un ton sec :

– « Bonsoir ! » Mais elle envoya un sourire à Martinon.

Le père Roque, pour continuer sa discussion avec Arnoux, lui proposa de le reconduire « ainsi que madame », leur route étant la même. Louise et Frédéric marchaient devant. Elle avait saisi son bras ; et, quand elle fut un peu loin des autres :

– « Ah ! enfin ! enfin ! Ai-je assez souffert toute la soirée ! Comme ces femmes sont méchantes ! Quels airs de hauteur ! »

Il voulut les défendre.

– « D'abord, tu pouvais bien me parler en entrant, depuis un an que tu n'es venu ! »

– « Il n'y a pas un an », dit Frédéric, heureux de la reprendre sur ce détail pour esquiver les autres.

– « Soit ! Le temps m'a paru long, voilà tout ! Mais, pendant cet abominable dîner, c'était à croire que tu avais honte de moi ! Ah ! je comprends, je n'ai pas ce qu'il faut pour plaire, comme elles. »

– « Tu te trompes », dit Frédéric.

– « Vraiment ! Jure-moi que tu n'en aimes aucune ? »

Il jura.

– « Et c'est moi seule que tu aimes ? »

– « Parbleu ! »

Cette assurance la rendit gaie. Elle aurait voulu se perdre dans les rues, pour se promener ensemble toute la nuit.

– « J'ai été si tourmentée là-bas ! On ne parlait que de barricades ! Je te voyais tombant sur le dos, couvert de sang ! Ta mère était dans son lit avec ses rhumatismes. Elle ne savait rien. Il fallait me taire ! Je n'y tenais plus ! Alors, j'ai pris Catherine. »

Et elle lui conta son départ, toute sa route, et le mensonge fait à son père.

– « Il me ramène dans deux jours. Viens demain soir, comme par hasard, et profites-en pour me demander en mariage. »

Jamais Frédéric n'avait été plus loin du mariage. D'ailleurs, Mlle Roque lui semblait une petite personne

assez ridicule. Quelle différence avec une femme comme
Mme Dambreuse ! Un bien autre avenir lui était réservé ! Il
en avait la certitude aujourd'hui ; aussi n'était-ce pas le
moment de s'engager, par un coup de cœur, dans une détermination de cette importance. Il fallait maintenant être positif ; – et puis il avait revu Mme Arnoux. Cependant la
franchise de Louise l'embarrassait. Il répliqua :

– « As-tu bien réfléchi à cette démarche ? »

– « Comment ! » s'écria-t-elle, glacée de surprise et
d'indignation.

Il dit que se marier actuellement serait une folie.

– « Ainsi tu ne veux pas de moi ? »

– « Mais tu ne me comprends pas ! »

Et il se lança dans un verbiage très embrouillé, pour lui
faire entendre qu'il était retenu par des considérations
majeures, qu'il avait des affaires à n'en plus finir, que même
sa fortune était compromise (Louise tranchait tout, d'un
mot net), enfin que les circonstances politiques s'y opposaient. Donc, le plus raisonnable était de patienter quelque
temps. Les choses s'arrangeraient, sans doute ; du moins, il
l'espérait ; et, comme il ne trouvait plus de raisons, il feignit
de se rappeler brusquement qu'il aurait dû être depuis deux
heures chez Dussardier.

Puis, ayant salué les autres, il s'enfonça dans la rue Hauteville, fit le tour du Gymnase [1], revint sur le boulevard, et
monta en courant les quatre étages de Rosanette.

M. et Mme Arnoux quittèrent le père Roque et sa fille, à
l'entrée de la rue Saint-Denis. Ils s'en retournèrent sans rien
dire ; lui, n'en pouvant plus d'avoir bavardé, et elle, éprouvant une grande lassitude ; elle s'appuyait même sur son
épaule. C'était le seul homme qui eût montré pendant la
soirée des sentiments honnêtes. Elle se sentit pour lui pleine
d'indulgence. Cependant, il gardait un peu de rancune
contre Frédéric.

– « As-tu vu sa mine, lorsqu'il a été question du portrait ?
Quand je te disais qu'il est son amant ? Tu ne voulais pas
me croire ! »

– « Oh ! oui, j'avais tort ! »

---

1. Voir la note 3, p. 169.

Arnoux, content de son triomphe, insista.

– « Je parie même qu'il nous a lâchés, tout à l'heure pour aller la rejoindre ! Il est maintenant chez elle, va ! Il y passe la nuit. »

Mme Arnoux avait rabattu sa capeline très bas.

– « Mais tu trembles ! »

– « C'est que j'ai froid », reprit-elle.

Dès que son père fut endormi, Louise entra dans la chambre de Catherine, et, la secouant par l'épaule :

– « Lève-toi !… vite ! plus vite ! et va me chercher un fiacre. »

Catherine lui répondit qu'il n'y en avait plus à cette heure.

– « Tu vas m'y conduire toi-même, alors ? »

– « Où donc ? »

– « Chez Frédéric ! »

– « Pas possible ! À cause ? »

C'était pour lui parler. Elle ne pouvait attendre. Elle voulait le voir tout de suite.

– « Y pensez-vous ! Se présenter comme ça dans une maison au milieu de la nuit ! D'ailleurs, à présent, il dort ! »

– « Je le réveillerai ! »

– « Mais ce n'est pas convenable pour une demoiselle ! »

– « Je ne suis pas une demoiselle ! Je suis sa femme ! Je l'aime ! Allons, mets ton châle. »

Catherine, debout au bord de son lit, réfléchissait. Elle finit par dire :

– « Non ! je ne veux pas ! »

– « Eh bien reste ! Moi, j'y vais ! »

Louise glissa comme une couleuvre dans l'escalier. Catherine s'élança par-derrière, la rejoignit sur le trottoir. Ses représentations [1] furent inutiles ; et elle la suivait, tout en achevant de nouer sa camisole [2]. Le chemin lui parut extrêmement long. Elle se plaignait de ses vieilles jambes.

– « Après ça, moi, je n'ai pas ce qui vous pousse, dame ! »

Puis elle s'attendrissait.

– « Pauvre cœur ! Il n'y a encore que ta Catau, vois-tu ! »

1. Représentations a ici le sens de reproches.
2. Voir la note 1, p. 85.

Des scrupules, de temps en temps, la reprenaient.

– « Ah ! vous me faites faire quelque chose de joli ! Si votre père se réveillait ! Seigneur Dieu ! Pourvu qu'un malheur n'arrive pas ! »

Devant le théâtre des Variétés, une patrouille de gardes nationaux les arrêta. Louise dit tout de suite qu'elle allait avec sa bonne dans la rue Rumford[1] chercher un médecin. On les laissa passer.

Au coin de la Madeleine, elles rencontrèrent une seconde patrouille ; et, Louise ayant donné la même explication, un des citoyens reprit :

– « Est-ce pour une maladie de neuf mois, ma petite chatte ? »

– « Gougibaud ! » s'écria le capitaine, « pas de polissonneries dans les rangs ! – Mesdames, circulez ! »

Malgré l'injonction, les traits d'esprit continuèrent :

– « Bien du plaisir ! »

– « Mes respects au docteur ! »

– « Prenez garde au loup ! »

– « Ils aiment à rire », remarqua tout haut Catherine. « C'est jeune ! »

Enfin, elles arrivèrent chez Frédéric. Louise tira la sonnette avec vigueur, plusieurs fois. La porte s'entrebâilla ; et le concierge répondit à sa demande :

– « Non ! »

– « Mais il doit être couché ? »

– « Je vous dis que non ! Voilà près de trois mois qu'il ne couche pas chez lui ! »

Et le petit carreau de la loge retomba nettement, comme une guillotine. Elles restaient dans l'obscurité, sous la voûte. Une voix furieuse leur cria :

– « Sortez donc ! »

La porte se rouvrit ; elles sortirent.

Louise fut obligée de s'asseoir sur une borne ; et elle pleura, la tête dans ses mains, abondamment, de tout son cœur. Le jour se levait, des charrettes passaient.

---

1. Voir la note 1, p. 198.

Catherine la ramena en la soutenant, en la baisant, en lui disant toutes sortes de bonnes choses tirées de son expérience. Il ne fallait pas se faire tant de mal pour les amoureux. Si celui-là manquait, elle en trouverait d'autres !

III

Quand l'enthousiasme de Rosanette pour les gardes mobiles [1] se fut calmé, elle redevint plus charmante que jamais, et Frédéric prit l'habitude insensiblement de vivre chez elle.

Le meilleur de la journée, c'était le matin sur leur terrasse. En caraco de batiste [2] et pieds nus dans ses pantoufles, elle allait et venait autour de lui, nettoyait la cage de ses serins, donnait de l'eau à ses poissons rouges, et jardinait avec une pelle à feu dans la caisse remplie de terre, d'où s'élevait un treillage de capucines garnissant le mur. Puis, accoudés sur leur balcon, ils regardaient ensemble les voitures, les passants ; et on se chauffait au soleil, on faisait des projets pour la soirée. Il s'absentait pendant deux heures tout au plus ; ensuite, ils allaient dans un théâtre quelconque, aux avant-scènes ; et Rosanette, un gros bouquet de fleurs à la main, écoutait les instruments, tandis que Frédéric, penché à son oreille, lui contait des choses joviales ou galantes. D'autres fois, ils prenaient une calèche pour les conduire au bois de Boulogne ; ils se promenaient tard, jusqu'au milieu de la nuit. Enfin, ils s'en revenaient par l'Arc de Triomphe et la grande avenue, en humant l'air, avec les étoiles sur leur tête, et, jusqu'au fond de la perspective, tous les becs de gaz alignés comme un double cordon de perles lumineuses.

Frédéric l'attendait toujours quand ils devaient sortir ; elle était fort longue à disposer autour de son menton les deux rubans de sa capote ; et elle se souriait à elle-même, devant son armoire à glace. Puis passait son bras sur le sien et le forçant à se mirer près d'elle :

---

1. Voir la note 4, p. 445.
2. Voir la note 1, p. 45.

– « Nous faisons bien comme cela, tous les deux côte à côte ! Ah ! pauvre amour, je te mangerais ! »

Il était maintenant sa chose, sa propriété. Elle en avait sur le visage un rayonnement continu, en même temps qu'elle paraissait plus langoureuse de manières, plus ronde dans ses formes ; et, sans pouvoir dire de quelle façon, il la trouvait changée, cependant.

Un jour, elle lui apprit comme une nouvelle très importante que le sieur Arnoux venait de monter un magasin de blanc à une ancienne ouvrière de sa fabrique ; il y venait tous les soirs, « dépensait beaucoup, pas plus tard que l'autre semaine, il lui avait même donné un ameublement de palissandre [1]. »

– « Comment le sais-tu ? » dit Frédéric.

– « Oh ! j'en suis sûre ! »

Delphine, exécutant ses ordres, avait pris des informations. Elle aimait donc bien Arnoux, pour s'en occuper si fortement ! Il se contenta de lui répondre :

– « Qu'est-ce que cela te fait ? »

Rosanette eut l'air surprise de cette demande.

– « Mais la canaille me doit de l'argent ! N'est-ce pas abominable de le voir entretenir des gueuses ! »

Puis, avec une expression de haine triomphante :

– « Au reste, elle se moque de lui joliment ! Elle a trois autres particuliers. Tant mieux ! et qu'elle le mange jusqu'au dernier liard, j'en serai contente ! »

Arnoux, en effet, se laissait exploiter par la Bordelaise, avec l'indulgence des amours séniles.

Sa fabrique ne marchait plus ; l'ensemble de ses affaires était pitoyable ; si bien que, pour les remettre à flot, il pensa d'abord à établir un café chantant, où l'on n'aurait chanté rien que des œuvres patriotiques ; le ministre lui accordant une subvention, cet établissement serait devenu tout à la fois un foyer de propagande et une source de bénéfices. La direction du Pouvoir ayant changé, c'était une chose impossible. Maintenant, il rêvait une grande chapellerie militaire. Les fonds lui manquaient pour commencer.

---

1. Voir la note 1, p. 356.

Il n'était pas plus heureux dans son intérieur domestique. Mme Arnoux se montrait moins douce pour lui, parfois même un peu rude. Marthe se rangeait toujours du côté de son père. Cela augmentait le désaccord, et la maison devenait intolérable. Souvent, il en partait dès le matin, passait sa journée à faire de longues courses, pour s'étourdir, puis dînait dans un cabaret de campagne, en s'abandonnant à ses réflexions.

L'absence prolongée de Frédéric troublait ses habitudes. Donc, il parut, une après-midi, le supplia de venir le voir comme autrefois, et en obtint la promesse.

Frédéric n'osait retourner chez Mme Arnoux. Il lui semblait l'avoir trahie. Mais cette conduite était bien lâche. Les excuses manquaient. Il faudrait en finir par là ! et, un soir, il se mit en marche.

Comme la pluie tombait, il venait d'entrer dans le passage Jouffroy quand, sous la lumière des devantures, un gros petit homme en casquette l'aborda. Frédéric n'eut pas de peine à reconnaître Compain, cet orateur dont la motion [1] avait causé tant de rires au club. Il s'appuyait sur le bras d'un individu affublé d'un bonnet rouge de zouave, la lèvre supérieure très longue, le teint jaune comme une orange, la mâchoire couverte d'une barbiche, et qui le contemplait avec de gros yeux, lubrifiés d'admiration.

Compain, sans doute, en était fier, car il dit :

– « Je vous présente ce gaillard-là ! C'est un bottier de mes amis, un patriote ! Prenons-nous quelque chose ? »

Frédéric l'ayant remercié, il tonna immédiatement contre la proposition Rateau [2], une manœuvre des aristocrates. Pour en finir, il fallait recommencer 93 ! Puis, il s'informa de Regimbart et de quelques autres, aussi fameux, tels que Masselin, Sanson, Lecornu, Maréchal, et un certain Deslauriers,

---

1. Voir la note 3, p. 411.
2. En janvier 1849, le député de la Charente Lamotte-Rateau (1800-1887) proposa la dissolution de l'Assemblée constituante et l'élection d'une Assemblée législative. Les adversaires de cette proposition dirent qu'elle avait pour but de débarrasser le gouvernement d'une assemblée devenue gênante parce que trop républicaine. Après plusieurs rejets, la proposition fut acceptée et l'Assemblée constituante céda la place à une Assemblée législative à la fin du mois de mai.

compromis dans l'affaire des carabines interceptées dernièrement à Troyes.

Tout cela était nouveau pour Frédéric. Compain n'en savait pas davantage. Il le quitta, en disant :

– « À bientôt, n'est-ce pas, car vous en êtes ? »

– « De quoi ? »

– « De la tête de veau [1] ! »

– « Quelle tête de veau ? »

– « Ah ! farceur ! » reprit Compain, en lui donnant une tape sur le ventre.

Et les deux terroristes s'enfoncèrent dans un café.

Dix minutes après, Frédéric ne songeait plus à Deslauriers. Il était sur le trottoir de la rue Paradis [2], devant une maison ; et il regardait au second étage, derrière des rideaux, la lueur d'une lampe.

Enfin, il monta l'escalier.

– « Arnoux y est-il ? »

La femme de chambre répondit :

– « Non ! mais entrez tout de même. »

Et, ouvrant brusquement une porte :

– « Madame, c'est M. Moreau ! »

Elle se leva plus pâle que sa collerette. Elle tremblait.

– « Qui me vaut l'honneur... d'une visite... aussi imprévue ? »

– « Rien ! Le plaisir de revoir d'anciens amis ! »

Et, tout en s'asseyant :

– « Comment va ce bon Arnoux ? »

– « Parfaitement ! Il est sorti. »

– « Ah ! je comprends ! toujours ses vieilles habitudes du soir ; un peu de distraction ! »

– « Pourquoi pas ? Après une journée de calculs, la tête a besoin de se reposer ! »

Elle vanta même son mari, comme travailleur. Cet éloge irritait Frédéric ; et, désignant sur ses genoux un morceau de drap noir, avec des soutaches [3] bleues :

---

1. Voir p. 548.
2. Voir la note 1, p. 173.
3. Les soutaches sont les galons ou les ganses qui servent à cacher ou à souligner les coutures d'un vêtement.

– « Qu'est-ce que vous faites là ? »

– « Une veste que j'arrange pour ma fille. »

– « À propos, je ne l'aperçois pas, où est-elle donc ? » »

– « Dans une pension », reprit Mme Arnoux.

Des larmes lui vinrent aux yeux ; elle les retenait, en poussant son aiguille rapidement. Il avait pris par contenance un numéro de *L'Illustration*, sur la table, près d'elle.

– « Ces caricatures de Cham [1] sont très drôles, n'est-ce pas ? »

– « Oui. »

Puis ils retombèrent dans leur silence.

Une rafale ébranla tout à coup les carreaux.

– « Quel temps ! » dit Frédéric.

– « En effet ; c'est bien aimable d'être venu par cette horrible pluie ! »

– « Oh ! moi, je m'en moque ! Je ne suis pas comme ceux qu'elle empêche, sans doute, d'aller à leurs rendez-vous ! »

– « Quels rendez-vous ? » demanda-t-elle naïvement.

– « Vous ne vous rappelez pas ? »

Un frisson la saisit, et elle baissa la tête.

Il lui posa doucement la main sur le bras.

– « Je vous assure que vous m'avez fait bien souffrir ! »

Elle reprit, avec une sorte de lamentation dans la voix :

– « Mais j'avais peur pour mon enfant ! »

Elle lui conta la maladie du petit Eugène et toutes les angoisses de cette journée.

– « Merci ! merci ! Je ne doute plus ! je vous aime comme toujours ! »

– « Eh non ! ce n'est pas vrai ! »

– « Pourquoi ? »

Elle le regarda froidement.

– « Vous oubliez l'autre ! Celle que vous promenez aux courses ! La femme dont vous avez le portrait, votre maîtresse ! »

– « Eh bien, oui ! » s'écria Frédéric. « Je ne nie rien. Je suis un misérable ! écoutez-moi ! » S'il l'avait eue, c'était par désespoir, comme on se suicide. Du reste, il l'avait rendue

---

1. Amédée de Noë (1819-1879), dit Cham parce qu'il était « fils de Noé », était l'un des caricaturistes les plus célèbres du temps.

fort malheureuse, pour se venger sur elle de sa propre honte.
« Quel supplice ! Vous ne comprenez pas ? »

Mme Arnoux tourna son beau visage, en lui tendant la
main ; et ils fermèrent les yeux, absorbés dans une ivresse
qui était comme un bercement doux et infini. Puis ils restèrent à se contempler, face à face, l'un près de l'autre.

– « Est-ce que vous pouviez croire que je ne vous aimais
plus ? »

Elle répondit d'une voix basse, pleine de caresses :

– « Non ! en dépit de tout, je sentais au fond de mon
cœur que cela était impossible et qu'un jour l'obstacle entre
nous deux s'évanouirait ! »

– « Moi aussi ! et j'avais des besoins de vous revoir, à
en mourir ! »

– « Une fois », reprit-elle, « dans le Palais-Royal, j'ai
passé à côté de vous ! »

– « Vraiment ? »

Et il lui dit le bonheur qu'il avait eu en la retrouvant chez
les Dambreuse.

– « Mais comme je vous détestais le soir, en sortant de
là ! »

– « Pauvre garçon ! »

– « Ma vie est si triste ! »

– « Et la mienne !... S'il n'y avait que les chagrins, les
inquiétudes, les humiliations, tout ce que j'endure comme
épouse et comme mère, puisqu'on doit mourir, je ne me
plaindrais pas ; ce qu'il y a d'affreux, c'est ma solitude,
sans personne... »

– « Mais je suis là, moi ! »

– « Oh ! oui ! »

Un sanglot de tendresse l'avait soulevée. Ses bras s'écartèrent ; et ils s'étreignirent debout, dans un long baiser.

Un craquement se fit sur le parquet. Une femme était
près d'eux, Rosanette. Mme Arnoux l'avait reconnue ; ses
yeux, ouverts démesurément, l'examinaient, tout pleins de
surprise et d'indignation. Enfin, Rosanette lui dit :

– « Je viens parler à M. Arnoux, pour affaires. »

– « Il n'y est pas, vous le voyez. »

– « Ah ! c'est vrai ! » reprit la Maréchale, « votre bonne
avait raison ! Mille excuses ! »

Et, se tournant vers Frédéric :

– « Te voilà ici, toi ? »

Ce tutoiement, donné devant elle, fit rougir Mme Arnoux, comme un soufflet en plein visage.

– « Il n'y est pas, je vous le répète ! »

Alors, la Maréchale, qui regardait çà et là, dit tranquillement :

– « Rentrons-nous ? J'ai un fiacre, en bas. »

Il faisait semblant de ne pas entendre.

– « Allons, viens ! »

– « Ah ! oui ! c'est une occasion ! Partez ! partez ! » dit Mme Arnoux.

Ils sortirent. Elle se pencha sur la rampe pour les voir encore ; et un rire aigu, déchirant, tomba sur eux, du haut de l'escalier. Frédéric poussa Rosanette dans le fiacre, se mit en face d'elle, et, pendant toute la route, ne prononça pas un mot.

L'infamie dont le rejaillissement l'outrageait, c'était lui-même qui en était la cause. Il éprouvait tout à la fois la honte d'une humiliation écrasante et le regret de sa félicité ; quand il allait enfin la saisir, elle était devenue irrévocablement impossible ! – et par la faute de celle-là, de cette fille, de cette catin. Il aurait voulu l'étrangler ; il étouffait. Rentrés chez eux, il jeta son chapeau sur un meuble, arracha sa cravate.

– « Ah ! tu viens de faire quelque chose de propre, avoue-le ! »

Elle se campa fièrement devant lui.

– « Eh bien, après ? Où est le mal ? »

– « Comment ! Tu m'espionnes ? »

– « Est-ce ma faute ? Pourquoi vas-tu te divertir chez les femmes honnêtes ? »

– « N'importe ! Je ne veux pas que tu les insultes. »

– « En quoi l'ai-je insultée ? »

Il n'eut rien à répondre ; et, d'un accent plus haineux :

– « Mais, l'autre fois, au Champ de Mars... »

– « Ah ! tu nous ennuies avec tes anciennes ! »

– « Misérable ! »

Il leva le poing.

– « Ne me tue pas ! Je suis enceinte ! »

Frédéric se recula.

– « Tu mens ! »

– « Mais regarde-moi ! »

Elle prit un flambeau, et, montrant son visage :

– « T'y connais-tu ? »

De petites taches jaunes maculaient sa peau, qui était singulièrement bouffie. Frédéric ne nia pas l'évidence. Il alla ouvrir la fenêtre, fit quelques pas de long en large, puis s'affaissa dans un fauteuil.

Cet événement était une calamité, qui d'abord ajournait leur rupture, – et puis bouleversait tous ses projets. L'idée d'être père, d'ailleurs, lui paraissait grotesque, inadmissible. Mais pourquoi ? Si, au lieu de la Maréchale… ? Et sa rêverie devint tellement profonde, qu'il eut une sorte d'hallucination. Il voyait là, sur le tapis, devant la cheminée, une petite fille. Elle ressemblait à Mme Arnoux et à lui-même, un peu ; – brune et blanche, avec des yeux noirs, de très grands sourcils, un ruban rose dans ses cheveux bouclants ! (Oh ! comme il l'aurait aimée !) Et il lui semblait entendre sa voix : « Papa ! papa ! »

Rosanette, qui venait de se déshabiller, s'approcha de lui, aperçut une larme à ses paupières, et le baisa sur le front, gravement. Il se leva, en disant :

– « Parbleu ! On ne le tuera pas, ce marmot ! »

Alors, elle bavarda beaucoup. Ce serait un garçon, bien sûr ! On l'appellerait Frédéric. Il fallait commencer son trousseau ; – et, en la voyant si heureuse, une pitié le prit. Comme il ne ressentait, maintenant, aucune colère, il voulut savoir la raison de sa démarche, tout à l'heure.

C'est que Mlle Vatnaz lui avait envoyé, ce jour-là même, un billet protesté [1] depuis longtemps ; et elle avait couru chez Arnoux pour avoir de l'argent.

– « Je t'en aurais donné ! » dit Frédéric.

– « C'était plus simple de prendre là-bas ce qui m'appartient, et de rendre à l'autre ses mille francs. »

– « Est-ce au moins tout ce que tu lui dois ? »

Elle répondit :

---

1. Protester un billet à ordre, c'est faire constater par un acte authentique que le billet n'a pas été payé à l'échéance.

– « Certainement ! »

Le lendemain, à neuf heures du soir (heure indiquée par le portier), Frédéric se rendit chez Mlle Vatnaz.

Il se cogna dans l'antichambre contre les meubles entassés. Mais un bruit de voix et de musique le guidait. Il ouvrit une porte et tomba au milieu d'un raout[1]. Debout, devant le piano que touchait une demoiselle en lunettes, Delmar, sérieux comme un pontife, déclamait une poésie humanitaire sur la prostitution ; et sa voix caverneuse roulait, soutenue par les accords plaqués. Un rang de femmes occupait la muraille, vêtues généralement de couleurs sombres, sans col de chemise ni manchettes. Cinq ou six hommes, tous des penseurs, étaient çà et là, sur des chaises. Il y avait dans un fauteuil un ancien fabuliste, une ruine ; – et l'odeur âcre de deux lampes se mêlait à l'arôme du chocolat, qui emplissait des bols encombrant la table à jeu.

Mlle Vatnaz, une écharpe orientale autour des reins, se tenait à un coin de la cheminée. Dussardier était à l'autre bout, en face ; il avait l'air un peu embarrassé de sa position. D'ailleurs, ce milieu artistique l'intimidait.

La Vatnaz en avait-elle fini avec Delmar ? non, peut-être. Cependant, elle semblait jalouse du brave commis ; et, Frédéric ayant réclamé d'elle un mot d'entretien, elle lui fit signe de passer avec eux dans sa chambre. Quand les mille francs furent alignés, elle demanda, en plus, les intérêts.

– « Ça n'en vaut pas la peine ! » dit Dussardier.

– « Tais-toi donc ! »

Cette lâcheté d'un homme si courageux fut agréable à Frédéric comme une justification de la sienne. Il rapporta le billet, et ne reparla jamais de l'esclandre chez Mme Arnoux. Mais, dès lors, toutes les défectuosités de la Maréchale lui apparurent.

Elle avait un mauvais goût irrémédiable, une incompréhensible paresse, une ignorance de sauvage, jusqu'à considérer comme très célèbre le docteur Desrogis ; et elle était fière de le recevoir, lui et son épouse, parce que c'étaient « des gens mariés ». Elle régentait d'un air pédantesque sur les choses de la vie Mlle Irma, pauvre petite créature douée

---

1. Voir la note 1, p. 130.

d'une petite voix, ayant pour protecteur un monsieur « très bien », ex-employé dans les douanes, et fort aux tours de cartes ; Rosanette l'appelait « mon gros loulou ». Frédéric ne pouvait souffrir, non plus, la répétition de ses mots bêtes, tels que : « Du flan ! À Chaillot[1] ! On n'a jamais pu savoir, etc. » ; et elle s'obstinait à épousseter le matin ses bibelots avec une paire de vieux gants blancs ! Il était révolté surtout par ses façons envers sa bonne, – dont les gages étaient sans cesse arriérés, et qui même lui prêtait de l'argent. Les jours qu'elles réglaient leurs comptes, elles se chamaillaient comme deux poissardes[2], puis on se réconciliait en s'embrassant. Le tête-à-tête devenait triste. Ce fut un soulagement pour lui, quand les soirées de Mme Dambreuse recommencèrent.

Celle-là, au moins, l'amusait ! Elle savait les intrigues du monde, les mutations d'ambassadeurs, le personnel des couturières ; et, s'il lui échappait des lieux communs, c'était dans une formule tellement convenue, que sa phrase pouvait passer pour une déférence ou pour une ironie. Il fallait la voir au milieu de vingt personnes qui causaient, n'en oubliant aucune, amenant les réponses qu'elle voulait, évitant les périlleuses ! Des choses très simples, racontées par elle, semblaient des confidences ; le moindre de ses sourires faisait rêver ; son charme enfin, comme l'exquise odeur qu'elle portait ordinairement, était complexe et indéfinissable. Frédéric, dans sa compagnie, éprouvait chaque fois le plaisir d'une découverte ; et cependant, il la retrouvait toujours avec sa même sérénité, pareille au miroitement des eaux limpides. Mais pourquoi ses manières envers sa nièce avaient-elles tant de froideur ? Elle lui lançait même, par moments, de singuliers coups d'œil.

Dès qu'il fut question de mariage, elle avait objecté à M. Dambreuse la santé de « la chère enfant », et l'avait emmenée tout de suite aux bains de Balaruc[3]. À son retour,

---

1. L'expression « Du flan ! » est une formule de refus, de défi ironique. « À Chaillot ! à Chaillot ! » est une expression populaire et triviale qui signifie : « Vous m'ennuyez ! allez vous promener ! »
2. Voir la note 2, p. 186.
3. Proche de Sète (Hérault), Balaruc-les-Bains est une station thermale spécialisée dans les soins contre les rhumatismes.

des prétextes nouveaux avaient surgi : le jeune homme manquait de position, ce grand amour ne paraissait pas sérieux, on ne risquait rien d'attendre. Martinon avait répondu qu'il attendrait. Sa conduite fut sublime. Il prôna Frédéric. Il fit plus : il le renseigna sur les moyens de plaire à Mme Dambreuse, laissant même entrevoir qu'il connaissait, par la nièce, les sentiments de la tante.

Quant à M. Dambreuse, loin de montrer de la jalousie, il entourait d'égards son jeune ami, le consultait sur différentes choses, s'inquiétait même de son avenir, si bien qu'un jour, comme on parlait du père Roque, il lui dit à l'oreille, d'un air finaud :

– « Vous avez bien fait. »

Et Cécile, miss John, les domestiques, le portier, pas un qui ne fût charmant pour lui, dans cette maison. Il y venait tous les soirs, abandonnant Rosanette. Sa maternité future la rendait plus sérieuse, même un peu triste, comme si des inquiétudes l'eussent tourmentée. À toutes les questions, elle répondait :

– « Tu te trompes ! Je me porte bien ! »

C'étaient cinq billets [1] qu'elle avait souscrits autrefois ; et, n'osant le dire à Frédéric après le payement du premier, elle était retournée chez Arnoux, lequel lui avait promis, par écrit, le tiers de ses bénéfices dans l'éclairage au gaz des villes du Languedoc (une entreprise merveilleuse !), en lui recommandant de ne pas se servir de cette lettre avant l'assemblée des actionnaires ; l'assemblée était remise de semaine en semaine.

Cependant, la Maréchale avait besoin d'argent. Elle serait morte plutôt que d'en demander à Frédéric. Elle n'en voulait pas de lui. Cela aurait gâté leur amour. Il subvenait bien aux frais du ménage ; mais une petite voiture louée au mois, et d'autres sacrifices indispensables depuis qu'il fréquentait les Dambreuse, l'empêchaient d'en faire plus pour sa maîtresse. Deux ou trois fois, en rentrant à des heures inaccoutumées, il crut voir des dos masculins disparaître entre les portes ; et elle sortait souvent sans vouloir dire où elle allait. Frédéric n'essaya pas de creuser les choses. Un de ces jours,

---

1. Voir la note 1, p. 94.

il prendrait un parti définitif. Il rêvait une autre vie, qui serait plus amusante et plus noble. Un pareil idéal le rendait indulgent pour l'hôtel Dambreuse.

C'était une succursale intime de la rue de Poitiers [1]. Il y rencontra le grand M. A., l'illustre B., le profond C., l'éloquent Z., l'immense Y., les vieux ténors du centre gauche, les paladins [2] de la droite, les burgraves [3] du juste-milieu, les éternels bonshommes de la comédie. Il fut stupéfait par leur exécrable langage, leurs petitesses, leurs rancunes, leur mauvaise foi, – tous ces gens qui avaient voté la Constitution s'évertuant à la démolir ; – et ils s'agitaient beaucoup, lançaient des manifestes, des pamphlets, des biographies ; celle de Fumichon par Hussonnet fut un chef-d'œuvre. Nonancourt s'occupait de la propagande dans les campagnes, M. de Grémonville travaillait le clergé, Martinon ralliait de jeunes bourgeois. Chacun, selon ses moyens, s'employa, jusqu'à Cisy lui-même. Pensant maintenant aux choses sérieuses, tout le long de la journée, il faisait des courses en cabriolet, pour le parti.

M. Dambreuse, tel qu'un baromètre, en exprimait constamment la dernière variation. On ne parlait pas de Lamartine sans qu'il citât ce mot d'un homme du peuple : « Assez de lyre [4] ! » Cavaignac [5] n'était plus, à ses yeux, qu'un traître. Le Président [6], qu'il avait admiré pendant trois mois, commençait à déchoir dans son estime (ne lui trou-

---

1. Thiers et ses amis conservateurs se réunissaient au numéro 12 de la rue de Poitiers.
2. Un paladin était un chevalier errant du Moyen Âge.
3. Un burgrave était le commandant d'une ville ou d'une citadelle du Saint Empire romain germanique. Ce titre avait été mis à la mode par le drame de Victor Hugo, *Les Burgraves* (1843), et servait à désigner les hommes politiques des partis réactionnaires : Berryer, Molé, de Broglie ou Montalembert.
4. Lors de l'invasion de la Chambre, le 15 mai 1848 (voir la note 2, p. 419), l'un des émeutiers interrompit Lamartine en criant : « Assez de lyre comme ça ! »
5. Cavaignac (voir la note 3, p. 445) était rendu responsable des mesures impopulaires que le gouvernement prit après la répression des journées de Juin. Candidat à la présidence de la République en décembre 1848, il n'obtint que très peu de voix.
6. Le 10 décembre 1848, Louis Napoléon Bonaparte avait été élu à la présidence de la République avec les trois quarts des suffrages.

vant pas « l'énergie nécessaire ») ; et, comme il lui fallait toujours un sauveur, sa reconnaissance, depuis l'affaire du Conservatoire [1], appartenait à Changarnier : « Dieu merci, Changarnier... Espérons que Changarnier... Oh ! rien à craindre tant que Changarnier... »

On exaltait avant tout M. Thiers pour son volume contre le socialisme [2], où il s'était montré aussi penseur qu'écrivain. On riait énormément de Pierre Leroux, qui citait à la Chambre des passages des philosophes [3]. On faisait des plaisanteries sur la queue phalanstérienne [4]. On allait applaudir la *Foire aux idées* [5] ; et on comparait les auteurs à Aristophane [6]. Frédéric y alla, comme les autres.

Le verbiage politique et la bonne chère engourdissaient sa moralité. Si médiocres que lui parussent ces personnages, il était fier de les connaître et intérieurement souhaitait la considération bourgeoise. Une maîtresse comme Mme Dambreuse le poserait.

Il se mit à faire tout ce qu'il faut.

Il se trouvait sur son passage à la promenade, ne manquait pas d'aller la saluer dans sa loge au théâtre ; et, sachant les heures où elle se rendait à l'église, il se campait derrière un pilier dans une pose mélancolique. Pour des indications de curiosités, des renseignements sur un concert, des emprunts de livres ou de revues, c'était un échange continuel de petits billets. Outre sa visite du soir, il lui en faisait quelquefois une autre vers la fin du jour ; et il avait

1. Le 13 juin 1849, des manifestants protestant contre l'expédition de Rome occupèrent le Conservatoire des arts et métiers. Le général Changarnier (voir la note 4, p. 395) les en expulsa et devint le héros de la bourgeoisie.
2. En septembre 1848, Thiers avait publié *De la propriété*, et en 1849 *Du communisme*, ouvrages réfutant les thèses proudhoniennes (voir la note 3, p. 400).
3. Lors d'un débat parlementaire sur le droit au travail, Leroux (voir la note 4, p. 258) fut interrompu alors qu'il voulait citer Pascal.
4. C'est une allusion à une caricature de Cham (voir la note 1, p. 470) qui représentait Considérant (voir la note 7, p. 425) muni de la queue censée pousser aux phalanstériens après plusieurs siècles d'harmonie.
5. *La Foire aux idées* était un journal-vaudeville de Leuven et Brunswick, en quatre numéros, qui fut joué de janvier à octobre 1849.
6. Aristophane (v. 450-386 av. J.-C.) est le plus célèbre auteur comique grec. Il a tourné en dérision les utopistes dans plusieurs de ses pièces de théâtre.

une gradation de joies à passer successivement par la grande
porte, par la cour, par l'antichambre, par les deux salons ;
enfin, il arrivait dans son boudoir, discret comme un tombeau, tiède comme une alcôve, où l'on se heurtait aux capi-
tons des meubles parmi toutes sortes d'objets çà et là :
chiffonnières, écrans, coupes et plateaux en laque [1], en
écaille, en ivoire, en malachite [2], bagatelles dispendieuses [3],
souvent renouvelées. Il y en avait de simples : trois galets
d'Étretat pour servir de presse-papiers, un bonnet de Fri-
sonne suspendu à un paravent chinois ; toutes ces choses
s'harmonisaient cependant ; on était même saisi par la
noblesse de l'ensemble, ce qui tenait peut-être à la hauteur
du plafond, à l'opulence des portières et aux longues crépines [4] de soie, flottant sur les bâtons dorés des tabourets.

Elle était presque toujours sur une petite causeuse [5], près
de la jardinière garnissant l'embrasure de la fenêtre. Assis
au bord d'un gros pouf à roulettes, il lui adressait les compliments les plus justes possible ; et elle le regardait la tête
un peu de côté, la bouche souriante.

Il lui lisait des pages de poésie, en y mettant toute son
âme, afin de l'émouvoir, et pour se faire admirer. Elle l'arrêtait par une remarque dénigrante ou une observation pra-
tique ; et leur causerie retombait sans cesse dans l'éternelle
question de l'Amour ! Ils se demandaient ce qui l'occasion-
nait, si les femmes le sentaient mieux que les hommes,
quelles étaient là-dessus leurs différences. Frédéric tâchait
d'émettre son opinion, en évitant à la fois la grossièreté et
la fadeur. Cela devenait une espèce de lutte, agréable par
moments, fastidieuse [6] en d'autres.

Il n'éprouvait pas à ses côtés ce ravissement de tout son
être qui l'emportait vers Mme Arnoux, ni le désordre gai
où l'avait mis d'abord Rosanette. Mais il la convoitait
comme une chose anormale et difficile, parce qu'elle était

1. Voir la note 4, p. 233.
2. La malachite est une pierre d'un beau vert diapré, utilisée dans la
fabrication d'objets d'art.
3. Voir la note 1, p. 249.
4. Voir la note 4, p. 292.
5. Voir la note 1, p. 99.
6. Voir la note 1, p. 408.

noble, parce qu'elle était riche, parce qu'elle était dévote, – se figurant qu'elle avait des délicatesses de sentiment, rares comme ses dentelles, avec des amulettes [1] sur la peau et des pudeurs dans la dépravation.

Il se servit du vieil amour. Il lui conta, comme inspiré par elle, tout ce que Mme Arnoux autrefois lui avait fait ressentir, ses langueurs, ses appréhensions, ses rêves. Elle recevait cela comme une personne accoutumée à ces choses, sans le repousser formellement ne cédait rien ; et il n'arrivait pas plus à la séduire que Martinon à se marier. Pour en finir avec l'amoureux de sa nièce, elle l'accusa de viser à l'argent, et pria même son mari d'en faire l'épreuve. M. Dambreuse déclara donc au jeune homme que Cécile, étant l'orpheline de parents pauvres, n'avait aucune « espérance » ni dot.

Martinon, ne croyant pas que cela fût vrai, ou trop avancé pour se dédire, ou par un de ces entêtements d'idiot qui sont des actes de génie, répondit que son patrimoine, quinze mille livres de rente, leur suffirait. Ce désintéressement imprévu toucha le banquier. Il lui promit un cautionnement de receveur, en s'engageant à obtenir la place ; et, au mois de mai 1850, Martinon épousa Mlle Cécile. Il n'y eut pas de bal. Les jeunes gens partirent le soir même pour l'Italie. Frédéric, le lendemain, vint faire une visite à Mme Dambreuse. Elle lui parut plus pâle que d'habitude. Elle le contredit avec aigreur sur deux ou trois sujets sans importance. Du reste, tous les hommes étaient des égoïstes.

Il y en avait pourtant de dévoués, quand ce ne serait que lui.

– « Ah bah ! comme les autres ! »

Ses paupières étaient rouges ; elle pleurait. Puis, en s'efforçant de sourire :

– « Excusez-moi ! J'ai tort ! C'est une idée triste qui m'est venue ! »

Il n'y comprenait rien.

– « N'importe ! elle est moins forte que je ne croyais », pensa-t-il.

---

1. Une amulette est un petit objet qu'on porte sur soi dans l'idée superstitieuse qu'il préserve des maladies et du mauvais sort.

Elle sonna pour avoir un verre d'eau, en but une gorgée, le renvoya, puis se plaignit de ce qu'on la servait horriblement. Afin de l'amuser, il s'offrit comme domestique, se prétendant capable de donner des assiettes, d'épousseter les meubles, d'annoncer le monde, d'être enfin un valet de chambre ou plutôt un chasseur, bien que la mode en fût passée. Il aurait voulu se tenir derrière sa voiture avec un chapeau de plumes de coq.

– « Et comme je vous suivrais à pied majestueusement, en portant sur le bras un petit chien ! »

– « Vous êtes gai », dit Mme Dambreuse. N'était-ce pas une folie, reprit-il, de considérer tout sérieusement ? Il y avait bien assez de misères sans s'en forger. Rien ne méritait la peine d'une douleur. Mme Dambreuse leva les sourcils, d'une manière de vague approbation.

Cette parité de sentiments poussa Frédéric à plus de hardiesse. Ses mécomptes d'autrefois lui faisaient, maintenant, une clairvoyance. Il poursuivit :

– « Nos grands-pères vivaient mieux. Pourquoi ne pas obéir à l'impulsion qui nous pousse ? » L'amour, après tout, n'était pas en soi une chose si importante.

– « Mais c'est immoral, ce que vous dites là ! »

Elle s'était remise sur la causeuse[1]. Il s'assit au bord, contre ses pieds.

– « Ne voyez-vous pas que je mens ! Car, pour plaire aux femmes, il faut étaler une insouciance de bouffon ou des fureurs de tragédie ! Elles se moquent de nous quand on leur dit qu'on les aime, simplement ! Moi, je trouve ces hyperboles où elles s'amusent une profanation de l'amour vrai ; si bien qu'on ne sait plus comment l'exprimer, surtout devant celles… qui ont… beaucoup d'esprit. »

Elle le considérait, les cils entre-clos. Il baissait la voix, en se penchant vers son visage.

– « Oui ! vous me faites peur ! Je vous offense, peut-être ?… Pardon !… Je ne voulais pas dire tout cela ! Ce n'est pas ma faute ! Vous êtes si belle ! »

Mme Dambreuse ferma les yeux, et il fut surpris par la facilité de sa victoire. Les grands arbres du jardin qui

---

1. Voir la note 1, p. 99.

frissonnaient mollement s'arrêtèrent. Des nuages immobiles rayaient le ciel de longues bandes rouges, et il y eut comme une suspension universelle des choses. Alors, des soirs semblables, avec des silences pareils, revinrent dans son esprit, confusément. Où était-ce ?...

Il se mit à genoux, prit sa main, et lui jura un amour éternel. Puis, comme il partait, elle le rappela d'un signe et lui dit tout bas :

– « Revenez dîner ! Nous serons seuls ! »

Il semblait à Frédéric, en descendant l'escalier, qu'il était devenu un autre homme, que la température embaumante des serres chaudes l'entourait, qu'il entrait définitivement dans le monde supérieur des adultères patriciens [1] et des hautes intrigues. Pour y tenir la première place, il suffisait d'une femme comme celle-là. Avide, sans doute, de pouvoir et d'action, et mariée à un homme médiocre qu'elle avait prodigieusement servi, elle désirait quelqu'un de fort pour le conduire ? Rien d'impossible maintenant ! Il se sentait capable de faire deux cents lieues à cheval, de travailler pendant plusieurs nuits de suite, sans fatigue ; son cœur débordait d'orgueil.

Sur le trottoir, devant lui, un homme couvert d'un vieux paletot marchait la tête basse, et avec un tel air d'accablement, que Frédéric se retourna, pour le voir. L'autre releva sa figure. C'était Deslauriers. Il hésitait. Frédéric lui sauta au cou.

– « Ah ! mon pauvre vieux ! Comment ! c'est toi ! »

Et il l'entraîna vers sa maison, en lui faisant beaucoup de questions à la fois.

L'ex-commissaire de Ledru-Rollin conta, d'abord, les tourments qu'il avait eus. Comme il prêchait la fraternité aux conservateurs et le respect des lois aux socialistes, les uns lui avaient tiré des coups de fusil, les autres apporté une corde pour le pendre. Après Juin, on l'avait destitué brutalement. Il s'était jeté dans un complot, celui des armes saisies à Troyes. On l'avait relâché, faute de preuves. Puis, le comité d'action l'avait envoyé à Londres, où il s'était

1. Voir la note 1, p. 53.

flanqué des gifles avec ses frères, au milieu d'un banquet.
De retour à Paris...

– « Pourquoi n'es-tu pas venu chez moi ? »

– « Tu étais toujours absent ! Ton suisse [1] avait des allures
mystérieuses, je ne savais que penser ; et puis je ne voulais
pas reparaître en vaincu. »

Il avait frappé aux portes de la Démocratie, s'offrant à la
servir de sa plume, de sa parole, de ses démarches ; partout
on l'avait repoussé ; on se méfiait de lui ; et il avait vendu
sa montre, sa bibliothèque, son linge.

– « Mieux vaudrait crever sur les pontons de Belle-Île [2],
avec Sénécal ! »

Frédéric, qui arrangeait alors sa cravate, n'eut pas l'air
très ému par cette nouvelle.

– « Ah ! il est déporté, ce bon Sénécal ? »

Deslauriers répliqua, en parcourant les murailles d'un
air envieux :

– « Tout le monde n'a pas ta chance ! »

– « Excuse-moi », dit Frédéric, sans remarquer l'allusion,
« mais je dîne en ville. On va te faire à manger ; commande
ce que tu voudras ! Prends même mon lit. »

Devant une cordialité si complète, l'amertume de Deslauriers disparut.

– « Ton lit ? Mais... ça te gênerait ! »

– « Eh non ! J'en ai d'autres ! »

– « Ah ! très bien », reprit l'avocat, en riant. « Où dînes-
tu donc ? »

– « Chez Mme Dambreuse. »

– « Est-ce que... par hasard... ce serait ?... »

– « Tu es trop curieux », dit Frédéric avec un sourire, qui
confirmait cette supposition.

Puis, ayant regardé la pendule, il se rassit.

– « C'est comme ça ! et il ne faut pas désespérer, vieux
défenseur du peuple ! »

– « Miséricorde ! que d'autres s'en mêlent ! »

---

1. Aux XVIIᵉ et XVIIIᵉ siècles, un suisse était le portier, le concierge d'un
hôtel particulier.
2. Belle-Île fut un lieu de détention pour les insurgés de Juin condamnés
à la déportation.

L'avocat détestait les ouvriers, pour en avoir souffert dans sa province, un pays de houille. Chaque puits d'extraction avait nommé un gouvernement provisoire lui intimant des ordres.

– « D'ailleurs, leur conduite a été charmante partout : à Lyon, à Lille, au Havre, à Paris ! Car, à l'exemple des fabricants qui voudraient exclure les produits de l'étranger, ces messieurs réclament pour qu'on bannisse les travailleurs anglais, allemands, belges et savoyards ! Quant à leur intelligence, à quoi a servi, sous la Restauration, leur fameux compagnonnage ? En 1830, ils sont entrés dans la garde nationale, sans même avoir le bon sens de la dominer ! Est-ce que, dès le lendemain de 48, les corps de métiers n'ont pas reparu, avec des étendards à eux ! Ils demandaient même des représentants du peuple à eux, lesquels n'auraient parlé que pour eux ! Tout comme les députés de la betterave [1] ne s'inquiètent que de la betterave ! – Ah ! j'en ai assez de ces cocos-là, se prosternant tour à tour devant l'échafaud de Robespierre, les bottes de l'Empereur, le parapluie de Louis-Philippe, racaille éternellement dévouée à qui lui jette du pain dans la gueule ! On crie toujours contre la vénalité de Talleyrand [2] et de Mirabeau [3] ; mais le commissionnaire d'en bas vendrait la patrie pour cinquante centimes, si on lui promettait de tarifer sa course à trois francs ! Ah ! quelle faute ! Nous aurions dû mettre le feu aux quatre coins de l'Europe ! »

Frédéric lui répondit :

– « L'étincelle manquait ! Vous étiez simplement de petits bourgeois, et les meilleurs d'entre vous, des cuistres [4] ! Quant aux ouvriers, ils peuvent se plaindre ; car, si l'on excepte un million soustrait à la liste civile [5], et que vous leur avez octroyé avec la plus basse flagornerie [6], vous n'avez

---

1. La périphrase désigne les représentants des départements gros producteurs de betterave sucrière (surtout dans le nord du pays).
2. Homme politique de premier plan de la Révolution française jusqu'en 1815, Talleyrand (1754-1838) avait la réputation d'être âpre au gain.
3. Voir la note 1, p. 63.
4. Voir la note 1, p. 230.
5. La liste civile est la somme allouée au chef de l'État pour subvenir aux dépenses et charges de sa fonction.
6. La flagornerie est une flatterie grossière et basse.

rien fait pour eux que des phrases ! Le livret [1] demeure aux mains du patron, et le salarié (même devant la justice) reste l'inférieur de son maître, puisque sa parole n'est pas crue. Enfin, la République me paraît vieille. Qui sait ? Le Progrès, peut-être, n'est réalisable que par une aristocratie ou par un homme ? L'initiative vient toujours d'en haut ! Le peuple est mineur, quoi qu'on prétende ! »

– « C'est peut-être vrai », dit Deslauriers.

Selon Frédéric, la grande masse des citoyens n'aspirait qu'au repos (il avait profité à l'hôtel Dambreuse), et toutes les chances étaient pour les conservateurs. Ce parti-là, cependant, manquait d'hommes neufs.

– « Si tu te présentais, je suis sûr... »

Il n'acheva pas. Deslauriers comprit, se passa les deux mains sur le front ; puis, tout à coup :

– « Mais toi ? Rien ne t'empêche ? Pourquoi ne serais-tu pas député ? » Par suite d'une double élection, il y avait, dans l'Aube, une candidature vacante. M. Dambreuse, réélu à la Législative, appartenait à un autre arrondissement. « Veux-tu que je m'en occupe ? » Il connaissait beaucoup de cabaretiers, d'instituteurs, de médecins, de clercs d'étude et leurs patrons. « D'ailleurs, on fait accroire aux paysans tout ce qu'on veut ! »

Frédéric sentait se rallumer son ambition.

Deslauriers ajouta :

– « Tu devrais bien me trouver une place à Paris. »

– « Oh ! ce ne sera pas difficile, par M. Dambreuse. »

– « Puisque nous parlions de houilles », reprit l'avocat, « que devient sa grande société ? C'est une occupation de ce genre qu'il me faudrait ! – et je leur serais utile, tout en gardant mon indépendance. »

Frédéric promit de le conduire chez le banquier avant trois jours.

Son repas en tête à tête avec Mme Dambreuse fut une chose exquise. Elle souriait en face de lui, de l'autre côté de la table, par-dessus des fleurs dans une corbeille, à la lumière

---

1. Ouvriers et domestiques étaient tenus de posséder un livret sur lequel étaient inscrites l'époque de leur entrée et de leur sortie de chez chacun de leurs patrons, ainsi que toutes les indications propres à établir leur identité.

de la lampe suspendue ; et, comme la fenêtre était ouverte, on apercevait des étoiles. Ils causèrent fort peu, se méfiant d'eux-mêmes, sans doute ; mais, dès que les domestiques tournaient le dos, ils s'envoyaient un baiser du bout des lèvres. Il dit son idée de candidature. Elle l'approuva, s'engageant même à y faire travailler M. Dambreuse.

Le soir, quelques amis se présentèrent pour la féliciter et pour la plaindre : elle devait être si chagrine de n'avoir plus sa nièce ? C'était fort bien, d'ailleurs, aux jeunes mariés de s'être mis en voyage ; plus tard, les embarras, les enfants surviennent ! Mais l'Italie ne répondait pas à l'idée qu'on s'en faisait. Après cela, ils étaient dans l'âge des illusions ! et puis la lune de miel embellissait tout ! Les deux derniers qui restèrent furent M. de Grémonville et Frédéric. Le diplomate ne voulait pas s'en aller. Enfin, à minuit, il se leva. Mme Dambreuse fit signe à Frédéric de partir avec lui, et le remercia de cette obéissance par une pression de main, plus suave que tout le reste.

La Maréchale poussa un cri de joie en le revoyant. Elle l'attendait depuis cinq heures. Il donna pour excuse une démarche indispensable dans l'intérêt de Deslauriers. Sa figure avait un air de triomphe, une auréole, dont Rosanette fut éblouie.

– « C'est peut-être à cause de ton habit noir qui te va bien ; mais je ne t'ai jamais trouvé si beau ! Comme tu es beau ! »

Dans un transport de sa tendresse, elle se jura intérieurement de ne plus appartenir à d'autres, quoi qu'il advînt, quand elle devrait crever de misère !

Ses jolis yeux humides pétillaient d'une passion tellement puissante, que Frédéric l'attira sur ses genoux, et il se dit : « Quelle canaille je fais ! » en s'applaudissant de sa perversité.

IV

M. Dambreuse, quand Deslauriers se présenta chez lui, songeait à raviver sa grande affaire de houilles. Mais cette fusion de toutes les compagnies en une seule était mal vue ; on criait au monopole, comme s'il ne fallait pas, pour de telles exploitations, d'immenses capitaux !

Deslauriers, qui venait de lire exprès l'ouvrage de Gobet[1] et les articles de M. Chappe dans le *Journal des Mines*, connaissait la question parfaitement. Il démontra que la loi de 1810 établissait au profit du concessionnaire un droit impermutable. D'ailleurs, on pouvait donner à l'entreprise une couleur démocratique : empêcher les réunions houillères était un attentat contre le principe même d'association.

M. Dambreuse lui confia des notes pour rédiger un mémoire. Quant à la manière dont il payerait son travail, il fit des promesses d'autant meilleures qu'elles n'étaient pas précises.

Deslauriers s'en revint chez Frédéric et lui rapporta la conférence. De plus, il avait vu Mme Dambreuse au bas de l'escalier, comme il sortait.

– « Je t'en fais mes compliments, saprelotte ! »

Puis ils causèrent de l'élection. Il y avait quelque chose à inventer.

Trois jours après, Deslauriers reparut avec une feuille d'écriture destinée aux journaux et qui était une lettre familière, où M. Dambreuse approuvait la candidature de leur ami. Soutenue par un conservateur et prônée par un rouge, elle devait réussir. Comment le capitaliste signait-il une pareille élucubration ? L'avocat, sans le moindre embarras,

---

1. Nicolas Gobet (1737-1781) était un minéralogiste.

de lui-même, avait été la montrer à Mme Dambreuse, qui, la trouvant fort bien, s'était chargée du reste.

Cette démarche surprit Frédéric. Il l'approuva cependant ; puis, comme Deslauriers s'aboucherait[1] avec M. Roque, il lui conta sa position vis-à-vis de Louise.

– « Dis-leur tout ce que tu voudras, que mes affaires sont troubles ; je les arrangerai ; elle est assez jeune pour attendre ! »

Deslauriers partit ; et Frédéric se considéra comme un homme très fort. Il éprouvait, d'ailleurs, un assouvissement, une satisfaction profonde. Sa joie de posséder une femme riche n'était gâtée par aucun contraste ; le sentiment s'harmonisait avec le milieu. Sa vie, maintenant, avait des douceurs partout.

La plus exquise, peut-être, était de contempler Mme Dambreuse, entre plusieurs personnes, dans son salon. La convenance de ses manières le faisait rêver à d'autres attitudes ; pendant qu'elle causait d'un ton froid, il se rappelait ses mots d'amour balbutiés ; tous les respects pour sa vertu le délectaient comme un hommage retournant vers lui ; et il avait parfois des envies de s'écrier : « Mais je la connais mieux que vous ! Elle est à moi ! »

Leur liaison ne tarda pas à être une chose convenue, acceptée. Mme Dambreuse, durant tout l'hiver, traîna Frédéric dans le monde.

Il arrivait presque toujours avant elle ; et il la voyait entrer, les bras nus, l'éventail à la main, des perles dans les cheveux. Elle s'arrêtait sur le seuil (le linteau de la porte l'entourait comme un cadre), et elle avait un léger mouvement d'indécision, en clignant les paupières, pour découvrir s'il était là. Elle le ramenait dans sa voiture ; la pluie fouettait les vasistas ; les passants, tels que des ombres, s'agitaient dans la boue ; et, serrés l'un contre l'autre, ils apercevaient tout cela, confusément, avec un dédain tranquille. Sous des prétextes différents, il restait encore une bonne heure dans sa chambre.

C'était par ennui, surtout, que Mme Dambreuse avait cédé. Mais cette dernière épreuve ne devait pas être perdue.

---

1. S'aboucher avec quelqu'un, c'est se mettre en rapport avec lui.

Elle voulait un grand amour, et elle se mit à le combler d'adulations et de caresses.

Elle lui envoyait des fleurs ; elle lui fit une chaise en tapisserie ; elle lui donna un porte-cigares, une écritoire, mille petites choses d'un usage quotidien, pour qu'il n'eût pas une action indépendante de son souvenir. Ces prévenances le charmèrent d'abord, et bientôt lui parurent toutes simples.

Elle montait dans un fiacre, le renvoyait à l'entrée d'un passage, sortait par l'autre bout ; puis, se glissant le long des murs, avec un double voile sur le visage, elle atteignait la rue où Frédéric en sentinelle lui prenait le bras, vivement, pour la conduire dans sa maison. Ses deux domestiques se promenaient, le portier faisait des courses ; elle jetait les yeux tout à l'entour ; rien à craindre ! et elle poussait comme un soupir d'exilé qui revoit sa patrie. La chance les enhardit. Leurs rendez-vous se multiplièrent. Un soir même, elle se présenta tout à coup en grande toilette de bal. Ces surprises pouvaient être dangereuses ; il la blâma de son imprudence ; elle lui déplut, du reste. Son corsage ouvert découvrait trop sa poitrine maigre.

Il reconnut alors ce qu'il s'était caché, la désillusion de ses sens. Il n'en feignait pas moins de grandes ardeurs ; mais pour les ressentir, il lui fallait évoquer l'image de Rosanette ou de Mme Arnoux.

Cette atrophie [1] sentimentale lui laissait la tête entièrement libre, et plus que jamais il ambitionnait une haute position dans le monde. Puisqu'il avait un marchepied pareil, c'était bien le moins qu'il s'en servît.

Vers le milieu de janvier, un matin, Sénécal entra dans son cabinet ; et à son exclamation d'étonnement, répondit qu'il était secrétaire de Deslauriers. Il lui apportait même une lettre. Elle contenait de bonnes nouvelles, et le blâmait cependant de sa négligence ; il fallait venir là-bas.

Le futur député dit qu'il se mettrait en route le surlendemain.

Sénécal n'exprima pas d'opinion sur cette candidature. Il parla de sa personne, et des affaires du pays.

---

1. L'atrophie est une diminution de volume, un arrêt dans le développement.

Si lamentables qu'elles fussent, elles le réjouissaient ; car on marchait au communisme. D'abord, l'Administration y menait d'elle-même, puisque, chaque jour, il y avait plus de choses régies par le Gouvernement. Quant à la Propriété, la Constitution de 48, malgré ses faiblesses, ne l'avait pas ménagée ; au nom de l'utilité publique, l'État pouvait prendre désormais ce qu'il jugeait lui convenir. Sénécal se déclara pour l'Autorité ; et Frédéric aperçut dans ses discours l'exagération de ses propres paroles à Deslauriers. Le républicain tonna même contre l'insuffisance des masses.

– « Robespierre, en défendant le droit du petit nombre, amena Louis XVI devant la Convention nationale, et sauva le peuple. La fin des choses les rend légitimes. La dictature est quelquefois indispensable. Vive la tyrannie, pourvu que le tyran fasse le bien ! »

Leur discussion dura longtemps, et, comme il s'en allait, Sénécal avoua (c'était le but de sa visite, peut-être) que Deslauriers s'impatientait beaucoup du silence de M. Dambreuse.

Mais M. Dambreuse était malade. Frédéric le voyait tous les jours, sa qualité d'intime le faisait admettre près de lui.

La révocation du général Changarnier [1] avait ému extrêmement le capitaliste. Le soir même, il fut pris d'une grande chaleur dans la poitrine, avec une oppression à ne pouvoir se tenir couché. Des sangsues amenèrent un soulagement immédiat. La toux sèche disparut, la respiration devint plus calme ; et, huit jours après, il dit en avalant un bouillon :

– « Ah ! ça va mieux ! Mais j'ai manqué faire le grand voyage ! »

– « Pas sans moi ! » s'écria Mme Dambreuse, notifiant par ce mot qu'elle n'aurait pu lui survivre.

Au lieu de répondre, il étala sur elle et sur son amant un singulier sourire, où il y avait à la fois de la résignation, de l'indulgence, de l'ironie, et même comme une pointe, un sous-entendu presque gai.

Frédéric voulut partir pour Nogent, Mme Dambreuse s'y opposa ; et il défaisait et refaisait tour à tour ses paquets, selon les alternatives de la maladie.

---

1. Voir la note 4, p. 395.

Tout à coup, M. Dambreuse cracha le sang abondamment. « Les princes de la science », consultés, n'avisèrent à rien de nouveau. Ses jambes enflaient, et la faiblesse augmentait. Il avait témoigné plusieurs fois le désir de voir Cécile, qui était à l'autre bout de la France, avec son mari, nommé receveur depuis un mois. Il ordonna expressément qu'on la fît venir. Mme Dambreuse écrivit trois lettres, et les lui montra.

Sans se fier même à la religieuse, elle ne le quittait pas d'une seconde, ne se couchait plus. Les personnes qui se faisaient inscrire chez le concierge s'informaient d'elle avec admiration ; et les passants étaient saisis de respect devant la quantité de paille [1] qu'il y avait dans la rue, sous les fenêtres.

Le 12 février, à cinq heures, une hémoptysie [2] effrayante se déclara. Le médecin de garde dit le danger. On courut vite chez un prêtre.

Pendant la confession de M. Dambreuse, madame le regardait de loin, curieusement. Après quoi, le jeune docteur posa un vésicatoire [3], et attendit.

La lumière des lampes, masquée par des meubles, éclairait la chambre inégalement. Frédéric et Mme Dambreuse, au pied de la couche, observaient le moribond. Dans l'embrasure d'une croisée, le prêtre et le médecin causaient à demi-voix ; la bonne sœur à genoux, marmottait des prières.

Enfin, un râle s'éleva. Les mains se refroidissaient, la face commençait à pâlir. Quelquefois, il tirait tout à coup une aspiration énorme ; elles devinrent de plus en plus rares ; deux ou trois paroles confuses lui échappèrent ; il exhala un petit souffle en même temps qu'il tournait ses yeux, et la tête retomba de côté sur l'oreiller.

Tous, pendant une minute, restèrent immobiles.

---

1. On répandait alors de la paille devant les maisons où se trouvait un grand malade, afin d'atténuer le bruit des chevaux qui passaient dans la rue.
2. Une hémoptysie est un crachement de sang provenant des voies respiratoires.
3. Un vésicatoire est un médicament qui provoque la formation d'ampoules cutanées et qui est utilisé comme révulsif, c'est-à-dire pour produire un afflux de sang dans une région déterminée de manière à décongestionner un organe.

Mme Dambreuse s'approcha ; et, sans effort, avec la simplicité du devoir, elle lui ferma les paupières.

Puis elle écarta les deux bras, en se tordant la taille comme dans le spasme d'un désespoir contenu, et sortit de l'appartement, appuyée sur le médecin et la religieuse. Un quart d'heure après, Frédéric monta dans sa chambre.

On y sentait une odeur indéfinissable, émanation des choses délicates qui l'emplissaient. Au milieu du lit, une robe noire s'étalait, tranchant sur le couvre-pied rose.

Mme Dambreuse était au coin de la cheminée, debout. Sans lui supposer de violents regrets, il la croyait un peu triste ; et, d'une voix dolente :

– « Tu souffres ? »

– « Moi ? Non, pas du tout. »

Comme elle se retournait, elle aperçut la robe, l'examina ; puis elle lui dit de ne pas se gêner.

– « Fume si tu veux ! Tu es chez moi. »

Et, avec un grand soupir :

– « Ah ! sainte Vierge ! quel débarras ! »

Frédéric fut étonné de l'exclamation. Il reprit en lui baisant la main :

– « On était libre, pourtant ! »

Cette allusion à l'aisance de leurs amours parut blesser Mme Dambreuse.

– « Eh ! tu ne sais pas les services que je lui rendais, ni dans quelles angoisses j'ai vécu ! »

– « Comment ? »

– « Mais oui ! Était-ce une sécurité que d'avoir toujours près de soi cette bâtarde, une enfant introduite dans la maison au bout de cinq ans de ménage, et qui, sans moi, bien sûr, l'aurait amené à quelque sottise ? »

Alors, elle expliqua ses affaires. Ils s'étaient mariés sous le régime de la séparation. Son patrimoine était de trois cent mille francs. M. Dambreuse, par leur contrat, lui avait assuré, en cas de survivance, quinze mille livres de rente avec la propriété de l'hôtel. Mais, peu de temps après, il avait fait un testament où il lui donnait toute sa fortune ; et elle l'évaluait, autant qu'il était possible de le savoir maintenant, à plus de trois millions.

Frédéric ouvrit de grands yeux.

– « Ça en valait la peine, n'est-ce pas ? J'y ai contribué, du reste ! C'était mon bien que je défendais ; Cécile m'aurait dépouillée, injustement. »

– « Pourquoi n'est-elle pas venue voir son père ? » dit Frédéric.

À cette question, Mme Dambreuse le considéra ; puis, d'un ton sec :

– « Je n'en sais rien ! Faute de cœur, sans doute ! Oh ! je la connais ! Aussi elle n'aura pas de moi une obole [1] ! »

Elle n'était guère gênante, du moins depuis son mariage.

– « Ah ! son mariage ! » fit en ricanant Mme Dambreuse.

Et elle s'en voulait d'avoir trop bien traité cette pécore [2]-là, qui était jalouse, intéressée, hypocrite. « Tous les défauts de son père ! » Elle le dénigrait de plus en plus. Personne d'une fausseté aussi profonde, impitoyable d'ailleurs, dur comme un caillou, « un mauvais homme, un mauvais homme ! »

Il échappe des fautes, même aux plus sages. Mme Dambreuse venait d'en faire une, par ce débordement de haine. Frédéric, en face d'elle, dans une bergère [3], réfléchissait, scandalisé.

Elle se leva, se mit doucement sur ses genoux.

– « Toi seul es bon ! Il n'y a que toi que j'aime ! »

En le regardant, son cœur s'amollit, une réaction nerveuse lui amena des larmes aux paupières, et elle murmura :

– « Veux-tu m'épouser ? »

Il crut d'abord n'avoir pas compris. Cette richesse l'étourdissait. Elle répéta plus haut :

– « Veux-tu m'épouser ! »

Enfin, il dit, en souriant :

– « Tu en doutes ? »

Puis une pudeur le prit et, pour faire au défunt une sorte de réparation, il s'offrit à le veiller lui-même. Mais comme il avait honte de ce pieux sentiment, il ajouta d'un ton dégagé :

– « Ce serait peut-être plus convenable. »

---

1. Une obole est une modeste offrande, une petite contribution en argent.
2. Une pécore est une femme sottement prétentieuse et impertinente.
3. Voir la note 1, p. 101.

– « Oui, peut-être bien », dit-elle, « à cause des domestiques ! »

On avait tiré le lit complètement hors de l'alcôve. La religieuse était au pied ; et au chevet se tenait un prêtre, un autre, un grand homme maigre, l'air espagnol et fanatique. Sur la table de nuit, couverte d'une serviette blanche, trois flambeaux brûlaient.

Frédéric prit une chaise, et regarda le mort.

Son visage était jaune comme de la paille ; un peu d'écume sanguinolente marquait les coins de sa bouche. Il avait un foulard autour du crâne, un gilet de tricot, et un crucifix d'argent sur la poitrine, entre ses bras croisés.

Elle était finie, cette existence pleine d'agitations ! Combien n'avait-il pas fait de courses dans les bureaux, aligné de chiffres, tripoté d'affaires, entendu de rapports ! Que de boniments, de sourires, de courbettes ! Car il avait acclamé Napoléon, les Cosaques, Louis XVIII, 1830, les ouvriers, tous les régimes, chérissant le Pouvoir d'un tel amour, qu'il aurait payé pour se vendre.

Mais il laissait le domaine de la Fortelle, trois manufactures en Picardie, le bois de Crancé dans l'Yonne, une ferme près d'Orléans, des valeurs mobilières considérables.

Frédéric fit ainsi la récapitulation de sa fortune ; et elle allait, pourtant, lui appartenir ! Il songea d'abord à « ce qu'on dirait », à un cadeau pour sa mère, à ses futurs attelages, à un vieux cocher de sa famille dont il voulait faire le concierge. La livrée ne serait plus la même, naturellement. Il prendrait le grand salon comme cabinet de travail. Rien n'empêchait, en abattant trois murs, d'avoir, au second étage, une galerie de tableaux. Il y avait moyen, peut-être, d'organiser en bas une salle de bains turcs. Quant au bureau de M. Dambreuse, pièce déplaisante, à quoi pouvait-elle servir ?

Le prêtre qui venait à se moucher, ou la bonne sœur arrangeant le feu, interrompait brutalement ces imaginations. Mais la réalité les confirmait ; le cadavre était toujours là. Ses paupières s'étaient rouvertes ; et les pupilles, bien que noyées dans des ténèbres visqueuses, avaient une expression énigmatique, intolérable. Frédéric croyait y voir comme un jugement porté sur lui, et il sentait presque un remords, car il n'avait jamais eu à se plaindre de cet homme, qui, au contraire... « Allons donc ! un vieux misérable ! » et il le considérait de plus près, pour se raffermir, en lui criant mentalement :

– « Eh bien, quoi ? Est-ce que je t'ai tué ? »

Cependant, le prêtre lisait son bréviaire [1] ; la religieuse, immobile, sommeillait ; les mèches des trois flambeaux s'allongeaient.

On entendit, pendant deux heures, le roulement sourd des charrettes défilant vers les Halles. Les carreaux blanchirent, un fiacre passa, puis une compagnie d'ânesses qui trottinaient sur le pavé, et des coups de marteau, des cris de vendeurs ambulants, des éclats de trompette ; tout déjà se confondait dans la grande voix de Paris qui s'éveille.

Frédéric se mit en courses. Il se transporta premièrement à la mairie pour faire la déclaration ; puis, quand le médecin des morts eut donné un certificat, il revint à la mairie dire quel cimetière la famille choisissait, et pour s'entendre avec le bureau des pompes funèbres.

L'employé exhiba un dessin et un programme, l'un indiquant les diverses classes d'enterrement, l'autre le détail complet du décor. Voulait-on un char avec galerie ou un char avec panaches, des tresses aux chevaux, des aigrettes aux valets, des initiales ou un blason, des lampes funèbres, un homme pour porter les honneurs, et combien de voitures ? Frédéric fut large ; Mme Dambreuse tenait à ne rien ménager.

Puis, il se rendit à l'église.

Le vicaire des convois commença par blâmer l'exploitation des pompes funèbres ; ainsi l'officier pour les pièces d'honneur était vraiment inutile : beaucoup de cierges valait mieux ! On convint d'une messe basse [2], relevée de musique. Frédéric signa ce qui était convenu, avec obligation solidaire de payer tous les frais.

---

1. Le bréviaire est le livre de l'office divin, renfermant les formules de toutes les prières.
2. Une messe basse est une messe dont aucune partie n'est chantée (par opposition à la grand-messe).

Il alla ensuite à l'Hôtel de Ville pour l'achat du terrain. Une concession de deux mètres en longueur sur un de largeur, coûtait cinq cents francs. Était-ce une concession mi-séculaire ou perpétuelle ?

– « Oh ! perpétuelle ! » dit Frédéric.

Il prenait la chose au sérieux, se donnait du mal. Dans la cour de l'hôtel, un marbrier l'attendait pour lui montrer des devis et plans de tombeaux grecs, égyptiens, mauresques ; mais l'architecte de la maison en avait déjà conféré avec madame ; et, sur la table, dans le vestibule, il y avait toutes sortes de prospectus relatifs au nettoyage des matelas, à la désinfection des chambres, à divers procédés d'embaumement.

Après son dîner, il retourna chez le tailleur pour le deuil des domestiques ; et il dut faire une dernière course, car il avait commandé des gants de castor, et c'étaient des gants de filoselle [1] qui convenaient.

Quand il arriva le lendemain, à dix heures, le grand salon s'emplissait de monde, et presque tous, en s'abordant d'un air mélancolique, disaient :

– « Moi qui l'ai encore vu il y a un mois ! Mon Dieu ! c'est notre sort à tous ! »

– « Oui ; mais tâchons que ce soit le plus tard possible ! »

Alors, on poussait un petit rire de satisfaction, et même on engageait des dialogues parfaitement étrangers à la circonstance. Enfin, le maître des cérémonies en habit noir à la française et culotte courte, avec manteau, pleureuses [2], brette [3] au côté et tricorne sous le bras, articula, en saluant, les mots d'usage :

– « Messieurs, quand il vous fera plaisir. » On partit.

C'était jour de marché aux fleurs sur la place de la Madeleine. Il faisait un temps clair et doux ; et la brise qui secouait un peu les baraques de toile, gonflait, par les bords, l'immense drap noir accroché sur le portail. L'écusson de M. Dambreuse, occupant un carré de velours, s'y répétait

---

1. La filoselle est une bourre de soie mélangée à du coton.

2. Les pleureuses sont de larges manchettes de toile ou de batiste (voir la note 1, p. 45) qu'on mettait sur le revers des manches de l'habit, dans les premiers temps d'un grand deuil.

3. Une brette est une ancienne épée, longue et étroite.

trois fois. Il était *de sable au senestrochère d'or, à poing fermé, ganté d'argent*[1], avec la couronne de comte, et cette devise : *Par toutes voies.*

Les porteurs montèrent jusqu'au haut de l'escalier le lourd cercueil, et l'on entra.

Les six chapelles, l'hémicycle et les chaises étaient tendus de noir. Le catafalque[2] au bas du chœur formait, avec ses grands cierges, un seul foyer de lumières jaunes. Aux deux angles, sur des candélabres, des flammes d'esprit de vin brûlaient.

Les plus considérables prirent place dans le sanctuaire, les autres dans la nef ; et l'office commença.

À part quelques-uns, l'ignorance religieuse de tous était si profonde, que le maître des cérémonies, de temps à autre, leur faisait signe de se lever, de s'agenouiller, de se rasseoir. L'orgue et deux contrebasses alternaient avec les voix ; dans les intervalles de silence, on entendait le marmottement du prêtre à l'autel ; puis la musique et les chants reprenaient.

Un jour mat tombait des trois coupoles ; mais la porte ouverte envoyait horizontalement comme un fleuve de clarté blanche qui frappait toutes les têtes nues ; et dans l'air, à mi-hauteur du vaisseau, flottait une ombre, pénétrée par le reflet des ors décorant la nervure des pendentifs[3] et le feuillage des chapiteaux.

Frédéric, pour se distraire, écouta le *Dies iræ*[4] ; il considérait les assistants, tâchait de voir les peintures trop élevées qui représentent la vie de Madeleine. Heureusement, Pellerin vint se mettre près de lui, et commença tout de suite, à propos de fresques, une longue dissertation. La cloche tinta. On sortit de l'église.

Le corbillard, orné de draperies pendantes et de hauts plumets, s'achemina vers le Père-Lachaise[5], tiré par quatre

---

1. En termes d'héraldique (la science du blason, des armoiries), l'écusson de Dambreuse représente, sur fond noir, un bras gauche doré, poing fermé, et ganté d'argent.
2. Le catafalque est l'estrade décorée sur laquelle on place le cercueil.
3. En architecture, les pendentifs sont les triangles sphériques qui se trouvent entre les grands arcs qui supportent une coupole.
4. *Dies iræ* (« jour de colère », en latin) est une prose du missel romain, évoquant le Jugement dernier et chantée à l'office des morts.
5. Aménagé par Brongniart en 1804, le Père-Lachaise est un vaste cimetière monumental, situé sur les hauteurs de Ménilmontant (actuel XXe arrondissement ; voir le dossier, p. 583).

chevaux noirs ayant des tresses dans la crinière, des panaches sur la tête, et qu'enveloppaient jusqu'aux sabots de larges caparaçons [1] brodés d'argent. Leur cocher, en bottes à l'écuyère, portait un chapeau à trois cornes avec un long crêpe retombant. Les cordons [2] étaient tenus par quatre personnages : un questeur de la Chambre des députés, un membre du conseil général de l'Aube, un délégué des houilles, – et Fumichon, comme ami. La calèche du défunt et douze voitures de deuil suivaient. Les conviés, par-derrière, emplissaient le milieu du boulevard.

Pour voir tout cela, les passants s'arrêtaient ; des femmes, leur marmot entre les bras, montaient sur des chaises ; et des gens qui prenaient des chopes dans les cafés apparaissaient aux fenêtres, une queue de billard à la main.

La route était longue ; et, – comme dans les repas de cérémonie où l'on est réservé d'abord, puis expansif, – la tenue générale se relâcha bientôt. On ne causait que du refus d'allocation fait par la Chambre au Président [3]. M. Piscatory [4] s'était montré trop acerbe, Montalembert [5], « magnifique, comme d'habitude », et MM. Chambolle [6], Pidoux, Creton, enfin toute la commission aurait dû suivre, peut-être, l'avis de MM. Quentin-Bauchard et Dufour [7].

---

1. Un caparaçon est une armure ou un harnais d'ornement dont on équipe les chevaux.
2. Aux quatre coins du poêle (c'est-à-dire du voile recouvrant le cercueil) pendaient des cordons tenus par de hauts personnages.
3. En février 1851, l'Assemblée refusa de voter un crédit supplémentaire de près de deux millions de francs, réclamé par le président Louis Napoléon Bonaparte pour ses frais de représentation.
4. L'ancien ambassadeur Piscatory (1799-1870), député depuis 1849 et réactionnaire, se révéla finalement très hostile à Louis Napoléon Bonaparte et tenta de s'opposer au coup d'État.
5. Dans l'affaire du refus d'allocation, le comte de Montalembert (1810-1870), membre du comité de la rue de Poitiers (voir la note 1, p. 477), avait défendu la cause de Louis Napoléon Bonaparte en affirmant que « le président n'avait en rien démérité de la grande cause de l'ordre ».
6. Après le coup d'État du 2 décembre 1851, le journaliste et député Chambolle (1802-1883) fut exilé ; le représentant monarchiste Pidoux (1807-1879) retourna au barreau ; et le député orléaniste Creton (1798-1864) y reprit lui aussi sa place.
7. Quentin-Bauchard (1809-1887), député de l'Aisne, et Dufour (1810-1868), député de l'Allier, soutinrent la politique de Louis Napoléon Bonaparte jusqu'au 2 décembre.

Ces entretiens continuèrent dans la rue de la Roquette, bordée par des boutiques, où l'on ne voit que des chaînes en verre de couleur et des rondelles noires couvertes de dessins et de lettres d'or, – ce qui les fait ressembler à des grottes pleines de stalactites et à des magasins de faïence. Mais, devant la grille du cimetière, tout le monde, instantanément, se tut.

Les tombes se levaient au milieu des arbres, colonnes brisées, pyramides, temples, dolmens, obélisques, caveaux étrusques à porte de bronze. On apercevait dans quelques-uns des espèces de boudoirs funèbres, avec des fauteuils rustiques et des pliants. Des toiles d'araignée pendaient comme des haillons aux chaînettes des urnes ; et de la poussière couvrait les bouquets à rubans de satin et les crucifix. Partout, entre les balustres [1], sur les tombeaux, des couronnes d'immortelles et des chandeliers, des vases, des fleurs, des disques noirs rehaussés de lettres d'or, des statuettes de plâtre : petits garçons et petites demoiselles ou petits anges tenus en l'air par un fil de laiton ; plusieurs même ont un toit de zinc sur la tête. D'énormes câbles en verre filé, noir, blanc et azur, descendent du haut des stèles jusqu'au pied des dalles, avec de longs replis, comme des boas. Le soleil, frappant dessus, les faisait scintiller entre les croix de bois noir ; – et le corbillard s'avançait dans les grands chemins, qui sont pavés comme les rues d'une ville. De temps à autre, les essieux claquaient. Des femmes à genoux, la robe traînant dans l'herbe, parlaient doucement aux morts. Des fumignons [2] blanchâtres sortaient de la verdure des ifs. C'étaient des offrandes abandonnées, des débris que l'on brûlait.

La fosse de M. Dambreuse était dans le voisinage de Manuel [3] et de Benjamin Constant [4]. Le terrain dévale, en cet endroit, par une pente abrupte. On a sous les pieds des

---

1. Voir la note 2, p. 225.
2. Un fumignon est une petite lampe qui éclaire faiblement.
3. Jacques Antoine Manuel (1775-1827) fut un grand orateur politique qui défendit les acquis de la Révolution française dans l'opposition. C'était l'homme du principe de la souveraineté nationale et un ami de Béranger.
4. L'écrivain Benjamin Constant (1767-1830) fut aussi un homme politique appartenant aux cercles libéraux.

sommets d'arbres verts ; plus loin, des cheminées de pompes à feu, puis toute la grande ville.

Frédéric put admirer le paysage pendant qu'on prononçait les discours.

Le premier fut au nom de la Chambre des députés, le deuxième, au nom du conseil général de l'Aube, le troisième, au nom de la Société houillère de Saône-et-Loire, le quatrième, au nom de la Société d'agriculture de l'Yonne ; et il y en eut un autre, au nom d'une société philanthropique. Enfin, on s'en allait, lorsqu'un inconnu se mit à lire un sixième discours, au nom de la Société des antiquaires d'Amiens.

Et tous profitèrent de l'occasion pour tonner contre le socialisme, dont M. Dambreuse était mort victime. C'était le spectacle de l'anarchie et son dévouement à l'ordre qui avaient abrégé ses jours. On exalta ses lumières, sa probité, sa générosité et même son mutisme comme représentant du peuple, car, s'il n'était pas orateur, il possédait en revanche ces qualités solides, mille fois préférables, etc., avec tous les mots qu'il faut dire : – « Fin prématurée, – regrets éternels ; – l'autre patrie, – adieu, ou plutôt non, au revoir ! »

La terre, mêlée de cailloux, retomba ; et il ne devait plus en être question dans le monde.

On en parla encore un peu en descendant le cimetière ; et on ne se gênait pas pour l'apprécier. Hussonnet, qui devait rendre compte de l'enterrement dans les journaux, reprit même, en blague, tous les discours ; – car enfin le bonhomme Dambreuse avait été un des *potdevinistes* [1] les plus distingués du dernier règne. Puis les voitures de deuil reconduisirent les bourgeois à leurs affaires. La cérémonie n'avait pas duré trop longtemps ; on s'en félicitait.

Frédéric, fatigué, rentra chez lui.

Quand il se présenta le lendemain à l'hôtel Dambreuse, on l'avertit que Madame travaillait en bas, dans le bureau. Les cartons, les tiroirs étaient ouverts pêle-mêle, les livres de comptes jetés de droite et de gauche ; un rouleau de paperasses ayant pour titre : « Recouvrements désespérés »,

---

1. Un « potdeviniste » est une personne qui reçoit des pots-de-vin, c'est-à-dire des sommes d'argent en échange de services rendus.

traînait par terre ; il manqua tomber dessus et le ramassa.
Mme Dambreuse disparaissait ensevelie dans le grand
fauteuil.

– « Eh bien ? Où êtes-vous donc ? qu'y a-t-il ? »

Elle se leva d'un bond.

– « Ce qu'il y a ? Je suis ruinée, ruinée ! entends-tu ? »

M. Adolphe Langlois, le notaire, l'avait fait venir en son
étude, et lui avait communiqué un testament, écrit par son
mari, avant leur mariage. Il léguait tout à Cécile ; et l'autre
testament était perdu. Frédéric devint très pâle. Sans doute
elle avait mal cherché ?

– « Mais regarde donc ! » dit Mme Dambreuse, en lui
montrant l'appartement.

Les deux coffres-forts bâillaient, défoncés à coups de
merlin [1], et elle avait retourné le pupitre, fouillé les placards,
secoué les paillassons, quand tout à coup, poussant un cri
aigu, elle se précipita dans un angle où elle venait d'apercevoir une petite boîte à serrure de cuivre ; elle l'ouvrit, rien !

– « Ah ! le misérable ! Moi qui l'ai soigné avec tant de
dévouement ! »

Puis elle éclata en sanglots.

– « Il est peut-être ailleurs ? » dit Frédéric.

– « Eh non ! il était là ! dans ce coffre-fort. Je l'ai vu dernièrement. Il est brûlé ! j'en suis certaine ! »

Un jour, au commencement de sa maladie, M. Dambreuse était descendu pour donner des signatures.

– « C'est alors qu'il aura fait le coup ! »

Et elle retomba sur une chaise, anéantie. Une mère en
deuil n'est pas plus lamentable près d'un berceau vide que
ne l'était Mme Dambreuse devant les coffres-forts béants.
Enfin sa douleur – malgré la bassesse du motif – semblait
tellement profonde, qu'il tâcha de la consoler en lui disant
qu'après tout, elle n'était pas réduite à la misère.

– « C'est la misère, puisque je ne peux pas t'offrir une
grande fortune ! »

Elle n'avait plus que trente mille livres de rente, sans
compter l'hôtel, qui en valait de dix-huit à vingt, peut-être.

---

1. Un merlin est une masse qui servait à assommer les bœufs destinés à
la boucherie.

Bien que ce fût de l'opulence pour Frédéric, il n'en ressentait pas moins une déception. Adieu ses rêves, et toute la grande vie qu'il aurait menée ! L'honneur le forçait à épouser Mme Dambreuse. Il réfléchit une minute ; puis, d'un air tendre :

– « J'aurai toujours ta personne ! »

Elle se jeta dans ses bras ; et il la serra contre sa poitrine, avec un attendrissement où il y avait un peu d'admiration pour lui-même. Mme Dambreuse, dont les larmes ne coulaient plus, releva sa figure, toute rayonnante de bonheur, et, lui prenant la main :

– « Ah ! je n'ai jamais douté de toi ! J'y comptais ! »

Cette certitude anticipée de ce qu'il regardait comme une belle action déplut au jeune homme.

Puis elle l'emmena dans sa chambre, et ils firent des projets. Frédéric devait songer maintenant à se pousser. Elle lui donna même sur sa candidature d'admirables conseils.

Le premier point était de savoir deux ou trois phrases d'économie politique. Il fallait prendre une spécialité, comme les haras, par exemple, écrire plusieurs mémoires sur une question d'intérêt local, avoir toujours à sa disposition des bureaux de poste ou de tabac[1], rendre une foule de petits services. M. Dambreuse s'était montré là-dessus un vrai modèle. Ainsi, une fois, à la campagne, il avait fait arrêter son char à bancs, plein d'amis, devant l'échoppe d'un savetier, avait pris pour ses hôtes douze paires de chaussures, et, pour lui, des bottes épouvantables – qu'il eut même l'héroïsme de porter durant quinze jours. Cette anecdote les rendit gais. Elle en conta d'autres, et avec un revif de grâce, de jeunesse et d'esprit.

Elle approuva son idée d'un voyage immédiat à Nogent. Leurs adieux furent tendres ; puis, sur le seuil, elle murmura encore une fois :

– « Tu m'aimes, n'est-ce pas ? »

– « Éternellement ! » répondit-il.

Un commissionnaire l'attendait chez lui avec un mot au crayon, le prévenant que Rosanette allait accoucher[2]. Il

---

1. Voir la note 2, p. 64.
2. La scène se passe en février 1851, et c'est en janvier 1849 que Rosanette a annoncé sa grossesse à Frédéric...

avait eu tant d'occupation, depuis quelques jours, qu'il n'y pensait plus. Elle s'était mise dans un établissement spécial, à Chaillot [1].

Frédéric prit un fiacre et partit.

Au coin de la rue de Marbeuf, il lut sur une planche en grosses lettres : – « Maison de santé et d'accouchement tenue par Mme Alessandri, sage-femme de première classe, ex-élève de la Maternité, auteur de divers ouvrages, etc. » Puis, au milieu de la rue, sur la porte, une petite porte bâtarde, l'enseigne répétait (sans le mot accouchement) : « Maison de santé de Mme Alessandri », avec tous ses titres.

Frédéric donna un coup de marteau.

Une femme de chambre, à tournure de soubrette, l'introduisit dans le salon, orné d'une table en acajou, de fauteuils en velours grenat, et d'une pendule sous globe.

Presque aussitôt, madame parut. C'était une grande brune de quarante ans, la taille mince, de beaux yeux, l'usage du monde. Elle apprit à Frédéric l'heureuse délivrance de la mère, et le fit monter dans sa chambre.

Rosanette se mit à sourire ineffablement [2] ; et, comme submergée sous les flots d'amour qui l'étouffaient, elle dit d'une voix basse :

– « Un garçon, là, là ! » en désignant près de son lit une barcelonnette [3].

Il écarta les rideaux, et aperçut, au milieu des linges, quelque chose d'un rouge jaunâtre, extrêmement ridé, qui sentait mauvais et vagissait.

– « Embrasse-le ! »

Il répondit, pour cacher sa répugnance :

– « Mais j'ai peur de lui faire mal ? »

– « Non ! non ! »

Alors, il baisa, du bout des lèvres, son enfant.

– « Comme il te ressemble ! »

Et, de ses deux bras faibles, elle se suspendit à son cou, avec une effusion de sentiment qu'il n'avait jamais vue.

---

1. Voir le dossier, p. 583.
2. Voir la note 2, p. 81.
3. Une barcelonnette est un berceau léger et suspendu, de façon à être facilement mis en mouvement.

Le souvenir de Mme Dambreuse lui revint. Il se reprocha comme une monstruosité de trahir ce pauvre être, qui aimait et souffrait dans toute la franchise de sa nature. Pendant plusieurs jours, il lui tint compagnie jusqu'au soir.

Elle se trouvait heureuse dans cette maison discrète ; les volets de la façade restaient même constamment fermés ; sa chambre, tendue en perse[1] claire, donnait sur un grand jardin ; Mme Alessandri, dont le seul défaut était de citer comme intimes les médecins illustres, l'entourait d'attentions ; ses compagnes, presque toutes des demoiselles de la province, s'ennuyaient beaucoup, n'ayant personne qui vînt les voir ; Rosanette s'aperçut qu'on l'enviait, et le dit à Frédéric avec fierté. Il fallait parler bas, cependant ; les cloisons étaient minces et tout le monde se tenait aux écoutes, malgré le bruit continuel des pianos.

Il allait enfin partir pour Nogent, quand il reçut une lettre de Deslauriers.

Deux candidats nouveaux se présentaient, l'un conservateur, l'autre rouge ; un troisième, quel qu'il fût, n'avait pas de chances. C'était la faute de Frédéric ; il avait laissé passer le bon moment, il aurait dû venir plus tôt, se remuer. « On ne t'a même pas vu aux comices agricoles ! » L'avocat le blâmait de n'avoir aucune attache dans les journaux. « Ah ! si tu avais suivi autrefois mes conseils ! Si nous avions une feuille publique à nous ! » Il insistait là-dessus. Du reste, beaucoup de personnes qui auraient voté en sa faveur, par considération pour M. Dambreuse, l'abandonneraient maintenant. Deslauriers était de ceux-là. N'ayant plus rien à attendre du capitaliste, il lâchait son protégé.

Frédéric porta sa lettre à Mme Dambreuse.

– « Tu n'as donc pas été à Nogent ? » dit-elle.

– « Pourquoi ? »

– « C'est que j'ai vu Deslauriers il y a trois jours. »

Sachant la mort de son mari, l'avocat était venu rapporter des notes sur les houilles et lui offrir ses services comme homme d'affaires. Cela parut étrange à Frédéric ; et que faisait son ami, là-bas ?

---

1. Voir la note 1, p. 143.

Mme Dambreuse voulut savoir l'emploi de son temps depuis leur séparation.

– « J'ai été malade », répondit-il.

– « Tu aurais dû me prévenir, au moins. »

– « Oh ! cela n'en valait pas la peine » ; d'ailleurs, il avait eu une foule de dérangements, des rendez-vous, des visites.

Il mena dès lors une existence double, couchant religieusement chez la Maréchale et passant l'après-midi chez Mme Dambreuse, si bien qu'il lui restait à peine, au milieu de la journée, une heure de liberté.

L'enfant était à la campagne, à Andilly [1]. On allait le voir toutes les semaines.

La maison de la nourrice se trouvait sur la hauteur du village, au fond d'une petite cour sombre comme un puits, avec de la paille par terre, des poules çà et là, une charrette à légumes sous le hangar. Rosanette commençait par baiser frénétiquement son poupon ; et, prise d'une sorte de délire, allait et venait, essayait de traire la chèvre, mangeait du gros pain, aspirait l'odeur du fumier, voulait en mettre un peu dans son mouchoir.

Puis ils faisaient de grandes promenades ; elle entrait chez les pépiniéristes, arrachait les branches de lilas qui pendaient en dehors des murs, criait : « Hue, bourriquet ! » aux ânes traînant une carriole, s'arrêtait à contempler par la grille l'intérieur des beaux jardins ; ou bien la nourrice prenait l'enfant, on le posait à l'ombre sous un noyer ; et les deux femmes débitaient, pendant des heures, d'assommantes niaiseries.

Frédéric, près d'elles, contemplait les carrés de vignes sur les pentes du terrain, avec la touffe d'un arbre de place en place, les sentiers poudreux pareils à des rubans grisâtres, les maisons étalant dans la verdure des taches blanches et rouges ; et, quelquefois, la fumée d'une locomotive allongeait horizontalement, au pied des collines couvertes de feuillages, comme une gigantesque plume d'autruche dont le bout léger s'envolait.

---

1. Andilly est une petite localité du Val-d'Oise, à une quinzaine de kilomètres au nord de Paris, tout près de Montmorency (voir le dossier, p. 585).

Puis ses yeux retombaient sur son fils. Il se le figurait jeune homme, il en ferait son compagnon ; mais ce serait peut-être un sot, un malheureux à coup sûr. L'illégalité de sa naissance l'opprimerait toujours ; mieux aurait valu pour lui ne pas naître, et Frédéric murmurait : « Pauvre enfant ! » le cœur gonflé d'une incompréhensible tristesse.

Souvent, ils manquaient le dernier départ. Alors, Mme Dambreuse le grondait de son inexactitude. Il lui faisait une histoire.

Il fallait en inventer aussi pour Rosanette. Elle ne comprenait pas à quoi il employait toutes ses soirées ; et, quand on envoyait chez lui, il n'y était jamais ! Un jour, comme il s'y trouvait, elles apparurent presque à la fois. Il fit sortir la Maréchale et cacha Mme Dambreuse, en disant que sa mère allait arriver.

Bientôt ces mensonges le divertirent ; il répétait à l'une le serment qu'il venait de faire à l'autre, leur envoyait deux bouquets semblables, leur écrivait en même temps, puis établissait entre elles des comparaisons ; – il y en avait une troisième toujours présente à sa pensée. L'impossibilité de l'avoir le justifiait de ses perfidies, qui avivaient le plaisir, en y mettant de l'alternance ; et plus il avait trompé n'importe laquelle des deux, plus elle l'aimait, comme si leurs amours se fussent échauffés réciproquement et que, dans une sorte d'émulation, chacune eût voulu lui faire oublier l'autre.

– « Admire ma confiance ! » lui dit un jour Mme Dambreuse, en dépliant un papier où on la prévenait que M. Moreau vivait conjugalement avec une certaine Rose Bron. « Est-ce la demoiselle des courses, par hasard ? »

– « Quelle absurdité ! » reprit-il. « Laisse-moi voir. »

La lettre, écrite en caractères romains, n'était pas signée. Mme Dambreuse, au début, avait toléré cette maîtresse qui couvrait leur adultère. Mais, sa passion devenant plus forte, elle avait exigé une rupture, chose faite depuis longtemps, selon Frédéric ; et, quand il eut fini ses protestations, elle répliqua, tout en clignant ses paupières où brillait un regard pareil à la pointe d'un stylet sous de la mousseline :

– « Eh bien, et l'autre ? »

– « Quelle autre ? »

– « La femme du faïencier ! »

Il leva les épaules dédaigneusement. Elle n'insista pas.

Mais, un mois plus tard, comme ils parlaient d'honneur et de loyauté, et qu'il vantait la sienne (d'une manière incidente, par précaution), elle lui dit :

– « C'est vrai, tu es honnête, tu n'y retournes plus. »

Frédéric, qui pensait à la Maréchale, balbutia :

– « Où donc ? »

– « Chez Mme Arnoux. »

Il la supplia de lui avouer d'où elle tenait ce renseignement. C'était par sa couturière en second, Mme Regimbart.

Ainsi, elle connaissait sa vie, et lui ne savait rien de la sienne !

Cependant, il avait découvert dans son cabinet de toilette la miniature d'un monsieur à longues moustaches : était-ce le même sur lequel on lui avait conté autrefois une vague histoire de suicide ? Mais, il n'existait aucun moyen d'en savoir davantage ! À quoi bon, du reste ? Les cœurs des femmes sont comme ces petits meubles à secret, pleins de tiroirs emboîtés les uns dans les autres ; on se donne du mal, on se casse les ongles, et on trouve au fond quelque fleur desséchée, des brins de poussière – ou le vide ! Et puis il craignait peut-être d'en trop apprendre.

Elle lui faisait refuser les invitations où elle ne pouvait se rendre avec lui, le tenait à ses côtés, avait peur de le perdre ; et, malgré cette union chaque jour plus grande, tout à coup des abîmes se découvraient entre eux, à propos de choses insignifiantes, l'appréciation d'une personne, d'une œuvre d'art.

Elle avait une façon de jouer du piano, correcte et dure. Son spiritualisme (Mme Dambreuse croyait à la transmigration des âmes dans les étoiles) ne l'empêchait pas de tenir sa caisse admirablement. Elle était hautaine avec ses gens ; ses yeux restaient secs devant les haillons des pauvres. Un égoïsme ingénu éclatait dans ses locutions ordinaires : « Qu'est-ce que cela me fait ? je serais bien bonne ! est-ce que j'ai besoin ! » et mille petites actions inanalysables, odieuses. Elle aurait écouté derrière les portes ; elle devait mentir à son confesseur. Par esprit de domination, elle voulut que Frédéric l'accompagnât le dimanche à l'église. Il obéit, et porta le livre.

La perte de son héritage l'avait considérablement changée. Ces marques d'un chagrin qu'on attribuait à la mort de M. Dambreuse la rendaient intéressante ; et, comme autrefois, elle recevait beaucoup de monde. Depuis l'insuccès électoral de Frédéric, elle ambitionnait pour eux deux une légation [1] en Allemagne ; aussi la première chose à faire était de se soumettre aux idées régnantes.

Les uns désiraient l'empire, d'autres les Orléans, d'autres le comte de Chambord [2] ; mais tous s'accordaient sur l'urgence de la décentralisation, et plusieurs moyens étaient proposés, tels que ceux-ci : couper Paris en une foule de grandes rues afin d'y établir des villages, transférer à Versailles le siège du Gouvernement, mettre à Bourges les écoles, supprimer les bibliothèques, confier tout aux généraux de division ; – et on exaltait les campagnes, l'homme illettré ayant naturellement plus de sens que les autres ! Les haines foisonnaient : haine contre les instituteurs primaires et contre les marchands de vin, contre les classes de philosophie, contre les cours d'histoire, contre les romans, les gilets rouges, les barbes longues, contre toute indépendance, toute manifestation individuelle ; car il fallait « relever le principe d'autorité », qu'elle s'exerçât au nom de n'importe qui, qu'elle vînt de n'importe où, pourvu que ce fût la Force, l'Autorité ! Les conservateurs parlaient maintenant comme Sénécal. Frédéric ne comprenait plus ; et il retrouvait chez son ancienne maîtresse les mêmes propos, débités par les mêmes hommes !

Les salons des filles (c'est de ce temps-là que date leur importance) étaient un terrain neutre, où les réactionnaires de bords différents se rencontraient. Hussonnet, qui se livrait au dénigrement des gloires contemporaines (bonne chose pour la restauration de l'ordre), inspira l'envie à Rosanette d'avoir, comme une autre, ses soirées ; il en ferait des comptes rendus ; et il amena d'abord un homme sérieux, Fumichon ; puis parurent Nonancourt, M. de Grémonville,

---

1. Une légation est une représentation diplomatique entretenue à défaut d'ambassade.
2. Voir la note 6, p. 444.

le sieur de Larsillois, ex-préfet, et Cisy, qui était maintenant agronome, bas-breton et plus que jamais chrétien.

Il venait, en outre, d'anciens amants de la Maréchale, tels que le baron de Comaing, le comte de Jumillac et quelques autres ; la liberté de leurs allures blessait Frédéric.

Afin de se poser comme le maître, il augmenta le train de la maison. Alors, on prit un groom, on changea de logement, et on eut un mobilier nouveau. Ces dépenses étaient utiles pour faire paraître son mariage moins disproportionné à sa fortune. Aussi diminuait-elle effroyablement ; – et Rosanette ne comprenait rien à tout cela !

Bourgeoise déclassée, elle adorait la vie de ménage, un petit intérieur paisible. Cependant, elle était contente d'avoir « un jour » ; disait : « Ces femmes-là ! » en parlant de ses pareilles ; voulait être « une dame du monde », s'en croyait une. Elle le pria de ne plus fumer dans le salon, essaya de lui faire faire maigre [1], par bon genre.

Elle mentait à son rôle enfin, car elle devenait sérieuse, et même, avant de se coucher, montrait toujours un peu de mélancolie, comme il y a des cyprès à la porte d'un cabaret.

Il en découvrit la cause : elle rêvait mariage, – elle aussi ! Frédéric en fut exaspéré. D'ailleurs, il se rappelait son apparition chez Mme Arnoux, et puis il lui gardait rancune pour sa longue résistance.

Il n'en cherchait pas moins quels avaient été ses amants. Elle les niait tous. Une sorte de jalousie l'envahit. Il s'irrita des cadeaux qu'elle avait reçus, qu'elle recevait ; – et, à mesure que le fond même de sa personne l'agaçait davantage, un goût des sens âpre et bestial l'entraînait vers elle, illusions d'une minute qui se résolvaient en haine.

Ses paroles, sa voix, son sourire, tout vint à lui déplaire, ses regards surtout, cet œil de femme éternellement limpide et inepte [2]. Il s'en trouvait tellement excédé quelquefois, qu'il l'aurait vue mourir sans émotion. Mais comment se fâcher ? Elle était d'une douceur désespérante.

---

1. Faire maigre, c'est ne pas manger de viande le vendredi et pendant le carême en souvenir de la mort du Christ.
2. Est inepte ce qui est sot, niais.

Deslauriers reparut, et expliqua son séjour à Nogent en disant qu'il y marchandait une étude d'avoué. Frédéric fut heureux de le revoir ; c'était quelqu'un ! Il le mit en tiers dans la compagnie.

L'avocat dînait chez eux de temps à autre, et, quand il s'élevait de petites contestations, se déclarait toujours pour Rosanette, si bien qu'une fois Frédéric lui dit :

– « Eh ! couche avec elle si ça t'amuse ! » tant il souhaitait un hasard qui l'en débarrassât.

Vers le milieu du mois de juin, elle reçut un commandement où M⁰ Athanase Gautherot, huissier, lui enjoignait de solder quatre mille francs dus à la demoiselle Clémence Vatnaz ; sinon, qu'il viendrait le lendemain la saisir.

En effet, des quatre billets autrefois souscrits, un seul était payé ; – l'argent qu'elle avait pu avoir depuis lors ayant passé à d'autres besoins.

Elle courut chez Arnoux. Il habitait le faubourg Saint-Germain, et le portier ignorait la rue. Elle se transporta chez plusieurs amis, ne trouva personne, et rentra désespérée. Elle ne voulait rien dire à Frédéric, tremblant que cette nouvelle histoire ne fît du tort à son mariage.

Le lendemain matin, M⁰ Athanase Gautherot se présenta, flanqué de deux acolytes, l'un blême, à figure chafouine [1], l'air dévoré d'envie, l'autre portant un faux-col et des sous-pieds très tendus, avec un délot [2] de taffetas noir à l'index ; – et tous deux, ignoblement sales, avaient des cols gras, des manches de redingote trop courtes.

Leur patron, un fort bel homme, au contraire, commença par s'excuser de sa mission pénible, tout en regardant l'appartement, « plein de jolies choses, ma parole d'honneur ! ». Il ajouta « outre celles qu'on ne peut saisir ». Sur un geste, les deux recors [3] disparurent.

Alors, ses compliments redoublèrent. Pouvait-on croire qu'une personne aussi... charmante n'eût pas d'ami sérieux ! Une vente par autorité de justice était un véritable

---

1. Est chafouine la figure qui est sournoise, rusée.
2. Un délot est un doigtier.
3. Un recors est une personne qui accompagne un huissier et lui sert de témoin dans les opérations d'exécution.

malheur ! On ne s'en relève jamais. Il tâcha de l'effrayer ;
puis, la voyant émue, prit subitement un ton paterne [1]. Il
connaissait le monde, il avait eu affaire à toutes ces dames ;
et, en les nommant, il examinait les cadres sur les murs.
C'étaient d'anciens tableaux du brave Arnoux, des esquisses
de Sombaz, des aquarelles de Burrieu, trois paysages de
Dittmer. Rosanette n'en savait pas le prix, évidemment.
Me Gautherot se tourna vers elle :

– « Tenez ! Pour vous montrer que je suis un bon garçon,
faisons une chose : cédez-moi ces Dittmer-là ! et je paye
tout. Est-ce convenu ? »

À ce moment, Frédéric, que Delphine avait instruit dans
l'antichambre et qui venait de voir les deux praticiens, entra
le chapeau sur la tête, d'un air brutal. Me Gautherot reprit
sa dignité ; et, comme la porte était restée ouverte :

– « Allons, messieurs, écrivez ! Dans la seconde pièce,
nous disons : une table de chêne, avec ses deux rallonges,
deux buffets... »

Frédéric l'arrêta, demandant s'il n'y avait pas quelque
moyen d'empêcher la saisie ?

– « Oh ! parfaitement ! Qui a payé les meubles ? »

– « Moi. »

– « Eh bien, formulez une revendication ; c'est toujours
du temps que vous aurez devant vous. »

Maître Gautherot acheva vivement ses écritures, et, dans
le même procès-verbal, assigna en référé Mlle Bron, puis
se retira.

Frédéric ne fit pas un reproche. Il contemplait, sur le
tapis, les traces de boue laissées par les chaussures des praticiens ; et, se parlant à lui-même :

– « Il va falloir chercher de l'argent ! »

– « Ah ! mon Dieu, que je suis bête ! » dit la Maréchale.

Elle fouilla dans un tiroir, prit une lettre, et s'en alla vivement à la Société d'éclairage du Languedoc, afin d'obtenir
le transfert de ses actions.

Elle revint une heure après. Les titres étaient vendus à un
autre ! Le commis lui avait répondu en examinant son
papier, la promesse écrite par Arnoux : « Cet acte ne vous

---

1. Voir la note 2, p. 45.

constitue nullement propriétaire. La Compagnie ne connaît pas cela. » Bref, il l'avait congédiée, elle en suffoquait ; et Frédéric devait se rendre à l'instant même chez Arnoux, pour éclaircir la chose.

Mais Arnoux croirait, peut-être, qu'il venait pour recouvrer indirectement les quinze mille francs de son hypothèque perdue ; et puis cette réclamation à un homme qui avait été l'amant de sa maîtresse lui semblait une turpitude. Choisissant un moyen terme, il alla prendre à l'hôtel Dambreuse l'adresse de Mme Regimbart, envoya chez elle un commissionnaire, et connut ainsi le café que hantait maintenant le Citoyen.

C'était un petit café sur la place de la Bastille, où il se tenait toute la journée, dans le coin de droite, au fond, ne bougeant pas plus que s'il avait fait partie de l'immeuble.

Après avoir passé successivement par la demi-tasse, le grog [1], le bischof [2], le vin chaud, et même l'eau rougie, il était revenu à la bière ; et, de demi-heure en demi-heure, laissait tomber ce mot : « Bock ! » ayant réduit son langage à l'indispensable. Frédéric lui demanda s'il voyait quelquefois Arnoux.

– « Non ! »

– « Tiens, pourquoi ? »

– « Un imbécile ! »

La politique, peut-être, les séparait, et Frédéric crut bien faire de s'informer de Compain.

– « Quelle brute ! » dit Regimbart.

– « Comment cela ? »

– « Sa tête de veau [3] ! »

– « Ah ! apprenez-moi ce que c'est que la tête de veau ! » Regimbart eut un sourire de pitié.

– « Des bêtises ! »

Frédéric, après un long silence, reprit :

– « Il a donc changé de logement ? »

– « Qui ? »

_____
1. Voir la note 2, p. 50.
2. Le bischof est une boisson obtenue en faisant infuser à froid ou à chaud, dans le vin, du citron ou de l'orange.
3. Sur la « tête de veau », voir p. 548.

– « Arnoux ! »

– « Oui : rue de Fleurus [1] ! »

– « Quel numéro ? »

– « Est-ce que je fréquente les jésuites [2] ! »

– « Comment, jésuites ! »

Le Citoyen répondit, furieux :

– « Avec l'argent d'un patriote que je lui ai fait connaître, ce cochon-là s'est établi marchand de chapelets ! »

– « Pas possible ! »

– « Allez-y voir ! »

Rien de plus vrai ; Arnoux, affaibli par une attaque, avait tourné à la religion ; d'ailleurs, « il avait toujours eu un fond de religion », et (avec l'alliage de mercantilisme [3] et d'ingénuité qui lui était naturel), pour faire son salut et sa fortune, il s'était mis dans le commerce des objets religieux.

Frédéric n'eut pas de mal à découvrir son établissement, dont l'enseigne portait : « *Aux arts gothiques.* – Restauration du culte. – Ornements d'église. – Sculpture polychrome. – Encens des rois mages, etc. »

Aux deux coins de la vitrine s'élevaient deux statues en bois, bariolées d'or, de cinabre [4] et d'azur ; un saint Jean-Baptiste avec sa peau de mouton, et une sainte Geneviève, des roses dans son tablier et une quenouille sous son bras ; puis des groupes en plâtre ; une bonne sœur instruisant une petite fille, une mère à genoux près d'une couchette, trois collégiens devant la sainte table. Le plus joli était une manière de chalet figurant l'intérieur de la crèche avec l'âne, le bœuf et l'enfant Jésus étalé sur de la paille, de la vraie paille. Du haut en bas des étagères, on voyait des médailles à la douzaine, des chapelets de toute espèce, des bénitiers en forme de coquille et les portraits des gloires ecclésiastiques, parmi lesquelles brillaient Mgr Affre [5] et notre Saint-Père, tous deux souriant.

1. Voir la note 3, p. 82.
2. Voir la note 1, p. 358.
3. Le mercantilisme est l'esprit d'un commerçant cupide et profiteur, tandis que l'ingénuité est une candeur innocente, une certaine naïveté.
4. Le cinabre est un sulfure de mercure naturel, de couleur rouge.
5. Voir la note 3, p. 395.

Arnoux, à son comptoir, sommeillait la tête basse. Il était prodigieusement vieilli, avait même autour des tempes une couronne de boutons roses, et le reflet des croix d'or frappées par le soleil tombait dessus.

Frédéric, devant cette décadence, fut pris de tristesse. Par dévouement pour la Maréchale, il se résigna cependant, et il s'avançait ; au fond de la boutique, Mme Arnoux parut ; alors, il tourna les talons.

– « Je ne l'ai pas trouvé », dit-il en rentrant.

Et il eut beau reprendre qu'il allait écrire, tout de suite, à son notaire du Havre pour avoir de l'argent, Rosanette s'emporta. On n'avait jamais vu un homme si faible, si mollasse ; pendant qu'elle endurait mille privations, les autres se gobergeaient.

Frédéric songeait à la pauvre Mme Arnoux, se figurant la médiocrité navrante de son intérieur. Il s'était mis au secrétaire ; et, comme la voix aigre de Rosanette continuait :

– « Ah ! au nom du ciel, tais-toi ! »

– « Vas-tu les défendre, par hasard ? »

– « Eh bien, oui ! » s'écria-t-il, « car d'où vient cet acharnement ? »

– « Mais toi, pourquoi ne veux-tu pas qu'ils payent ? C'est dans la peur d'affliger ton ancienne, avoue-le ! »

Il eut envie de l'assommer avec la pendule ; les paroles lui manquèrent. Il se tut. Rosanette, tout en marchant dans la chambre, ajouta :

– « Je vais lui flanquer un procès, à ton Arnoux. Oh ! je n'ai pas besoin de toi ! » et, pinçant les lèvres : « Je consulterai. »

Trois jours après, Delphine entra brusquement.

– « Madame, Madame, il y a là un homme avec un pot de colle qui me fait peur. »

Rosanette passa dans la cuisine, et vit un chenapan, la face criblée de petite vérole, paralytique d'un bras, aux trois quarts ivre et bredouillant.

C'était l'afficheur de Me Gautherot. L'opposition à la saisie ayant été repoussée, la vente, naturellement, s'ensuivait.

Pour sa peine d'avoir monté l'escalier, il réclama d'abord un petit verre ; – puis il implora une autre faveur, à savoir des billets de spectacle, croyant que madame était une actrice. Il fut ensuite plusieurs minutes à faire des clignements d'yeux incompréhensibles ; enfin, il déclara que, moyennant quarante sous, il déchirerait les coins de l'affiche déjà posée en bas, contre la porte [1]. Rosanette s'y trouvait désignée par son nom, rigueur exceptionnelle qui marquait toute la haine de la Vatnaz.

Elle avait été sensible autrefois, et même, dans une peine de cœur, avait écrit à Béranger [2] pour en obtenir un conseil. Mais elle s'était aigrie sous les bourrasques de l'existence, ayant, tour à tour, donné des leçons de piano, présidé une table d'hôte, collaboré à des journaux de modes, sous-loué des appartements, fait le trafic des dentelles dans le monde des femmes légères, – où ses relations lui permirent d'obliger beaucoup de personnes, Arnoux entre autres. Elle avait travaillé auparavant dans une maison de commerce.

Elle y soldait les ouvrières ; et il y avait pour chacune d'elles deux livres, dont l'un restait toujours entre ses mains. Dussardier, qui tenait par obligeance celui d'une nommée Hortense Baslin, se présenta un jour à la caisse au moment où Mlle Vatnaz apportait le compte de cette fille, 1 682 francs que le caissier lui paya. Or, la veille même, Dussardier n'en avait inscrit que 1 082 sur le livre de la Baslin. Il le redemanda sous un prétexte ; puis, voulant ensevelir cette histoire de vol, lui conta qu'il l'avait perdu. L'ouvrière redit naïvement son mensonge à Mlle Vatnaz ; celle-ci, pour en avoir le cœur net, d'un air indifférent, vint en parler au brave commis. Il se contenta de répondre : « Je l'ai brûlé » ; ce fut tout. Elle quitta la maison peu de temps après, sans croire à l'anéantissement du livre et s'imaginant que Dussardier le gardait.

À la nouvelle de sa blessure, elle était accourue chez lui dans l'intention de le reprendre. Puis, n'ayant rien découvert, malgré les perquisitions les plus fines, elle avait été saisie de respect, et bientôt d'amour, pour ce garçon, si loyal, si doux, si héroïque et si fort ! Une pareille bonne fortune à son âge était inespérée. Elle se jeta dessus avec un

---

1. Ce geste a pour but de faciliter la dépose de l'affiche.
2. Voir la note 5, p. 78.

appétit d'ogresse ; – et elle en avait abandonné la littérature, le socialisme, « les doctrines consolantes et les utopies généreuses », le cours qu'elle professait sur la *Désubalternisation de la femme*, tout, Delmar lui-même ; enfin, elle offrit à Dussardier de s'unir par un mariage.

Bien qu'elle fût sa maîtresse, il n'en était nullement amoureux. D'ailleurs, il n'avait pas oublié son vol. Puis elle était trop riche. Il la refusa. Alors elle lui dit, en pleurant, les rêves qu'elle avait faits : c'était d'avoir à eux deux un magasin de confection. Elle possédait les premiers fonds indispensables, qui s'augmenteraient de quatre mille francs la semaine prochaine ; et elle narra ses poursuites contre la Maréchale.

Dussardier en fut chagrin, à cause de son ami. Il se rappelait le porte-cigares offert au corps de garde, les soirs du quai Napoléon, tant de bonnes causeries, de livres prêtés, les mille complaisances de Frédéric. Il pria la Vatnaz de se désister.

Elle le railla de sa bonhomie, en manifestant contre Rosanette une exécration incompréhensible ; elle ne souhaitait même la fortune que pour l'écraser plus tard avec son carrosse.

Ces abîmes de noirceur effrayèrent Dussardier ; et, quand il sut positivement le jour de la vente, il sortit. Dès le lendemain matin, il entrait chez Frédéric avec une contenance embarrassée.

– « J'ai des excuses à vous faire. »

– « De quoi donc ? »

– « Vous devez me prendre pour un ingrat, moi dont elle est... » Il balbutiait. « Oh ! je ne la verrai plus, je ne serai pas son complice ! » Et, l'autre le regardant tout surpris : « Est-ce qu'on ne va pas, dans trois jours, vendre les meubles de votre maîtresse ? »

– « Qui vous a dit cela ? »

– « Elle-même, la Vatnaz ! Mais j'ai peur de vous offenser... »

– « Impossible, cher ami ! »

– « Ah ! c'est vrai, vous êtes si bon ! »

Et il lui tendit, d'une main discrète, un petit portefeuille de basane [1].

C'était quatre mille francs, toutes ses économies.

– « Comment ! Ah ! non ! – non !... »

– « Je savais bien que je vous blesserais », répliqua Dussardier, avec une larme au bord des yeux.

Frédéric lui serra la main ; et le brave garçon reprit d'une voix dolente :

– « Acceptez-les ! Faites-moi ce plaisir-là ! Je suis tellement désespéré ! Est-ce que tout n'est pas fini, d'ailleurs ? – J'avais cru, quand la révolution est arrivée, qu'on serait heureux. Vous rappelez-vous comme c'était beau ! comme on respirait bien ! Mais nous voilà retombés pire que jamais. »

Et, fixant ses yeux à terre :

– « Maintenant, ils tuent notre République, comme ils ont tué l'autre, la romaine [2] ! et la pauvre Venise, la pauvre Pologne, la pauvre Hongrie [3] ! Quelles abominations ! D'abord, on a abattu les arbres de la liberté, puis restreint le droit de suffrage, fermé les clubs, rétabli la censure et livré l'enseignement aux prêtres [4], en attendant l'Inquisition. Pourquoi pas ? Des conservateurs nous souhaitent bien les Cosaques ! On condamne les journaux quand ils parlent contre la peine de mort, Paris regorge de baïonnettes, seize départements sont en état de siège ; – et l'amnistie qui est encore une fois repoussée ! »

Il se prit le front à deux mains ; puis, écartant les bras comme dans une grande détresse :

---

1. Voir la note 2, p. 256.
2. Suite à une insurrection populaire ayant provoqué le départ du pape, la République romaine avait été proclamée en février 1849. Mais Pie IX rentra dans ses États en avril 1850 grâce à l'aide des troupes françaises.
3. Pour la Pologne, voir la note 2, p. 213. En août 1849, les Autrichiens avaient repris Venise, et l'insurrection de Hongrie avait été réprimée par les Autrichiens aidés des Russes.
4. Par les nombreuses clauses qu'elle contenait, la loi électorale du 31 mai 1850 avait restreint massivement le droit de vote en excluant trois millions d'électeurs. Les clubs avaient été fermés par une loi du 19 juin 1849, et la mesure avait été prorogée le 6 juin 1850. Deux jours après, l'Assemblée avait voté une loi restreignant la liberté de la presse. Enfin, la loi du 15 mars 1850, dite loi Falloux, avait placé les écoles primaires sous la surveillance du maire et du clergé.

– « Si on tâchait, cependant. Si on était de bonne foi, on pourrait s'entendre ! Mais non ! Les ouvriers ne valent pas mieux que les bourgeois, voyez-vous ! À Elbeuf, dernièrement, ils ont refusé leur secours dans un incendie. Des misérables traitent Barbès [1] d'aristocrate ! Pour qu'on se moque du peuple, ils veulent nommer à la présidence Nadaud [2], un maçon, je vous demande un peu ! Et il n'y a pas de moyen ! pas de remède ! Tout le monde est contre nous ! – Moi, je n'ai jamais fait de mal ; et, pourtant, c'est comme un poids qui me pèse sur l'estomac. J'en deviendrai fou, si ça continue. J'ai envie de me faire tuer. Je vous dis que je n'ai pas besoin de mon argent ! Vous me le rendrez, parbleu ! je vous le prête. »

Frédéric, que la nécessité contraignait, finit par prendre ses quatre mille francs. Ainsi, du côté de la Vatnaz, ils n'avaient plus d'inquiétude.

Mais Rosanette perdit bientôt son procès contre Arnoux, et, par entêtement, voulait en appeler.

Deslauriers s'exténuait à lui faire comprendre que la promesse d'Arnoux ne constituait ni une donation ni une cession régulière ; elle n'écoutait même pas, trouvant la loi injuste ; c'est parce qu'elle était une femme, les hommes se soutenaient entre eux ! À la fin, cependant, elle suivit ses conseils.

Il se gênait si peu dans la maison, que, plusieurs fois, il amena Sénécal y dîner. Ce sans-façon déplut à Frédéric, qui lui avançait de l'argent, le faisait même habiller par son tailleur ; et l'avocat donnait ses vieilles redingotes au socialiste, dont les moyens d'existence étaient inconnus.

Il aurait voulu servir Rosanette, cependant. Un jour qu'elle lui montrait douze actions de la Compagnie du kaolin [3] (cette entreprise qui avait fait condamner Arnoux à trente mille francs), il lui dit :

– « Mais c'est véreux ! c'est superbe ! »

---

1. Voir la note 1, p. 213.
2. Ouvrier maçon et député socialiste, Martin Nadaud (1815-1898) s'opposa à Louis Napoléon Bonaparte et fut exilé au 2 décembre.
3. Voir la note 3, p. 91.

Elle avait le droit de l'assigner pour le remboursement de ses créances. Elle prouverait d'abord qu'il était tenu solidairement à payer tout le passif de la Compagnie, puisqu'il avait déclaré comme dettes collectives des dettes personnelles, enfin, qu'il avait diverti plusieurs effets à la société.

– « Tout cela le rend coupable de banqueroute frauduleuse, articles 586 et 587 du Code de commerce ; et nous l'emballerons, soyez-en sûre, ma mignonne. »

Rosanette lui sauta au cou. Il la recommanda le lendemain à son ancien patron, ne pouvant s'occuper lui-même du procès, car il avait besoin à Nogent ; Sénécal lui écrirait, en cas d'urgence.

Ses négociations pour l'achat d'une étude étaient un prétexte. Il passait son temps chez M. Roque, où il avait commencé, non seulement par faire l'éloge de leur ami, mais par l'imiter d'allures et de langage autant que possible ; – ce qui lui avait obtenu la confiance de Louise, tandis qu'il gagnait celle de son père en se déchaînant contre Ledru-Rollin [1].

Si Frédéric ne revenait pas, c'est qu'il fréquentait le grand monde ; et peu à peu Deslauriers leur apprit qu'il aimait quelqu'un, qu'il avait un enfant, qu'il entretenait une créature.

Le désespoir de Louise fut immense, l'indignation de Mme Moreau non moins forte. Elle voyait son fils tourbillonnant vers le fond d'un gouffre vague, était blessée dans sa religion des convenances et en éprouvait comme un déshonneur personnel, quand tout à coup sa physionomie changea. Aux questions qu'on lui faisait sur Frédéric, elle répondait d'un air narquois :

– « Il va bien, très bien. »

Elle savait son mariage avec Mme Dambreuse.

L'époque en était fixée ; et même il cherchait comment faire avaler la chose à Rosanette.

Vers le milieu de l'automne, elle gagna son procès relatif aux actions du kaolin. Frédéric l'apprit en rencontrant à sa porte Sénécal, qui sortait de l'audience.

On avait reconnu M. Arnoux complice de toutes les fraudes ; et l'ex-répétiteur [2] avait un tel air de s'en réjouir,

1. Voir la note 2, p. 395.
2. Voir la note 2, p. 72.

que Frédéric l'empêcha d'aller plus loin, en assurant qu'il se chargeait de sa commission près de Rosanette. Il entra chez elle la figure irritée.

– « Eh bien, te voilà contente ! »

Mais, sans remarquer ces paroles :

– « Regarde donc ! »

Et elle lui montra son enfant couché dans un berceau, près du feu. Elle l'avait trouvé si mal le matin chez sa nourrice, qu'elle l'avait ramené à Paris.

Tous ses membres étaient maigris extraordinairement et ses lèvres couvertes de points blancs, qui faisaient dans l'intérieur de sa bouche comme des caillots de lait.

– « Qu'a dit le médecin ? »

– « Ah ! le médecin ! Il prétend que le voyage a augmenté son... je ne sais plus, un nom en *ite*... enfin qu'il a le muguet [1]. Connais-tu cela ? »

Frédéric n'hésita pas à répondre : « Certainement », ajoutant que ce n'était rien.

Mais dans la soirée, il fut effrayé par l'aspect débile [2] de l'enfant et le progrès de ces taches blanchâtres, pareilles à de la moisissure, comme si la vie, abandonnant déjà ce pauvre petit corps, n'eût laissé qu'une matière où la végétation poussait. Ses mains étaient froides ; il ne pouvait plus boire, maintenant ; et la nourrice, une autre que le portier avait été prendre au hasard dans un bureau, répétait :

– « Il me paraît bien bas, bien bas ! »

Rosanette fut debout toute la nuit.

Le matin, elle alla trouver Frédéric.

– « Viens donc voir. Il ne remue plus. »

En effet, il était mort. Elle le prit, le secoua, l'étreignait en l'appelant des noms les plus doux, le couvrait de baisers et de sanglots, tournait sur elle-même éperdue, s'arrachait les cheveux, poussait des cris ; – et se laissa tomber au bord du divan, où elle restait la bouche ouverte, avec un flot de larmes tombant de ses yeux fixes. Puis une torpeur la gagna,

---

1. Le muguet est une inflammation de la muqueuse de la bouche et du larynx, qui se présente sous la forme d'érosions recouvertes d'un enduit blanchâtre, et qui est due à une levure.

2. Voir la note 1, p. 66.

et tout devint tranquille dans l'appartement. Les meubles étaient renversés. Deux ou trois serviettes traînaient. Six heures sonnèrent. La veilleuse s'éteignit.

Frédéric, en regardant tout cela, croyait presque rêver. Son cœur se serrait d'angoisse. Il lui semblait que cette mort n'était qu'un commencement, et qu'il y avait par-derrière un malheur plus considérable près de survenir.

Tout à coup Rosanette dit d'une voix tendre :

– « Nous le conserverons, n'est-ce pas ? »

Elle désirait le faire embaumer. Bien des raisons s'y opposaient. La meilleure, selon Frédéric, c'est que la chose était impraticable sur des enfants si jeunes. Un portrait valait mieux. Elle adopta cette idée. Il écrivit un mot à Pellerin, et Delphine courut le porter.

Pellerin arriva promptement, voulant effacer par ce zèle tout souvenir de sa conduite. Il dit d'abord :

– « Pauvre petit ange ! Ah ! mon Dieu, quel malheur ! »

Mais, peu à peu (l'artiste en lui l'emportant), il déclara qu'on ne pouvait rien faire avec ces yeux bistrés [1], cette face livide [2], que c'était une véritable nature morte, qu'il faudrait beaucoup de talent ; et il murmurait :

– « Oh ! pas commode, pas commode ! »

– « Pourvu que ce soit ressemblant », objecta Rosanette.

– « Eh ! je me moque de la ressemblance ! À bas le réalisme ! C'est l'esprit qu'on peint ! Laissez-moi ! Je vais tâcher de me figurer ce que ça devait être. »

Il réfléchit, le front dans la main gauche, le coude dans la droite ; puis, tout à coup :

– « Ah ! une idée ! un pastel ! Avec des demi-teintes colorées, passées presque à plat, on peut obtenir un beau modelé, sur les bords seulement. »

Il envoya la femme de chambre chercher sa boîte ; puis, ayant une chaise sous les pieds et une autre près de lui, il commença à jeter de grands traits, aussi calme que s'il eût travaillé d'après la bosse [3]. Il vantait les petits Saint Jean de

---

1. Est bistré ce qui a la couleur du bistre, un brun noirâtre.
2. Voir la note 2, p. 310.
3. En dessin, la bosse est la figure sculptée ou moulée d'après laquelle on s'exerce à rendre le relief.

Corrège, l'infante Rose de Vélasquez, les chairs lactées de
Reynolds, la distinction de Lawrence, et surtout l'enfant aux
longs cheveux qui est sur les genoux de Lady Gower [1].

– « D'ailleurs, peut-on trouver rien de plus charmant que
ces crapauds-là ! Le type du sublime (Raphaël l'a prouvé
par ses madones), c'est peut-être une mère avec son
enfant ? »

Rosanette, qui suffoquait, sortit ; et Pellerin dit aussitôt :

– « Eh bien, Arnoux !... vous savez ce qui arrive ? »

– « Non ! Quoi ? »

– « Ça devait finir comme ça, du reste ! »

– « Qu'est-ce donc ? »

– « Il est peut-être maintenant... Pardon ! »

L'artiste se leva pour exhausser [2] la tête du petit cadavre.

– « Vous disiez... » reprit Frédéric.

Et Pellerin, tout en clignant pour mieux prendre ses
mesures :

– « Je disais que notre ami Arnoux est peut-être, maintenant, coffré ! »

Puis, d'un ton satisfait :

– « Regardez un peu ! Est-ce ça ? »

– « Oui, très bien ! Mais Arnoux ? »

Pellerin déposa son crayon.

– « D'après ce que j'ai pu comprendre, il se trouve pour-
suivi par un certain Mignot, un intime de Regimbart, une
bonne tête, celui-là, hein ? Quel idiot ! Figurez-vous qu'un
jour... »

– « Eh ! il ne s'agit pas de Regimbart ! »

– « C'est vrai. Eh bien, Arnoux, hier au soir, devait trouver douze mille francs, sinon, il était perdu. »

– « Oh ! c'est peut-être exagéré », dit Frédéric.

– « Pas le moins du monde ! Ça m'avait l'air grave, très
grave ! »

---

1. Sur le Corrège, voir la note 5, p. 85. Vélasquez est le peintre majeur
de l'Espagne du XVIIe siècle (le tableau évoqué est *L'Infante Marguerite*
conservé au Louvre). Sir Joshua Reynolds est un peintre britannique du
XVIIIe siècle auquel a succédé, dans la charge de portraitiste du roi, sir
Thomas Lawrence (1769-1830). Le portrait de lady Gower avec son enfant,
peint vers 1824, est l'un des tableaux les plus connus de Lawrence.

2. Exhausser, c'est remonter, surélever.

Rosanette, à ce moment, reparut avec des rougeurs sous les paupières, ardentes comme des plaques de fard. Elle se mit près du carton et regarda. Pellerin fit signe qu'il se taisait à cause d'elle. Mais Frédéric, sans y prendre garde :

– « Cependant, je ne peux pas croire… »

– « Je vous répète que je l'ai rencontré hier », dit l'artiste, « à sept heures du soir, rue Jacob. Il avait même son passeport, par précaution ; et il parlait de s'embarquer au Havre, lui et toute sa smala. »

– « Comment ! Avec sa femme ? »

– « Sans doute ! Il est trop bon père de famille pour vivre tout seul. »

– « Et vous en êtes sûr !… »

– « Parbleu ! Où voulez-vous qu'il ait trouvé douze mille francs ? »

Frédéric fit deux ou trois tours dans la chambre. Il haletait, se mordait les lèvres, puis saisit son chapeau.

– « Où vas-tu donc ? » dit Rosanette.

Il ne répondit pas, et disparut.

V

Il fallait douze mille francs, ou bien il ne reverrait plus
Mme Arnoux ; et, jusqu'à présent, un espoir invincible lui
était resté. Est-ce qu'elle ne faisait pas comme la substance
de son cœur, le fond même de sa vie ? Il fut pendant
quelques minutes à chanceler sur le trottoir, se rongeant
d'angoisses, heureux néanmoins de n'être plus chez l'autre.

Où avoir de l'argent ? Frédéric savait par lui-même combien il est difficile d'en obtenir tout de suite, à n'importe
quel prix. Une seule personne pouvait l'aider, Mme Dambreuse. Elle gardait toujours dans son secrétaire plusieurs
billets de banque. Il alla chez elle ; et, d'un ton hardi :

– « As-tu douze mille francs à me prêter ? »

– « Pourquoi ? »

C'était le secret d'un autre. Elle voulait le connaître. Il ne
céda pas. Tous deux s'obstinaient. Enfin, elle déclara ne rien
donner, avant de savoir dans quel but. Frédéric devint très
rouge. Un de ses camarades avait commis un vol. La somme
devait être restituée aujourd'hui même.

– « Tu l'appelles ? Son nom ? Voyons, son nom ? »

– « Dussardier ! »

Et il se jeta à ses genoux, en la suppliant de n'en rien dire.

– « Quelle idée as-tu de moi ? » reprit Mme Dambreuse.
« On croirait que tu es le coupable. Finis donc tes airs tragiques ! Tiens, les voilà ! et grand bien lui fasse ! »

Il courut chez Arnoux. Le marchand n'était pas dans sa
boutique. Mais il logeait toujours rue Paradis, car il possédait deux domiciles.

Rue Paradis, le portier jura que M. Arnoux était absent
depuis la veille ; quant à Madame, il n'osait rien dire ; et
Frédéric, ayant monté l'escalier comme une flèche, colla son
oreille contre la serrure. Enfin, on ouvrit. Madame était

partie avec Monsieur. La bonne ignorait quand ils reviendraient ; ses gages étaient payés ; elle-même s'en allait.

Tout à coup un craquement de porte se fit entendre.

– « Mais il y a quelqu'un ? »

– « Oh ! non, Monsieur ! C'est le vent. »

Alors, il se retira. N'importe, une disparition si prompte avait quelque chose d'inexplicable.

Regimbart, étant l'intime de Mignot, pouvait peut-être l'éclairer ? Et Frédéric se fit conduire chez lui, à Montmartre, rue de l'Empereur [1].

Sa maison était flanquée d'un jardinet, clos par une grille que bouchaient des plaques de fer. Un perron de trois marches relevait la façade blanche ; et en passant sur le trottoir, on apercevait les deux pièces du rez-de-chaussée, dont la première était un salon avec des robes partout sur les meubles, et la seconde l'atelier où se tenaient les ouvrières de Mme Regimbart.

Toutes étaient convaincues que Monsieur avait de grandes occupations, de grandes relations, que c'était un homme complètement hors ligne. Quand il traversait le couloir, avec son chapeau à bords retroussés, sa longue figure sérieuse et sa redingote verte, elles en interrompaient leur besogne. D'ailleurs, il ne manquait pas de leur adresser toujours quelque mot d'encouragement, une politesse sous forme de sentence ; – et, plus tard, dans leur ménage, elles se trouvaient malheureuses, parce qu'elles l'avaient gardé pour idéal.

Aucune cependant ne l'aimait comme Mme Regimbart, petite personne intelligente, qui le faisait vivre avec son métier.

Dès que M. Moreau eut dit son nom, elle vint prestement le recevoir, sachant par les domestiques ce qu'il était à Mme Dambreuse. Son mari « rentrait à l'instant même » ; et Frédéric tout en la suivant, admira la tenue du logis et la profusion de toile cirée qu'il y avait. Puis il attendit quelques minutes, dans une manière de bureau, où le Citoyen se retirait pour penser.

---

1. La rue de l'Empereur est aujourd'hui la rue Lepic (XVIIIe arrondissement).

Son accueil fut moins rébarbatif que d'habitude.

Il conta l'histoire d'Arnoux. L'ex-fabricant de faïences avait enguirlandé [1] Mignot, un patriote, possesseur de cent actions du *Siècle* [2], en lui démontrant qu'il fallait, au point de vue démocratique, changer la gérance et la rédaction du journal ; et, sous prétexte de faire triompher son avis dans la prochaine assemblée des actionnaires, il lui avait demandé cinquante actions, en disant qu'il les repasserait à des amis sûrs, lesquels appuieraient son vote ; Mignot n'aurait aucune responsabilité, ne se fâcherait avec personne ; puis, le succès obtenu, il lui ferait avoir dans l'administration une bonne place, de cinq à six mille francs pour le moins. Les actions avaient été livrées. Mais Arnoux, tout de suite, les avait vendues ; et, avec l'argent, s'était associé à un marchand d'objets religieux. Là-dessus, réclamations de Mignot, lanternements [3] d'Arnoux ; enfin, le patriote l'avait menacé d'une plainte en escroquerie, s'il ne restituait ses titres ou la somme équivalente : cinquante mille francs.

Frédéric eut l'air désespéré.

– « Ce n'est pas tout », dit le Citoyen. « Mignot, qui est un brave homme, s'est rabattu sur le quart. Nouvelles promesses de l'autre, nouvelles farces naturellement. Bref, avant-hier matin, Mignot l'a sommé d'avoir à lui rendre, dans les vingt-quatre heures, sans préjudice du reste, douze mille francs. »

– « Mais je les ai ! » dit Frédéric.

Le Citoyen se retourna lentement :

– « Blagueur ! »

– « Pardon ! Ils sont dans ma poche. Je les apportais. »

– « Comme vous y allez, vous ! Nom d'un petit bonhomme ! Du reste, il n'est plus temps ; la plainte est déposée, et Arnoux parti. »

– « Seul ? »

– « Non ! avec sa femme. On les a rencontrés à la gare du Havre. »

---

1. Ici, enguirlander quelqu'un, c'est enjoliver une situation à ses yeux pour le tromper.
2. Voir la note 4, p. 170.
3. Lanterner quelqu'un, c'est le faire attendre en lui faisant des promesses vaines.

Frédéric pâlit extraordinairement. Mme Regimbart crut qu'il allait s'évanouir. Il se contint, et même il eut la force d'adresser deux ou trois questions sur l'aventure. Regimbart s'en attristait, tout cela en somme nuisant à la Démocratie. Arnoux avait toujours été sans conduite et sans ordre.

– « Une vraie tête de linotte ! Il brûlait la chandelle par les deux bouts ! Le cotillon l'a perdu ! Ce n'est pas lui que je plains, mais sa pauvre femme ! » car le Citoyen admirait les femmes vertueuses, et faisait grand cas de Mme Arnoux. « Elle a dû joliment souffrir ! »

Frédéric lui sut gré de cette sympathie ; et, comme s'il en avait reçu un service, il serra sa main avec effusion.

– « As-tu fait toutes les courses nécessaires ? » dit Rosanette en le revoyant.

Il n'en avait pas eu le courage, répondit-il, et avait marché au hasard, dans les rues, pour s'étourdir.

À huit heures, ils passèrent dans la salle à manger ; mais ils restèrent silencieux l'un devant l'autre, poussaient par intervalles un long soupir et renvoyaient leur assiette. Frédéric but de l'eau-de-vie. Il se sentait tout délabré, écrasé, anéanti, n'ayant plus conscience de rien que d'une extrême fatigue.

Elle alla chercher le portrait. Le rouge, le jaune, le vert et l'indigo s'y heurtaient par taches violentes, en faisaient une chose hideuse, presque dérisoire.

D'ailleurs, le petit mort était méconnaissable, maintenant. Le ton violacé de ses lèvres augmentait la blancheur de sa peau ; les narines étaient encore plus minces, les yeux plus caves ; et sa tête reposait sur un oreiller de taffetas bleu, entre des pétales de camélias, des roses d'automne et des violettes ; c'était une idée de la femme de chambre ; elles l'avaient ainsi arrangé toutes les deux, dévotement. La cheminée, couverte d'une housse en guipure [1], supportait des flambeaux de vermeil espacés par des bouquets de buis bénit ; aux coins, dans les deux vases, des pastilles [2] du sérail brûlaient ; tout cela formait avec le berceau une manière de

1. Voir la note 1, p. 203.
2. Voir la note 3, p. 218.

reposoir ; et Frédéric se rappela sa veillée près de M. Dambreuse.

Tous les quarts d'heure, à peu près, Rosanette ouvrait les rideaux pour contempler son enfant. Elle l'apercevait, dans quelques mois d'ici, commençant à marcher, puis au collège au milieu de la cour, jouant aux barres [1] ; puis à vingt ans, jeune homme ; et toutes ces images, qu'elle se créait, lui faisaient comme autant de fils qu'elle aurait perdus, – l'excès de la douleur multipliant sa maternité.

Frédéric, immobile dans l'autre fauteuil, pensait à Mme Arnoux.

Elle était en chemin de fer, sans doute, le visage au carreau d'un wagon, et regardant la campagne s'enfuir derrière elle du côté de Paris, ou bien sur le pont d'un bateau à vapeur, comme la première fois qu'il l'avait rencontrée ; mais celui-là s'en allait indéfiniment vers des pays d'où elle ne sortirait plus. Puis il la voyait dans une chambre d'auberge, avec des malles par terre, un papier de tenture en lambeaux, la porte qui tremblait au vent. Et après ? que deviendrait-elle ? Institutrice, dame de compagnie, femme de chambre, peut-être ? Elle était livrée à tous les hasards de la misère. Cette ignorance de son sort le torturait. Il aurait dû s'opposer à sa fuite ou partir derrière elle. N'était-il pas son véritable époux ? Et, en songeant qu'il ne la retrouverait jamais, que c'était bien fini, qu'elle était irrévocablement perdue, il sentait comme un déchirement de tout son être ; ses larmes accumulées depuis le matin débordèrent.

Rosanette s'en aperçut.

– « Ah ! tu pleures comme moi ! Tu as du chagrin ? »

– « Oui ! oui ! j'en ai !... »

Il la serra contre son cœur, et tous deux sanglotaient en se tenant embrassés.

Mme Dambreuse aussi pleurait, couchée sur son lit, à plat ventre, la tête dans ses mains.

Olympe Regimbart, étant venue le soir lui essayer sa première robe de couleur, avait conté la visite de Frédéric, et

---

1. Voir la note 3, p. 58.

même qu'il tenait tout prêts douze mille francs destinés à M. Arnoux.

Ainsi cet argent, son argent à elle, était pour empêcher le départ de l'autre, pour se conserver une maîtresse !

Elle eut d'abord un accès de rage ; et elle avait résolu de le chasser comme un laquais. Des larmes abondantes la calmèrent. Il valait mieux tout renfermer, ne rien dire.

Frédéric, le lendemain, rapporta les douze mille francs.

Elle le pria de les garder, en cas de besoin, pour son ami, et elle l'interrogea beaucoup sur ce monsieur. Qui donc l'avait poussé à un tel abus de confiance ? Une femme, sans doute ! Les femmes vous entraînent à tous les crimes.

Ce ton de persiflage [1] décontenança Frédéric. Il éprouvait un grand remords de sa calomnie. Ce qui le rassurait, c'est que Mme Dambreuse ne pouvait connaître la vérité.

Elle y mit de l'entêtement, cependant ; car, le surlendemain, elle s'informa encore de son petit camarade, puis d'un autre, de Deslauriers.

– « Est-ce un homme sûr et intelligent ? »

Frédéric le vanta.

– « Priez-le de passer à la maison un de ces matins ; je désirerais le consulter pour une affaire. »

Elle avait trouvé un rouleau de paperasses contenant des billets d'Arnoux parfaitement protestés [2], et sur lesquels Mme Arnoux avait mis sa signature. C'était pour ceux-là que Frédéric était venu une fois chez M. Dambreuse pendant son déjeuner ; et, bien que le capitaliste n'eût pas voulu en poursuivre le recouvrement, il avait fait prononcer par le Tribunal de commerce, non seulement la condamnation d'Arnoux, mais celle de sa femme, qui l'ignorait, son mari n'ayant pas jugé convenable de l'en avertir.

C'était une arme, cela ! Mme Dambreuse n'en doutait pas. Mais son notaire lui conseillerait peut-être l'abstention ; elle eût préféré quelqu'un d'obscur ; et elle s'était rappelé ce grand diable, à mine impudente [3], qui lui avait offert ses services.

---

1. Le persiflage est la moquerie, la raillerie.
2. Voir la note 1, p. 473.
3. Est impudent ce qui est audacieusement effronté, cynique, choquant.

Frédéric fit naïvement sa commission.

L'avocat fut enchanté d'être mis en rapport avec une si grande dame.

Il accourut.

Elle le prévint que la succession appartenait à sa nièce, motif de plus pour liquider ces créances qu'elle rembourserait, tenant à accabler les époux Martinon des meilleurs procédés.

Deslauriers comprit qu'il y avait là-dessous un mystère ; il y rêvait en considérant les billets. Le nom de Mme Arnoux, tracé par elle-même, lui remit devant les yeux toute sa personne et l'outrage qu'il en avait reçu. Puisque la vengeance s'offrait, pourquoi ne pas la saisir ?

Il conseilla donc à Mme Dambreuse de faire vendre aux enchères les créances désespérées qui dépendaient de la succession. Un homme de paille les rachèterait en sous-main et exercerait les poursuites. Il se chargeait de fournir cet homme-là.

Vers la fin du mois de novembre, Frédéric, en passant dans la rue de Mme Arnoux, leva les yeux vers ses fenêtres, et aperçut contre la porte une affiche, où il y avait en grosses lettres :

« Vente d'un riche mobilier, consistant en batterie de cuisine, linge de corps et de table, chemises, dentelles, jupons, pantalons, cachemires français et de l'Inde, piano d'Érard [1], deux bahuts de chêne Renaissance, miroirs de Venise, poteries de Chine et du Japon. »

– « C'est leur mobilier ! » se dit Frédéric ; et le portier confirma ses soupçons.

Quant à la personne qui faisait vendre, il l'ignorait. Mais le commissaire-priseur, Me Berthelmot, donnerait peut-être des éclaircissements.

L'officier ministériel ne voulut point, tout d'abord, dire quel créancier poursuivait la vente. Frédéric insista. C'était un sieur Sénécal, agent d'affaires ; et Me Berthelmot poussa même la complaisance jusqu'à prêter son journal des *Petites Affiches*.

---

1. Les pianos fabriqués dans l'établissement des frères Érard étaient très renommés.

Frédéric, en arrivant chez Rosanette, le jeta sur la table tout ouvert.

– « Lis donc ! »

– « Eh bien, quoi ? » dit-elle, avec une figure tellement placide qu'il en fut révolté.

– « Ah ! garde ton innocence ! »

– « Je ne comprends pas. »

– « C'est toi qui fais vendre Mme Arnoux ? »

Elle relut l'annonce.

– « Où est son nom ? »

– « Eh ! c'est son mobilier ! Tu le sais mieux que moi ! »

– « Qu'est-ce que ça me fait ? » dit Rosanette en haussant les épaules.

– « Ce que ça te fait ? Mais tu te venges, voilà tout ! C'est la suite de tes persécutions ! Est-ce que tu ne l'as pas outragée jusqu'à venir chez elle ! Toi, une fille de rien. La femme la plus sainte, la plus charmante et la meilleure ! Pourquoi t'acharnes-tu à la ruiner ? »

– « Tu te trompes, je t'assure ! »

– « Allons donc ! Comme si tu n'avais pas mis Sénécal en avant ! »

– « Quelle bêtise ! »

Alors, une fureur l'emporta.

– « Tu mens ! Tu mens, misérable ! Tu es jalouse d'elle ! Tu possèdes une condamnation contre son mari ! Sénécal s'est déjà mêlé de tes affaires ! Il déteste Arnoux, vos deux haines s'entendent. J'ai vu sa joie quand tu as gagné ton procès pour le kaolin. Le nieras-tu, celui-là ? »

– « Je te donne ma parole… »

– « Oh ! je la connais, ta parole ! »

Et Frédéric lui rappela ses amants par leurs noms, avec des détails circonstanciés. Rosanette, toute pâlissante, se reculait.

– « Cela t'étonne ! Tu me croyais aveugle parce que je fermais les yeux. J'en ai assez, aujourd'hui ! On ne meurt pas pour les trahisons d'une femme de ton espèce. Quand elles deviennent trop monstrueuses, on s'en écarte ; ce serait se dégrader que de les punir ! »

Elle se tordait les bras.

– « Mon Dieu, qu'est-ce donc qui l'a changé ? »

– « Pas d'autres que toi-même ! »

– « Et tout cela pour Mme Arnoux !... » s'écria Rosanette en pleurant.

Il reprit froidement :

– « Je n'ai jamais aimé qu'elle ! »

À cette insulte, ses larmes s'arrêtèrent.

– « Ça prouve ton bon goût ! Une personne d'un âge mûr, le teint couleur de réglisse, la taille épaisse, des yeux grands comme des soupiraux de cave, et vides comme eux ! Puisque ça te plaît, va la rejoindre ! »

– « C'est ce que j'attendais ! Merci ! »

Rosanette demeura immobile, stupéfiée par ces façons extraordinaires. Elle laissa même la porte se refermer ; puis, d'un bond, elle le rattrapa dans l'antichambre, et, l'entourant de ses bras :

– « Mais tu es fou ! tu es fou ! c'est absurde ! je t'aime ! » Elle le suppliait : « Mon Dieu, au nom de notre petit enfant ! »

– « Avoue que c'est toi qui as fait le coup ! » dit Frédéric.

Elle protesta encore de son innocence.

– « Tu ne veux pas avouer ? »

– « Non ! »

– « Eh bien, adieu ! et pour toujours ! »

– « Écoute-moi ! »

Frédéric se retourna.

– « Si tu me connaissais mieux, tu saurais que ma décision est irrévocable ! »

– « Oh ! oh ! tu me reviendras ! »

– « Jamais de la vie ! »

Et il fit claquer la porte violemment.

Rosanette écrivit à Deslauriers qu'elle avait besoin de lui tout de suite.

Il arriva cinq jours après, un soir ; et, quand elle eut conté sa rupture :

– « Ce n'est que ça ! Beau malheur ! »

Elle avait cru d'abord qu'il pourrait lui ramener Frédéric ; mais, à présent, tout était perdu. Elle avait appris, par son portier, son prochain mariage avec Mme Dambreuse.

Deslauriers lui fit de la morale, se montra même singulièrement gai, farceur ; et, comme il était fort tard, demanda

la permission de passer la nuit sur un fauteuil. Puis, le lendemain matin, il repartit pour Nogent, en la prévenant qu'il
ne savait pas quand ils se reverraient ; d'ici à peu, il y aurait
peut-être un grand changement dans sa vie.

Deux heures après son retour, la ville était en révolution.
On disait que M. Frédéric allait épouser Mme Dambreuse.
Enfin, les trois demoiselles Auger, n'y tenant plus, se transportèrent chez Mme Moreau, qui confirma cette nouvelle
avec orgueil. Le père Roque en fut malade, Louise
s'enferma. Le bruit courut même qu'elle était folle.

Cependant, Frédéric ne pouvait cacher sa tristesse.
Mme Dambreuse, pour l'en distraire sans doute, redoublait
d'attentions. Toutes les après-midi, elle le promenait dans sa
voiture ; et, une fois qu'ils passaient sur la place de la
Bourse, elle eut l'idée d'entrer dans l'hôtel des commis-
saires-priseurs [1], par amusement.

C'était le 1er décembre, jour même où devait se faire la
vente de Mme Arnoux. Il se rappela la date, et manifesta sa
répugnance, en déclarant ce lieu intolérable, à cause de la
foule et du bruit. Elle désirait y jeter un coup d'œil seulement. Le coupé [2] s'arrêta. Il fallait bien la suivre.

On voyait, dans la cour, des lavabos sans cuvettes, des
bois de fauteuils, de vieux paniers, des tessons de porcelaine,
des bouteilles vides, des matelas ; et des hommes en blouse
ou en sale redingote, tout gris de poussière, la figure ignoble,
quelques-uns avec des sacs de toile sur l'épaule, causaient
par groupes distincts ou se hélaient tumultueusement.

Frédéric objecta les inconvénients d'aller plus loin.

– « Ah bah ! »

Et ils montèrent l'escalier.

Dans la première salle, à droite, des messieurs, un catalogue à la main, examinaient des tableaux ; dans une autre,
on vendait une collection d'armes chinoises ; Mme Dambreuse voulut descendre. Elle regardait les numéros au-
dessus des portes, et elle le mena jusqu'à l'extrémité du corridor, vers une pièce encombrée de monde.

---

1. L'hôtel des ventes se trouvait à l'angle de la place de la Bourse et de
la rue Notre-Dame-des-Victoires (voir le dossier, p. 583).
2. Voir la note 3, p. 66.

Il reconnut immédiatement les deux étagères de *L'Art industriel*, sa table à ouvrage, tous ses meubles ! Entassés au fond, par rang de taille, ils formaient un large talus depuis le plancher jusqu'aux fenêtres ; et, sur les autres côtés de l'appartement, les tapis et les rideaux pendaient droit le long des murs. Il y avait, en dessous, des gradins occupés par de vieux bonshommes qui sommeillaient. À gauche, s'élevait une espèce de comptoir, où le commissaire-priseur, en cravate blanche, brandissait légèrement un petit marteau. Un jeune homme, près de lui, écrivait ; et, plus bas, debout, un robuste gaillard, tenant du commis-voyageur et du marchand de contremarques, criait les meubles à vendre. Trois garçons les apportaient sur une table, que bordaient, assis en ligne, des brocanteurs et des revendeuses. La foule circulait derrière eux.

Quand Frédéric entra, les jupons, les fichus, les mouchoirs et jusqu'aux chemises étaient passés de main en main, retournés ; quelquefois, on les jetait de loin, et des blancheurs traversaient l'air tout à coup. Ensuite, on vendit ses robes, puis un de ses chapeaux dont la plume cassée retombait, puis ses fourrures, puis trois paires de bottines ; – et le partage de ces reliques, où il retrouvait confusément les formes de ses membres, lui semblait une atrocité, comme s'il avait vu des corbeaux déchiquetant son cadavre. L'atmosphère de la salle, toute chargée d'haleines, l'écœurait. Mme Dambreuse lui offrit son flacon ; elle se divertissait beaucoup, disait-elle.

On exhiba les meubles de la chambre à coucher.

Me Berthelmot annonçait un prix. Le crieur, tout de suite, le répétait plus fort ; et les trois commissaires attendaient tranquillement le coup de marteau, puis emportaient l'objet dans une pièce contiguë. Ainsi disparurent, les uns après les autres, le grand tapis bleu semé de camélias que ses pieds mignons frôlaient en venant vers lui, la petite bergère [1] de tapisserie où il s'asseyait toujours en face d'elle quand ils étaient seuls ; les deux écrans de la cheminée, dont l'ivoire était rendu plus doux par le contact de ses mains ; une pelote de velours, encore hérissée d'épingles. C'était comme

---

1. Voir la note 1, p. 101.

des parties de son cœur qui s'en allaient avec ces choses ; et la monotonie des mêmes voix, des mêmes gestes l'engourdissait de fatigue, lui causait une torpeur funèbre, une dissolution.

Un craquement de soie se fit à son oreille ; Rosanette le touchait.

Elle avait eu connaissance de cette vente par Frédéric lui-même. Son chagrin passé, l'idée d'en tirer profit lui était venue. Elle arrivait pour la voir, en gilet de satin blanc à boutons de perles, avec une robe à falbalas [1], étroitement gantée, l'air vainqueur.

Il pâlit de colère. Elle regarda la femme qui l'accompagnait.

Mme Dambreuse l'avait reconnue ; et, pendant une minute, elles se considérèrent de haut en bas, scrupuleusement, afin de découvrir le défaut, la tare, – l'une enviant peut-être la jeunesse de l'autre, et celle-ci dépitée par l'extrême bon ton, la simplicité aristocratique de sa rivale.

Enfin, Mme Dambreuse détourna la tête, avec un sourire d'une insolence inexprimable.

Le crieur avait ouvert un piano, – son piano ! Tout en restant debout, il fit une gamme de la main droite, et annonça l'instrument pour douze cents francs, puis se rabattit à mille, à huit cents, à sept cents.

Mme Dambreuse, d'un ton folâtre, se moquait du sabot [2].

On posa devant les brocanteurs un petit coffret avec des médaillons, des angles et des fermoirs d'argent, le même qu'il avait vu au premier dîner dans la rue de Choiseul, qui ensuite avait été chez Rosanette, était revenu chez Mme Arnoux ; souvent, pendant leurs conversations, ses yeux le rencontraient ; il était lié à ses souvenirs les plus chers, et son âme se fondait d'attendrissement, quand Mme Dambreuse dit tout à coup :

– « Tiens ! je vais l'acheter. »

– « Mais ce n'est pas curieux », reprit-il.

---

1. Voir la note 1, p. 291.
2. On appelle sabot un instrument de musique, un bateau ou un véhicule de mauvaise qualité.

Elle le trouvait, au contraire, fort joli ; et le crieur en prônait la délicatesse :

– « Un bijou de la Renaissance ! Huit cents francs, messieurs ! En argent presque tout entier ! Avec un peu de blanc d'Espagne, ça brillera ! »

Et, comme elle se poussait dans la foule :

– « Quelle singulière idée ! » dit Frédéric.

– « Cela vous fâche ? »

– « Non ! Mais que peut-on faire de ce bibelot ? »

– « Qui sait ? y mettre des lettres d'amour, peut-être ! »

Elle eut un regard qui rendait l'allusion fort claire.

– « Raison de plus pour ne pas dépouiller les morts de leurs secrets. »

– « Je ne la croyais pas si morte. » Elle ajouta distinctement : « Huit cent quatre-vingts francs ! »

– « Ce que vous faites n'est pas bien », murmura Frédéric.

Elle riait.

– « Mais, chère amie, c'est la première grâce que je vous demande. »

– « Mais vous ne serez pas un mari aimable, savez-vous ? »

Quelqu'un venait de lancer une surenchère ; elle leva la main :

– « Neuf cents francs ! »

– « Neuf cents francs ! » répéta Me Berthelmot.

– « Neuf cent dix... quinze... vingt... trente ! » glapissait le crieur, tout en parcourant du regard l'assistance, avec des hochements de tête saccadés.

– « Prouvez-moi que ma femme est raisonnable », dit Frédéric.

Il l'entraîna doucement vers la porte.

Le commissaire-priseur continuait.

– « Allons, allons, messieurs, neuf cent trente ! Y a-t-il marchand à neuf cent trente ? »

Mme Dambreuse, qui était arrivée sur le seuil, s'arrêta ; et, d'une voix haute :

– « Mille francs ! »

Il y eut un frisson dans le public, un silence.

– « Mille francs, messieurs, mille francs ! Personne ne dit rien ? bien vu ? mille francs ! – Adjugé ! »

Le marteau d'ivoire s'abattit.

Elle fit passer sa carte, on lui envoya le coffret. Elle le plongea dans son manchon [1].

Frédéric sentit un grand froid lui traverser le cœur.

Mme Dambreuse n'avait pas quitté son bras ; et elle n'osa le regarder en face jusque dans la rue, où l'attendait sa voiture.

Elle s'y jeta comme un voleur qui s'échappe, et, quand elle fut assise, se retourna vers Frédéric. Il avait son chapeau à la main.

– « Vous ne montez pas ? »

– « Non, madame ! »

Et, la saluant froidement, il ferma la portière, puis fit signe au cocher de partir.

Il éprouva d'abord un sentiment de joie et d'indépendance reconquise. Il était fier d'avoir vengé Mme Arnoux en lui sacrifiant une fortune ; puis il fut étonné de son action, et une courbature infinie l'accabla.

Le lendemain matin, son domestique lui apprit les nouvelles. L'état de siège était décrété [2], l'Assemblée dissoute, et une partie des représentants du peuple à Mazas [3]. Les affaires publiques le laissèrent indifférent, tant il était préoccupé des siennes.

Il écrivit à des fournisseurs pour décommander plusieurs emplettes relatives à son mariage, qui lui apparaissait maintenant comme une spéculation un peu ignoble ; et il exécrait Mme Dambreuse parce qu'il avait manqué, à cause d'elle, commettre une bassesse. Il en oubliait la Maréchale, ne s'inquiétait même pas de Mme Arnoux, – ne songeant qu'à lui, à lui seul, – perdu dans les décombres de ses rêves, malade, plein de douleur et de découragement ; et, en haine du milieu factice où il avait tant souffert, il souhaita la

---

1. Voir la note 1, p. 226.
2. Ce jour est le mardi 2 décembre 1851, date du coup d'État de Louis Napoléon Bonaparte.
3. Mazas était une prison, construite de 1845 à 1850 à Paris sur le boulevard du même nom (actuel boulevard Diderot, XIIe arrondissement), et détruite en 1900.

fraîcheur de l'herbe, le repos de la province, une vie somnolente passée à l'ombre du toit natal avec des cœurs ingénus.
Le mercredi soir enfin, il sortit.

Des groupes nombreux stationnaient sur le boulevard. De temps à autre, une patrouille les dissipait ; ils se reformaient derrière elle. On parlait librement, on vociférait contre la troupe des plaisanteries et des injures, sans rien de plus.

– « Comment ! est-ce qu'on ne va pas se battre ? » dit Frédéric à un ouvrier.

L'homme en blouse lui répondit :

– « Pas si bêtes de nous faire tuer pour les bourgeois ! Qu'ils s'arrangent ! »

Et un monsieur grommela, tout en regardant de travers le faubourien :

– « Canailles de socialistes ! Si on pouvait, cette fois, les exterminer ! »

Frédéric ne comprenait rien à tant de rancune et de sottise. Son dégoût de Paris en augmenta ; et, le surlendemain [1], il partit pour Nogent par le premier convoi.

Les maisons bientôt disparurent, la campagne s'élargit. Seul dans son wagon et les pieds sur la banquette, il ruminait les événements des derniers jours, tout son passé. Le souvenir de Louise lui revint.

– « Elle m'aimait, celle-là ! J'ai eu tort de ne pas saisir ce bonheur… Bah ! n'y pensons plus ! »

Puis, cinq minutes après :

– « Qui sait, cependant ?… Plus tard, pourquoi pas ? »

Sa rêverie, comme ses yeux, s'enfonçait dans de vagues horizons.

– « Elle était naïve, une paysanne, presque une sauvage, mais si bonne ! »

À mesure qu'il avançait vers Nogent, elle se rapprochait de lui. Quand on traversa les prairies de Sourdun, il l'aperçut sous les peupliers comme autrefois, coupant des joncs au bord des flaques d'eau ; on arrivait ; il descendit.

Puis il s'accouda sur le pont, pour revoir l'île et le jardin où ils s'étaient promenés un jour de soleil ; – et l'étourdisse-

---

1. Pour que la chronologie soit cohérente, il faut comprendre ici le surlendemain du coup d'État.

ment du voyage et du grand air, la faiblesse qu'il gardait de ses émotions récentes, lui causant une sorte d'exaltation, il se dit :

– « Elle est peut-être sortie ; si j'allais la rencontrer ! »

La cloche de Saint-Laurent tintait ; et il y avait sur la place, devant l'église, un rassemblement de pauvres, avec une calèche, la seule du pays (celle qui servait pour les noces), quand, sous le portail, tout à coup, dans un flot de bourgeois en cravate blanche, deux nouveaux mariés parurent.

Il se crut halluciné. Mais non ! c'était bien elle, Louise ! – couverte d'un voile blanc qui tombait de ses cheveux rouges à ses talons ; et c'était bien lui, Deslauriers ! – portant un habit bleu brodé d'argent, un costume de préfet. Pourquoi donc ?

Frédéric se cacha dans l'angle d'une maison, pour laisser passer le cortège.

Honteux, vaincu, écrasé, il retourna vers le chemin de fer, et s'en revint à Paris.

Son cocher de fiacre assura que les barricades[1] étaient dressées depuis le Château-d'Eau[2] jusqu'au Gymnase[3], et prit par le faubourg Saint-Martin. Au coin de la rue de Provence, Frédéric mit pied à terre pour gagner les boulevards.

Il était cinq heures, une pluie fine tombait. Des bourgeois occupaient le trottoir du côté de l'Opéra[4]. Les maisons d'en face étaient closes. Personne aux fenêtres. Dans toute la largeur du boulevard, des dragons[5] galopaient, à fond de train, penchés sur leurs chevaux, le sabre nu ; et les crinières de leurs casques, et leurs grands manteaux blancs soulevés derrière eux passaient sur la lumière des becs de gaz, qui

---

1. Suite au coup d'État, des barricades furent élevées à Paris sur les boulevards dans la nuit du 3 au 4 décembre. La troupe tira et fit plusieurs centaines de morts.

2. Le Château-d'Eau était une fontaine qui ornait la place du même nom (depuis 1879, place de la République ; voir le dossier, p. 583).

3. Voir la note 3, p. 169.

4. L'Opéra était alors situé rue Le Peletier (actuel IXᵉ arrondissement), à deux pas du boulevard (l'opéra Garnier, du nom de son architecte, n'a été terminé qu'en 1874).

5. Voir la note 2, p. 181.

se tordaient au vent dans la brume. La foule les regardait, muette, terrifiée.

Entre les charges de cavalerie, des escouades de sergents de ville survenaient, pour faire refluer le monde dans les rues.

Mais, sur les marches de Tortoni[1], un homme, – Dussardier, – remarquable de loin à sa haute taille, restait sans plus bouger qu'une cariatide[2].

Un des agents qui marchait en tête, le tricorne sur les yeux, le menaça de son épée.

L'autre alors, s'avançant d'un pas, se mit à crier :

– « Vive la République ! »

Il tomba sur le dos, les bras en croix.

Un hurlement d'horreur s'éleva de la foule. L'agent fit un cercle autour de lui avec son regard ; et Frédéric, béant, reconnut Sénécal.

---

1. Tortoni était un célèbre glacier, sis à l'angle du boulevard des Italiens et de la rue Taitbout.
2. En architecture, une cariatide est une statue de femme qui soutient une corniche avec la tête.

VI

Il voyagea.

Il connut la mélancolie des paquebots, les froids réveils sous la tente, l'étourdissement des paysages et des ruines, l'amertume des sympathies interrompues.

Il revint.

Il fréquenta le monde, et il eut d'autres amours encore. Mais le souvenir continuel du premier les lui rendait insipides ; et puis la véhémence du désir, la fleur même de la sensation était perdue. Ses ambitions d'esprit avaient également diminué. Des années passèrent ; et il supportait le désœuvrement de son intelligence et l'inertie de son cœur.

Vers la fin de mars 1867, à la nuit tombante, comme il était seul dans son cabinet, une femme entra.

– « Madame Arnoux ! »

– « Frédéric ! »

Elle le saisit par les mains, l'attira doucement vers la fenêtre, et elle le considérait tout en répétant :

– « C'est lui ! C'est donc lui ! »

Dans la pénombre du crépuscule, il n'apercevait que ses yeux sous la voilette de dentelle noire qui masquait sa figure.

Quand elle eut déposé au bord de la cheminée un petit portefeuille de velours grenat, elle s'assit. Tous deux restèrent sans pouvoir parler, se souriant l'un à l'autre.

Enfin, il lui adressa quantité de questions sur elle et son mari.

Ils habitaient le fond de la Bretagne, pour vivre économiquement et payer leurs dettes. Arnoux, presque toujours malade, semblait un vieillard maintenant. Sa fille était mariée à Bordeaux, et son fils en garnison à Mostaganem [1]. Puis elle releva la tête :

---

1. Mostaganem est une ville d'Algérie.

– « Mais je vous revois ! Je suis heureuse ! »

Il ne manqua pas de lui dire qu'à la nouvelle de leur catastrophe, il était accouru chez eux.

– « Je le savais ! »

– « Comment ? »

Elle l'avait aperçu dans la cour, et s'était cachée.

– « Pourquoi ? »

Alors, d'une voix tremblante, et avec de longs intervalles entre ses mots :

– « J'avais peur ! Oui… peur de vous… de moi ! »

Cette révélation lui donna comme un saisissement de volupté. Son cœur battait à grands coups. Elle reprit :

– « Excusez-moi de n'être pas venue plus tôt. » Et désignant le petit portefeuille grenat couvert de palmes d'or : – « Je l'ai brodé à votre intention, tout exprès. Il contient cette somme, dont les terrains de Belleville devaient répondre. »

Frédéric la remercia du cadeau, tout en la blâmant de s'être dérangée.

– « Non ! ce n'est pas pour cela que je suis venue ! Je tenais à cette visite, puis je m'en retournerai… là-bas. »

Et elle lui parla de l'endroit qu'elle habitait.

C'était une maison basse, à un seul étage, avec un jardin rempli de buis énormes et une double avenue de châtaigniers montant jusqu'au haut de la colline, d'où l'on découvre la mer.

– « Je vais m'asseoir là, sur un banc, que j'ai appelé : le banc Frédéric. »

Puis elle se mit à regarder les meubles, les bibelots, les cadres, avidement, pour les emporter dans sa mémoire. Le portrait de la Maréchale était à demi caché par un rideau. Mais les ors et les blancs, qui se détachaient au milieu des ténèbres, l'attirèrent.

– « Je connais cette femme, il me semble ? »

– « Impossible ! » dit Frédéric. « C'est une vieille peinture italienne. »

Elle avoua qu'elle désirait faire un tour à son bras, dans les rues.

Ils sortirent.

La lueur des boutiques éclairait, par intervalles, son profil pâle ; puis l'ombre l'enveloppait de nouveau ; et, au milieu des voitures, de la foule et du bruit, ils allaient sans se distraire d'eux-mêmes, sans rien entendre, comme ceux qui marchent ensemble dans la campagne, sur un lit de feuilles mortes.

Ils se racontèrent leurs anciens jours, les dîners du temps de *L'Art industriel*, les manies d'Arnoux, sa façon de tirer les pointes de son faux-col, d'écraser du cosmétique[1] sur ses moustaches, d'autres choses plus intimes et plus profondes. Quel ravissement il avait eu la première fois, en l'entendant chanter ! Comme elle était belle, le jour de sa fête, à Saint-Cloud ! Il lui rappela le petit jardin d'Auteuil, des soirs au théâtre, une rencontre sur le boulevard, d'anciens domestiques, sa négresse.

Elle s'étonnait de sa mémoire. Cependant, elle lui dit :

– « Quelquefois, vos paroles me reviennent comme un écho lointain, comme le son d'une cloche apporté par le vent ; et il me semble que vous êtes là, quand je lis des passages d'amour dans les livres. »

– « Tout ce qu'on y blâme d'exagéré, vous me l'avez fait ressentir », dit Frédéric. « Je comprends les Werther que ne dégoûtent pas les tartines de Charlotte[2]. »

– « Pauvre cher ami ! »

Elle soupira ; et, après un long silence :

– « N'importe, nous nous serons bien aimés. »

– « Sans nous appartenir, pourtant ! »

– « Cela vaut peut-être mieux », reprit-elle.

– « Non ! non ! Quel bonheur nous aurions eu ! »

– « Oh ! je le crois, avec un amour comme le vôtre ! »

Et il devait être bien fort pour durer après une séparation si longue !

Frédéric lui demanda comment elle l'avait découvert.

---

1. Voir la note 1, p. 88.
2. Dans le roman de Goethe déjà mentionné (voir la note 1, p. 60), *Les Souffrances du jeune Werther*, Charlotte est en train de se préparer des tartines lorsque Werther la voit pour la première fois.

– « C'est un soir que vous m'avez baisé le poignet entre le gant et la manchette [1]. Je me suis dit : "Mais il m'aime… il m'aime." J'avais peur de m'en assurer, cependant. Votre réserve était si charmante, que j'en jouissais comme d'un hommage involontaire et continu. »

Il ne regretta rien. Ses souffrances d'autrefois étaient payées.

Quand ils rentrèrent, Mme Arnoux ôta son chapeau. La lampe, posée sur une console, éclaira ses cheveux blancs. Ce fut comme un heurt en pleine poitrine.

Pour lui cacher cette déception, il se posa par terre à ses genoux, et, prenant ses mains, se mit à lui dire des tendresses.

– « Votre personne, vos moindres mouvements me semblaient avoir dans le monde une importance extrahumaine. Mon cœur, comme de la poussière, se soulevait derrière vos pas. Vous me faisiez l'effet d'un clair de lune par une nuit d'été, quand tout est parfums, ombres douces, blancheurs, infini ; et les délices de la chair et de l'âme étaient contenues pour moi dans votre nom, que je me répétais, en tâchant de le baiser sur mes lèvres. Je n'imaginais rien au-delà. C'était Mme Arnoux telle que vous étiez, avec ses deux enfants, tendre, sérieuse, belle à éblouir, et si bonne ! Cette image-là effaçait toutes les autres. Est-ce que j'y pensais, seulement ! puisque j'avais toujours au fond de moi-même la musique de votre voix et la splendeur de vos yeux ! »

Elle acceptait avec ravissement ces adorations pour la femme qu'elle n'était plus. Frédéric, se grisant par ses paroles, arrivait à croire ce qu'il disait. Mme Arnoux, le dos tourné à la lumière, se penchait vers lui. Il sentait sur son front la caresse de son haleine, à travers ses vêtements le contact indécis de tout son corps. Leurs mains se serrèrent ; la pointe de sa bottine s'avançait un peu sous sa robe, et il lui dit, presque défaillant :

– « La vue de votre pied me trouble. »

---

1. Il y a bien eu baiser sur le poignet d'une femme, entre le gant et la manchette, mais il s'agissait de Rosanette (voir p. 286), et non de Mme Arnoux.

Un mouvement de pudeur la fit se lever. Puis, immobile, et avec l'intonation singulière des somnambules :

– « À mon âge ! lui ! Frédéric !… Aucune n'a jamais été aimée comme moi ! Non, non ! à quoi sert d'être jeune ? Je m'en moque bien ! je les méprise, toutes celles qui viennent ici ! »

– « Oh ! il n'en vient guère ! » reprit-il complaisamment.

Son visage s'épanouit, et elle voulut savoir s'il se marierait.

Il jura que non.

– « Bien sûr ? pourquoi ? »

– « À cause de vous », dit Frédéric en la serrant dans ses bras.

Elle y restait, la taille en arrière, la bouche entrouverte, les yeux levés. Tout à coup, elle le repoussa avec un air de désespoir ; et, comme il la suppliait de lui répondre, elle dit en baissant la tête :

– « J'aurais voulu vous rendre heureux. »

Frédéric soupçonna Mme Arnoux d'être venue pour s'offrir ; et il était repris par une convoitise plus forte que jamais, furieuse, enragée. Cependant, il sentait quelque chose d'inexprimable, une répulsion, et comme l'effroi d'un inceste. Une autre crainte l'arrêta, celle d'en avoir dégoût plus tard. D'ailleurs, quel embarras ce serait ! – et tout à la fois par prudence et pour ne pas dégrader son idéal, il tourna sur ses talons et se mit à faire une cigarette.

Elle le contemplait, tout émerveillée.

– « Comme vous êtes délicat ! Il n'y a que vous ! Il n'y a que vous ! »

Onze heures sonnèrent.

– « Déjà ! » dit-elle, « au quart, je m'en irai. »

Elle se rassit ; mais elle observait la pendule, et il continuait à marcher en fumant. Tous les deux ne trouvaient plus rien à se dire. Il y a un moment, dans les séparations, où la personne aimée n'est déjà plus avec nous.

Enfin, l'aiguille ayant dépassé les vingt-cinq minutes, elle prit son chapeau par les brides, lentement.

– « Adieu, mon ami, mon cher ami ! Je ne vous reverrai jamais ! C'était ma dernière démarche de femme. Mon âme ne vous quittera pas. Que toutes les bénédictions du ciel soient sur vous ! »

Et elle le baisa au front comme une mère.

Mais elle parut chercher quelque chose, et lui demanda des ciseaux.

Elle défit son peigne ; tous ses cheveux blancs tombèrent.

Elle s'en coupa, brutalement, à la racine, une longue mèche.

– « Gardez-les ! Adieu ! »

Quand elle fut sortie, Frédéric ouvrit sa fenêtre, Mme Arnoux, sur le trottoir, fit signe d'avancer à un fiacre qui passait. Elle monta dedans. La voiture disparut.

Et ce fut tout.

VII

Vers le commencement de cet hiver, Frédéric et Deslauriers causaient au coin du feu, réconciliés encore une fois, par la fatalité de leur nature qui les faisait toujours se rejoindre et s'aimer.

L'un expliqua sommairement sa brouille avec Mme Dambreuse, laquelle s'était remariée à un Anglais.

L'autre, sans dire comment il avait épousé Mlle Roque, conta que sa femme, un beau jour, s'était enfuie avec un chanteur. Pour se laver un peu du ridicule, il s'était compromis dans sa préfecture par des excès de zèle gouvernemental. On l'avait destitué. Il avait été, ensuite, chef de colonisation en Algérie, secrétaire d'un pacha, gérant d'un journal, courtier d'annonces, pour être finalement employé au contentieux dans une compagnie industrielle.

Quant à Frédéric, ayant mangé les deux tiers de sa fortune, il vivait en petit bourgeois.

Puis, ils s'informèrent mutuellement de leurs amis.

Martinon était maintenant sénateur.

Hussonnet occupait une haute place, où il se trouvait avoir sous la main tous les théâtres et toute la presse.

Cisy, enfoncé dans la religion et père de huit enfants, habitait le château de ses aïeux.

Pellerin, après avoir donné dans le fouriérisme [1], l'homéopathie, les tables tournantes, l'art gothique et la peinture humanitaire, était devenu photographe ; et sur toutes les murailles de Paris, on le voyait représenté en habit noir avec un corps minuscule et une grosse tête.

– « Et ton intime Sénécal ? » demanda Frédéric.

---

1. Voir la note 5, p. 207.

– « Disparu ! Je ne sais ! Et toi, ta grande passion, Mme Arnoux ? »

– « Elle doit être à Rome avec son fils, lieutenant de chasseurs. »

– « Et son mari ? »

– « Mort l'année dernière. »

– « Tiens ! » dit l'avocat.

Puis se frappant le front :

– « À propos, l'autre jour, dans une boutique, j'ai rencontré cette bonne Maréchale, tenant par la main un petit garçon qu'elle a adopté. Elle est veuve d'un certain M. Oudry, et très grosse maintenant, énorme. Quelle décadence ! Elle qui avait autrefois la taille si mince. »

Deslauriers ne cacha pas qu'il avait profité de son désespoir pour s'en assurer par lui-même.

– « Comme tu me l'avais permis, du reste. »

Cet aveu était une compensation au silence qu'il gardait touchant sa tentative près de Mme Arnoux. Frédéric l'eût pardonnée, puisqu'elle n'avait pas réussi.

Bien que vexé un peu de la découverte, il fit semblant d'en rire ; et l'idée de la Maréchale lui amena celle de la Vatnaz.

Deslauriers ne l'avait jamais vue, non plus que bien d'autres qui venaient chez Arnoux ; mais il se souvenait parfaitement de Regimbart.

– « Vit-il encore ? »

– « À peine ! Tous les soirs, régulièrement, depuis la rue de Grammont jusqu'à la rue Montmartre, il se traîne devant les cafés, affaibli, courbé en deux, vidé, un spectre ! »

– « Eh bien, et Compain ? »

Frédéric poussa un cri de joie, et pria l'ex-délégué du Gouvernement provisoire de lui apprendre le mystère de la tête de veau.

– « C'est une importation anglaise. Pour parodier la cérémonie que les royalistes célébraient le 30 janvier, des Indépendants fondèrent un banquet annuel, où l'on mangeait des têtes de veau, et où on buvait du vin rouge dans des crânes de veau en portant des toasts à l'extermination des Stuarts. Après Thermidor, des terroristes organisèrent une confrérie toute pareille, ce qui prouve que la bêtise est féconde. »

– « Tu me parais bien calmé sur la politique ? »

– « Effet de l'âge », dit l'avocat.

Et ils résumèrent leur vie.

Ils l'avaient manquée tous les deux, celui qui avait rêvé l'amour, celui qui avait rêvé le pouvoir. Quelle en était la raison ?

– « C'est peut-être le défaut de ligne droite », dit Frédéric.

– « Pour toi, cela se peut. Moi, au contraire, j'ai péché par excès de rectitude, sans tenir compte de mille choses secondaires, plus fortes que tout. J'avais trop de logique, et toi de sentiment. »

Puis, ils accusèrent le hasard, les circonstances, l'époque où ils étaient nés.

Frédéric reprit :

– « Ce n'est pas là ce que nous croyions devenir autrefois, à Sens, quand tu voulais faire une histoire critique de la philosophie, et moi, un grand roman moyen âge sur Nogent, dont j'avais trouvé le sujet dans Froissart [1] : Comment messire Brokars de Fénestranges et l'évêque de Troyes assaillirent messire Eustache d'Ambrecicourt. Te rappelles-tu ? »

Et, exhumant leur jeunesse, à chaque phrase, ils se disaient :

– « Te rappelles-tu ? »

Ils revoyaient la cour du collège, la chapelle, le parloir, la salle d'armes au bas de l'escalier, des figures de pions et d'élèves, un nommé Angelmarre, de Versailles, qui se taillait des sous-pieds dans de vieilles bottes, M. Mirbal et ses favoris rouges, les deux professeurs de dessin linéaire et de grand dessin, Varaud et Suriret, toujours en dispute, et le Polonais, le compatriote de Copernic, avec son système planétaire en carton, astronome ambulant dont on avait payé la séance par un repas au réfectoire, – puis une terrible ribote en promenade, leurs premières pipes fumées, les distributions des prix, la joie des vacances.

C'était pendant celles de 1837 qu'ils avaient été chez la Turque.

----

1. Voir la note 2, p. 57.

On appelait ainsi une femme qui se nommait de son vrai nom Zoraïde Turc ; et beaucoup de personnes la croyaient une musulmane, une Turque, ce qui ajoutait à la poésie de son établissement, situé au bord de l'eau, derrière le rempart ; même en plein été, il y avait de l'ombre autour de sa maison, reconnaissable à un bocal de poissons rouges près d'un pot de réséda [1] sur une fenêtre. Des demoiselles, en camisole [2] blanche, avec du fard aux pommettes et de longues boucles d'oreilles, frappaient aux carreaux quand on passait, et, le soir, sur le pas de la porte, chantonnaient doucement d'une voix rauque.

Ce lieu de perdition projetait dans tout l'arrondissement un éclat fantastique. On le désignait par des périphrases : « L'endroit que vous savez, – une certaine rue, – au bas des ponts. » Les fermières des alentours en tremblaient pour leurs maris, les bourgeoises le redoutaient pour leurs bonnes, parce que la cuisinière de M. le sous-préfet y avait été surprise ; et c'était, bien entendu, l'obsession secrète de tous les adolescents.

Or, un dimanche, pendant qu'on était aux vêpres, Frédéric et Deslauriers, s'étant fait préalablement friser, cueillirent des fleurs dans le jardin de Mme Moreau, puis sortirent par la porte des champs, et, après un grand détour dans les vignes, revinrent par la pêcherie et se glissèrent chez la Turque, en tenant toujours leurs gros bouquets.

Frédéric présenta le sien, comme un amoureux à sa fiancée. Mais la chaleur qu'il faisait, l'appréhension de l'inconnu, une espèce de remords, et jusqu'au plaisir de voir, d'un seul coup d'œil, tant de femmes à sa disposition, l'émurent tellement, qu'il devint très pâle et restait sans avancer, sans rien dire. Toutes riaient, joyeuses de son embarras ; croyant qu'on s'en moquait, il s'enfuit ; et, comme Frédéric avait l'argent, Deslauriers fut bien obligé de le suivre.

On les vit sortir. Cela fit une histoire, qui n'était pas oubliée trois ans après.

---

1. Le réséda est une plante à fleurs blanchâtres ou jaunâtres disposées en grappes.
2. Voir la note 1, p. 85.

Ils se la contèrent prolixement, chacun complétant les souvenirs de l'autre ; et, quand ils eurent fini :

– « C'est là ce que nous avons eu de meilleur ! » dit Frédéric.

– « Oui, peut-être bien ? C'est là ce que nous avons eu de meilleur ! » dit Deslauriers.

La critique ne fut pas tendre pour Flaubert lors de la
parution de *L'Éducation sentimentale* en novembre 1869.
L'écrivain en fait la remarque à George Sand dans une lettre
du 3 décembre [1], qui dresse un panorama assez exact de
la situation :

> Votre vieux troubadour est fortement dénigré par les
> Feuilles. Lisez *Le Constitutionnel* de lundi dernier et *Le Gau-*
> *lois* de ce matin, c'est carré et net. On me traite de crétin et
> de canaille. L'article de Barbey d'Aurevilly (*Le Constitution-*
> *nel*) est, en ce genre, un modèle, et celui du bon Sarcey,
> quoique moins violent, ne lui cède en rien. Ces messieurs
> réclament au nom de la morale et de l'idéal ! J'ai eu aussi
> des éreintements dans *Le Figaro* et dans *Paris* par Cesena
> et Duranty.
>
> Je m'en fiche profondément ! ce qui n'empêche pas que je
> suis étonné par tant de haine. – Et de mauvaise foi.
>
> *La Tribune*, *Le Pays* et *L'Opinion nationale* m'ont en
> revanche fort exalté. [...]
>
> Bref, je recueille, jusqu'à présent, très peu de lauriers et
> aucune feuille de rose ne me blesse.

Soulignée par Flaubert dans cette lettre, la virulence de
Barbey d'Aurevilly est en effet extrême. Déjà fort critique
à l'endroit de *Madame Bovary*, le romancier et polémiste
catholique n'a fait que radicaliser son propos lors de la
parution de *Salammbô*. Avec *L'Éducation sentimentale* se
confirme le complet antagonisme des deux Normands, tant
dans leurs conceptions esthétiques que dans leur tempérament.

---

1. Les lettres mentionnées dans le dossier proviennent de l'édition de Jean
Bruneau et Yvan Leclerc, Gallimard, « Bibliothèque de la Pléiade », t. I
(1830-1851), 1973, t. II (1851-1858), 1980, t. III (1859-1868), 1991, t. IV
(1869-1875), 1998, et t. V (1876-1880), 2007.

Jules Barbey d'Aurevilly,
Le *Constitutionnel* (19 novembre 1869)

I

Enfin nous l'avons, le livre de M. Gustave Flaubert ! ce livre fameux, comme *Salambô* [*sic*], avant de paraître ; car, depuis *Madame Bovary*, on n'a jamais manqué de jouer à l'avance du cornet à bouquin des journaux, en l'honneur de M. Flaubert et de ses œuvres. On annonce ses livres comme des curiosités, des événements, des coups de tonnerre, et le long feu de *Salambô* [*sic*] n'y a rien fait. On continue. Les badauds de la plume, en service ordinaire et extraordinaire, qui entretiennent, avec la leur, la grande badauderie universelle, ont recommencé d'éventer le chef-d'œuvre en poche, avec des airs mystérieusement indiscrets. Ne sachant pas ce qu'il était, ils ont dit ce qu'il n'était pas. À les en croire, ces cancaniers admirateurs, cela devait être un redoutable livre contre la magistrature ; et il n'y est pas parlé de magistrature une seule fois. Ignorants autant que badauds, qui ont poussé la badauderie et la *réclame* si loin, qu'en attendant le livre, ils se sont mis à genoux, comme les Rois Mages devant la crèche de l'Enfant Jésus, devant la boîte qui renfermait le manuscrit de M. Flaubert ; car M. Flaubert a inventé une boîte pour son manuscrit, et par ce temps de bibelots niais, c'était là une idée. À défaut d'un autre, il aura toujours eu ce génie ! On l'appellera désormais « l'homme à la boîte » en littérature, et ce sera une distinction.

Du reste, quand on a des entrailles d'auteur, on comprend très bien ce soin tabernaculaire de son ouvrage... Lorsqu'on n'accouche que tous les sept ans avec peine, on a le temps, – et on le prend, – de capitonner et d'orner le berceau dans lequel on va déposer son *petit*.

J'ai vu des mères affligées de squirres, prendre leur squirre pour un enfant, et devenir tendres pour cette horrible chose qu'elles avaient dans le ventre. L'auteur de *L'Éducation sentimentale* doit avoir pour les œuvres qui sortent si lentement et si péniblement de lui, cette maternité idolâtre qu'augmentent encore la durée et la difficulté de la gestation chez les mères.

Et de fait, il n'est point prolifique, M. Gustave Flaubert... Ce n'est pas un esprit facile, et c'est même un compliment que je lui fais là. Les esprits faciles, après des commencements charmants, restent médiocres et finissent par se noyer toujours dans le crachat de leur facilité. Mais entre la facilité qui pond sans effort et la fécondité laborieusement puissante, il y a un abîme et l'impossibilité, pour les esprits qui réfléchissent, d'une confusion. Malheureusement, si M. Flaubert a le bonheur de n'être pas un esprit facile, il n'a nullement celui d'être un esprit fécond. Non, c'est un homme à pensées rares, qui, quand il en a une, la cuit et la recuit, et non pas dans son jus, car elle n'en a pas. C'est un esprit d'une sécheresse supérieure parmi les Secs, une intelligence toute en surface, n'ayant ni sentiment, ni passion, ni enthousiasme, ni idéal, ni aperçu, ni réflexion, ni profondeur, et d'un talent presque physique, comme celui, par exemple, du gaufreur ou du dessinateur à l'emporte-pièce, ou encore comme celui de l'enlumineur de cartes de géographie. Il n'est pas besoin d'âme pour ces métiers et ces industries ; il n'en est pas besoin davantage pour les ouvrages que fait M. Flaubert.

Et je l'ai déjà dit, – je l'ai dit même au lendemain de *Madame Bovary*, d'où sortit, d'un coup, toute la réputation de M. Flaubert, cette réputation à laquelle il ôtera, sans y ajouter… *Madame Bovary*, que je m'obstine à croire un souvenir personnel, – un de ces romans comme tout le monde, sans être romancier, en a un ou plusieurs dans le sac de sa vie, *Madame Bovary*, sur un fond moins sec et moins dénué que *Salambô* [*sic*] et que *L'Éducation sentimentale*, avait déjà la dureté de style, le repoussé de détail, la crudité d'enluminure, le pointillé fatigant, qui tiennent autant, chez M. Flaubert, à l'organisation de l'homme qu'au système. Venu après son ami, M. Théophile Gautier, le lapidaire des *Émaux et Camées*, qui, lui aussi, grave sur pierre et peint sur caillou, M. Flaubert a été un Théophile Gautier prosaïque, descriptif jusqu'à la minutie, découpant tout et empâtant la couleur sur tout pour que tout se voie, bombant l'atome et pointillant l'éléphant, et finissant par donner aux yeux de l'esprit la sensation, insupportable pour ceux du corps, que donne une tôle brillant au soleil, car les paysages si vantés de M. Flaubert, ces paysages sans nuances flottantes, sans tons fondus et sans transparence, ont la solidité et l'éclat brusque d'un métal… Matérialiste de fond, je n'oserais pas dire : de doctrine (je ne crois guère à ce qu'on peut appeler des doctrines, en M. Flaubert), l'auteur de *Madame Bovary* se révéla matérialiste dans la forme, comme personne, avant lui, ne s'était peut-être révélé. Et cela, avec son personnage de *Madame Bovary*, qui est la femme-type du genre de corruption le plus particulier à la femme du XIXe siècle, lui valut ce succès, sur lequel M. Gustave Flaubert a toujours vécu et vit encore, mais qu'il ne recommencera plus !

Et il ne recommencera plus pour bien des raisons que je veux donner toutes. D'abord, parce que l'effet de ce style, qui nous saute aux yeux, est connu, et que M. Flaubert ne peut plus bénéficier de la nouveauté de sa manière. Ensuite parce que ce style ne s'applique plus à un sujet comme celui de *Madame Bovary*, qui, tout odieux qu'il fût, était vrai, brutalement vrai, rencontré dans le plain-pied et les hasards de la vie, car s'il ne l'eût pas rencontré, M. Flaubert n'était pas de force à le trouver par la seule conception de son esprit. Nous pouvons bien le dire maintenant, M. Flaubert n'est ni un inventeur, ni un observateur, comme tout romancier est tenu de l'être. Le romancier qui n'a trouvé après *Madame Bovary*, que cette perruque carthaginoise de *Salambô* [*sic*] est un homme absolument dénué d'invention et d'observation impersonnelle, propre, tout au plus, à des recollages archaïques. *L'Éducation sentimentale* d'aujourd'hui confirme suffisamment le vide de tête qu'avait affirmé *Salambô* [*sic*]. Il ne s'y agit plus de Carthage, dont nous ne savons rien ou presque rien ; il s'y agit de la vie moderne et d'une époque (1848) par laquelle nous avons passé. Or, qu'a vu M. Flaubert dans cette époque ?... Il n'y a dans *L'Éducation sentimentale*, sous la plume de M. Flaubert, que ce que nous y avons vu toujours. Il nous y ressert son type de Mme Bovary, – non plus intégral, concentré et vivant, – mais en petits morceaux ; et ces petits morceaux s'appellent Rosanette, Mlle Roque, Mlle Wanas [*sic*] et toutes les femmes de son roman ! On fait du cirage avec du noir animal. C'est avec le noir animal de sa Bovary que M. Flaubert a fait ses femelles de *L'Éducation sentimentale* ! et c'est ce *connu*, c'est ce manque de nouveauté dans les personnages comme dans la manière, c'est cette répétition, affaiblie comme toute répétition, des mêmes formes et du même fonds d'idées, – si idées il y a, – qui sera l'empêchement dirimant du grand succès annoncé, mais qui ne viendra pas, et qui déjà, comme vous voyez, se fait attendre !

II

Le caractère principal du roman que M. Flaubert a si malheureusement nommé de ce titre abstrait, pédagogique et pédant : *L'Éducation sentimentale*, est avant tout la vulgarité ; la vulgarité prise dans le ruisseau, où elle se tient, et sous les pieds de tout le monde. Le médiocre jeune homme dont ce livre est l'histoire est vulgaire, et tout autour de lui l'est comme lui, amis, maîtresses, société, sentiment, passion, – et de la plus navrante vulgarité. A-t-on vraiment besoin d'écrire des livres à prétention

sur ces gens-là… Je sais bien que les Réalistes dont M. Flaubert
est la main droite, disent que le grand mérite de M. Flaubert est
de *faire vulgaire*, puisque la vulgarité existe ; mais c'est là l'erreur
du Réalisme, de cette vile école, que de prendre perpétuellement
l'exactitude dans le rendu pour le but de l'art, qui ne doit en
avoir qu'un : la Beauté, avec tous ses genres de beauté. Or, la
vulgarité n'est jamais belle, et la manière dont on la peint ne
l'ennoblissant point, ne peut pas l'embellir. Selon nous, il y a
dans le monde assez d'âmes vulgaires, d'esprits vulgaires, de
choses vulgaires, sans encore augmenter le nombre submergeant
de ces écœurantes vulgarités. Mais telle n'est point l'opinion de
M. Flaubert et de son école. C'est cette école qui rit grossièrement de l'idéal en toutes choses, aussi bien en morale qu'en
esthétique. C'est cette école qui ne veut de *sursum corda !* ni en
art, ni en littérature. C'est elle qui est en train de nier l'héroïsme
et les héros, posant en principe, par la plume de tous ses petits
polissons, « qu'il n'y a plus de héros dans l'humanité », et que
tous les lâches et les plats de la médiocrité les valent et sont
même mille fois plus intéressants qu'eux. M. Flaubert n'a pas
manqué à son école. C'est un de ces plats de la médiocrité qu'il
a choisi pour son *héros.*

Il l'a appelé Moreau, et je m'en étonne. Moreau, c'est le nom
d'un héros et d'un poète. Dans sa haine pour l'héroïsme et dans
son amour pour la vulgarité, M. Flaubert n'aurait pas dû
donner au drôle de son livre un nom porté par ce qu'il y a de
plus beau parmi les hommes, un poète et un héros ! Il devait
l'appeler quelque chose comme Citrouillard, par exemple, car il
y a de la citrouille dans ce monsieur. Le Frédéric Moreau sur
qui M. Flaubert a eu la bonté d'écrire un roman, et un roman
de deux volumes, n'a pas même d'histoire. Réellement ce n'est
pas une histoire que les misérables faits de la vie de ce galopin
sans esprit et sans caractère, de cette marionnette de l'événement
qui le bouscule, et qui vit ou plutôt végète comme un chou, sous
la grêle des faits de chaque jour. Il est bête, en effet, comme un
chou grêlé, ce Frédéric Moreau. De quel autre nom appeler un
homme qui n'a ni libre arbitre, ni volonté, et qui se laisse manger
par toutes les chenilles de la création ?… M. Frédéric Moreau
voit sur un bateau à vapeur une dame Arnoux, femme d'un sieur
Arnoux, mi-bourgeois et artiste, mi-libertin et mi-fripon, et
parce que, tempérament et gaucherie modernes, navet des plates-
bandes de ce temps, il n'ose pas prendre cette femme qu'il
convoite, puisque rien dans ses principes ne lui fait une loi de
la respecter, voilà qu'il se roule aux bras d'une fille entretenue,
évoquant dans les bras de cette fille le souvenir de

Mme Arnoux… et je ne veux pas aller plus loin. Vous voyez d'ici la série de lâchetés et de malpropretés par lesquelles va passer ce monsieur jusqu'à la fin du roman de M. Flaubert. La vie de Frédéric Moreau ! Il n'y a pas un étudiant, pas un rapin, pas un garçon apothicaire qui ne la connaisse et qui ne l'ait vécue ! pas une des scènes de cette vie qui n'ait été dix fois, cent fois, racontée dans des romans plus ou moins bas, plus ou moins infects ! C'est du Murger sans la grâce pulmonique de Murger, sans la mélancolie d'un être qui doit bientôt mourir. M. Flaubert n'a ni grâce, ni mélancolie. C'est un robuste qui se porte bien. C'est un robuste dans le genre du Courbet des *Baigneuses*, qui se lavent au ruisseau et qui le salissent, avec cette différence pourtant que Courbet peint grassement et que M. Flaubert peint maigre et dur. La manière de Courbet est plus large ; il procède par plus grands traits ; tandis que M. Flaubert procède par petits, accumulés, surchargés, ténus, n'oubliant rien, et détachant net l'ombre d'un ciron sur son grain de poussière… Les gens qui trouvent M. Flaubert un bien grand homme, car il en est qui sérieusement le mettent sur la ligne de Balzac, le vantent uniquement pour son style. Or ce style, c'est la description, une description infinie, éternelle, atomistique, aveuglante, qui tient toute la place dans le livre de M. Flaubert, et remplace toutes les facultés dans sa tête.

Demandez-vous, en effet, ce qu'il est, cet enragé descripteur qui ne cesse jamais d'exister en dehors de cette description incessante. Montrez-moi une idée qui ne soit pas une chose physique dans ses œuvres ! Montrez-moi une idée morale, un jugement, une opinion, – même politique ! À un certain moment du roman, on traverse 1848 et sa révolution ; mais pourriez-vous tirer des faits du temps, qui sont décrits avec une exactitude de photographe, l'aspect des rues, le sac des Tuileries, l'air des pavés, les jours de barricades, etc., pour quel parti penche l'auteur de ces descriptions, qui n'a de sympathie que pour les choses visibles qu'on peut retracer ? Je sais et je sens que l'auteur de *L'Éducation sentimentale* est un matérialiste et que le matérialisme doit *nécessairement* engendrer de certaines opinions politiques, et non d'autres ; mais si je n'avais pas l'habitude des inductions et des déductions de la logique, d'honneur, je ne le saurais pas ! Et il en est de même de toutes les opinions de M. Flaubert. Pour les choses d'art, dont il doit être beaucoup plus préoccupé que des choses sociales et de gouvernement, M. Flaubert exprime des opinions opposées sans qu'on puisse présumer la sienne, et il les exprime comme il décrit les masques d'un bal masqué et leurs costumes ! M. Flaubert fait des inventaires. Il fait avec les idées d'art ce qu'il fait avec la nature.

Qu'on me passe le mot, ce n'est, somme toute, qu'un faiseur de bric-à-brac.

III

Ce n'est donc pas une tête que M. Flaubert, c'est une main, – une main patiente et lente, mais acharnée, qui fait des descriptions tranchées et des paysages de *précision*, mais qui, quand cela est exactement exécuté, se trouve au bout de sa science et de son art ou, pour mieux dire, de son industrie. Comme il n'a d'idées absolument sur rien et qu'il n'est capable que de décrire, son procédé, pour fabriquer deux volumes montant à mille pages comme ceux-ci, est infiniment simple. Il cloue et soude des tableaux à d'autres tableaux. Son livre, c'est la boutique de son sieur Arnoux, qui, lui aussi, vend des tableaux... Un jour, l'empereur Napoléon qui voyait le fond des têtes comme il voyait le fond des cœurs, écrivait en Espagne à son frère Joseph, dont il était mécontent : « Vous avez un défaut terrible qui empêche toute action, toute décision et tout courage, c'est *ce genre d'imagination* qui, surtout [*sic*], *se fait des tableaux.* » Et c'est aussi là l'infirmité de Frédéric Moreau, dans *L'Éducation sentimentale*, mais cette infirmité crée le procédé de M. Flaubert, dont la pensée ne fonctionne jamais non plus que sous la forme de tableaux. Moreau, comme Joseph Bonaparte, voit *dans sa tête* toutes les choses qu'il craint, et les décrit comme si elles étaient arrivées. Par exemple, s'il s'avise de penser à la vieillesse future de sa maîtresse, il la décrira ride par ride, cheveu blanc par cheveu blanc, et de la vieillesse passant à la mort, il décrira, une fois en train, l'enterrement, les croquemorts [*sic*], le nasillement des prêtres et jusqu'à la fumée de la mèche des cierges qui s'éteignent. Ma foi, convenons-en, si bien exécutées qu'elles soient, un tel chargement de *descriptions* ferait désirer, de temps en temps, le rafraîchissement d'une phrase plate qui ne décrirait rien ! Mais le matérialisme radical de M. Gustave Flaubert ne le lui permet pas. Toute abstraction, toute métaphysique lui sont interdites. Quand il veut faire autre chose que pincer des objets physiques dans sa langue matérielle, il n'y est plus et il écrit alors des phrases dans le genre de celle-ci, lui, l'ami de Théophile Gautier, *l'Impeccable*, comme disait Baudelaire : « *Un besoin le poussait* (un besoin qui pousse !) à lui dire des tendresses. Elle lui répondait par de petites tapes sur l'épaule... Il lui découvrait une beauté toute nouvelle, qui n'était peut-être que *le reflet des choses ambiantes*, à moins que leurs *virtualités secrètes* ne l'eussent fait s'épanouir. »

Les virtualités secrètes ! Voilà comme ils parlent des choses morales, ces négateurs de l'âme humaine ! et d'en parler aussi joliment que cela, c'est là leur punition !

IV

Il en est d'autres encore et de plus cruelles. Je me suis interdit de raconter le sujet du livre de M. Flaubert, dégoûté par le genre de monde qui s'y vautre ; mais ce n'est pas ce monde-là qui m'en a seul empêché. On peut raconter, analyser d'autres livres, où les vautreries ne manquent pas, mais dans *L'Éducation sentimentale*, cette suite de tableaux à la file, tout pareils à une lanterne magique, il n'y a rien à raconter ! Il n'y a pas de livre là-dedans ; il n'y a pas cette chose, cette création, cette œuvre d'art d'un livre, organisé et développé, et marchant à son dénouement par des voies qui sont le secret et le génie de l'auteur. M. Flaubert n'entend pas ainsi le roman. Il va sans plan, poussant devant lui, sans préconception supérieure, ne se doutant même pas que la vie, sous la diversité et l'apparent désordre de ses hasards, a ses lois logiques et inflexibles et ses engendrements nécessaires. Non ! il va devant lui comme un enfant, attiré par l'objet à décrire, *pris* par cet objet, d'un intérêt futile, l'intérêt d'une sensation ! Les sensations du livre de M. Flaubert ne sont pas même choisies. Ce sont les sensations que donne le milieu le plus commun à l'âme la plus commune. C'est une flânerie dans l'insignifiant, le vulgaire et l'abject, pour le plaisir de s'y promener. Cela n'a que deux volumes, mais cela pouvait en avoir dix ; car des aventures aussi plates et aussi bêtes que celles de Frédéric Moreau pourraient continuer indéfiniment. Seulement, il faut bien que le livre finisse, et il finit par une inconséquence plus forte que l'auteur, ce réaliste qui ne veut que des livres *peints*, et qui repousse tout livre ayant le dessein de *prouver* quelque chose ! Il conclut en voulant prouver ! Il s'enfile sur son propre titre, et on comprend alors ce titre d'*Éducation sentimentale*, auquel, jusque-là, on n'avait absolument rien compris !

Et quoi qu'il m'en coûte, il faut bien que je la donne, cette conclusion.

Fatigué, blasé, flétri, vieilli, éreinté de cœur, de corps et d'esprit, Frédéric Moreau qui a demandé le bonheur de sa vie à l'amour, comme son meilleur ami l'a demandé à l'ambition, repasse un jour avec cet ami leurs deux vies d'hommes à *sentiment*, et après avoir fait le compte de leurs illusions souillées dans les malpropretés de l'ambition et de l'amour, ils avisent tout à coup dans leurs souvenirs le petit *tableautin* du lupanar (pardon !) où ils étaient allés porter la fleur de leur âme et de leur jeunesse, et après l'avoir décrit, – toujours ! – ils concluent par ce *mot de la fin*, qui est la fin du livre : « C'EST PEUT-ÊTRE CE QUE NOUS AVONS EU DE MEILLEUR ! »

Vous voyez bien que, quand je vous parlais d'infection, je ne vous trompais pas !

V

Allons, c'est la fin ! Tel est le livre de M. Flaubert ; telle sa conclusion immonde ; telle la condamnation au fond de *L'Éducation sentimentale*, qui est ici l'éducation sensuelle. Mais comment un matérialiste comme M. Flaubert ne prendrait-il pas les sensations pour les sentiments ?... Tel est ce chef-d'œuvre selon les jeunes réalistes de ce temps, où le Réalisme, qui ne veut que peindre l'objet, est souffleté par le Matérialisme et *sa morale* ! Eh bien ! j'ose dire, moi, qu'il n'y a pas du tout de chef-d'œuvre ici. Je dis qu'il n'y a là qu'un livre médiocre ; médiocre de talent d'abord, ennuyeux d'atmosphère, fatigant de peinture *pointue*, grossier et monotone de procédé, ignoble souvent de détails, et dépassé dans ce genre par sa conclusion. Je dis qu'il n'y a là qu'un livre matérialiste de fond, matérialiste de forme, matérialiste de sécheresse, un livre comme le matérialisme en fait et n'en peut pas faire d'autres, puisqu'il nie la moitié, au moins, de la créature humaine ! Je dis qu'il n'y a ici que le Flaubert de *Madame Bovary*, mais ayant passé par *Salambô* [*sic*], un Flaubert *marqué*, entamé, vieilli, et visiblement épuisé ! Je dis que M. Gustave Flaubert n'ira pas plus loin dans la voie même de son talent, car les talents sans âme sont incapables de se renouveler. Ils ont méprisé l'Infini, et c'est le Fini qui les tue ! Je dis enfin qu'il n'y a plus à s'occuper de M. Flaubert qu'au *seul cas* où il changerait de système et de manière ; et il n'en changera pas ! Il est collé *sous bande*, comme au billard ! Dans sept ans, nous verrons ! Mais en attendant, la Critique qui, dès *Salambô* [*sic*], avait prévu l'épuisement définitif de M. Flaubert, peut écrire aujourd'hui, de ses mains tranquilles, l'épitaphe de cet homme mort :

« *Ci-gît* qui sut faire un livre, mais qui ne sut pas en faire *deux* ! »

George Sand, en revanche, prend la défense de son « vieux troubadour » Flaubert. Elle essaie, d'une part, de le rasséréner par les lettres qu'elle lui envoie (« Tu sembles étonné de la malveillance. Tu es trop naïf. Tu ne sais pas combien ton livre est original, et ce qu'il doit froisser de personnalités par la force qu'il contient. Tu crois faire des choses qui passeront comme une lettre à la poste, ah bien oui ! », lettre du 10 décembre). D'autre part, elle rédige un article qu'elle fait paraître non sans mal, et qui souligne le caractère novateur du roman.

GEORGE SAND,
LA LIBERTÉ (22 DÉCEMBRE 1869)

Gustave Flaubert est un grand chercheur, et ses tentatives sont de celles qui soulèvent de vives discussions dans le public, parce qu'elles étendent et font reculer devant elles les limites de la convention.

Ce qui nous a vivement frappé dans son nouveau livre, c'est un plan très original, et qui eût semblé irréalisable à tout autre. Il a voulu peindre un représentant de la plupart des types qui s'agitent dans le monde moderne. Le roman a pour habitude de n'en peindre que deux ou trois, de les destiner à certaines aventures, de ne mettre sur leur chemin que des personnages de second et de troisième ordre ; de composer l'action comme un peintre compose son tableau, laissant dans l'ombre ou dans le vague certaines parties dites sacrifiées, concentrant les effets de lumière, mettant ainsi en relief ce qu'il juge avoir l'importance principale. Ce procédé très connu et très répandu doit-il être arbitraire ? Nous ne le pensons pas ; du moins devant un tableau conçu autrement et magistralement réussi, il est permis d'en douter.

Et puis, nous l'avons déjà dit ailleurs, et nous croyons ne pas devoir changer d'avis, le roman, étant une conquête nouvelle de l'esprit, doit rester une conquête libre. Il perdrait sa raison d'être le jour où il ne suivrait pas le mouvement des époques qu'il est destiné à peindre ou à exprimer. Il doit se transformer sans cesse, forme et couleur. On en a fini avec les données classiques absolues ; le roman y a contribué autant que le théâtre ; il est le terrain neutre et indépendant par excellence.

Plus nous avançons dans l'histoire, dont nous sommes les éléments vivants, plus la diversité de vues, qui n'est autre chose que la liberté de conscience, veut être et se manifester.

Ce n'est donc pas au nom des théories rigides qui ont si long-temps tyrannisé la littérature qu'on peut avec équité et avec lumière juger les maîtres nouveaux. Vieux écoliers, je n'aime pas les pédagogues. Avant de comparer un ouvrage d'art à ceux qui ont pris place dans les panthéons, je me rappelle que les pan-théons ne sont jamais ouverts qu'à regret aux novateurs, et après des luttes obstinées. Je vois que les chefs-d'œuvre ne se res-semblent pas, et que quand on a dit avec emphase : *le procédé des maîtres*, on a dit une chose vide de sens. Chaque maître, digne de ce titre, a eu son procédé. Toutes les manifestations du beau et du vrai ont été bouleversées par le temps et le milieu qui ont produit les individualités puissantes.

Heureusement ! car s'il nous fallait rester pétrifiés dans l'admiration des premières révélations de l'art, nous n'aurions pas un portrait historique ressemblant. La figure léonine de Condé serait une reproduction du Jupiter antique. Nous n'aurions pas non plus l'expression historique de l'art. La Diane de Goujon ne nous eût pas transmis l'idéal si particulier de la Renaissance. Le maître nous eût donné une copie servile de l'art grec, c'est-à-dire qu'il n'eût pas été un maître.

Voilà bien des raisons qu'on ne conteste plus, et on s'étonne pourtant encore des choses nouvelles, on hésite avant de les admettre. Gustave Flaubert a dû débuter par un ouvrage de pre-mier ordre pour vaincre certains préjugés. Le plus curieux de ces préjugés, c'est celui qui consiste à vouloir que la morale d'un livre soit présentée de telle ou telle façon, consacrée par l'usage. Si elle se présente autrement, fût-ce d'une manière encore plus frappante et plus incisive, le livre est déclaré immoral. Ô ren-gaine ! que ton règne est difficile à détruire !

Après *Madame Bovary*, Gustave Flaubert a produit un terrible et magnifique poème, qui a été moins compris par tout le monde, mais que les lettrés ont apprécié à sa valeur. *Salammbô* est l'œuvre d'une puissance énorme, effrayante. C'est un monde gigantesque qui se meut et rugit en masse autour de figures monumentales. L'auteur aime à manier des légions. Il joue avec les foules. Après s'être concentré dans l'étude d'une bourgeoise pervertie, il a mis en scène les nations, les races qui s'entre-dévo-rent. Nous avouons que notre admiration est surtout pour ce côté hardi et grandiose de son imagination ; mais quand, par un de ces contrastes qui lui sont propres, il redescend dans le monde de l'observation, nous le suivons avec la certitude qu'il ne s'y comportera pas comme le premier venu.

Le voici qui nous conduit dans la vie vulgaire et qui semble avoir résolu de nous la montrer si fidèlement que nous en soyons aussi effrayés que de la chute de Mme Bovary ou du supplice de Mâtho. Il a réussi à produire une sensation nouvelle : le rire indigné contre la perversité et la lâcheté des choses humaines, quand, à des époques données, elles vont à la dérive toutes ensemble.

Épris de ces vues d'ensemble qui avaient éclairé si fortement l'histoire de Salammbô, il a exprimé cette fois l'état général qui marque les heures de transition sociale. Entre ce qui est épuisé et ce qui n'est pas encore développé, il y a un mal inconnu, qui pèse de diverses manières sur toutes les existences, qui détériore les aptitudes et fait tourner au mal ce qui eût pu être le bien ; qui fait avorter les grandes comme les petites ambitions, qui use, trahit, fait tout dévier, et finit par anéantir les moins mauvais dans l'égoïsme inoffensif. C'est la fin de l'aspiration romantique de 1840 se brisant aux réalités bourgeoises, aux roueries de la spéculation, aux facilités menteuses de la vie terre à terre, aux difficultés du travail et de la lutte. Enfin, comme le sous-titre du livre l'annonce, c'est l'histoire d'un jeune homme, – d'un jeune homme qui, comme tant d'autres, eût volontiers contribué à l'histoire de son temps, mais qui a été condamné à en faire partie comme chaque flot qui s'enfle et s'écroule fait partie de l'Océan. Peu de ces lames sans nom ont la chance de porter un navire ou de déraciner un rocher ; ainsi de la foule humaine : elle s'agite et retombe quand elle ne rencontre pas les grands courants, ou elle tourne sans but sur elle-même quand elle plie sous les vents contraires.

Le *jeune homme* dont nous suivons l'éducation sentimentale à travers les déceptions d'une triste expérience ne serait pas un type complet s'il n'échouait pas par sa faute. Il n'a pas l'énergique constance des exceptions, les circonstances ne l'aident point et il ne réagit pas sur elles. Le romancier dispose comme il l'entend des événements de son poème ; celui-ci ne veut rien demander à la fantaisie pure. Il peint le courant brutal, l'obstacle, la faiblesse ou l'inconstance des lutteurs, la vie comme elle est dans la plupart des cas, c'est-à-dire médiocre. Son héros est, par un point essentiel, semblable au milieu qu'il traverse ; il est tour à tour trop au-dessus ou trop au-dessous de son aspiration. Il la quitte et la reprend pour la perdre encore. Il conçoit un idéal et ne le saisit jamais, la réalité l'empoigne et le roule sans pouvoir l'abrutir. Il ne trouve pas son courant et s'épuise à ne pas agir. Vrai jusqu'au bout, il ne finit rien et ne finit pas. Il trouve que le meilleur de sa vie a été d'échapper à une première souillure, et il se demande s'il a échoué dans son rêve de bonheur par sa faute ou par celle des autres.

Ce type si frappant de vérité est le pivot sur lequel s'enroule le vaste plan que l'auteur s'est tracé ; et c'est ici que le dessin de l'action nous a paru ingénieux et neuf. Ce *moi* du personnage qui subit toutes les influences et traverse toutes les chances du *non-moi*, ne pouvait exister sans une corrélation continue avec de nombreux personnages. Il y a là l'étude approfondie de tous les types et de tous les actes bons et mauvais qui influent fatalement sur une situation particulière. Dès lors le scénario du roman, multiple comme la réalité vivante, se croise et s'enlace avec un art remarquable. Tout vient au premier plan, mais chacun y vient à son tour, et ce n'est pas une froide photographie que vous avez sous les yeux, c'est une représentation animée, changeante, où chaque type agit en passant avec son groupe de complices ou de dupes, avec le cortège de ses intérêts, de ses passions, de ses instincts. Ils traversent rapidement la scène, mais en accusant chaque fois un pas de plus dans la voie qu'ils suivent, et en jetant un résumé énergique, un court dialogue, parfois une phrase, un mot qui condense, avec une force de naïveté terrible, la préoccupation de leur cerveau.

Gustave Flaubert excelle dans ces détails, qu'on dirait saisis sur nature, dans ces mots que l'on croit avoir entendus, tant ils parlent juste du caractère et de la situation. Sous ce rapport, il est logicien comme Balzac, qui inventait des choses plus vraies que la vérité même.

L'analyse d'un ouvrage si complet est impossible. À la lecture, la complication disparaît, tant l'action de chacun est bien placée sur son rail. On s'inquiéterait à tort d'avoir à faire connaissance non avec cinq ou six personnages, mais avec un groupe nombreux, une petite foule. L'auteur vous présente et vous ramène adroitement tous ses types. Ils marchent sous la tourmente qui les pousse au dévouement, au mensonge, au mal, au ridicule, à l'impuissance ou au désenchantement. Il faudrait les citer tous, car tous ont une valeur d'étude sérieuse. Tous représentent un souvenir frappant, qui, en réalité, l'a peut-être navré ou obsédé, mais qui, refondu et remanié par une forte et habile main d'artiste, lui apparaît excusable ou comique. C'est ainsi que le théâtre nous fait rire des travers qui, dans la vie, nous font bâiller, et nous porte à juger philosophiquement les torts qui nous ont froissés.

Il n'y a pas de question *morale* comme on l'entend soulevée dans ce livre. Toutes les questions, solidaires les unes des autres, s'y présentent en bloc à l'esprit, et chaque opinion s'y juge elle-même. Quand il sait si bien faire vivre les figures de sa création, l'auteur n'a que faire de montrer la sienne. Chaque pensée, chaque parole, chaque geste de chaque rôle exprime clairement à chaque conscience l'erreur ou la vérité qu'il porte en soi. Dans un travail si bien fouillé, la lumière jaillit de partout et se passe d'un résumé dogmatique. Ce n'est pas être sceptique que de se dispenser d'être pédant.

Ce livre appartient-il au réalisme ? Nous confessons n'avoir jamais compris où commençait le réel, comparé au vrai. Le vrai n'est vrai qu'à la condition de s'appuyer sur la réalité. Celle-ci est la base, le vrai est la statue. On peut soigner les détails de cette base, c'est encore de l'art. Tout le monde sait que le piédestal du *Persée* de Benvenuto Cellini, à Florence, est un bijou ; on regrette que la statue ne soit pas un chef-d'œuvre. On avait le droit de l'exiger. Nous donnerions volontiers au réalisme le simple nom de science des détails. Le *vrai*, dont il ne peut se passer, et dont il ne se passe pas quand il est manié avec talent, c'est la science de l'ensemble, c'est la synthèse de la vie, c'est le sentiment qui ressort de la recherche des faits. Nous ne savons donc pas du tout si Balzac était réaliste et si Flaubert est réaliste. On les a souvent comparés l'un à l'autre parce qu'ils ont le même procédé. Ils établissent leur fiction sur une grande étude de la vie réelle. Mais ils diffèrent par des qualités essentielles, et là s'arrête la comparaison. Flaubert est grand poète et excellent écrivain. Balzac, moins correct en fait de goût, a plus de feu et de fécondité.

Ce qui nous est arrivé en achevant la lecture de *L'Éducation sentimentale* arrive à quiconque ferme un livre lu avec plaisir ou avec émotion. Nous avons dit : Qu'est-ce que cela prouve ? Cette réflexion est stupide quand elle s'applique à une étude simple, car il y a des études simples comme il y a des corps simples. Mais devant une étude de la vie multiple, de la combinaison, de la vie sociale en un mot, on a le droit de demander à l'auteur où il nous mène et ce que nous devons penser de cette vie qu'il met sous nos yeux, et qui est censée la nôtre.

Ici l'auteur se tait-il ?

Il a mis devant nos yeux un miroir en disant : « Regardez-vous ; si votre image n'est pas ressemblante, celle de votre voisin le sera peut-être. » Et, en effet, nous avons tous trouvé le voisin ressemblant. C'est à nous de conclure et de nous demander si notre époque est effectivement médiocre, ridicule, et condamnée à l'éternel avortement de ses aspirations.

La majorité des opinions, qui a disposé de nos destinées jusqu'à ce jour, et qui n'a pas su nous donner un état social libre et logique, a été médiocre en effet, et c'est une douce punition que de la vouer au ridicule ; mais l'éternel avortement n'est pas dans la nature matérielle, il ne saurait être dans la nature pensante. Nous ne pouvons exiger qu'un artiste nous raconte l'avenir, mais nous pouvons le remercier de nous faire, d'une main ferme, la critique du passé. Donc, la réponse est simple et facile : Que prouve ton livre, écrivain humoristique, railleur sévère et profond ? – Ne dis rien. Je le sais, je le vois. Il prouve que cet état social est arrivé à sa décomposition et qu'il faudra le changer très radicalement. Il le prouve si bien qu'on ne le croirait pas si tu disais le contraire !

D'autres écrivains célèbres ont défendu Flaubert lors de la parution de son ouvrage, publiquement dans la presse (comme Théodore de Banville ou Émile Zola), ou par les lettres qu'ils lui ont envoyées (comme Hugo ou Goncourt). Ils sont cependant beaucoup moins nombreux que ne l'attendait Flaubert... Hippolyte Taine, quant à lui, saisit parfaitement ce qui fait l'originalité de l'écriture flaubertienne et est sensible à l'ironie générale qui se dégage de l'ouvrage. Néanmoins, certaines incompréhensions se font jour, qui se retrouveront – amplifiées – quelques années plus tard, lorsque Flaubert lui exposera le projet de *Bouvard et Pécuchet*.

Hippolyte Taine à Gustave Flaubert

[Paris] 10, rue Vaneau. Vendredi [19 ou 26 ? novembre 1869]

Mon cher ami, je vous ai lu malgré mes belles résolutions ; j'ai fini mon bouquin depuis une heure, et je puis enfin vous parler de votre livre *très sincèrement* comme toujours.

C'est admirablement écrit, il y a une quantité de ces petits mots qu'on retient et qui font voir les choses (f. 27 « ce gros bruit doux ») presque à chaque page, entre autres toute la forêt de Fontainebleau au deuxième volume.

À mon sens, vos personnages sont des spécimens exacts de la moyenne humaine bourgeoise, moderne en France. Tous êtres mixtes, parfois grossiers, parfois délicats, à la fois bons et mauvais, avec des vouloirs intermittents, rien de grand, de fort, ni d'arrêté, une sorte de briquetage et de cailloutis moral plaqué de torchis et de plâtre qui s'écaille, avec un certain vernis courant. Il me semble que vous vous êtes dit : « Jetons un filet sur le boulevard et ramassons les individus qui passent. Les types très francs et très absolus sont faux, ils n'existent que dans l'esprit. Tout homme réel et vivant n'est qu'un à peu près, un hybride, un mélange de velléités et d'inconséquences. Faire vrai, c'est faire le monsieur que voici, et non le personnage énergique et grandiose que mon imagination aurait le plaisir à contempler. Cela posé, promenons ces spécimens de la moyenne humaine parmi des événements et des paysages rigoureusement réels, que j'ai vus un à un, à travers l'histoire et la nature, que j'ai observées de plus par moi-même et de plus près. J'aurai donc le plus exact spécimen du bourgeois parisien, au XIXe siècle, dans un cadre qui sera comme lui un document. »

Est-ce cela ? et vous ai-je bien compris ?

Vous avez prévu et accepté d'avance l'inconvénient – vous savez aussi bien que moi, que le public ne s'intéresse qu'aux personnages appelés intéressants, c'est-à-dire éminents, tout d'une pièce, excessifs en quelque chose, bref aux types construits d'après une idée, et manifestés par une série d'actions tranchées et systématiques – mais probablement vous ne vous êtes pas soucié du public.

J'ai retrouvé à chaque pas votre sentiment propre, votre ironie latente et puissante (2e vol., le terrible mot de la dernière page ; et 322, un plus comique encore : « comme vous êtes délicat ». Plus haut encore, 214, Sénécal qui tue Dussardier ; et tout le jeu des sentiments dans la grande dame après la mort de son mari ; et 296, Frédéric pleure et Rosanette qui croit que c'est pour l'enfant, et leurs baisers à contresens). Il y a partout des finesses et des amertumes semblables, mais le public les verra-t-il ? En outre, ce titre *L'Éducation sentimentale*, ne semble-t-il pas promettre un plus long développement sur les années de collège de 14 à 18 ans ? Vous racontez plutôt une vie sentimentale.

Au total, la leçon est rude et bonne. Quantité de jeunes gens vivent ainsi, et finissent par se dire le mot de la fin : « C'était peut-être ce que nous avons eu de meilleur !! » Tout cela est de l'art objectif. N'écrirez-vous pas un jour votre conclusion à vous, votre croyance de fond, celle que vous avez justifiée par votre vie, en l'histoire d'une volonté infatigable et victorieuse ?

À vous de cœur.
Hippolyte Taine [1].

---

1. Texte cité d'après Bruna Donatelli, *Flaubert e Taine. Luoghi e tempi di un dialogo*, Rome, Nuova Arnica Éditrice, 1996.

En situant l'intrigue de son roman entre 1840 et 1851 (compte non tenu des deux derniers chapitres de la troisième partie qui sont séparés du reste par le « blanc » qui faisait l'admiration de Proust), Flaubert choisit une période fort riche en événements historiques. Dans ce court laps de temps, pas moins de trois régimes politiques se succèdent : la monarchie constitutionnelle de Louis-Philippe (dite monarchie de Juillet) est défaite en février 1848 ; elle laisse la place à la IIe République qui, elle-même, s'efface devant ce qui deviendra le Second Empire, un an après le coup d'État de Louis Napoléon Bonaparte le 2 décembre 1851. L'écrivain est conscient des difficultés que pose un roman qui relève, pour une part, du genre historique. Comme cela apparaît dans la lettre citée page 12 de la présentation, il distingue deux dimensions dans son œuvre : celle de l'histoire, « les fonds », et celle de la fiction, « les premiers plans ». Dans le tableau qui suit, on a voulu les mettre clairement en rapport afin que le lecteur puisse évaluer par lui-même le rôle que joue ce que l'écrivain mentionne, et mesurer l'intérêt de ce qu'il occulte. La colonne de gauche indique les grandes dates de l'histoire, les événements politiques majeurs et certains de ceux qui, bien qu'ils soient moins importants, sont néanmoins cités dans le roman. La colonne de droite contient les faits essentiels de l'intrigue, accompagnés de la date (plus ou moins approximative selon les cas) à laquelle ils se sont produits. Au centre, une colonne rappelle le découpage du roman en parties et en chapitres.

Comme l'a montré la critique, l'histoire et la fiction sont, dans *L'Éducation sentimentale*, deux séries causales indépendantes qui entretiennent entre elles des correspondances de nature poétique. La courbe des événements historiques et celle de l'intrigue n'ont pas de relation nécessaire ; elles sont exactement homologues et se répondent avec des jeux de miroirs plus ou moins appuyés. Ainsi, lorsqu'en février 1848 Frédéric explique par ces quelques mots, « Je suis la mode, je me réforme » (p. 381), la brusque offensive qu'il mène en direction de la Maréchale, il reprend simplement le cri qui fuse alors partout dans la capitale : « Vive la réforme ! » Comme Mme Arnoux n'est pas venue au rendez-vous de la rue Tronchet, le jeune homme décide de réviser ce qui faisait jusque-là le centre de son existence, et répond aux avances de Rosanette. Réforme politique et réforme sentimentale sont concomitantes, sans que pourtant l'une entraîne l'autre ; elles ne font que se répondre.

D'autres correspondances entre les deux séries sont plus discrètes, ou n'apparaissent guère qu'au lecteur qui maîtrise parfaitement la succession des événements historiques et leur sens. Par exemple, la vente du mobilier et des effets personnels de Mme Arnoux a lieu le 1er décembre 1851, date explicitement indiquée par le texte (p. 533). Elle précède donc de quelques heures seulement le coup d'État de Louis Napoléon Bonaparte et partage avec lui les mêmes significations sur un plan différent : la dispersion sacrilège des reliques du grand amour (niveau fictionnel et sentimental) est homologue à la mise en pièces définitive de la république (niveau historique et politique). Dans les deux cas, c'est vraiment la fin des illusions. Enfin, certaines correspondances se font plus grinçantes. Alors que Mme Arnoux vient d'accepter de se promener dans Paris au bras de Frédéric et que rendez-vous a été pris pour le mardi suivant, Deslauriers envoie au jeune homme un billet qui contient cette phrase sibylline : « La *poire* est mûre » (p. 373). Certes, la poire est le fruit qui représentait Louis-Philippe dans une célèbre caricature de l'époque. Deslauriers veut donc dire que le régime de Juillet, en la personne de son roi citoyen, a fait son temps et que la révolution est imminente. Mais, pour le lecteur, l'image de la poire arrivée à maturité laisse penser – à tort – que Mme Arnoux va tomber dans les filets tendus par Frédéric (l'appartement meublé de la rue Tronchet). Cependant, si le roi va bien abdiquer, la dame ne va pas fauter. La correspondance poétique se fait ici, en outre, ironique à l'endroit de Frédéric qui, entre deux fruits à cueillir (poire sentimentale et poire politique), a, comme à son habitude, fait le mauvais choix.

Dans le tableau, on remarquera enfin que ce sont rarement les événements historiques importants qui sont explicitement datés. En revanche, les faits de l'intrigue sont souvent accompagnés d'une date précise. On l'a vu pour la vente des biens du ménage Arnoux, mais c'est aussi le cas pour le retour de Frédéric à Nogent, à la première page du roman, qui a lieu « le 15 septembre 1840 » (p. 43). Le narrateur précise encore que le héros apprend la mort *ab intestat* de son oncle du Havre « le 12 décembre 1845 » (p. 159) ; et on sait que le banquier Dambreuse meurt le 12 février 1851 (p. 490). Quant à la scène essentielle de l'avant-dernier chapitre du roman, l'ultime visite de Mme Arnoux à Frédéric, elle se déroule « vers la fin de mars 1867 » (p. 541).

Cependant, certains faits historiques, souvent parmi les plus ténus, permettent parfois de dater les événements de l'intrigue. C'est particulièrement vrai dans les conversations des personnages, comme lors du « punch » que Dussardier offre à ses amis dans son logis. Sénécal y mentionne les suites de l'assassinat de la duchesse de Choiseul-Praslin par son mari ; et un autre convive regrette qu'on ait « interdit le banquet des typographes » (p. 360). Or le meurtre a eu lieu dans la nuit du 17 août 1847, et le banquet était prévu pour le 10 septembre de la même année. Grâce à ces précisions et sans que le narrateur ait rien à ajouter, le lecteur est en mesure de savoir que la réunion chez Dussardier se déroule au début du mois de septembre 1847. Néanmoins, l'obligation dans laquelle se trouve Flaubert de toujours tenir en lisière les deux fils de l'histoire et de l'intrigue lui a parfois fait commettre quelques inadvertances. Ainsi, Rosanette annonce à Frédéric qu'elle est enceinte entre janvier et mai 1849, puisque Compain, rencontré le même jour par Frédéric, « tonn[e] » contre la proposition Rateau. Mais la lorette n'accouche que trois jours après la mort de Dambreuse, c'est-à-dire le 15 février 1851, ce qui fait une bien longue grossesse pour l'espèce humaine !

HISTOIRE ET FICTION DANS *L'ÉDUCATION SENTIMENTALE*

HISTOIRE	Structure du roman	FICTION
1830-1848 – Monarchie de Juillet Régime issu de la révolution de juillet 1830 (les « Trois Glorieuses »).	I, 1	**1840** *15 septembre* – Frédéric fait la rencontre de M. et Mme Arnoux sur la *Ville-de-Montereau*.
Louis-Philippe, roi des Français. *1835* – Lois de septembre, votées à la suite de l'attentat de Fieschi contre Louis-Philippe. *29 octobre 1840* – Guizot, défenseur des notables, remplace Thiers.	I, 2	**[chapitre rétrospectif]** *1833* – Rencontre de Frédéric et Deslauriers au collège de Sens. *Août 1837* – Vacances de Deslauriers chez Frédéric à Nogent. Épisode de la Turque [III, 7].
	I, 3	**1840** *15 novembre* – Arrivée de Frédéric à Paris.
	I, 4	**1841** *Décembre* – Frédéric rencontre Hussonnet et Dussardier au Quartier latin.
Juin 1842 – Loi sur les chemins de fer.		**1842** *Février* – Première visite de Frédéric à *L'Art industriel*. Rencontre de Pellerin et Regimbart. – Arrivée de Deslauriers ; premier dîner de Frédéric chez M. et Mme Arnoux.
	I, 5	*Mars* – Réunions des amis de Frédéric le samedi ; quai Napoléon.

Août – Échec de Frédéric à son 2e examen de droit. – Été d'ennui à Paris. **1843** *Printemps* – Soirée à l'Alhambra. *24 mai* – Fête de Mme Arnoux à Saint-Cloud. *Août* – Frédéric réussit son dernier examen de droit. – Frédéric rencontre M. et Mme Dambreuse au théâtre. *Septembre* – Mme Moreau apprend à son fils leur ruine.		
1844		*Mars-septembre 1844* – Affaire Pritchard.
Frédéric est clerc de notaire à Nogent ; amitié amoureuse avec Louise Roque. **1845**	I, 6	
12 décembre – Héritage.		**1846**
14 décembre – Frédéric revient à Paris ; Arnoux est faïencier rue Paradis. **1846**	II, 1	Début d'une grave crise économique ; très mauvaises récoltes.
Janvier – Bal costumé chez la Maréchale.		**1847**
– Pendaison de crémaillère chez Frédéric, rue Rumford. **1847**	II, 2	*Juin-septembre* – Différend franco-anglais dans l'affaire des mariages espagnols.
Février – Portrait de Rosanette par Pellerin. – Soirée chez les Dambreuse.		Aggravation de la crise ; faillites et chômage.
Mars – Frédéric prête à Arnoux l'argent promis à Deslauriers ; brouille. *Début avril* – Mme Arnoux rend visite à Frédéric.	II, 3	*Mars* – Rejet par la Chambre des projets de réforme électorale. *Avril-mai* – Scandale Teste-Cubières.

Fin avril – Frédéric se rend à la faïencerie de Montataire. *(Le lendemain)* – Frédéric et Rosanette assistent aux courses du Champ-de-Mars. *Mai* – Duel opposant Frédéric à Cisy. *Juin* – Soirée chez les Dambreuse. – Réconciliation de Frédéric et Deslauriers. *Fin juillet* – Frédéric perd 60 000 francs. *Août* – Séjour de Frédéric à Nogent.	II, 4	*Juillet* – Début de la campagne des « banquets », organisée par la gauche républicaine.
– Visite de Deslauriers à Mme Arnoux. – Louise est amoureuse de Frédéric.	II, 5	**1848** *Septembre* – Guizot président du Conseil.
Septembre – Réunion chez Dussardier. – Chastes amours de Frédéric et Mme Arnoux à Auteuil. **1848** *22 février* – Rendez-vous manqué de la rue Tronchet. *23 février* – Frédéric devient l'amant de Rosanette.	II, 6	**1848** *22 février* – Début de l'insurrection républicaine à Paris. *23 février* – Fusillade du boulevard des Capucines.
24 février – Frédéric assiste au sac des Tuileries avec Hussonnet. *25 février* – Deslauriers devient commissaire du gouvernement provisoire en province. *Mi-mars* – Pellerin à la tête de la délégation des artistes peintres. – Visite de Dambreuse et Martinon à Frédéric. – Séance du Club de l'Intelligence. *20-21 juin* – Frédéric monte la garde à la place d'Arnoux. *21 juin (au soir)* – Frédéric rencontre Dambreuse et Martinon sur le boulevard.	III, 1	*24 février* – Formation à l'Hôtel de Ville d'un gouvernement provisoire ; proclamation de la république, instauration du suffrage universel. **1848-1852 – IIe République** *23 avril* – Élection d'une majorité de républicains modérés à l'Assemblée constituante. *Printemps* – Prolifération des clubs et des journaux. *15 mai* – Tentative insurrectionnelle de Barbès et Blanqui. *21 juin* – Arrêté supprimant les ateliers nationaux.

Fiction		Histoire
22-25 juin (au matin) – Frédéric et Rosanette sont à Fontainebleau. 26 juin (au matin) – Frédéric arrive chez Dussardier blessé. 26 juin – Le père Roque tue un prisonnier aux Tuileries.	III, 2	22 au 26 juin – Insurrection des ouvriers parisiens écrasée par le général Cavaignac.
Juillet – Dîner chez les Dambreuse avec Louise et Mme Arnoux.	III, 3	Été – Conservateurs, monarchistes et catholiques se regroupent autour de Thiers dans le parti de l'Ordre. 10 décembre – Élection présidentielle : triomphe de Louis Napoléon Bonaparte face au général Cavaignac.
– Vie maritale de Frédéric et Rosanette. – Visite de Frédéric à Mme Arnoux, interrompue par Rosanette. – Rosanette est enceinte. **1849** Mai – Frédéric devient un familier du salon de Mme Dambreuse. **1850** Mai – Mariage de Martinon et Cécile. – Frédéric devient l'amant de Mme Dambreuse ; retour de Deslauriers. – Frédéric est candidat aux élections.		**1849** 13 mai – Élections législatives : le parti de l'Ordre triomphe ; début d'une politique de réaction. **1850** Mars – Adoption de la loi Falloux. 31 mai – Nouvelle loi électorale éliminant 3 millions d'électeurs sur 9 millions (principalement les ouvriers).
Hiver – Frédéric accompagne Mme Dambreuse dans le monde. **1851** Mi-janvier – Sénécal rend visite à Frédéric. 12 février – Mort de M. Dambreuse. 15 février – Accouchement de Rosanette.	III, 4	**1851**

		Printemps – Visites de Frédéric et Rosanette à l'enfant en nourrice. *Mi-juin* – Problèmes financiers de Rosanette. – Prêt de Dussardier à Frédéric. *Octobre* – Rosanette gagne son procès contre Arnoux. *Novembre* – Mort de l'enfant.
2 *décembre* – Coup d'État de Louis Napoléon Bonaparte ; état de siège, dissolution de l'Assemblée, déportations massives d'opposants. 4 *décembre* – Fusillade des boulevards. 21 *décembre* – Plébiscite autorisant le Prince-Président à rédiger une nouvelle Constitution.	III, 5	– Disparition de M. et Mme Arnoux. *Fin novembre* – Annonce de la vente des biens de M. et Mme Arnoux. – Frédéric rompt avec Rosanette. *1er décembre* – Vente aux enchères des biens de M. et Mme Arnoux. – Frédéric rompt avec Mme Dambreuse. *4 décembre* – Frédéric part pour Nogent : Louise Roque épouse Deslauriers. – Frédéric revient à Paris : Sénécal assassine Dussardier.
1852 7 *décembre* – Rétablissement de l'empire : Louis Napoléon Bonaparte devient Napoléon III. **1852-1870 – Second Empire**	III, 6	**1852...** Voyages de Frédéric ; « autres amours »... **1867** *Fin mars* – Dernière visite de Mme Arnoux à Frédéric.
	III, 7	**1868 [?]** *Début de l'hiver* – Rencontre-bilan de Frédéric et Deslauriers.

En rhétorique, la topographie est la description de l'espace. Il n'entre pas ici dans notre propos d'étudier la manière dont Flaubert a élaboré, transformé ou déplacé les différentes descriptions de lieux dans *L'Éducation sentimentale* ; cela a été fort bien fait ailleurs (voir la bibliographie). La seule ambition de cette mise au point topographique est de permettre au lecteur de se repérer « physiquement » dans des lieux ayant existé et existant encore dans leur grande majorité, mais qui lui sont plus ou moins étrangers, et ont, de toute manière, connu des transformations importantes depuis l'époque où se déroule le roman. En effet, l'essentiel de l'intrigue occupe les années 1840 à 1851. Or, le 1er janvier 1860, les limites de Paris ont été repoussées de l'ancienne enceinte des fermiers généraux jusqu'aux fortifications construites par Thiers entre 1841 et 1845 : la capitale a alors absorbé les petites communes avoisinantes (Passy, Montmartre, Belleville…), et le nombre des arrondissements est passé de douze à seize. Sous le Second Empire, d'autres transformations, œuvre du baron Haussmann, ont profondément métamorphosé l'aspect de Paris et contribué à modeler le visage de la ville telle qu'on la connaît aujourd'hui (percement de grands axes de circulation, aménagement d'espaces verts, etc.).

Le lecteur doit aussi être conscient de l'importance qu'avaient alors certains lieux, comme « le boulevard », cette suite de grandes artères qui relient la Madeleine à la Bastille, sur lequel déambulent souvent les personnages et par rapport auquel ils se repèrent. Chaque tronçon (boulevard des Italiens, boulevard Montmartre, boulevard du Temple…) avait une identité particulière dont il reste encore aujourd'hui des souvenirs vivaces. En revanche, d'autres réalités de la vie quotidienne des années 1840 ont complètement disparu. Il en va ainsi de l'octroi, qui était une sorte de poste de péage ou de douane où il fallait acquitter une redevance pour faire pénétrer certaines marchandises dans Paris. Toutes les entrées de la capitale étaient pourvues de ces postes, le long de l'ancienne ceinture des fermiers généraux. Ainsi s'explique l'encombrement que doit traverser Frédéric lors de son retour à Paris au début de la deuxième partie du roman. L'octroi permet en outre au narrateur de caractériser un personnage comme Arnoux qui « se livrait à des espiègleries côtoyant la turpitude. C'était pour lui un devoir que de frauder l'octroi ».

Flaubert omet rarement d'indiquer le domicile des différents personnages : leur adresse est une indication précieuse pour le lecteur de 1869, capable de décrypter les connotations qui sont attachées à chacune d'entre elles. Par exemple, l'hôtel des Dambreuse est situé rue d'Anjou, au cœur du faubourg Saint-Honoré, un quartier de la rive droite en pleine expansion où s'est regroupée la grande bourgeoisie d'affaires, loin de la vieille noblesse du faubourg Saint-Germain. L'écrivain insiste aussi sur les déménagements successifs des personnages, car ils soulignent leurs changements de fortune ou de centre d'intérêt. Frédéric élit d'abord domicile dans un hôtel garni, rue Saint-Hyacinthe, en plein Quartier latin, à proximité de l'École de droit où il doit suivre ses cours. De la rive gauche de la Seine, il va ensuite passer à la rive droite en deux étapes : d'abord un « deux pièces » quai Napoléon, sur l'île de la Cité, entre les deux rives ; puis, après l'héritage, le « petit hôtel » de la rue Rumford, dans le faubourg Saint-Honoré, non loin du domicile des Dambreuse. Les Arnoux suivent le chemin inverse : du 24 *bis*, rue de Choiseul, point central de la rive droite, à deux pas de la Bourse et du Palais-Royal, ils partent d'abord pour le 37, rue Paradis-Poissonnière, au nord de la ligne des grands boulevards, avant de se retrouver rive gauche, rue de Fleurus, de l'autre côté du jardin du Luxembourg, dans un quartier calme, à l'ombre des grands murs des institutions religieuses : un avant-goût de la province, qui prépare leur retraite finale en Bretagne.

Flaubert accorde donc une grande importance aux différents lieux mentionnés dans son roman. Son constant souci de rigoureuse exactitude l'a amené à se renseigner de multi-

ples manières et fonde, en partie, l'emploi de l'expression
« réalisme documentaire » pour caractériser sa méthode et
son écriture. Dans le roman de 1869, cette exigence s'est
particulièrement manifestée lorsqu'il s'est agi de décrire les
trajets de Frédéric, à l'intérieur de Paris ou entre la capitale
et la province. Ainsi, dans le premier chapitre de la troisième
partie, le personnage revient de Fontainebleau à Paris dès
qu'il apprend par un journal la blessure de Dussardier pendant les journées de juin 1848. Or, le 2 septembre 1868,
Flaubert écrit à son ami Jules Duplan :

> Voilà ce qui m'arrive :
> J'avais fait un voyage de Fontainebleau avec retour par le
> chemin de fer, quand un doute m'a pris, et je me suis
> convaincu, hélas ! qu'en 1848 il n'y avait pas de chemin de fer
> de Paris à Fontainebleau.
> Cela me fait deux passages à démolir et à recommencer !
> Je vois dans Paris-Guide (t. 2, p. 1660) que la ligne de Lyon
> n'a commencé qu'en 1849.
> Tu n'imagines pas comme ça m'embête ! *J'ai donc besoin
> de savoir* : 1° comment, en juin 1848, on allait de Paris à
> Fontainebleau ? 2° peut-être y avait-il quelque tronçon de
> ligne déjà faite qui servait ? 3° quelles voitures prenait-on ?
> 4° et où descendaient-elles à Paris ?
> Voici ma situation : Frédéric est à Fontainebleau avec Rosa-
> nette. Il apprend la blessure de Dussardier (c'est le 25 juin) et
> il part pour Paris, avec Rosanette qui n'a pas voulu le lâcher.
> Mais en route la peur la reprend et elle reste. Il arrive seul à
> Paris, où, par suite des barricades Saint-Antoine, il est obligé
> de faire un long détour avant de pouvoir atteindre au logis de
> Dussardier, qui demeure dans le haut du faubourg Pois-
> sonnière.
> Te rappelles-tu la binette des ambulances ?
> S'il te revient à la mémoire quelques détails sur les nuits de
> Paris, cette semaine-là, envoie-les-moi.
> Mon héros vagabonde dans les rues pendant la dernière
> nuit, celle du 25 au 26 (c'est le 26 que tout a été fini).

Malade, Duplan n'a pu fournir les informations deman-
dées, et ce sont finalement d'autres amis, Du Camp (en particulier pour l'atmosphère de Paris cette nuit-là ; voir la
présentation, p. 13) et Feydeau, qui ont renseigné Flaubert.

L'écrivain prend donc beaucoup de peine et déploie un art concerté pour placer ses personnages dans un environnement fort exactement rendu. Néanmoins, l'espace du roman est aussi souvent un espace subjectif où les points de repère se dissolvent, où les paysages s'évanouissent ou se confondent, au gré de l'humeur des personnages. Mais pour apprécier ce phénomène capital, encore faut-il être en mesure de le percevoir, et donc connaître, dans ses grandes lignes, la topographie.

L'espace parisien de *L'Éducation sentimentale* (Paris en 1847)

Carte : Édigraphie

Limites du Paris actuel
Fortifications élevées par Thiers (1841-1845)
Périmètre des barrières d'octroi (ancienne enceinte des fermiers généraux)
Principales voies de circulation
Grands boulevards

MONUMENTS

1   Bourse
2   École militaire
3   Hôtel de Ville
4   Hôtel des Invalides
5   Notre-Dame (cathédrale)
6   Palais des Tuileries
7   Palais du Louvre
8   Palais du Luxembourg
9   Palais Royal
10 Panthéon
11 Place de la Bastille (colonne de Juillet)
12 Place de la Concorde
13 Place de l'Étoile (Arc de Triomphe)
14 Place de la Madeleine (église)
15 Place du Château-d'Eau (fontaine)

JARDINS ET CIMETIÈRES

A   Champ de Mars
B   Champs-Élysées
C   Cimetière du Père-Lachaise
D   Jardin des Plantes
E   Jardin des Tuileries
F   Jardin du Luxembourg
G   Parc Monceau

Les arrondissements parisiens avant et après 1860

L'espace provincial de *L'Éducation sentimentale*

Comme on l'a vu dans la présentation de cette édition, Flaubert, après *Salammbô*, a longuement hésité entre deux projets : *L'Éducation sentimentale* et *Bouvard et Pécuchet*. Avant de prendre une décision définitive, probablement pendant l'été 1862, il a couché sur le papier le « plan » de chaque roman. Ces deux scénarios originels se trouvent dans l'un des carnets de travail où l'écrivain consignait notes et idées. Ce carnet, numéroté « 19 » lors de son arrivée à la bibliothèque historique de la Ville de Paris, a un format à l'italienne. La taille de ses feuillets est de 25,2 cm par 16,6 cm. Treize d'entre eux concernent de manière certaine le « roman parisien », et dix constituent un ensemble, des folios 34 verso à 39 recto. On trouvera leur transcription ci-après. Ils forment le premier scénario du roman, centré sur le personnage féminin qui donnait alors son titre au roman : « Mme Moreau ». La future Mme Arnoux a donc d'abord porté le patronyme attribué ensuite à Frédéric ! Tout le contenu scénarique se présente d'ailleurs dans un entre-deux, à la fois dans une grande proximité et un éloignement certain : des traits semblent avoir alimenté directement l'œuvre définitive, tandis que d'autres font penser qu'il s'agit d'un roman différent. En tout cas, la matière rassemblée est encore essentiellement de nature psychologique. Seule la dernière notation du folio 38 verso laisse présager les développements politiques et historiques de l'intrigue.

Les transcriptions qui suivent se veulent aussi « diplomatiques » que possible, c'est-à-dire qu'elles aspirent à reproduire fidèlement la mise en espace des feuillets et les graphies de l'écrivain, tout en rendant le texte lisible et intelligible pour l'œil du non-spécialiste. Elles donnent l'impression d'être des « photographies », mais elles n'en sont pas. Car toute transcription relève d'une interprétation critique.

Aussi, quoiqu'on ait éliminé les signes diacritiques, a-t-il été nécessaire d'adopter quelques conventions. La plus importante concerne les ajouts : ils sont composés avec des caractères plus petits que ceux qui servent pour le « premier jet », et s'insèrent à l'endroit exact où ils sont portés sur le feuillet.

Ces pages sont des manuscrits de travail, c'est-à-dire des écrits destinés par leur auteur à un usage exclusivement privé. La graphie n'en est donc pas soignée. De plus, l'écriture, dans ses caractéristiques matérielles, est le produit d'une organisation mentale propre à un individu, dont on voudrait ne pas gommer les spécificités. Ainsi, Flaubert utilise de grands crochets droits qu'il place de part et d'autre d'un paragraphe ou d'une phrase qu'il envisage de supprimer sans s'y résoudre encore. De ces différentes contraintes découlent les principes de transcription qui suivent. Les mots soulignés et les ratures apparaissent directement ; la ponctuation et l'orthographe sont respectées (à l'exception des accents qui sont restitués). Les abréviations utilisées par Flaubert sont conservées. Il écrit : « M^e » pour « Mme » ; « Mr » pour « M. » ; « α » pour « et » ; « p- » pour « pour » ; « qq » pour « quelque » ; « qque » pour « quoique » ou « quelque ». L'écrivain se sert aussi de différents systèmes de renvois d'un lieu à un autre pour des adjonctions textuelles. Ainsi le « A » (p. 597) appelle le « B » (p. 598), tandis que les lettres grecques « ψ » et « λ » fonctionnent ici par couple répétitif (le texte qui suit le deuxième « ψ » doit être inséré là où se trouve le premier). Enfin, en un endroit qui était difficilement intelligible sans cela, on a restitué entre crochets droits une syllabe omise par l'écrivain (« in[dus]triel »).

Nous remercions la bibliothèque historique de la Ville de Paris d'avoir autorisé la reproduction de quatre feuillets.

[Folio 35 recto]

Me Moreau (roman).

Le mari, la femme, l'amant tous s'aimant. tous lâches.

- traversée sur le bateau de Montereau - un collégien - Me Sch. - Mr Sch. moi

- développement de l'adolescence - droit - obsession femme vertueuse α raisonnable. Le mari, bon,

initiant aux Lorettes ... ~~soirée~~ bal parée chez la Présid. Coup - Paris... théâtre, champs élysées ...   escortée d'enfants -

adultère mêlé de remords α de ~~peur~~ / Débine du mari α développem philosophiq de l'amant
                                    terreurs

fin en queue de rat. tous savent leur position réciproque α n'osent se la dire. - le

sentiment finit de lui-même - on se sépare. Fin : on se revoit de temps à autre - puis

on meurt ———

Au commencement le mari a des soupçons, épie, en écoutant derrière la porte
       étonnement p- le lecteur
(faux bonhomme) - Mais comme l'amant est très timide α parle de la pluie

α du beau temps Mr Moreau est inébranlablement rassuré. – Bien que courant
              Étonnement du jeune homme
les filles, il aime sa femme α en est jaloux – bon père de famille

                           ⎰ fait sur elle des
                           ⎱ confidences intimes
                                    Fritz en souffre α les
                                            demande

[Folio 34 verso]

à mesure que le jeune homme se perfectionne α se durcit dans la société des Lorettes Mᵉ M de plus en plus vertueuse, devient plus jalouse

———

elle ne vient au rendez-vous que deux ou trois fois. — Mais agitée, en larmes, — mauvais coup.

- déception p- l'amant qui est déjà très fort. Car N osé pousser sa pointe que dans le dernier état de sa passion. - il a déclaré sa flamme presque par force α a été en qq sorte surpris de la facilité qu'elle a mis à venir au rendez-vous - Les 2 ou 3 1ers rendez-vous sont manqués par hasard α intentionnellement. Puis elle a des remords d'honnête homme α y va. - Mais l'heure de l'accord est passée.

Mettre toujours en parallèle l'amour léger. α montrer qu'il n'en diffère pas. — Il se rappelle d'autres.

Désir de la femme honnête d'être une lorette - désir de la lorette d'être femme du monde.

Elle l'aime quand il ne l'aime plus. c'est à ce moment là qu'il la possède - ou qu'elle s'offre -

[Folio 35 verso]

N'osant déclarer son amour il se rejette sur les Lorettes. - cynisme cachant la timidité -
ironique, α bon enfant
refus brutal du couchage basé sur le manque de sac - colère intérieure de même qu'il n'a pu
~~avoir~~ obtenir ce qui est p- lui la possession de l'idéal - que cela arrive le même
possède
jour.   Le mari ≠ à la fois la Lorette α ~~la~~/sa femme -

—

Un homme aimé par une femme l'est en même temps par d'autres. puissance
du rayonnement - théorie de l'amour qu'inspirent les actrices.
doucement
✓ comme l'autre a basé son refus sur la Vertu, les devoirs.

—

Il serait plus fort de ne pas faire baiser Mᵉ Moreau
qui chaste d'action se rongerait d'amour. - Elle aurait eu son
moment de faiblesse que l'amant n'aurait pas vu, dont
il n'aurait pas profité.

L'action manque p- toute la seconde partie.

Mr Moreau doit être un industriel d'art.
puis un in[dus]triel pur.

bronzier   - marchand de
un journal d'art α de théâtres.   tableaux-
produits chimiques
fabriq de faïence
porcelaine
opaque

[Folio 36 recto]

la fille de Me Mor

Mettre en parallèle ~~la/es~~ demandes en mariage - α ~~la/es~~ ~~demande~~ pourparlers
                                                                    puis
p- l'Entretien - conditions réglées d'avance etc. - les 2 dépucelages —

                                    Fr les a abandonnés

Elle finit folle, hystérique, le mari devenu bon la soigne - La Lorette est
devenue châtelaine de campagne, vertueuse, α religieuse. Me Moreau
au contraire, par l'abus de la vertu, a tout renié - esprit sage α rationaliste
volonté au-delà de ses moyens.

λ haine
entre elles.

                                                              A
Mais s'il y a parallèle/isme entre les Deux femmes l'honnête α
l'impure l'intérêt sera porté sur le jeune homme - (ce serait alors
une espèce d'Éducation sentimentale ?) Il faudrait que la Lorette fût
très au second plan - comme repoussoir ?

                     . Prendre garde au Lys dans la Vallée

B- tout le livre
(c'est alors un autre
livre) ne serait que
cela. la Bourgeoise
α la Lorette λ (avec tous
les personn secondaires
de chacun de ces deux
mondes α comme lien
le mari α l'amant
trempant dans
~~tous~~ les deux
sociétés.

L'amant à la fin s'élèverait (par suite de son progrès) au dessus
                                                              des deux.

[Folio 36 verso]

éblouissement
1ère vue - occupe l'adolescence α se mêle à sa floraison
elle dîne dans la chambre du bateau à vapeur

——

timide
2ᵉ il la fréquente de temps à autres - rarement - puis plus souvent
s'habitue à son désir. l'idée ne lui vient pas qu'il peut la baiser
tranquille de sens, du reste, car ils ont, par les filles publiques un
dérivé naturel α fréquent - tables du Café de Paris - il s'efforce
à aimer la Prostitution, de même qu'à l'exaltation idéale

quai
Napoléon
Delattre
homme tout
d'une pièce

— Laps en province -

3ᵉ période intime dans la maison

Mᵉ Moreau aime ses enfants - voit-elle l'amour de Fred?
elle ne l'aime que lorsque ses enfants commencent à se détacher
d'elle - opposition du caractère de la fille - opacité du fils qui
devient St Cyrien. alors elle est seule (le mari la néglige
plutôt de la part de la femme que du mari
de plus en plus ménage querelleur) α il est tout naturel
qu'elle remarque qui fait attention à elle.
confident de la femme
α du mari
la peau de la
femme

[Folio 37 recto]

que le lecteur croie qu'on va se foutre

elle accepte un rendez-vous —— n'est pas baisée - par sa

dans un hôtel garni de la rue tronchet

volonté - d'ailleurs Fr. s'y prend mal X

alors sa passion - à lui - décroît - α à elle, augmente -

Car tout lui manque - X α c'est de ce jour là qu'elle l'aime

fortement - Mais il n'a pas osé poursuivre - le hasard aussi

s'en mêle, les faits extérieurs, bref l'occasion est à jamais

Repoussé par elle, Fr se lance dans les Lorettes - jalousie de Mᵉ Moreau

elle fait des reproches à son mari tout haut. Mais ils s'adressent

à Fritz. Puis les dépenses, les dettes de

son mari l'accablent

manquée -   l'inquiètent.

———

Maison de campagne aux environs de Paris

|

elle défend son mari quand on l'attaque sous le rapport de la probité

|

Qque ne baisant pas, ils ont des transes - lettres anonymes

etc. -

Fr. passe p- son amant. Lâcheté - il laisse croire cela -

[Folio 37 verso]

Mr Moreau jaloux de Fr. - avant que sa femme ne l'aime
jaloux de la Lorette quand Fr ne l'aime plus -

—

il va, lui, le mari, en progressant dans une voie sentimentale α presqu'idyllique -
d'abord coureur de bordels, puis de lorettes - puis entretient de petites grisettes - il leur achète
des fonds de lingerie - devient de moins en moins inconstant, tourne à la bedolle, s'attendrit A
α aime cependant sa femme α ses enfants - devient très laid, physiquement - tourne au gâteux

—

deux beaux vases toute une garniture de cheminée chic passe de chez Me Moreau chez la
Lorette. Fr. les y retrouve. c'est qque chose de sa jeunesse -

—

gradations dans la débine. — deux ou trois changements de logement, effet sinistre - tout
se rétrécit. le logement est de plus en plus petit - plus qu'une seule bonne - Puis
dans   La Fortune matérielle du ménage a été montant dans la 1ère
la Province - un endroit reculé.   partie du livre. Elle dégringole dans la seconde.

—

dernière entrevue : visite de M^e. - elle s'offre. Mais elle ne l'excite plus α il a peur
des dégoûts futurs - ne pas la rendre ridicule - il en a pitié. elle s'en va - il la
voit monter en fiacre - α tout fut fini -

—

[Folio 38 recto]

Lorettes (secondaires) autour de la principale - ménages α adultères bourgeois autour du ménage Moreau —

B. Mᵉ Moreau a des ironies superbes là dessus - α blague le sentiment la mort dans le cœur
— Les vilenies de la Débauche de son mari l'écartent de l'adultère elle veut pouvoir le mépriser, dans sa conscience

La passion de Fr, foudroyante d'abord, puis timide α constante, puis repoussée - (Car il l'aimait alors tellement qu'il n'a pas compris sa pudeur α s'est retiré) a des intermittences. Il/elle revient à Mᵉ Moreau quand son cœur
                                     le reprend
est vide d'autres femmes.

―――

Elle va céder peut-être - l'orgueil - l'arrête - α l'idée de son fils plus tard insulté a cause d'elle. Elle le voit blessé, tué en duel rapporté sur un brancard détaillé - à mesure que les tentations sont plus fortes, sa vertu devient plus âpre

Quant à l'empêchement de baiser quand tout est mûr p- cela il n'y a pas que sa vertu qui l'empêche mais une circonstance fortuite - le moment précis est passé psychologiquement -

[Folio 38 verso]

Mr Moreau très doux p- sa femme. Jamais ne la brutalise - c'est elle, au contraire qui est violente -

α de plus en plus nerveux

L'état atroce/se continue jusqu'au mariage de sa fille - Fritz n'y assiste pas : il est au mariage de la Lorette qui se fait le même jour à la Madeleine — Sa fille l'abandonne tout à coup — abîme. elle se trouve seule -

On la met dans une maison de santé

elle en sort —

dernière entrevue -

—

Montrer que le Sentimentalisme (son développement depuis 1830 suit la Politique α en reproduit les phases.

[Folio 39 recto]

Relatifs à l'Éducation sentimentale

toutes les dents sont des personnes. une armée muette. chacune a une physionomie

—

Souffrances de l'expansion arrêtée. Il y a un moment où elles ne vous comprennent. (C'est quand on cause d'art α de poésie - α même de sentiment) - on allait les embrasser, étreindre leur âme et l'on se heurte la poitrine contre un mur d'airain hérissé de clous. (ceci doit être montré en dialogue) - dans la 1ᵉʳᵉ partie. Fr. y est moins plus sensible dans la seconde -

L'impossibilité de tenir un secret quel qu'il soit est le trait distinctif des impures.

—

un défaut radical d'imagination un goût excessif - trop de sensualité - pas de suite dans les idées - trop de rêveries l'ont empêché d'être un artiste.

—

un cercle de femmes causant de questions graves.

CHRONOLOGIE

	REPÈRES HISTORIQUES ET CULTURELS	VIE ET ŒUVRES DE GUSTAVE FLAUBERT
1821	Naissance de Baudelaire et de Dostoïevski. Mort de Napoléon.	Le 12 décembre, naissance de Gustave Flaubert à l'hôtel-Dieu de Rouen. Son père en est le chirurgien en chef. Son frère aîné Achille, né en 1813, prendra sa succession.
1824	Mort de Louis XVIII. Son frère, le comte d'Artois, lui succède sous le nom de Charles X.	Le 15 juillet, naissance de Caroline, sœur tendrement aimée.
1830	Les 27, 28 et 29 juillet, les Trois Glorieuses ouvrent la monarchie de Juillet. Louis-Philippe, roi des Français. Bataille d'*Hernani* (Hugo). Stendhal, *Le Rouge et le Noir*.	
1835	Le 28 juillet, attentat manqué de Fieschi contre Louis-Philippe. Lois répressives contre la presse et le théâtre. Balzac, *Le Père Goriot*.	Composition des premières narrations historiques, suivies par des nouvelles historiques, des contes philosophiques et fantastiques.
1836	Musset, *Confession d'un enfant du siècle*. Gautier, *Mademoiselle de Maupin*.	Pendant l'été, rencontre à Trouville de Mme Schlesinger, grand amour idéalisé de Flaubert.
1837	Prise de Constantine. Balzac, *Illusions perdues*. George Sand, *Mauprat*. Mérimée, *La Vénus d'Ille*.	Premières publications dans une revue rouennaise, *Le Colibri* : *Bibliomanie* et *Une leçon d'histoire naturelle* – genre commis.
1838	George Sand, *La Dernière Aldini*. Hugo, *Ruy Blas*.	*Mémoires d'un fou* (œuvre autobiographique ; publication posthume).
1839	Insurrection de la Société des Saisons. Stendhal, *La Chartreuse de Parme*.	*Smarh* (première ébauche de *La Tentation de saint Antoine* ; publication posthume).

1840	George Sand, *Le Compagnon du tour de France*. Hugo, *Les Rayons et les Ombres*.	À la fin de l'été, il est reçu bachelier. Voyage dans les Pyrénées et en Corse avec le docteur Jules Cloquet, ami de son père.
1841	Balzac, *Une ténébreuse affaire*. Lamartine, *Histoire des Girondins*.	Novembre, première inscription à la faculté de droit de Paris.
1842	Aloysius Bertrand, *Gaspard de la nuit*. Sue, *Les Mystères de Paris*.	Le 25 octobre, il termine *Novembre* (œuvre autobiographique ; publication posthume).
1843	George Sand, *Consuelo*. Balzac, *La Muse du département*. Hugo, *Les Burgraves*.	Février : Flaubert entreprend la « première version » de *L'Éducation sentimentale*. Il échoue à l'examen de deuxième année en droit.
1844	Dumas, *Les Trois Mousquetaires*, *Le Comte de Monte-Cristo*. Sue, *Le Juif errant*. Balzac. *Splendeurs et misères des courtisanes*.	Janvier : Flaubert est terrassé par une crise nerveuse. Abandonne ses études de droit. La famille achète une propriété à Croisset, à quelques kilomètres de Rouen.
1845	Balzac, *Béatrix*. Barbey d'Aurevilly, *Du dandysme et de George Brummel*.	Janvier : fin de la « première » *Éducation sentimentale* (publication posthume). Mars, mariage de Caroline. Toute la famille accompagne le jeune couple dans son voyage de noces en Provence, en Italie et en Suisse.
1846	Balzac, *La Cousine Bette*. George Sand, *La Mare au diable*. Cousin, *Du vrai, du beau, du bien*.	Janvier : mort du père de Flaubert ; mars : mort de sa sœur : elle laisse une petite Caroline que l'écrivain et sa mère élèvent. Première liaison avec Louise Colet.
1847	Juin : début de la campagne des banquets républicains. Balzac, *Le Cousin Pons*. Michelet, *Histoire de la Révolution*.	De mai à août : voyage avec Du Camp en Touraine et en Bretagne, qui donne lieu à un récit inédit du vivant de Flaubert, *Par les champs et par les grèves*.

	REPÈRES HISTORIQUES ET CULTURELS	VIE ET ŒUVRES DE GUSTAVE FLAUBERT
1848	Les 22, 23 et 24 février, révolution. Abdication de Louis-Philippe. Début de la IIᵉ République. Du 22 au 25 juin, insurrection parisienne. Le 10 décembre, Louis Napoléon Bonaparte élu à la présidence de la République.	Flaubert est présent à Paris lors des journées de février. Le 3 avril, mort d'Alfred Le Poittevin, ami très cher. Le 24 mai il commence à rédiger la première version de *La Tentation de saint Antoine*. Rupture avec Louise Colet.
1849	Le 9 février, proclamation de la république à Rome. Expédition organisée par la France qui chasse les républicains et rétablit le pape Pie IX. Chateaubriand, *Mémoires d'outre-tombe*.	Bouilhet et Du Camp jugent *La Tentation* ratée, au grand désespoir de l'auteur. Départ avec Du Camp pour un grand voyage en Orient. À partir de novembre : Égypte.
1850	Loi Falloux sur l'enseignement. Mort de Balzac. Naissance de Maupassant.	À partir de juillet : Palestine, Syrie, Liban, Asie Mineure. Le 18 décembre, arrivée à Athènes.
1851	Le 2 décembre, coup d'État de Louis Napoléon Bonaparte. Le 4 décembre, fusillade des boulevards. Le 21 décembre, ratification du coup d'État par le plébiscite.	Retour d'Orient par la Grèce et l'Italie. Juillet : il renoue avec Louise Colet. Septembre : début de la rédaction de *Madame Bovary*. Il est à Paris lors du coup d'État.
1854	Mars, début de la guerre de Crimée.	Octobre, rupture définitive avec Louise Colet.
1856	Hugo, *Les Contemplations*. Taine, *Les Philosophes français du XIXᵉ siècle*.	Le 30 avril, fin de la rédaction de *Madame Bovary*. Entre mai et octobre, reprise de *La Tentation de saint Antoine* (deuxième version). Le 1ᵉʳ octobre, début de la publication de *Madame Bovary* dans la *Revue de Paris*.
1857	Baudelaire, *Les Fleurs du mal* et leur procès. Champfleury, *Manifeste du réalisme*.	Procès de *Madame Bovary*. Acquittement. Avril : publication du roman en volume. Le 1ᵉʳ septembre, Flaubert commence *Salammbô*.

CHRONOLOGIE

1858	Le 14 janvier, attentat d'Orsini. Le 19 février, loi de sûreté générale. Le 21 juillet, entrevue de Plombières entre Napoléon III et Cavour. Gautier, *Le Roman de la momie*.	*Avril et mai: voyage en Tunisie et en Algérie pour Salammbô.*
1862	Hugo, *Les Misérables*. Fromentin, *Dominique*.	*Avril, fin de la rédaction de Salammbô, publié en novembre. Rédaction d'une féerie en collaboration avec Bouilhet et d'Osmoy : Le Château des cœurs.*
1863	Création du Salon des refusés. Manet, *Le Déjeuner sur l'herbe*. Taine, *Histoire de la littérature anglaise*. Renan, *La Vie de Jésus*.	*Flaubert hésite toujours entre deux projets : un « roman parisien », future Éducation sentimentale, et « l'histoire des deux cloportes », futur Bouvard et Pécuchet.*
1864	Le 11 janvier, discours de Thiers sur les libertés nécessaires. Le 8 décembre, publication de l'encyclique *Quanta cura* et du *Syllabus*.	*Le 1ᵉʳ septembre, début de la rédaction de L'Éducation sentimentale. Novembre, il est invité à Compiègne par l'empereur.*
1865	Entrevue de Napoléon III et Bismarck à Biarritz. Edmond et Jules de Goncourt, *Germinie Lacerteux*. Claude Bernard, *Introduction à l'étude de la médecine expérimentale*. Manet, *Olympia*.	*Juillet : voyage à Londres et à Baden-Baden. Époque des « dîners Magny », fondés par Gavarni en 1862, qui réunissent George Sand, Sainte-Beuve, Taine, Littré, les frères Goncourt…*
1866	Le 3 juillet, Sadowa. Faillite du Crédit mobilier. Offenbach, *La Vie parisienne*.	*Juillet : voyage à Londres. Le 15 août, Flaubert est fait chevalier de la Légion d'honneur.*
1869	Inauguration du canal de Suez. Lautréamont, *Les Chants de Maldoror*. Verlaine, *Fêtes galantes*. Zola, *La Fortune des Rougon*.	*Le 16 mai, fin de la rédaction de L'Éducation sentimentale. Le 18 juillet, mort de Louis Bouilhet, sa « conscience littéraire ». Novembre, publication du roman.*

	REPÈRES HISTORIQUES ET CULTURELS	VIE ET ŒUVRES DE GUSTAVE FLAUBERT
1870	Le 19 juillet, déclaration de guerre à la Prusse. Le 2 septembre, défaite de Sedan. Le 4 septembre, proclamation de la république. Le 19 septembre, début du siège de Paris. Gustave Moreau, *Orphée et Salomé*.	Juin : reprise de *La Tentation de saint Antoine* (troisième et dernière version). Septembre : Flaubert est lieutenant de la garde nationale. Décembre : occupation de Croisset par les Prussiens.
1871	Le 28 janvier, armistice et capitulation de Paris. Le 12 février, l'Assemblée nationale siège à Bordeaux, Thiers chef du gouvernement. Du 18 mars au 28 mai, Commune de Paris. Le 10 mai, traité de Francfort : la France perd l'Alsace et la Lorraine.	Mars : Flaubert rend visite à la princesse Mathilde à Bruxelles puis voyage en Angleterre. Poursuite de la rédaction de *La Tentation*.
1872	Le 14 mars, loi contre l'Internationale. Le 23 octobre, mort de Théophile Gautier. Daudet, *Tartarin de Tarascon*. Verne, *Le Tour du monde en quatre-vingts jours*. Zola, *La Curée*.	Le 6 avril, mort de sa mère. Le 20 juin, fin de la nouvelle version de *La Tentation*. Juillet, Flaubert commence à remanier une comédie de Bouilhet, *Le Sexe faible*. Août : début des « grandes lectures » pour *Bouvard et Pécuchet*.
1873	Le 24 mai, Thiers est renversé par l'Ordre moral, coalition monarchiste et conservatrice. Le maréchal de Mac-Mahon est élu président de la République.	Poursuite de la documentation pour *Bouvard et Pécuchet*. Entre juillet et novembre, composition du *Candidat*, pièce qui fait un four l'année suivante.
1874	Première exposition des impressionnistes. Monet, *Impression, soleil levant*. Verlaine, *Romances sans paroles*. Rimbaud, *Illuminations*.	Avril : publication de *La Tentation de saint Antoine*. Juillet : cure en Suisse à Kaltbad, au pied du Righi. Le 1er août, début de la rédaction de *Bouvard et Pécuchet*.
1875	Février : constitution de la IIIe République. Le 12 juillet, loi relative à la liberté de l'enseignement supérieur. Zola, *La Faute de l'abbé Mouret*. Quinet,	Ruine de Flaubert consécutive à la faillite du mari de sa nièce, Ernest Commanville. Interruption de *Bouvard et Pécuchet* au milieu du troisième chapitre. Septembre,

C H R O N O L O G I E

1876	L'Esprit nouveau. Scandale causé par la *Carmen* de Bizet.	séjour à Concarneau chez le naturaliste Georges Pouchet. Rédaction de *La Légende de saint Julien l'Hospitalier*.
	Le 8 juin, mort de George Sand. Mallarmé, *L'Après-midi d'un faune*.	
1877	Le 16 mai, crise gouvernementale. Zola, *L'Assommoir*.	Rédaction d'*Un cœur simple*. Novembre, début d'*Hérodias*.
		Avril, publication de *Trois Contes*. Juin, reprise de *Bouvard et Pécuchet*.
1879	Le 30 janvier, démission de Mac-Mahon. Huysmans, *Les Sœurs Vatard*.	Problèmes financiers et fracture du péroné.
1880	Lois Jules Ferry sur l'enseignement. Zola, Maupassant, Céard, Huysmans, Hennique et Alexis, *Les Soirées de Médan*. Zola, *Le Roman expérimental*, *Nana*.	Le 8 mai, Flaubert meurt d'une hémorragie cérébrale et laisse *Bouvard et Pécuchet* inachevé (publié en 1881).

BIBLIOGRAPHIE

PRINCIPALES ÉDITIONS MODERNES

L'Éducation sentimentale, édition de René Dumesnil, Les Belles Lettres, « Les textes français », 1942, 2 vol.

L'Éducation sentimentale, dans les *Œuvres complètes*, t. III, édition de Maurice Bardèche, Club de l'honnête homme, 1971.

L'Éducation sentimentale, édition d'Alan Raitt, Imprimerie nationale, « Lettres françaises », 1979, 2 vol.

L'Éducation sentimentale, édition de Peter Michael Wetherill, Garnier, « Classiques », 1984.

L'Éducation sentimentale, édition de Claudine Gothot-Mersch, Flammarion, « GF », 1985.

L'Éducation sentimentale, édition de Pierre-Marc de Biasi, LGF, « Le Livre de poche, Classique », 2002.

ÉTUDES GÉNÉRALES SUR FLAUBERT ET CORRESPONDANCE

Pierre-Marc DE BIASI, *Flaubert. Les secrets de l'homme-plume*, Hachette, 1995.

–, *Gustave Flaubert. Une manière spéciale de vivre* [2009], LGF, « Le Livre de poche, Références », 2011.

Victor BROMBERT, *The Novels of Flaubert*, Princeton, Princeton University Press, 1966 ; abrégé dans *Flaubert par lui-même*, Le Seuil, 1971.

Jean BRUNEAU, *Les Débuts littéraires de Gustave Flaubert, 1831-1845*, Armand Colin, 1962.

Raymonde DEBRAY-GENETTE, *Flaubert*, Didier, « Miroir de la critique », 1970.

Marie-Jeanne DURRY, *Flaubert et ses projets inédits*, Nizet, 1950.

Gustave FLAUBERT, *Correspondance*, édition de Jean Bruneau et Yvan Leclerc, Gallimard, « Bibliothèque de la Pléiade », 5 vol., et Index, 1973-2007.

–, *Les Carnets de travail*, édition de Pierre-Marc de Biasi, Balland, 1988.

–, *Correspondance*, édition de Bernard Masson, Gallimard, « Folio classique », 1998.

Gustave FLAUBERT – Alfred LE POITTEVIN, Gustave FLAUBERT – Maxime DU CAMP, *Correspondances*, édition d'Yvan Leclerc, Flammarion, 2000.

Diana KNIGHT, *Flaubert's Characters : the Language of Illusion*, Cambridge, Cambridge University Press, 1985.

Éric LE CALVEZ, *Gustave Flaubert. A Documentary Volume*, Detroit, Thomson Gale, « Dictionary of Literary Biography », 2004.

–, *Gustave Flaubert. Un monde de livres*, Textuel, « Passion », 2006.

Claude MOUCHARD et Jacques NEEFS, *Flaubert*, Balland, « Phares », 1986.

Marcel PROUST, « À propos du style de Flaubert » [1919], *Contre Sainte-Beuve*, précédé de *Pastiches et mélanges* et suivi d'*Essais et articles*, Gallimard, « Bibliothèque de la Pléiade », 1971.

Jean-Pierre RICHARD, *Stendhal et Flaubert. Littérature et sensation* [1954], Le Seuil, « Points », 1970.

Gisèle SÉGINGER, *Flaubert, une poétique de l'histoire*, Strasbourg, Presses universitaires de Strasbourg, 2000.

Albert THIBAUDET, *Gustave Flaubert*, Gallimard, 1935, rééd. « Tel », 1982.

Michel WINOCK, *Flaubert*, Gallimard, « NRF Biographies », 2013.

RECUEILS D'ARTICLES ET OUVRAGES SUR *L'ÉDUCATION SENTIMENTALE*

Jeanne BEM, *Clefs pour « L'Éducation sentimentale »*, Tübingen, Gunter Narr Verlag, et Paris, Jean-Michel Place, 1981.

Pierre-Georges CASTEX, *Flaubert, « L'Éducation sentimentale »*, SEDES-CDU, 1980.

Alberto CENTO, *Il realismo documentario nell'« Éducation sentimentale »*, Naples, Liguori, 1967.

Pierre COGNY, *« L'Éducation sentimentale » de Flaubert : le monde en creux*, Larousse, « Thèmes et textes », 1975.

Jean-Pierre DUQUETTE, *Flaubert ou l'Architecture du vide*, Montréal, Presses de l'université de Montréal, 1972.

Europe, septembre-novembre 1969, actes du colloque organisé à Rouen pour le centenaire de *L'Éducation sentimentale* [désormais : *Eur.*].

Histoire et langage dans « L'Éducation sentimentale » de Flaubert (collectif), CDU-SEDES, 1981 [désormais : *Hist.*].

Éric LE CALVEZ, *Flaubert topographe : « L'Éducation sentimentale ». Essai de poétique génétique*, Amsterdam et Atlanta, Rodopi, « Faux titre », 1997.

–, *La Production du descriptif. Exogenèse et endogenèse de « L'Éducation sentimentale »*, Amsterdam, Rodopi, « Faux titre », 2002.

Peter Michael WETHERILL, *« L'Éducation sentimentale ». Images et documents*, Garnier, « Classiques », 1985.

Articles et ouvrages portant partiellement sur *L'Éducation sentimentale*

Marie-Claire BANCQUART, « L'espace urbain de *L'Éducation sentimentale* : intérieurs, extérieurs », in *Flaubert, la femme, la ville* (collectif), PUF, 1982.

Jeanne BEM, « La forêt de Flaubert : retour sur un épisode de *L'Éducation sentimentale* », in *Orients littéraires. Mélanges offerts à Jacques Huré* (collectif), Honoré Champion, 2004.

Pierre-Marc DE BIASI, « *L'Éducation sentimentale* », in *L'Histoire* (collectif), Belin, 1989.

–, « Roman et histoire : une écriture subliminale », in *Flaubert et la théorie littéraire. En hommage à Claudine Gothot-Mersch* (collectif), Bruxelles, Facultés universitaires Saint-Louis, 2005.

–, « "Qu'est-ce que cela veut dire, la réalité ?" Le cryptage du réel dans *L'Éducation sentimentale* », in *Le Flaubert réel* (collectif), Tübingen, Max Niemeyer Verlag, 2009.

– et Déborah BOLTZ, « Ajouts, omissions, substitutions : la main fautive des copistes dans le texte de *L'Éducation sentimentale* », *Flaubert. Revue critique et génétique*, 1, 2009.

Déborah BOLTZ, « Pour une approche génétique de *L'Éducation sentimentale* (1869) : état présent, perspectives, démarches », *Flaubert. Revue critique et génétique*, Genèse, 2009.

Pierre BOURDIEU, *Les Règles de l'art. Genèse et structure du champ littéraire* [1992], Le Seuil, « Points », 1998.

Jean BRUNEAU, « Le rôle du hasard dans *L'Éducation sentimentale* », *Eur.*

–, « Sur la genèse de *L'Éducation sentimentale* », in *Flaubert e il pensiero del suo secolo* (collectif), Messine, Faculté de lettres et de philosophie, 1985.

Stratton Buck, « Sources historiques et technique romanesque dans *L'Éducation sentimentale* », *Revue d'histoire littéraire de la France*, octobre-décembre 1963.

Pierre Campion, « Roman et histoire dans *L'Éducation sentimentale* », *Poétique*, 85, 1991.

Antoine Compagnon, *La Troisième République des Lettres – De Flaubert à Proust*, Le Seuil, « Poétique », 1983.

Michel Crouzet, « *L'Éducation sentimentale* et le genre historique », *Hist*.

Raymonde Debray-Genette, « Lettre à Jules Duplan : la potbouille et l'ensouple », in *L'Œuvre de l'œuvre* (collectif), Saint-Denis, Presses universitaires de Vincennes, « Essais et savoir », 1993.

Stéphanie Dord-Crouslé, « Flaubert relecteur de lui-même : le cas épineux de *L'Éducation sentimentale* », in *La Relecture de l'œuvre par ses écrivains mêmes. I, Tombeaux et testaments* (collectif), Éditions Kimé, « Les cahiers de Marge », 2007.

Graham Falconer, « Le statut de l'histoire dans *L'Éducation sentimentale* », in *Littérature et révolutions en France* (collectif), Amsterdam et Atlanta, Rodopi, « Faux titre », 1991.

Gérard Genette, « Silences de Flaubert », *Figures I* [1966], Le Seuil, « Points », 1976.

René Girard, *Mensonge romantique et vérité romanesque* [1961], Grasset, « Pluriel », 1985.

Joëlle Gleize, *Le Double Miroir. Le livre dans les livres de Stendhal à Proust*, Hachette, « Recherches universitaires », 1992.

Guillaume Gomot, « *Est-elle bête !... Rosanette : une figure animale de L'Éducation sentimentale ?* », *Revue Flaubert*, 10, 2010.

Claudine Gothot-Mersch, « Portraits en antithèse dans les récits de Flaubert », in *Essais sur Flaubert en l'honneur du professeur Don Louis Demorest* (collectif), Nizet, 1979.

–, « Rousseau et Flaubert : une source de *L'Éducation sentimentale* dans les *Confessions* », in *Mélanges de littérature en hommage à Albert Kies* (collectif), Bruxelles, Facultés universitaires Saint-Louis, 1985.

–, « Méandres de la création flaubertienne : la Vatnaz dans les manuscrits de *L'Éducation sentimentale* », *Texte*, 7, 1988.

–, « Quand un romancier met un peintre à l'œuvre : le portrait de Rosanette dans *L'Éducation sentimentale* », in *Voix de l'écrivain. Mélanges offerts à Guy Sagnes* (collectif), Toulouse, Presses universitaires du Mirail, « Les cahiers de littérature », 1996.

Anne Green, « "Ce n'est jamais ça..." Écriture et photographie chez Flaubert », in *Flaubert et la théorie littéraire. En hommage* à *Claudine Gothot-Mersch* (collectif), Bruxelles, Facultés universitaires Saint-Louis, 2005.

Philippe HAMON, « Un album », in *Le Miroir et le Chemin. L'univers romanesque de Pierre-Louis Rey* (collectif), Presses Sorbonne nouvelle, 2007.

Tomoko HASHIMOTO, « Écriture et hallucination. Autour du "Jardin des Plantes" (*L'Éducation sentimentale*, I, 5) », *Revue Flaubert*, 6, 2007.

Anne HERSCHBERG PIERROT, « Le travail des stéréotypes dans les brouillons de la "prise des Tuileries" (*L'Éducation sentimentale*, III, 1) », *Hist.*

Éric LE CALVEZ, « Visite guidée. Genèse du château de Fontainebleau dans *L'Éducation sentimentale* », *Genesis*, 5, 1994.

–, *Genèses flaubertiennes*, Amsterdam et New York, Rodopi, « Faux titre », 2009.

–, « "République de 1848" », in *Éditer le chantier documentaire de « Bouvard et Pécuchet ». Explorations critiques et premières réalisations numériques* (collectif), Messine, Andrea Lippolis Editore, 2010.

Kazuhiro MATSUZAWA, « L'illusion de la désillusion : essai d'interprétation génétique de *L'Éducation sentimentale* », *Flaubert. Revue critique et génétique*, 3, 2010.

–, « Le jeu intertextuel et la question de l'interprétation dans la genèse de l'avant-dernier chapitre de *L'Éducation sentimentale* », in *Comment naît une œuvre littéraire ? Brouillons, contextes culturels, évolutions thématiques* (collectif), Honoré Champion, « Colloques, congrès et conférences. Époque moderne et contemporaine », 2011.

Henri MITTERAND, « "Les pantoufles de la bonne…" : la sémiologie de la dérision dans *L'Éducation sentimentale* », in *La Pensée du paradoxe. Approches du romantisme. Hommage à Michel Crouzet* (collectif), PUPS, « Mémoire de la critique », 2006.

Jacques NEEFS, « Flaubert, sous Napoléon III », in *Comment meurt une république. Autour du 2 décembre* (collectif), Créaphis, 2004.

–, « "Un peintre en blouse bleue " », in *Le Détour par les autres arts. Pour Marie-Claire Ropars* (collectif), Éditions L'Improviste, « Les Aéronautes de l'esprit », 2004.

Harald NEHR, *Das sentimentalische Objekt. Die Kritik der Romantik in Flauberts « Éducation sentimentale »*, Heidelberg, Universitätsverlag Winter, « Studia romanica », 2007.

Dorf OEHLER, *Le Spleen contre l'oubli. Juin 1848. Baudelaire, Flaubert, Heine, Herzen*, Payot, « Critique de la politique », 1996.

Kosei OGURA, « Le discours socialiste dans l'avant-texte de *L'Éducation sentimentale* », *Gustave Flaubert 4, intersections*, Revue des Lettres Modernes, Minard, 1994.

Mary ORR, « Still life and moving death in Flaubert's *L'Éducation sentimentale* », *Dix-Neuf, Journal of the Society of Dix-Neuviémistes*, 5, 2005.

Nathalie PETIT, « Le dossier "Journaux" : de *L'Éducation sentimentale* au "second volume" de *Bouvard et Pécuchet* », in *Éditer le chantier documentaire de « Bouvard et Pécuchet ». Explorations critiques et premières réalisations numériques* (collectif), Messine, Andrea Lippolis Editore, 2010.

Jacques PROUST, « Structure et sens de *L'Éducation sentimentale* », *Revue des sciences humaines*, 125, 1967.

Michel RAIMOND, « Le réalisme subjectif dans *L'Éducation sentimentale* », in *Travail de Flaubert* (collectif), Le Seuil, « Points-Littérature », 1983.

Jean ROUSSET, *Leurs yeux se rencontrèrent. La scène de première rencontre dans le roman*, José Corti, 1989.

Guy SAGNES, « De Balzac à Flaubert : l'enfance de Deslauriers d'après le manuscrit de *L'Éducation sentimentale* », *Littératures*, 2, automne 1980.

–, « Tentations balzaciennes dans le manuscrit de *L'Éducation sentimentale* », *L'Année balzacienne*, II, 1981.

Nicole SAVY, « Arroi et désarroi : Flaubert et la tentation de l'art dans *L'Éducation sentimentale* », in *Savoirs en récit. I, Flaubert : la politique, l'art, l'histoire* (collectif), Saint-Denis, Presses universitaires de Vincennes, « Manuscrits modernes », 2010.

Marion SCHMID, « Reading it right : transparency and opacity in the avant-texte and the published text of Flaubert's *L'Éducation sentimentale* », *Nineteenth-Century French Studies*, 26, 1/2, Fall-Winter 1997-1998.

Gisèle SÉGINGER, *Flaubert une poétique de l'histoire*, Presses universitaires de Strasbourg, 2000.

–, « Flaubert contre Flaubert. *L'Éducation sentimentale* et le système Bourdieu », in *Dix Ans de critique. Notes inédites de Flaubert sur L'Esthétique de Hegel* (collectif), Lettres Modernes Minard, « Gustave Flaubert, 5 », 2005.

–, « Flaubert lecteur de Balzac. *L'Éducation sentimentale* ou la réinvention du roman », in *Balzac, Flaubert. La genèse de l'œuvre et la question de l'interprétation* (collectif), Nagoya, Nagoya University, 2009.

Béatrice SLAMA, « Une lecture de *L'Éducation sentimentale* », *Littérature*, 2, mai 1971.

Sylvie TRIAIRE, « "N'importe…" : s'être (ou savoir) aimé. Semblances du désir dans *L'Éducation sentimentale* », *Flaubert. Revue critique et génétique*, 3, 2010.

Peter Michael WETHERILL, « C'est là ce que nous avons eu de meilleur », in *Flaubert à l'œuvre* (collectif), Flammarion, « Textes et manuscrits », 1980.

–, « Ébauches multiples et contradictoires », in *Esquisses / Ébauches. Projects and Pre-Texts in Nineteenth-Century French Culture* (collectif), New York, Peter Lang, 2007.

–, « Pièces sonnantes mais trébuchantes », *Bulletin Flaubert-Maupassant*, 27, 2012.

Tony WILLIAMS, « Avant-texte, intertexte, hypertexte : l'épisode du Club de l'Intelligence dans *L'Éducation sentimentale* », in *La Création en acte. Devenir de la critique génétique* (collectif), New York, Rodopi, « Faux titre », 2007.

–, « Une édition génétique en ligne : L'Histoire en question dans *L'Éducation sentimentale* », in *L'Édition du manuscrit. De l'archive de création au scriptorium électronique* (collectif), Louvain-La-Neuve, Academia Bruylant, « Au cœur des textes », 2008.

RESSOURCES EN LIGNE

Site du Centre Flaubert de l'université de Rouen :
http://flaubert.univ-rouen.fr/

Revue Flaubert : http://flaubert.univ-rouen.fr/revue/

Site de l'équipe Flaubert de l'ITEM :
http://www.item.ens.fr/index.php?id=115642

Flaubert. Revue critique et génétique : http://flaubert.revues.org/

Site « L'Histoire en question dans *L'Éducation sentimentale* » :
http://www.hull.ac.uk/hitm/

Manuscrits de *L'Éducation sentimentale* (BNF, NAF 17599-17611) sur Gallica : http://gallica.bnf.fr/

Notes prises pour *L'Éducation sentimentale* et réutilisées pour *Bouvard et Pécuchet* : http://dossiers-flaubert.ish-lyon.cnrs.fr/

Exemplaire de *L'Éducation sentimentale* (édition Charpentier, 1879) corrigé par Flaubert :
http://flaubert.univ-rouen.fr/bibliotheque/feuilletoir/

TABLE

___

Mise en page par Meta-systems
59100 Roubaix

N° d'édition : L.01EHPN000603.N001
Dépôt légal : août 2013
Imprimé en Espagne par Novoprint (Barcelone)

